# Guide
## du
# PRADO

© SILEX®: 1980
I.S.B.N.: 84-85041-48-8
Dépôt Légal: M-20944-1980
Maquette: J.M. Domínguez
Imprimé en Espagne par: Unión Gráfica, S.A.
(Printed in Spain)

Traduit par:
Lucien Nève de Mévergnies

CONSUELO LUCA DE TENA & MANUELA MENA

# Guide du PRADO

Silex

# SOMMAIRE

# PROLOGUE

*A parcourir l'abondante bibliographie sur le Musée du Prado depuis son inauguration en 1819 (cette même année parut le Catalogue des tableaux de l'Ecole espagnole), on notera les multiples manières dont il a été abordé. Les uns ont retracé l'histoire de ses bâtiments ou de la formation de ses collections. Les autres ont fait des recherches sur telle ou telle de ses oeuvres. Des critiques ont rédigé sur celles-ci des commentaires artistiques ou littéraires, tandis que des spécialistes en ont analysé un genre ou une iconographie en particulier, etc. Si Juan Antonio Gaya Nuño, qui ne se lassait pas d'étudier notre art et notre musée, avait eu le temps de mettre au point sa «Bibliographie critique» du Prado (à laquelle il faisait allusion dans son histoire du Musée), on aurait été émerveillé par le nombre et la qualité des publications qu'il avait recensées. Mais toutes celles-ci seront toujours sutenues par le squelette des Catalogues et des Guides. Les Catalogues sont essentiellement élaborés au sein du Musée —on en doit le premier très sommaire de 1819 à Luis Eusebi— car ce travail, réalisé au jour le jour, selon des critères de plus en plus exigeants, est l'une des tâches primordiales de toute institution qui possède en dépôt un trésor aussi inestimable. Quant à la publication des Guides, tout en faisant l'objet d'une des multiples activités qui incombent à un musée, elle admet, voire réclame la participation de diverses entités privées. En effet, ils donnent libre champ aux initiatives qui visent, avec plus ou moins de bonheur, à faciliter l'accès des oeuvres d'art aux visiteurs. Ils ont pour but essentiel d'orienter ceux-ci de façon claire et concise. Plus que jamais vaut ici la maxime de Gracián: «Plus c'est court mieux c'est!».*

l faut en tenir compte pour porter un jugement sur le présent Guide du Prado, qui vient s'ajouter à la longue série de ceux qui ont déjà paru. Je suis sûr que ses auteurs et son éditeur se sont lancés avec compétence à la poursuite d'un objectif qui était difficile à atteindre: offrir une information dense sur les tableaux conservés dans l'édifice néo-classique de Villanueva (en attendant qu'elle puisse s'étendre aussi à ceux des XIXᵉ et XXᵉ s. gardés au Casón del Buen Retiro), dont la longueur soit proportionnée à l'importance de chacun, mais en veillant bien à faire la recension, jusqu'au dernier, de tous ceux qui figurent au Catalogue des peintures publié par le Prado. En outre, cet ouvrage est abondamment illustré à l'aide de 217 photographies en noir et blanc et 79 en couleurs. Il sera dès lors un aide-mémoire d'autant plus précieux, en raison de cette double connexion établie de la sorte entre «Guide» et «Catalogue».

L'usager de ce Guide ne manquera pas de lire d'abord attentivement son introduction, relative à l'histoire et aux caractéristiques des fonds du Musée, ainsi que son mode d'emploi et le circuit à suivre lors d'une visite. Pour se faire une idée d'ensemble, il lira ensuite la notice placée en tête de chaque école. Il pourra enfin entrer dans le détail des renseignements fournis sur tel peintre ou tel tableau en particulier. Pour l'aider dans son appréciation, les auteurs, Manuela Mena et Consuelo Luca de Tena, ont farci leur texte de rapides jugements critiques.

Cet ouvrage paraît à un moment où l'on exécute au Prado de gros travaux, qui réussiront, du moins nous l'espérons, à perfectionner bientôt son image de fond en comble. Ses bâtiments étant situés dans une des zones les plus polluées de Madrid, il s'est avéré nécessaire de les climatiser complètement en assurant l'épuration de l'air, ainsi que le contrôle de l'humidité relative et de la température. Heureusement, on a tout à fait achevé, derrière la façade orientale du Musée, la construction souterraine de la salle des machines, unique en son genre jusqu'à ce jour. On a entrepris d'autres travaux en vue de renouveler l'éclairage, de même que les dispositifs de sûreté contre le vol et l'incendie. Ajoutez-y la restructuration des salles d'exposition (tout en respectant la disposition heureuse de nombre d'entre elles), l'installation d'une salle de conférences et de projections audio-visuelles, l'aménagement de locaux destinés à des expositions temporaires, la transformation des ateliers de restauration des tableaux (qu'il est urgent d'intensifier), des laboratoires et des dépôts (de façon à rendre plus accessibles au public les tableaux non exposés), l'agrandissement de la bibliothèque, l'inauguration d'un vaste snack-bar, etc. Il faudra du temps pour réaliser tout ce programme et mener encore d'autres objectifs à bonne fin. Mais, dans l'intervalle, ce Guide sera très utile, grâce à la structure qu'il présente. Souhaitons que lors d'éditions ultérieures on puisse le compléter en y adjoignant la présentation des tableaux du Casón del Buen Retiro, qui se voit aussi soumis à d'amples transformations. Nous avons déjà dit qu'on y conservait les oeuvres des XIXᵉ et XXᵉ s. Cependant, on doit savoir qu'il abritera aussi le «Muséum de dessins», dirigé par Manuela Mena, coauteur de cet ouvrage, qui a donné maintes preuves de sa compétence dans ce domaine, étroitement lié à la peinture, qu'il y a lieu de développer davantage dans notre Musée.

*Nous espérons que les lecteurs trouveront dans ce* Guide du Prado *un instrument efficace pour tirer profit de toutes les leçons que ce Musée leur offre. Il convient, en effet, de souligner combien il est exceptionnel qu'en parcourant les salles d'une pinacothèque on ait l'occasion, non seulement d'admirer des tableaux de premier ordre, mais encore de comprendre comment la sensibilité des plus grands maîtres espagnols s'est enrichie au contact de ceux d'autres écoles. Les liens qui les rattachent surtout à l'art des Italiens et des Flamands, sont bien révélateurs à ce sujet. Au Prado, on ne tarde pas à découvrir de quelle manière se sont formés des génies comme un Greco ou un Vélasquez, quand l'on y voit à côté d'eux les magnifiques toiles d'un Titien ou d'un Tintoret. Nos artistes ont été fort marqués par l'empreinte qu'ils ont reçue à la vue des tableaux qui décoraient les Palais royaux et son entrés plus tard au Prado. Il est heureux que les rois des Maisons d'Autriche et de Bourbon aient pratiquement tous fait montre d'un grand intérêt pour collectionner des oeuvres d'art. Dans quelle mesure les préférences de ces monarques ont-elles laissé des traces décisives dans la peinture espagnole? On ne peut répondre à cette question qu'en contemplant au Musée toutes les oeuvres, non seulement des peintres de cour, mais encore de ceux qui ont dû travailler dans l'ancien Alcázar de Madrid ou d'autres résidences royales, telles que l'Escorial. Du reste, les tableaux issus des collections royales ne sont pas les seuls instructifs; ceux provenant des monastères et couvents supprimés le sont tout autant. C'est ainsi que le Musée du Prado, doté de très riches trésors inégalement répartis (il ne faut pas ignorer non plus ses graves lacunes), nous apparaît comme le témoin le plus qualifié pour nous attester de quelle manière notre pays s'ouvrit à l'art de la peinture et reçut de féconds stimulants de l'étranger, mais, en même temps, fit apport au monde d'artistes aussi extraordinaires que le Greco, Vélasquez et Goya, sans compter bien d'autres encore, qui ont imprimé leur cachet propre à divers foyers artistiques en Andalousie, en Castille et ailleurs en Espagne.*

*José Manuel Pita Andrade*
*Directeur du Prado*

# MODE D'EMPLOI DU GUIDE

Le *Guide du Prado* contient tous les tableaux catalogués au Musée, sauf ceux du XIXᵉ s., qui sont exposés dans l'édifice annexe du Casón del Buen Retiro. On n'y cite pas seulement ceux qui se trouvent à présent dans les salles, mais encore ceux des réserves, qui ne sont montrés que de temps à autre. Le Guide est distribué par Ecoles —suivant l'organisation du Musée, comportant toutefois d'autres subdivisions par siècles—, qui sont précédées chacune d'une brève introduction, y relevant les artistes et les tableaux les plus importants, ainsi que la provenance de ceux-ci. A l'intérieur de chaque école, les peintres sont classés par ordre alphabétique; on précise le plus possible les lieux et dates de leur naissance et de leur mort. En outre, la plupart y ont droit à une courte biographie, où il est question de leur style et de la place qu'ils occupent dans l'histoire de la peinture. Leurs oeuvres sont ensuite mentionnées dans l'ordre de la numérotation du Catalogue du Musée. On indique à la suite du titre: leur support («b.» = sur bois; «t.» = sur toile; «c.» = sur cuivre), leurs dimensions (en centimètres), leur signature et leur date, si elles y figurent. Un bon nombre de tableaux méritent en plus un commentaire sur la technique de leur composition. La légende des tableaux reproduits dans cet ouvrage comporte toujours en tête leur n.º de catalogue.

Comment retrouver un tableau ou un artiste? En cherchant d'abord l'école à laquelle il appartient: les peintres y sont classés dans l'ordre alphabétique; les tableaux, suivant leur numéro d'ordre (1).

Au Guide de peinture, on a adjoint de brefs chapitres relatifs aux autres collections que possède le Prado: sculpture, dessins, orfèvrerie, monnaies et médailles, meubles. Les pièces les plus significatives de chaque section y sont mises en relief. Enfin, on trouvera une table des auteurs, ainsi qu'un plan du Musée, où les salles sont numérotées. Le chapitre suivant conseille au visiteur 2 circuits à suivre: le premier lui fera faire une longue visite d'environ 3 h. (I) et le second, une visite plus rapide de 2 h. (II).

1) Si le lecteur ignore de quelle école il s'agit, il peut recourir à la table des numéros du catalogue ou à celle des auteurs, qui le renverront à la page voulue.

**REZ-DE-CHAUSSÉE.**—Entrée par la porte de Goya: Annibale Carrache et Sculpture romaine (52).

Rotonde (51): Ecole flamande du XVII$^e$ s.: Rubens et ses disciples.

(51a et 51b): Roman espagnol: Fresques de San Baudelio de Berlanga et de Santa Cruz de Maderuelo.

Salle 50: Peinture espagnole du XVI$^e$ s.: Juan de Juanes, Machuca et Yañez.

Galerie centrale (49): Peinture espagnole du XIV$^e$ au XVI$^e$ s.: Correa, Morales, Jean de Flandre, Bermejo, Nicolas Francés, Anonymes castillans et catalans.

Salle 48: Peinture espagnole du XVIII$^e$ s.

Salle 53: Dessins et gravures de Goya.

Salle 54: Peinture française des XVII$^e$ et XVIII$^e$ s.: Poussin, le Lorrain et Watteau.

Salles 55 à 57: Goya.

Salle 55b: Ecole hollandaise.

Salles 56b et 56c: Berruguete et peinture espagnole du XVI$^e$ s.

Salle 57b: Tapisseries.

**PREMIER ÉTAGE.**—Rotonde (1): Sculpture de Pompeo Leoni et Ecole madrilène du XVII$^e$ s.

Salles 2 à 6: Peinture italienne du XIII$^e$ au XVI$^e$ s.: Ecoles diverses.

Salles 7 à 10: Peinture vénitienne du XVI$^e$ s.: Titien, le Tintoret et Véronèse.

Salles 8b à 10b: Ecole espagnole du XVI$^e$ s.: Pantoja, Coello et le Greco.

Salles 11 et 11b: Ribera et Zurbarán.

Salle 12: Vélasquez.

Salle 24: Peinture espagnole du XVII$^e$ s.

Galerie centrale (25-27): Peintures espagnole et flamande du XVII$^e$ s.

Salles 40 à 44: Peinture flamande des XV$^e$ et XVI$^e$ s. et Peinture allemande van der Weyden, Bosch, Patinir, Dürer et Bruegel.

**DEUXIEME ÉTAGE.**—Salles 87 à 92: Peinture italienne du XVII$^e$ s.: Campi, Carrache et le Dominiquin (87); le Dominiquin, Falcone, Palma le Jeune (89a); Vaccaro, Stanzione, Gentileschi, Preti, Lanfranc (90); le Gerchin et le Guide (91).

Salle 92: Mobilier.

NOTE: Dans tous les Musées du monde, on change souvent les tableaux de place, non seulement dans la même salle, mais encore en les faisant passer d'une salle à l'autre. C'est d'autant plus le cas au Prado qu'on y réalise de gros travaux de rénovation. En outre, l'espace lui manque pour pouvoir exposer en même temps tous les trésors qu'il possède.

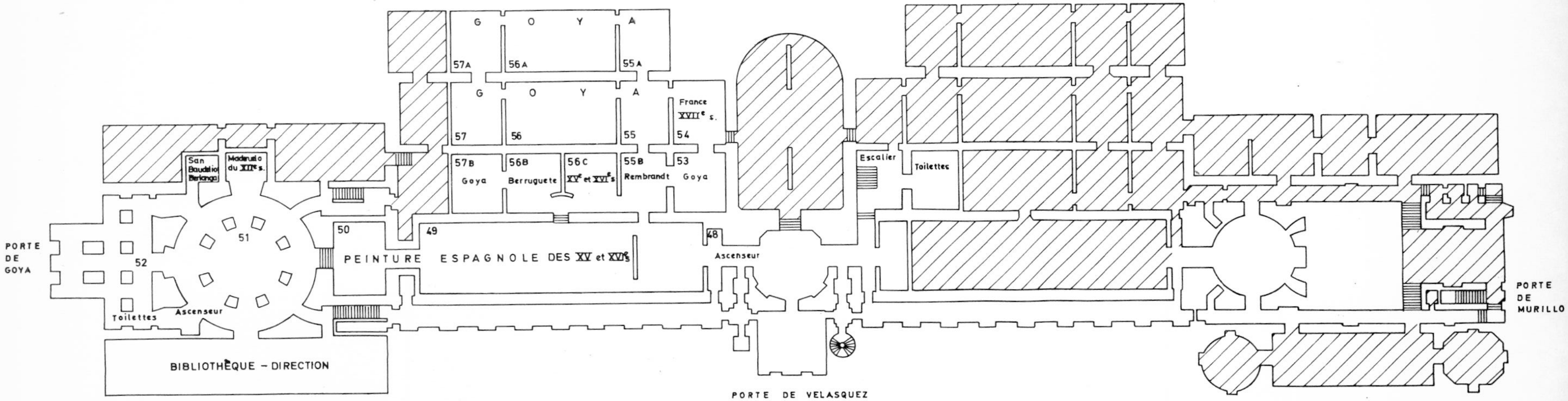

— REZ – DE – CHAUSSÉE —

FERMÉ, EN CHANTIER

PORTE DE MURILLO

PORTE DE VELASQUEZ

PORTE DE GOYA

Toilettes

Escalier

Ascenseur

Ascenseur

Toilettes

BIBLIOTHÈQUE – DIRECTION

PEINTURE ESPAGNOLE DES XV et XVI s.

France XVIII e s.

Goya

Rembrandt Goya

XV e et XVI e s.

Berruguete

Goya

Moderno du XIX s.

San Baudelio Berlanga

G  O  Y  A

G  O  Y  A

48

49

50

51

52

53

54

55

55A

55B

56

56A

56B

56C

57

57A

57B

11

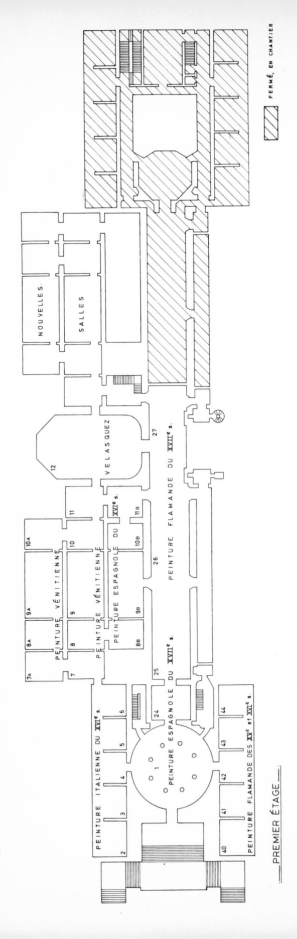

PREMIER ÉTAGE

FERMÉ, EN CHANTIER

NOUVELLES SALLES

PEINTURE VÉNITIENNE

PEINTURE ESPAGNOLE DU XVIᵉ s.

VELASQUEZ

PEINTURE FLAMANDE DU XVIIᵉ s.

PEINTURE ITALIENNE DU XVIᵉ s.

PEINTURE ESPAGNOLE DU XVIIᵉ s.

PEINTURE FLAMANDE DES XVᵉ et XVIᵉ s.

12

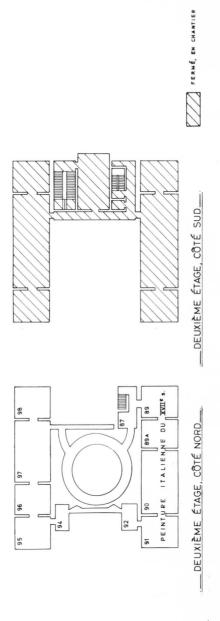

DEUXIÈME ÉTAGE, CÔTÉ SUD

DEUXIÈME ÉTAGE, CÔTÉ NORD

PEINTURE ITALIENNE DU XVIIᵉ s.

FERMÉ, EN CHANTIER

13

# CIRCUITS À CONSEILLER

## I. POUR UNE LONGUE VISITE

Le visiteur pourrait partir de la rotonde du 1er étage, où se trouve la statue d[e]
Charles Quint de Pompeo Leoni. En entrant à droite dans la salle 42, il pénétrer[a]
dans la section des primitifs flamands. S'il oblique à droite, il atteindra la salle 4[0]
où il pourra admirer: les planches du Maître de Flémalle, *Saint Jean-Baptist[e]*
*Sainte Barbe* et *Le mariage de la Vierge;* le polyptyque de Thierry Bouts et *La Vierg[e]*
*à l'Enfant* de van der Weyden. Dans la salle 41 se trouvent 2 chefs-d'oeuvre d[e]
ce dernier, *La Pietà* et *La descente de croix,* un beau triptyque d'Hans Memling et [les]
planches de Quentin Metsys, *La présentation du Christ au peuple* et *La vieil[le]*
*s'arrachant les cheveux.* La salle 42 contient plusieurs oeuvres de choix des Fla[-]
mands du XVIe s., telles que les 2 *Vierges à l'Enfant* de van Orley et celle d[e]
Mabuse. La salle 43 expose les beaux paysages de Patinir et les fameuses planche[s]
de Bosch: *La charrette de foin, L'Adoration des Mages* et *La table des péchés capitaux*
La salle 44 réunit quelques oeuvres capitales flamandes et allemandes: *Le Jardi[n]*
*des délices* de Bosch, *Le triomphe de la Mort* de Bruegel, ainsi que l'*Autoportrait d[e]*
Dürer et 3 autres tableaux de ce dernier.

Puis, le visiteur retourne à la rotonde, qu'il traverse de part en part pour entre[r]
dans l'école italienne, où, dans la salle 4, il rencontre d'abord *L'Annonciation d[e]*
Fra Angelico. A la salle 3, il voit *l'Histoire de Nastagio degli Onesti* de Botticelli, *L[e]*
*Christ mort, soutenu par un ange,* d'Antonello de Messine et *La Dormition de l[a]*
*Vierge* de Mantegna. La salle 2 est entièrement consacrée à la collection d[es]
oeuvres de Raphaël. On remarque dans la salle 5 la toile *Noli me tangere* d[u]
Corrège et plusieurs planches d'Andrea del Sarto, dont *La Vierge avec des saints* e[t]
le *Portrait de sa femme.* La salle 6 conserve de beaux exemples du maniérism[e]
italien, tels que *Sainte Barbe* et 2 excellents *Portraits* du Parmesan; en face s[e]
trouvent *La Nativité* et *Le Christ en croix* du Baroche. La collection de peintur[e]
vénitienne du XVIe s., l'une des plus complètes au monde, commence déjà dan[s]
cette salle avec *Les saintes conversations* de Bellini, de Giorgione et de Titien, ain[si]
que le *Portrait de mariage* de Lorenzo Lotto. Toute la série des toiles de Véronès[e]
occupe les salles 7A et 8A: retenons *Jésus discute au Temple avec les docteurs, Vénu[s]*
*et Adonis, Moïse sauvé des eaux* et *Suzanne et les vieillards.* La salle 9A expos[e]
quelques magnifiques oeuvres du Tintoret, notamment *Le Lavement des pieds,*
*Judith* et un *Portrait de femme.* Les Bassano se trouvent à la salle 10A, qui donn[e]
accès au secteur de Titien: après avoir admiré, dans la salle 10, *Vénus se délasse e[n]*
*écoutant de la musique, L'allocution du marquis del Vasto* et *l'Espagne vole au secours d[e]*
*la religion,* il vaut la peine de s'arrêter dans la salle 9 pour y contempler à l'aise s[a]
*Bacchanale,* ses portraits royaux, ses mythologies, etc. Traversant la salle 8, o[n]
s'introduit à gauche dans les salles des Espagnols. Ce sont d'abord, dans la sall[e]
8B, les portraitistes de cour de Philippe II et de Philippe III, avec les portrait[s]
d'*Isabelle-Claire-Eugénie* et de l'*Infant Carlos,* ainsi que certaines *Natures mortes*
comme celle de Felipe Ramírez. Les salles 9B et 10B, entièrement réservées a[u]

14

reco, en présentant quelques chefs-d'oeuvre, depuis *La Trinité* de sa jeunesse usqu'à *L'Adoration des bergers* de sa vieillesse, sans compter la série impression-ante de ses gentilshommes, tels que *Le chevalier posant la main sur son coeur* et *Le cteur Rodrigo de la Fuente*. On peut voir dans la salle 11A quelques exemplaires ssentiels du ténébrisme naturaliste espagnol, comme *Le martyre de Saint Barthé-my, Marie-Madeleine* et *La Trinité* de Ribera. La salle 11 réunit des échantillons e peinture de Séville: la magnifique *Nature morte* de Zurbarán, ainsi que sa *Vie de int Pierre Nolasque* et sa *Sainte Casilde;* des oeuvres de jeunesse de Vélasquez et n *Christ en croix*. On entre ensuite dans la salle centrale 12, où est étalée toute gamme des chefs-d'oeuvre de Vélasquez: des portraits royaux à ceux des bouf-ns de la cour; depuis ses toiles de jeunesse comme *Les ivrognes* et *La forge de ulcain,* jusqu'aux *Fileuses, Lances* et *Ménines,* où culmine son génie; et enfin, les 2 élicieux *Paysages de la Villa Médicis.*

e visiteur débouche alors sur la galerie centrale, consacrée depuis toujours la peinture espagnole; à présent, on y expose à tour de rôle des chefs-d'oeuvre es écoles flamande et espagnole du XVII^e s. Dans le fond à gauche domine la rande *Adoration des Mages* de Rubens. A droite et à gauche de la travée centrale 6, se trouve placée une sélection d'oeuvres de Rubens (*Le duc de Lerma, Les trois râces, Le Jardin d'amour*), de van Dyck (*Sir Endymion Porter et van Dyck*) et de ordaens. On aperçoit, d'un côté de la travée 25, *L'Immaculée Conception «de Soult»* *L'Histoire du patricien* de Murillo, et de l'autre, d'excellentes toiles de l'école adrilène du XVII^e s. A la sortie de la galerie, on trouve dans la salle 24 des bleaux d'Alonso Cano, de Juan Bautista Maino, de Francisco de Herrera le eune, etc.

e visiteur se retrouve ainsi à la rotonde d'où il était parti. Il peut alors monter au ème étage, où est exposée une collection très complète de la peinture italienne u XVII^e s. Dans la cage d'escalier, il verra au passage les grandes toiles de anfranc, qui décoraient jadis le Palais du Buen Retiro. Dans la salle 89, c'est oeuvre d'Annibale Carracci avec son imposant tableau sur *Vénus et Adonis*. Dans la lle 89A, ce sont 2 scènes bibliques de Palma le Jeune et des toiles du napolitain niello Falcone. D'autres maîtres napolitains, tels que Stanzione, Vaccaro et Mat-a Preti, remplissent de leurs oeuvres la salle centrale 90, où figure aussi *Moïse uvé des eaux* d'Orazio Gentileschi. Au fond, dans la salle 91, sont représentés les aîtres du classicisme bolonais: le Dominiquin, le Guide et le Guerchin. De là, n prendra l'ascenseur pour descendre au rez-de-chaussée, à la rotonde, d'où on ntrera à la salle 50, consacrée à la peinture espagnole de la Renaissance. Y ttirent l'attention *Sainte Catherine* d'Yáñez de la Almedina, *La descente de croix* de edro Machuca et *La dernière Cène* de Juan de Juanes. Puis, la galerie centrale 49 st réservée à la peinture espagnole, du Moyen Age à la Renaissance: au milieu ont adossés le *Retable* de Nicolás Francés et le *Retable* anonyme *de l'archevêque Sancho e Rojas;* aux murs pendent des planches hispano-flamandes, *telles* que *La Pietà* de ernando Gallego, *Saint Dominique de Silos* de Bartolomé Bermejo et les 4 ta-leaux de Jean de Flandre, ainsi que *La Vierge à l'Enfant* de Morales. Ensuite, assant par la salle 57B des tapisseries, on accède à la salle 56B, dédiée presque ntièrement à Berruguete. Dans la salle 56C, on remarquera *La Vierge au chevalier e Montesa,* à côté d'autres tableaux hispano-flamands.

a salle 55B qui suit expose des peintures hollandaises, dont l'admirable *Artémise e Rembrandt*. Par la salle 53 on arrive à la 54; on jette un coup d'oeil à droite sur ne petite galerie contenant des peintures flamandes de boudoir et des esquisses e Rubens; puis, on revient à la salle 54 pour y contempler des oeuvres capitales e la peinture française du XVII^e s., signées par Poussin et le Lorrain.

e là, on passe enfin au secteur réservé à Goya. Les salles 55, 56 et 57 nous ontrent ses cartons pour tapisseries et quelques oeuvres de jeunesse: *Le jeu de olin-maillard, La rixe dans la Nouvelle Auberge, Le pantin, Le cerf-volant, Les fleuris-s, Le marchand de poteries,* etc. On y a joint *La famille de Charles IV*. La salle 57A rite les célèbres *Majas* et des portraits, tels que *La famille du duc d'Osuna* et vellanos. Puis, les *Peintures noires* sont exposées dans la salle 56A. Les tableaux e la guerre, *Le 2 mai 1808* et *Les exécutions,* sont mis en valeur dans la salle 55A, n face de *La laitière de Bordeaux*. Avant de sortir, le visiteur peut encore s'arrêter evant une sélection de dessins et de gravures de Goya à la salle 53.

## II. POUR UNE VISITE RAPIDE

Nous proposons ci-après au visiteur pressé un itinéraire plus court, lui permetta
de voir les tableaux essentiels et les écoles les plus significatives. Il lui convie
d'entrer par la porte de Vélasquez et de se diriger à gauche, en passant par l
salles 53 (dessins et gravures de Goya) et 54 (peinture française), à la sectic
consacrée à Goya. Il admirera, d'abord, les cartons pour tapisseries datant de
jeunesse (salles 55, 56 et 57), avec au fond la célèbre *Famille de Charles IV*. L
fameuses *Majas habillée et nue* se trouvent dans la salle 57A, puis viennent l
*Peintures noires* (salle 56 A) et, enfin, dans la salle 55A, *Les exécutions* et *Le 2 m*
*1808*. Près de là, on ne manquera pas de s'arrêter un instant dans la salle d
maîtres hollandais (55B) pour y contempler l'*Artémise* de Rembrandt.

On débouche ensuite dans la galerie du rez-de-chaussée, qu'on enfile à gauche,
l'on traverse le vestibule central pour arriver à l'escalier monumental qui co
duit au premier étage. Le visiteur y débouche ainsi dans la galerie centrale, s
laquelle donnent les salles des différentes écoles. La première porte à droite mèr
à la salle 12 de Vélasquez, qui contient ses grands chefs-d'oeuvre: *La forge*
*Vulcain, Les ivrognes, Les Ménines, Les lances, Les Fileuses*, la série des *Bouffons*, et
On trouve dans la salle 11 la *Nature morte* et *Sainte Casilde* de Zurbarán et l
*Christ en croix* de Vélasquez; dans la salle 11A, *Marie-Madeleine* et surtout l
*martyre de Saint Barthélemy* de Ribera. En passant par la salle des portraits c
Greco (10B), où figure *Le chevalier posant la main sur son coeur*, on arrive à la sal
9B, où sont réunies les toiles religieuses du Greco, telles que *La Trinité, Le baptên*
*du Christ* et *L'Adoration des bergers*. Dans la salle 8B qui suit, on remarquera
*Nature morte* de Felipe Ramírez, au milieu des portraits de la famille de Philipp
II. Puis, en passant par la salle 8, on entre à main gauche dans le secteur réservé
l'école vénitienne du XVIe s. Faisons ressortir, dans la salle 7, *La Vierge avec d*
*Saints* de Giorgione, dans la salle 7A, *Jésus discute au Temple avec les docteurs* d
Véronèse et, dans la salle 8A, *Vénus et Adonis* du même. La salle 9A est dédié
entièrement aux oeuvres du Tintoret, parmi lesquelles se distingue son *Lavemer*
*des pieds*. En traversant la salle 10A, occupée par les Bassano, on parvient au secter
réservé à Titien: dans la salle 10, on peut admirer *Vénus se délasse en écoutant de l*
*musique* et, dans la salle 9, son *Autoportrait*, la *Bacchanale, Charles Quint à l*
*bataille de Mühlberg, Danaé, L'offrande à Vénus* et de célèbres portraits de cour

De là, on gagne la galerie de peinture italienne des XVe et XVIe s. On y regarde
surtout, dans la salle 5, *La Vierge avec des Saints* d'Andrea del Sarto et *Noli l*
*tangere* du Corrège; dans la salle 4, la splendide *Annonciation* de Fra Angelic
dans la salle 3, la fameuse *Dormition de la Vierge* de Mantegna, *Le Christ mor*
*soutenu par un ange* d'Antonello de Messine et les planches de Botticelli. L'oeuv
de Raphaël se trouve réuni dans la salle 2.

Le visiteur se dirige ensuite à la rotonde, où se trouve le statue équestr
de Charles Quint par Pompeo Leoni, la traverse de part en part et entre dans l
galerie des primitifs flamands. A droite, au fond, dans la salle 40, il trouvera *Sain*
*Barbe* du Maître de Flémalle et *La Vierge à l'Enfant* de van der Weyden. Dans
salle 41, il verra la fameuse *Descente de croix* de ce dernier, un des chefs-d'oeuvr
de l'école flamande, et un triptyque d'Hans Memling. Dans la même galerie s
trouvent les oeuvres de Bosch: dans la salle 43, *La charrette de foin, L'Adoration d*
*Mages* et la *Table des péchés capitaux;* dans la salle 44, son *Jardin des délices*, un de
clous du Musée. Dans cette même salle sont exposés aussi *Le triomphe de la Mo*
de Bruegel et 4 tableaux de Dürer, dont son *Autoportrait*.

S'il lui reste un peu de temps, le visiteur regagnera la porte de Vélasquez e
passant par la galerie centrale, où il jettera encore un coup d'oeil sur *L'Immaculé*
*Conception «de Soult»* de Murillo, ainsi que sur *Les trois Grâces, Le Jardin d'amou*
et l'immense *Adoration des Mages* de Rubens.

# INTRODUCTION

armi les travaux les plus importants réalisés par le roi Charles III, il faudrait citer
aménagement urbain du «Pré de Saint-Jérôme» («Prado» en espagnol), qui oc-
pait les jardins de l'ancien monastère du même nom. Ceux-ci communiquaient
ec les jardins du Palais du Buen Retiro, où les Madrilènes allaient déjà se
omener à la fin du XVIIIᵉ s. Le projet en fut confié au grand architecte néo-
assique Juan de Villanueva (1739-1811), maître le plus remarquable de l'archi-
cture espagnole du XVIIIᵉ s. Sur l'ordre du roi il plaça en cet endroit le Jardin
otanique et l'Observatoire Astronomique; en 1785, il se mit à y construire un
lifice grandiose: le Musée actuel du Prado. A l'origine, celui-ci était destiné à
riter la collection royale de sciences naturelles. Les goûts du roi et de ses
inistres pour la culture transformeraient ainsi le «Prado» en une zone consacrée
la science. Les travaux du Musée avancèrent si vite qu'ils étaient déjà achevés à
première décade du XIXᵉ s. Mais l'invasion napoléonienne freina l'installation
1 Muséum d'Histoire Naturelle dans cet édifice, dont la belle architecture fut, du
ste, endommagée par les troupes de cavalerie qui en avaient fait leur caserne.

Villanueva avait réalisé là une des plus belles oeuvres de l'architecture espagnole

Porte de Vélasquez du Musée du Prado.

éo-classique, qui cadrait bien avec son voisinage, tout en le rehaussant. A l'exté-
eur, l'alternance de pierres et de briques donne du coloris à l'édifice. Les divers
éments architectoniques en retrait et en saillie produisent sur ses façades un
air-obscur qui leur confère beaucoup de relief. Les ailes, sobres et sévères dans
ur alignement, se rattachent au corps du bâtiment par des galeries ioniques,
ujourd'hui couvertes de verrières et dotées d'un soubassement d'arcs et de ni-
es. Villanueva a utilisé les 3 ordres classiques. C'est de l'ordre dorique, fort
stère, que relève le portail central monumental, axe de l'édifice, conçu comme

17

Vue de la galerie centrale au premier étage.

un temple classique. Plus élégant et stylisé, l'ordre ionique orne les galeries et
porte nord, toute en hauteur et la plus gracieuse du Musée. On reconnaît enf
l'ordre corinthien sur la façade sud, dont la fine taille des chapiteaux et la ricł
ornementation ressortent bien à la lumière du soleil. Son long balcon donne sur
Jardin Botanique.

L'intérieur de l'édifice ne reflète plus aujourd'hui les idées de Villanueva, ca
conçu d'abord comme un Muséum de Sciences Naturelles, il a dû être transform
en Musée de peinture. Mais il est possible d'en retrouver la structure primiti
dans les grandes lignes. Il avait 2 étages et ses ailes étaient reliées au centre par
larges galeries voûtées. Sa plus belle pièce est peut-être la rotonde du 1er étag
où d'élégantes colonnes ioniques soutiennent une voûte à caissons et où il y a
oculus au centre, comme au fameux Panthéon de Rome. Le corps central
Musée a été conçu par l'architecte pour servir de temple à la Science, mais s
ancienne disposition se trouve aujourd'hui complètement transformée, car il e
compartimenté en salles d'exposition, telles que celle de Vélasquez à l'étag

Cette magnifique architecture était délabrée après l'invasion française. Mais,
retour en Espagne, Ferdinand VII, sur le conseil de ses ministres et avec l'app
de sa femme, Isabelle de Bragance, décida de créer un Musée de peinture, en v
d'y exposer les collections royales. C'est alors que l'édifice abandonné du Prac
fut choisi à cet effet et immédiatement restauré pour lui donner sa destinatic
définitive.

L'idée d'exposer au public les peintures réunies par les rois d'Espagne n'était p
nouvelle. Dès le XVIe s., artistes et connaisseurs avaient eu accès aux galeries d
palais royaux, qui regorgeaient d'oeuvres d'art. Mais ce n'est qu'à la fin du XVIIIe
qu'Anton Raphaël Mengs, grand peintre néo-classique de la Cour de Charles I
avait conseillé au roi de créer un nouveau musée, qu'on pourrait adjoindre à cel
des sciences et où le peuple admirerait à loisir les chefs-d'oeuvre de la collectic
royale. Arrêté par la mort de Charles III, le projet ne fut pas repris par Charl
IV, qui ne manqua pourtant pas d'enrichir de remarquables acquisitions le legs
ses ancêtres et d'encourager les arts. Pendant l'occupation française, le nouvea
roi Joseph Bonaparte (1808-1813) voulut créer à Madrid, à l'instar du Musé
Napoléon à Paris, un «Musée Joseph Bonaparte», afin d'y réunir les oeuvr
retirées des couvents disparus et des édifices publics, ainsi que les plus intéressa
tes de la collection royale. Mais la chute de Napoléon et le départ d'Espagne
Joseph Bonaparte firent échouer cette idée une fois de plus. Il faudrait attend
l'arrivée de Ferdinand VII pour la voir se réaliser. Finalement, le «Musée Roy
du Prado» fut inauguré le 19 novembre 1819. On y exposa des peintures d
l'école espagnole, mais peu à peu s'y ajoutèrent des oeuvres d'autres école
provenant toutes des collections royales. C'est alors qu'on décora l'extérieur
l'édifice à l'aide de sculptures ayant les arts comme sujet: le groupe monument
de l'*Allégorie des Arts,* couronnant la façade nord, de Jerónimo Suñol; le relief d
portail principal, qui représente *Minerve et les Beaux-Arts rendant hommage à Ferd*

18

*and VII,* de Ramón Barba, auteur également des médaillons des principaux ¤tistes espagnols; les allégories des arts, sous forme de figures de femmes, déco-¤ant les niches de la façade principale, de Valeriano Salvatierra.

¤ux oeuvres provenant des collections royales vinrent s'adjoindre des donations ¤rivées, nombreuses et importantes, au cours des XIXᵉ et XXᵉ s. En 1870, le ¤Musée du Prado fusionna avec le Musée de la Trinité, créé en 1836 pour réunir ¤es tableaux venant des couvents supprimés par l'aliénation des biens de l'Eglise, ¤ue le ministre libéral Mendizábal avait imposée. C'est ainsi que le Prado s'enri-¤hit de toute une nouvelle série de peintures religieuses espagnoles.

¤ès lors, le Musée du Prado a des caractères propres qui le différencient d'autres ¤usées européens. En effet, il est surtout constitué par la collection royale. Aussi ¤-t-il en outre une valeur historique inestimable, car il reflète le goût des rois ¤'Espagne qui ont présidé les destinées de l'Europe aux XVIᵉ et XVIIᵉ s., non moins ¤ue leurs amitiés ou inimitiés politiques. Indépendamment de la peinture espa-¤nole, résultant des commandes des rois aux peintres de la Cour, les écoles ¤trangères y sont magnifiquement représentées, mais avec plus ou moins d'abon-¤ance en fonction des relations politiques. Après l'école espagnole, la plus riche ¤st l'italienne. Ses oeuvres de maîtres vénitiens sont renommées dans le monde ¤ntier, soit qu'elles leur aient été commandées par Charles Quint ou Philippe II, ¤oit qu'elles aient été acquises au XVIIᵉ s. par le grand mécène que fut le roi ¤hilippe IV. Les alliances matrimoniales avec la France aux XVIIᵉ et XVIIIᵉ s. ¤xpliquent la venue en Espagne d'oeuvres importantes de l'école française. Mais ¤e furent sans nul doute les rapports politiques de l'Espagne avec les Pays-Bas qui ¤ui ont rapporté le plus dans le domaine des arts. Tous leurs peintres, depuis les ¤rimitifs flamands jusqu'aux maîtres du XVIᵉ s. et aux grandes figures du XVIIᵉ, ¤elles que Rubens ou Van Dyck, sont admirablement représentés au Prado, où ¤ertaines de leurs oeuvres sont essentielles dans l'histoire de la peinture euro-¤éenne. En revanche, l'inimitié politique traditionnelle de l'Espagne vis-à-vis de ¤'Angleterre, de l'Allemagne et de la Hollande explique que la collection royale ¤'ait pas eu autant d'oeuvres en provenance de ces pays. Cependant, les lacunes ¤n ont été comblées par des legs ou des achats récents.

**Vue générale de la Salle des peintures noires.**

¤e Musée actuel du Prado comporte, d'une part, l'édifice construit par Villanueva, ¤ui abrite les peintures datant du moyen âge au seuil du XIXᵉ s., ainsi que les ¤culptures, dessins, meubles et autres objets d'art, et d'autre part, le Casón del ¤uen Retiro, où est réunie la collection séparée des oeuvres du XIXᵉ s., tant celles ¤u Musée d'Art Moderne que celles originaires du Prado. Soulignons que le ¤Musée du Prado contient dans ses murs près de 3.000 tableaux. Mais ce n'est ¤ncore là qu'une partie de ses trésors, car un bon nombre d'oeuvres moins impor-¤antes en ont été déposées dans des musées de province pour compléter leurs ¤ollections et dans d'autres édifices publics pour les orner. Il ne fait pas de doute ¤ue le Prado est un des plus importans Musées de peinture au monde, tant pour la ¤ualité que pour la quantité de ses oeuvres.

1323. Bartolomé Bermejo. Intronisation abbatiale de Saint Dominique de Silos.

618. Pedro Berruguete. Autodafé, présidé par Saint Dominique de Guzmán.

# ECOLE ESPAGNOLE

Le Prado possède une collection exceptionnelle de peintures espagnoles, la plus complète qu'on puisse voir dans un musée. Les rois d'Espagne ont surtout amassé les oeuvres des peintres de la Cour, qui étaient généralement des portraitistes. On compte parmi ceux-ci les 2 grandes figures du Musée: Vélasquez et Goya, qui dépassent largement le cadre espagnol pour se ranger au nombre des grands créateurs de la peinture universelle. Tous 2 ont été liés à la Cour depuis leur jeunesse jusqu'à leur mort. Leur production étant on ne peut mieux représentée au Musée, la visite de celui-ci s'avère indispensable pour quiconque veut se faire une petite idée de leur art.

Les collections ont été fort enrichies en 1870 par les fonds du Musée de la Trinité, qui avait réuni un grand nombre des oeuvres confisquées aux couvents, lors de l'aliénation des biens ecclésiastiques. C'est ainsi que certains genres se trouvent si bien représentés au Prado: les peintures du moyen âge et les peintures religieuses, en particulier celles des écoles madrilène et tolédane.

En revanche, les ensembles les plus fameux et les plus attrayants du Musée se sont formés petit à petit par d'autres voies. C'est le cas des oeuvres du Greco, dont les collections royales n'avaient que quelques portraits; le Musée de la Trinité fit apport de quelques-uns de ses tableaux religieux; mais ce furent des achats et des dons postérieurs qui permirent de monter une série parfaitement représentative de sa peinture. De même Ribera, qui a peint toute sa vie à Naples, serait resté en marge du Prado, si les vice-rois espagnols ne l'avaient pas tenu en assez haute estime pour amener ses oeuvres en Espagne, où elles ont été d'emblée bien accueillies. La collection de Zurbarán n'est guère étendue, mais est par contre très variée; maints de ses tableaux sont des acquisitions relativement récentes. Les toiles de Murillo qu'on conserve au Musée, sont dues surtout à Elisabeth Farnèse, qui avait une telle prédilection pour ce peintre qu'elle en a acheté autant qu'elle put.

A côté de ces grands noms, le visiteur en rencontrera bien d'autres. L'abondance et la variété de leurs oeuvres lui permettront de contempler un panorama on ne peut plus riche de l'histoire de la peinture espagnole.

**AGÜERO, Benito Manuel d'Agüero** (Burgos, 1626-Madrid, 1670). De l'école madrilène. Disciple de Mazo, il a travaillé dans son atelier et son style se rapproche fort de celui de son maître. Ses paysages, d'habitude abrupts et agités, sont empreints parfois d'un dramatisme presque romantique. De petites figures leur servent de prétexte mythologique.

890 **«Un port fortifié»** (t. 54 × 196).
893 **«Paysage avec une nymphe et un berger»** (t. 56 × 199).
894 **«Paysage»** (t. 56 × 199).
895 **«Paysage avec Didon et Enée»** (t. 246 × 202).
896 **«Paysage: Enée part de Carthage»** (t. 293 × 205).
897 **«Paysage avec Latone et les paysans métamorphosés en grenouilles»** (t. 244 × 219).
898 **«Paysage avec 2 figures»** (t. 246 × 325).
899 **«Paysage avec Mercure et Argos»** (t. 248 × 325).
**ALMEDINA.** Voir Yañez.
**ANDRES Y AGUIRRE, Ginés d'Andrés y Aguirre** (1727-?).
2893 **«Chien et chats»** (t. 149 × 114). Carton de tapisserie.
**ANTOLINEZ, Francisco Antolinez** (Séville v. 1644-Madrid av. 1700). De l'école sévillane. Parent de José Antolinez. Dans des paysages ou des édifices, il peint des scènes religieuses où figurent de nombreux personnages, aux formes très allongées et ayant un peu l'aspect de spectres, du fait qu'ils ne sont qu'ébauchés. De qualité fort inégale.
585 **«La Présentation de la Vierge»** (t. 45 × 73). Comme les 3 autres, ce tableau provient du couvent de San Felipe el Real à Madrid.
587 **«Les fiançailles de la Vierge»** (t. 45 × 73). Voir n.º 585.
588 **«La Nativité»** (t. 45 × 73). Voir n.º 585.
590 **«La fuite en Egypte»** (t. 45 × 73). Voir n.º 585.
**ANTOLINEZ, José Antolinez** (Madrid, 1635-1675). De l'école madrilène. Disciple de Francisco Rizi, dont il assimile le baroque. Il subit aussi des influences de Venise et de Rubens. Il a un style dynamique et un coloris resplendissant.
591 **«Mort de Marie-Madeleine»** (t. 205 × 163).

443 «L'Immaculée Conception» (t. 216 × 159). Il a souvent repris ce thème, qui l'a fait particulièrement connaître.

**ARELLANO, Juan d'Arellano** (Santorcaz, Madrid 1614-Madrid, 1676). De l'école madrilène, où il a été le meilleur spécialiste de son époque en tableaux de fleurs. Ses grands bouquets, se détachant sur un fond foncé, s'inspirent de modèles flamands et italiens qu'il avait eu l'occasion de voir à la cour (van Kessel, Mario Nuzzi, Marguerite Caffi) et manifestent son propre style, ainsi qu'une riche technique d'une grande virtuosité.

592 «Vase de fleurs» (t. 83 × 63).
593 «Vase de fleurs» (t. 83 × 63). Fait pendant au n.º 592.
594 «Vase de fleurs» (t. 103 × 77).
595 «Vase de fleurs» (t. 103 × 77). Fait pendant au n.º 594.
596 «Vase de fleurs» (t. 60 × 45).
597 «Vase de fleurs» (t. 60 × 45). Signé. Fait pendant au n.º 596.
507 «Fleurs et paysage» (t. 58 × 73). Signé.

3139. Arellano. Vase de fleurs.

508 «Fleurs et paysage» (t. 58 × 73). Signé. Fait pendant au n.º 2507.
030 «Vase de fleurs».
138 «Vase de fleurs» (t. 84 × 105). Signé.
139 «Vase de fleurs (t. 84 × 105). Signé. Fait pendant au n.º 3138.

**ARGUIS, Maître d'Arguis** (anonyme, v. 1450). De l'école aragonaise.

332 «La légende de Saint Michel» (prédelle et 6 planches d'un retable; en ordre décroissant: 79 × 80, 78 × ? (incomplet), 65 × 46 et 58 × 80). Ce retable s'insère dans le style international, qui se répandit en Espagne, notamment en Catalogne et à Valence. En effet, il est non seulement narratif, mais encore il aime bien les éléments pittoresques et décoratifs dans la toilette des figures, les paysages et les architectures. Les personnages principaux sont stylisés et élégants, tandis que les secondaires sont caricaturés. A observer les scènes originales de la pesée des âmes, où le démon attend impatiemment son butin, et de la victoire de Saint Michel sur l'Antéchrist.

**ARIAS, Antonio Arias Fernández** (Madrid, v. 1614-1684). De l'école madrilène. Peintre ayant un style un peu archaïque. Ses volumes sont simplifiés et à l'emporte-pièce et ses contours, fermés.

598 «La pièce de monnaie de César» (t. 191 × 230). Signé et daté de 1646.
599 «La Vierge à l'Enfant» (t. 91 × 129). Signé et daté de 1650 (?).
079 «Saint Thomas apôtre» (t. 193 × 105). Oeuvre douteuse, qui faisait partie d'un groupe d'apôtres.
080 «Saint Jacques le Mineur» (t. 193 × 105). Voir n.º 3079.

**BARTOLOMÉ, Maître Bartolomé.** Ce maître hispano-flamand du XVe s. était peut-être en rapport avec Fernando Gallego.

1322   **«La Vierge allaitant l'Enfant Jésus»** (b. 52 × 35). Signé.
      **BAYEU, Francisco Bayeu y Subias** (Saragosse, 1734-Madrid, 1795).
Personnalité marquante de la peinture madrilène avant Goya, il commença
à se former à Saragosse et vint bientôt comme boursier à l'Académie San
Fernando de Madrid. Il y apprit auprès d'Antonio González Velázquez les
raffinements du rococo et y fut l'aide de Mengs, dont le néo-classicisme
l'influencerait dans ses grands cycles de fresques décorant le Palais royal,
le Palais du Pardo, le Couvent de l'Incarnation, etc. Par suite de son succès
croissant, il fut nommé en 1788 Directeur de l'Académie San Fernando.
Depuis lors, il ne cesserait de recevoir des commandes royales. Il fit des
cartons pour la Fabrique Royale de Tapisseries, représentant des scènes de
la rue et du peuple, à la mode du XVIIIᵉ s. Certaines de ses petites
ébauches, qui ont beaucoup de charme et un coloris très délicat, sont
dignes des meilleurs maîtres du rococo en Europe.

600   **«L'Assomption de la Vierge»** (t. 137 × 81). Ébauche pour un des seg-
ments de la coupole de l'église de Sainte-Engracia à **Saragosse.**

601   **«Le triomphe de l'Agneau de Dieu»** (t. 48 × 58). Ebauche pour une des
lunettes de la chapelle du rez-de-chaussée au Palais d'Aranjuez, datant de
1788 et accusant la tendance néo-classique du peintre.

603   **«Saint François de Sales»** (t. 56 × 34). C'est sans doute une ébauche
pour un tableau d'autel, qu'on suppose avoir été faite par Ramón Bayeu.

604   **«L'Olympe: la bataille avec les Géants»** (t. 68 × 123). Ebauche pour un
plafond du Palais royal de Madrid, sur un thème de la mythologie grecque.
Jupiter, avec l'aide d'Hercule et de Pallas Athéna, rejette les Géants de
l'Olympe.

605   **«Le pont du canal de Madrid»** (t. 36 × 95). Ebauche pour une tapisserie, qui fut jadis attribuée à Goya à cause de la qualité incontestable de sa
technique.

606   **«Le Paseo de las Delicias à Madrid»** (t. 37 × 55). Ebauche pour un
carton de tapisserie, laquelle se trouve à l'Escorial. Le réalisme de la scène
et la beauté du paysage en font une des plus intéressantes de la série.

607   **«Gouter à la campagne»** (t. 37 × 56). Signé. Ebauche pour un carton de
tapisserie faite pour l'Escorial.

740h   **«Feliciana Bayeu, fille du peintre»** (t. 38 × 30). Bayeu a écrit dans le
bas: *Portrait de Feliciana à l'âge de 13 ans*. Peint vers 1788, il est d'une telle
envergure qu'il ressemble sans conteste aux portraits de Goya.

2480   **«La création d'Adam»** (t. 59 × 33). Forme avec les num. 2482, 2485-88,
2491 et 2493 une série d'ébauches pour les fresques de la coupole de la
Collégiale de La Granja, faites en 1772. La formation néo-classique de
l'artiste s'y manifeste dans la disposition clairsemée des figures, l'équilibre
et l'harmonie des compositions, ainsi que dans la clarté des couleurs.

2481   **«La monarchie espagnole»** (t. 63 × 59). Ebauche en grisaille pour la
décoration d'un salon.

2482   **«Abraham en prière»** (t. 59 × 33). Voir n.º 2480. Un ange annonce à
Abraham que le Messie naîtra de sa descendance.

2483   **«La reddition de Grenade»** (t. 54 × 57). Ebauche pour une des voûtes
de la grande salle à manger du Palais royal de Madrid. Les Rois Catholiques reçoivent l'hommage du roi maure de Grenade et les clés de la ville.

2485   **«Saint Luc»** (t. 58 × 58). Voir n.º 2480.

2486   **«Saint Jean l'Evangéliste»** (t. 58 × 58). Voir n.º 2480.

2487   **«Saint Matthieu»** (t. 58 × 58). Voir n.º 2480.

2488   **«Saint Marc»** (t. 58 × 58). Voir n.º 2480. Avec les 3 précédentes, forme
la série des ébauches pour les fresques des Evangélistes dans les pendentifs
de la Collégiale de La Granja.

2489   **«La prophétie d'Isaïe»** (t. 47 × 57). Ebauche pour la lunette d'une voûte
Le prophète y annonce la naissance du Messie.

2491   **«Adam et Ève réprimandés pour leur péché»** (t. 59 × 32). Voir n.º
2480.

2493   **«Un sacrifice de la Loi mosaïque** (t. 59 × 32). Voir n.º 2480.

2520   **«Le gouter»** (t. 278 × 173). Carton pour une tapisserie.

2531   **«Sainte Térèse de Jésus dans la gloire»** (t. 43 × 100). Ebauche pour une
fresque qui n'a pas été conservée.

2634   **«La fuite en Égypte»** (t. 14 × 21). Ebauche incomplète.
      **BAYEU, Ramón Bayeu y Subias** (Saragosse, 1746-Aranjuez, 1793). Sa
formation ressembla très fort à celle de son frère Francisco avec qui il
collabora toute sa vie. Condiscible de Goya dans l'atelier familial, il travailla en même temps que lui aux fresques de la basilique du Pilar à Saragosse, de l'église Sainte-Anne de Valladolid et de celle de Valdemoro. Dè

629. Alonso Cano. Le Christ mort, soutenu par un ange.

1775, il se mit aussi à peindre des cartons pour tapisseries sur des thème
populaires. Leurs scènes vives reflètent bien l'ambiance joyeuse de la ru
qui régnait à la cour de Madrid. Leur coloris est clair et elles témoigner
d'une observation pénétrante de la réalité.

2451 **«Le charcutier»** (t. 222 × 106). Carton pour une tapisserie, représentar
un vendeur ambulant.

2452 **«Eventails et couronnes»** (t. 147 × 187). Carton pour une tapisserie
décrivant une scène semblable à la précédente, mais agrémentée ici par l
beauté des majas.

2453 **«Cadeau champêtre»** (t. 183 × 146). Carton de tapisserie.

2521 **«Le majo à la guitare»** (t. 184 × 137). Carton de tapisserie. La simplicit
de la scène en fait l'un des plus beaux de la série.

2522 **«L'aveugle musicien»** (t. 93 × 145). Carton de tapisserie. Ce genre d
musicien devait se rencontrer souvent dans les rues de Madrid.

2523 **«Le jeune porteur»** (t. 93 × 141). Carton de tapisserie.

2599 **«Tableau comportant treize ébauches pour des cartons de tapisseries**
(t. 45 × 100). Le Prado conserve certains des cartons correspondant à ce
petites ébauches.

**BECERRIL, Maître de Becerril.**

2682 **«Sainte Barbe»** (t. 145 × 65). Début du XVI$^e$ s.

**BENABARRE.** Voir García de Benabarre.

**BERMEJO, Bartolomé de Cárdenas ou Bermejo** (Cordoue ?). D
l'école hispano-flamande. Travailla à Valence, en Aragon et en Catalogne
entre 1486 et 1495. Se distingue par un réalisme vigoureux, un solid
dessin et un sens sculptural de la forme. C'est la principale peinture goth
que du Prado.

1323 **«Intronisation abbatiale de Saint Dominique de Silos»** (b. 242 × 130,
Peint pour le retable de Saint Dominique de Silos avant 1477.

**BERRUGUETE, Pedro Berruguete** (Paredes de Nava, v. 1450-Avila, v
1504). Peintre castillan, qui, sous le nom de Pietro Spagnuolo, travailla e
1477 à Urbin pour Frédéric de Montefeltro, au service duquel tra
vaillèrent aussi le flamand Juste de Gand et les italiens Melozzo da Forli e
Piero della Francesca. A partir de 1483, il travailla à Tolède, dans le
provinces de Burgos et de Palencia, ainsi qu'à la cathédrale d'Avila, où l
mort l'empêcha d'achever un retable. Son style combine le réalisme fla
mand, la spatialité et l'éclairage appris en Italie, avec son goût personne
de la décoration qui le pousse à faire un grand usage des fonds en or. Se
meilleurs tableaux atteignent un tel degré de technique et de maturit
dans l'emploi de la perspective et de la lumière qu'ils témoignent de s
supériorité sur ses contemporains espagnols.

123 **«Saint Pierre»** (t. peinte à la gouache 350 × 206). Forme un ensembl
avec les 3 toiles suivantes. Elles proviennent d'Avila, où elles devaient êtr
des volets d'orgue ou de retable. Ce tableau, comme celui de *Saint Paul*
qui lui fait pendant, était placé à l'embouchure d'une voûte renaissance e
plein cintre. Le caractère monumental de la figure, son aplomb et surtou
son insertion parfaite dans le cadre architectonique sont des notes bier
italiennes. En plaçant la figure au bord de son encadrement, un peu e
saillie, le peintre obtient un trompe-l'œil qu'il utilise souvent.

124 **«Saint Paul»** (t. peinte à la gouache 350 × 206). Voir n.° 123.

125 **«L'adoration des Rois mages»** (t. peinte à la gouache). Fait pendant à l
toile suivante, qui prolonge la même scène. Voir n.° 123.

126 **«Deux Rois mages»** (t. peinte à la gouache 350 × 206). Cette toile
comme les 3 précédentes, a un air italien indéniable, auquel contribue l
technique, qui produit un effet pareil à celui de la fresque.

609 **«Saint Dominique et les Albigeois»** (b. 122 × 83). Avec les num. 610
615 et 616, fit partie du retable de Saint Dominique au couvent de Saint
Thomas à Avila. La composition en est partiellement reprise au n.° 1305

610 **«Saint Dominique ressuscite un jeune homme»** (b. 122 × 83). A note
la manière dont les différents espaces sont reliés par la lumière.

611 **«Sermon de Saint Pierre martyr»** (b. 132 × 86). Provient du retable d
Saint Pierre martyr qui se trouvait au couvent de Saint-Thomas à Avila, d
même que les num. 612, 613, 614 (?) et 617.

612 **«Saint Pierre martyr en prière»** (b. 133 × 86). Le saint en extase devan
un autel est une formule iconographique qui deviendra très importante
Elle est utilisée ici avec un extrême simplicité.

613 **«Mort de Saint Pierre martyr»** (b. 128 × 85).

614 **«Le tombeau de Saint Pierre martyr (?)»** (b. 131 × 85). La lumière, qu
entre par les fenêtres du haut, est rendue ici avec une finesse magistrale

615 «Apparition de la Vierge à une communauté» (b. 130 × 86).
616 «Saint Dominique de Guzmán» (b. 177 × 90).
617 «Saint Pierre martyr» (b. 177 × 90).
618 «Autodafé, présidé par Saint Dominique de Guzmán» (b. 154 × 92). Représente l'histoire de l'hérétique Raymond, gracié par le saint. Le haut de la scène nous rappelle spécialement, une fois de plus, la peinture du quattrocento italien.
305 «L'épreuve du feu» (b. 113 × 75). On brûle sur le bûcher le livre hérétique, mais l'orthodoxe échappe au feu grâce à una lévitation.
709 «La Vierge à l'Enfant» (b. 58 × 43).
    BERRUGUETE. Disciple de Pedro Berruguete.
574 «Saint Antoine de Padoue» (b. 105 × 53).
    BOCANEGRA, Pedro Atanasio Bocanegra (Grenade, 1638-1689). De l'école de Grenade. Elève d'Alonso Cano, dont il imite le style et les modèles, avec un accent plus doux et plus populaire.
619 «La Vierge et l'Enfant Jésus avec Sainte Elisabeth et Saint Jean» (t. 127 × 166).
626 Voir Cano.
797 «La Vierge Marie» (t. 67 × 48).
    BORRASSA. Disciple de Luis Borrassá. Anonyme du XIV-XVᵉ s. De l'école catalane.
675 «La crucifixion» (b. 48 × 35). Fond repeint.
677 «Un miracle de Saint Côme (?)» (b. 69 × 62).
    BOURGOGNE, Jean de Bourgogne (?-Tolède, 1534). Un des fondements de l'école tolédane du XVIᵉ s. D'origine sans doute bourguignonne, il s'est formé en Italie. L'influence toscane se fait sentir dans sa composition clairsemée et spatieuse, souvent encadrée d'architectures quattrocentistes, ainsi que dans l'idéalisation et l'embellissement des figures. Travaillait à Tolède dès 1495.
110 «Marie-Madeleine et trois saints dominicains» (b. 156 × 107).
    CABEZALERO, Juan Martin Cabezalero (Almadén, 1633-Madrid, 1673). De l'école madrilène. Disciple de Carreño.
621 «Episode de la vie de Saint François» (t. 232 × 195).
    CAJES. Voir Caxés.
    CALLEJA, Andrés de la Calleja (Rioja, 1705-Madrid, 1785). Fut restaurateur.
126 «Portrait d'un chevalier de l'Ordre de Saint Jacques» (t. 87 × 78).
    CAMARON, José Camarón (Segorbe, 1730-Valence, 1803).
622 «La Vierge des Sept Douleurs» (t. 160 × 118). C'est sûrement une toile de son fils Camarón y Meliá (1761-1819), dont on confond le style avec celui de son père.
786 «Torero» (t. 42 × 28). Voir n.º 2787.
787 «Une maja en grande toilette» (t. 42 × 28). Toiles attribuées jadis à Carnicero.
    CAMILO, Francisco Camilo (Madrid, v. 1615-1673). De l'école madrilène. Ce peintre de la cour a fait beaucoup de tableaux pieux et sentimentaux, qui évoluent vers le dynamisme baroque.
623 «Martyre de Saint Barthélemy» (t. 205 × 249).
966 «Saint Jérôme, fouetté par les anges» (t. 206 × 249).
201 «Le cardinal Albergati» (t. 112 × 84).
    CANO, Alonso Cano (Grenade, 1601-1667). De l'école de Grenade. C'est l'une des figures les plus frappantes de l'art espagnol de son époque. Il a eu une vie malheureuse et romanesque: il se battit en duel, fut poursuivi pour assassinat de sa femme (mais acquitté) et se vit sans cesse intenter des procès par la Justice de Grenade. A part cela, il avait une personnalité attrayante par sa culture et la multiplicité de ses talents: il était tout à la fois architecte, sculpteur, peintre, dessinateur fécond (chose peu fréquente chez les artistes espagnols), collectionneur passionné de dessins et de gravures, ainsi que propriétaire d'une bibliothèque qui révélait l'ampleur de sa culture. Fils d'un assembleur de retables établi à Grenade, il se rendit à 13 ans à Séville, où il fit son apprentissage de peintre, en même temps que Vélasquez, dans l'atelier de Pacheco. Il a dû aussi étudier chez le sculpteur Martinez Montañes. En 1638, il partit pour Madrid, où il se plaça sous la protection du comte-duc d'Olivares et travailla pour la cour. Après la mort de sa femme, il vécut quelque temps à Valence, retourna à Madrid, puis en 1652 obtint du travail à la cathédrale de Grenade, où il restera jusqu'à sa mort. Il s'initia à la peinture dans le cadre du naturalisme ténébriste, commun à sa génération, mais bientôt

723. Francisco de Goya. Autoportrait.

726. Francisco de Goya. La famille de Charles IV.

abandonna celui-ci, pour adopter et murir son propre style à Madrid, sou
l'influence de Vélasquez et des peintres des collections royales, notam
ment de van Dyck. Sa palette devient alors claire et argentée; il étend s
couleur en glacis délicats. Dans ses personnages, dont l'élégance s'inspir
beaucoup de ceux de van Dyck, il cherche la dignité, la beauté et l'harmo
nie des proportions. Ses compositions sont simples et équilibrées. En gé
néral, sa production respire la sérénité.

625 **«La vision de Saint Benoît qui aperçoit trois anges»** (t. 166 × 123
Date de v. 1657-60.

626 **«Saint Jérôme faisant pénitence»** (t. 177 × 209). Attribué actuelleme
à Bocanegra.

627 **«La Vierge à l'Enfant»** (t. 162 × 107). Date de v. 1646-50. C'est le mêm
genre iconographique que celui de *La Vierge à l'étoile*, déposée actue
lement au Musée de Grenade. Comme toujours chez Cano, la Vierge
des traits délicats et de grands yeux.

629 **«Le Christ mort, soutenu par un ange»** (t. 178 × 121). Date de
1646-52. Type iconographique peu fréquent, qui a des antécédents dar
les peintures italienne et flamande du XVᵉ s. Il est interprété ici avec u
accent dramatique profond, mais contenu.

632 **«Un roi d'Espagne»** (t. 165 × 125). Peint pour la Salon doré de l'Alc
zar, de même que le n.º 633. On a trouvé certains documents, d'apr
lesquels ils auraient été commandés à Jusepe Leonardo. Mais la critique l
attribue à Cano.

633 **«Deux rois d'Espagne»** (t. 165 × 227). Voir n.º 632.

2529 **«Le Christ en croix»** (b. 34 × 24).

2637 **«Le Christ mort, soutenu par un ange»** (t. 137 × 100). Date de
1646-52. Signé. Voir n.º 629.

2806 **«Le miracle du puits»** (t. 216 × 149). Daté de 1646-48. Oeuvre esse
tielle de sa période madrilène. Un fils de Saint Isidore, tombé dans un puit
en a été tiré par l'intervention d'un ange. Le miracle accompli, la famille
retrouvé son calme. L'ange est disparu. Le saint rend grâces à Dieu, tand
que les commentaires des femmes vont bon train. Les enfants et le chie
ajoutent au tableau une note anecdotique. La composition est calme
équilibrée. Le réalisme des types humains n'a rien d'extravagant. Les tou
ches détachées, la qualité agréable de la pâte picturale et surtout le color
qui commence à acquérir la luminosité qu'il aura dans sa période grena
dine, révèlent qu'il connaît bien les peintres vénitiens des collections roy
les et qu'il a subi l'influence de Vélasquez.

3041 **«Saint Antoine de Padoue»** (t. 28 × 19). Ebauche du tableau qui
trouve à la Pinacothèque de Munich.

3134 **«Saint Bernard et la Vierge»** (t. 276 × 185).

3185 **«Le Christ à la colonne»** (t. 203 × 103). Bien qu'il ne soit pas identifi
on l'attribue à Cano, car il offre des affinités de style très grandes avec s
oeuvres et ressemble fort au Christ qui est conservé au Couvent de
Soeurs d'Avila. L'intérêt se manifeste pour l'anatomie et le nu d'origin
classique. Le caractère sentimental de ce tableau, son pathétisme conten
et l'accent qu'il met sur la solitude de la figure le rapprochent beaucou
des 2 tableaux du *Christ, soutenu par un ange* (num. 629 et 2637).

CARDENAS. Voir Bermejo.

CARDUCHO, Bartolomé. Voir Ecole italienne.

CARDUCHO, Vicente Carducho (Florence, 1576/78-Madrid, 1638
En 1585, encore enfant, il arriva en Espagne, accompagnant son frè
Bartolomé, et se forma à ses côtés, parmi les peintres de l'Escorial. E
1609, il fut nommé peintre du roi à la place de son frère. Dès lors,
accapara les commandes royales, jusqu'au jour où il se vit évincé par
jeune Vélasquez, qui devint vite le favori du monarque. Malgré tout,
conserva une clientèle religieuse très fournie, qui lui fit des commandes
grande envergure, comme la décoration de la Chartreuse du Paular. D'or
gine italienne, il accordait beaucoup d'importance aux aspects théoriqu
de la peinture et avait un niveau intellectuel dépassant la moyenne de cel
des peintres espagnols de son temps. Loin d'ignorer les nouveautés d
naturalisme caravagiste, il se contentait de les utiliser tout juste assez pou
rendre vraisemblables les sujets de ses peintures. Celles-ci se distinguer
par une grande correction de dessin et surtout par la claire simplicité d
leur composition, les masses y étant réparties de façon équilibrée et le
figures, disposées en plans parallèles au spectateur.

67 Voir J. Leonardo.

635 **«La victoire de Fleurus»** (t. 297 × 365). Signé et daté de 1634. Peint

pour le Salon des royaumes du Palais du Buen Retiro, de même que les toiles num. 636 et 637. Leur composition est un peu archaïque: les protagonistes sont groupés dans un coin et prennent des poses un tantinet grandiloquentes; la bataille se déroule dans le fond, où l'horizon est placé très haut, et la vue est quasi topographique. La bataille de Fleurus (Belgique) a été gagnée par les Espagnols, commandés par Gonzalo de Córdoba, au cours de la guerre de Trente Ans en 1622.

636 **«Au secours de la place de Constance»** (t. 297 × 374). Signé et daté de 1634. A la tête des troupes espagnoles, le duc de Feria libère la ville de Constance. Voir n.º 635.

637 **«La prise d'assaut de Rheinfelden»** (t. 297 × 357). Signé et daté de 1634. Le duc de Feria s'empare de la ville. Voir n.º 635.

638 **«Une tête d'homme colossale»** (t. 246 × 205).

639 **«La mort du vénérable Odon de Novara»** (t. 342 × 302). Signé et daté de 1632. Avec les num. 639a, 2227, 2501, 2502, 2956, 3061 et 3062, faisait partie de la décoration du cloître de la Chartreuse du Paular, pour lequel on avait commandé à l'artiste 54 toiles de grand format. Celui-ci put y donner la pleine mesure de sa créativité en composant des scènes assez complexes, groupant un grand nombre de personnages et privées de précédents iconographiques. Ici, on reconnaît son propre portrait dans le premier personnage agenouillé à gauche et celui de son ami Lope de Vega, dans son voisin qu'on voit de profil.

639a **«Le miracle des eaux»** (t. 345 × 315). Date de v. 1616-32. Voir n.º 639.

643 **«La Sainte Famille»** (t. 150 × 114). Signé et daté de 1631.

2227 **«Le Père Bosson, Général de l'Ordre, ressuscite un maçon mort»** (t. 345 × 315). Signé et daté de 1626-32. Voir n.º 639.

639. Carducho. La mort du vénérable Odon de Novara.

650. Carreño. Le duc de Pastrana.

2501 **«Apparition du Père Basile de Bourgogne à Saint Hugues de Lincoln, son disciple»** (t. 345 × 315). Signé et daté de 1632. Voir n.º 639.

2502 **«Saint Bruno renonce à la mitre de Reggio»** (t. 345 × 315). Signé et daté de 1626-32. A noter ici les architectures du fond, du genre de celles de l'Escorial, dont les grands et simples plans confèrent à la composition un air grave et solennel. Voir n.º 639.

2956 **«Martyre des RR.PP. Herk et Leodiense de la Chartreuse de Ruremonde»** (t. 345 × 315). Signé et daté de 1626-32. Voir n.º 639.

3061 **«Saint Bruno, en compagnie de six disciples, cherche à se retirer dans la solitude»** (t. 345 × 315). Daté de 1626-32. Voir n.º 639.

3062 **«Saint Bernard de Clairvaux, docteur de l'Eglise, rend visite au R.P. Général Guy, Prieur de la Grande Chartreuse de Grenoble»** (t. 345 × 315). Signé et daté de 1632. Voir n.º 639.

3265  «**Saint Jean de Matha renonce au doctorat et l'accepte ensuite sous l'inspiration divine**» (t. 240 × 243). Fait partie d'une série de 12 toiles qu'il accepta de peindre en 1634, concernant les vies de Saint Félix de Valois et de Saint Jean de Matha, pour l'église des Trinitaires à Madrid.

**CARNICERO, Antonio Carnicero** (Salamanque, 1748-Madrid, 1814). Peignit surtout des portraits, dans un style directement influencé par celui de Goya. Fut peintre de chambre dès 1796.

640  «**Vue de la Lagune de Valence**» (t. 64 × 85).

641  «**Ascension d'un ballon à Madrid**» (t. 170 × 284). Il s'agit, en réalité, de l'ascension en ballon du français Bouché à Aranjuez.

2649  «**Mme Tomasa d'Aliaga, veuve Salcedo**» (t. 93 × 69). Attribué jadis à Goya.

2786  Voir Camarón.

2787  Voir Camarón.

**CARREÑO, Juan Carreño de Miranda** (Avilés, 1614-Madrid, 1685). De l'école madrilène. Ne tarda pas à quitter les Asturies pour aller faire son apprentissage à Madrid avec Pedro de las Cuevas et Bartolomé Román. Sur l'indication de Vélasquez, fut invité à participer à la décoration du Salon des miroirs de l'Alcázar. Nommé peintre du roi en 1669 et peintre de chambre en 1671, il s'acquitta aussi à la cour de charges administratives, comme Vélasquez. Les oeuvres que nous en connaissons datent de sa maturité. Son style a en commun avec son école l'excellente qualité de la pâte, les touches détachées et délayées qui fondent les contours dans l'espace et la couleur d'origine vénitienne. Il fit des portraits, des tableaux d'autel et des fresques dans des églises de Madrid. Il recueillit l'héritage de Vélasquez et de van Dyck en revêtant les modèles de ses portraits d'élégance et de sensibilité. Ses toiles et ses fresques sont animées d'un vrai souffle baroque: les figures et les décors y sont disposés de façon théâtrale; la lumière y est utilisée d'une main magistrale.

642  «**Charles II**» (t. 201 × 141). Fils de Philippe IV et de Marianne d'Autriche, sa 2ème femme, il fut le dernier rejeton des Habsbourgs espagnols. On l'appelait «l'ensorcelé». Maladif et retardé, il mourut sans descendance, après un règne chaotique, laissant comme héritier Philippe d'Anjou, qui règnerait sous le nom de Philippe V. Sans esquiver ses traits dégénérés, ce portrait d'adolescent a une élégance qui cherche à pallier le manque d'expression et la fragilité de cette triste figure, écrasée par la magnifique décoration du Salon des miroirs de l'Alcázar lui servant de fond.

644  «**La reine Marianne d'Autriche**» (t. 211 × 125). Date de v. 1669. Assise devant le même fond que son fils Charles, portant sa coiffe de veuve, elle nous donne aussi une triste image de la cour de Madrid.

645  «**Pierre Ivanovitch Potemkin, ambassadeur de Russie**» (t. 204 × 120). Date de v. 1681. Le coloris vif de ce portrait nous montre ce dont le peintre était capable quand son modèle le lui permettait.

646  «**Eugenia Martinez Vallejo ou la monstresse**» (t. 165 × 107). Cette fille monstrueuse de 5 ans était originaire de Bárcenas. Il y avait assez bien de portraits de ce genre dans la peinture baroque espagnole. Rappelons seulement les *Bouffons* de Vélasquez ou la *Femme barbue* de Ribera.

647  «**Le bouffon Francisco Bazán**» (t. 200 × 101).

648  «**Charles II**» (t. 75 × 60). Daté de 1680.

649  «**Saint Sébastien**» (t. 171 × 113). Signé et daté de 1656.

650  «**Le duc de Pastrana**» (t. 217 × 155). Il est peint debout en plein air, mais son cheval et 2 domestiques sont près de lui pour bien montrer son haut lignage. Comme van Dyck dans le célèbre portrait de Charles Ier d'Angleterre, l'artiste combine les éléments du portrait baroque d'apparat où doivent figurer les emblèmes de la dignité du modèle, avec une recherche du naturel, qui lui donne un air plus réel et spontané.

651  «**Sainte Anne donne une leçon à la Vierge**» (t. 196 × 168). Signé.

2800  «**La monstresse nue**» (t. 165 × 108). Elle a les attributs de Bacchus. Ce tableau fait pendant au n.º 646.

3088  «**Le festin d'Hérode**» (t. 80 × 59). Ebauche.

**CARREÑO** (?).

2533  «**L'Immaculée Conception**».

**CASCESE.** Voir Caxés.

**CASTELO, Félix Castelo ou Castello** (Madrid, 1595-1651). De l'école madrilène. Disciple de Vicente Carducho, dont il imita le style. Travailla pour la cour et des couvents.

653  Voir Caxés.

749. Francisco de Goya. Le 3 mai 1808 à Madrid: les exécutions sur le mont du Príncipe Pío.

654 **«Récupération de l'île de San Cristóbal par Frédéric de Tolède»** (t. 297 × 311). Signé et daté de 1634. Attribué auparavant à Caxés. Peint pour le Salon des royaumes du Palais du Buen Retiro.

**CASTILLO, Antonio del Castillo Saavedra** (Cordoue, 1616-1668). De l'école cordouane. Travailla à Cordoue, tout en allant parfois à Séville. Bon dessinateur, il est habile dans la composition, mais pauvre en couleurs.

951 **«Joseph et ses frères»** (t. 109 × 145). La meilleure partie de sa production consiste en une série de tableaux (num. 951 à 956) illustrant la vie de Joseph, racontée par la Genèse, chap. 37-47. Les scènes bibliques se déroulent dans de larges paysages de type flamand, avec parfois des architectures qui leur donnent un certain cachet.

952 **«Joseph vendu par ses frères»** (t. 109 × 145). Voir n.º 951.
953 **«La chasteté de Joseph»** (t. 109 × 145). Voir n.º 951.
954 **«Joseph explique à Pharaon ses songes»** (t. 109 × 145). Voir n.º 951.
955 **«Le triomphe de Joseph en Égypte»** (t. 109 × 145). Voir n.º 951.
956 **«Joseph donne l'ordre de mettre Siméon en prison»** (t. 109 × 143). Voir n.º 951.
2503 **«Saint Jérôme faisant pénitence»** (t. 141 × 105). Signé.
2940 **«Saint François»**.

**CASTILLO, José del Castillo** (Madrid, 1737-1793). Etudia la peinture à Rome chez Corrado Giaquinto. Travailla à Madrid pour l'Usine de tapisseries de Sainte Barbe, en lui fournissant des cartons.

2894 **«Nature morte de gibier»** (t. 134 × 134). Carton pour tapisserie.

**CAXES, Eugenio de Cascese, Caxés ou Cajés** (Madrid, 1574-1634). De l'école madrilène. Formé par son père Patricio, peintre italien qui vint travailler à l'Escorial, il compléta sa formation à Rome. Depuis 1598, il travailla à Madrid au service de la cour (peintre du roi dès 1612), pour des églises et des couvents, en collaboration étroite avec Vicente Carducho. Bien sûr, son style n'est guère attrayant, vu qu'il se soucie peu de la beauté de ses modèles humains, mais est assez personnel. Il combine le maniérisme dans la composition et la forme très allongée de ses types avec de petites doses de réalisme dans les détails, modelant tout cela d'une façon étrangement molle. Sa principale qualité est peut-être sa couleur, pleine de lumières et de contrastes.

119 Voir Corrège, copies.
120 Voir Corrège, copies.
653 **«La récupération de San Juan de Puerto Rico»** (t. 290 × 344). Daté de 1634. Peint pour le Salon des royaumes du Palais du Buen Retiro. Au 1er plan, Juan de Haro parle avec un aide de camp, tandis que les Hollandais en déroute s'enfuient vers leurs navires. Cela se passa en 1625. Attribué jadis à Castelo, ce tableau l'a été à présent à Caxés en vertu de documents dont le verdict n'est pourtant pas définitif.
654 Voir Félix Castelo.
657 **«Imposition de la chasuble à Saint Ildephonse»** (b. 40 × 51). Signé
3051 **«Le cardinal Cisneros»** (t. 209 × 145). Signé et daté de 1604.
3064 **«L'incrédulité de Saint Thomas»** (t. 131 × 98).
3120 **«La Vierge avec l'Enfant Jésus endormi»** (t. 160 × 135). A sa manière il fait contraster la figure stéréotypée et très svelte de la Vierge avec les détails très concrets du berceau au 1er plan et de l'atelier de menuisier au fond.
3180 **«L'Adoration des rois mages»** (t. 123 × 103). D'atelier.
3228 **«Le miracle de Sainte Léocadie»**.

**CEREZO, Mateo Cerezo** (Burgos, v. 1626-Madrid, 1666). De l'école madrilène. Disciple de Carreño avec qui il a sans doute collaboré. Peignit surtout des scènes religieuses d'un joli coloris, avec une technique très libre, mais sans jamais négliger la correction du dessin. Son style baroque un peu contenu, veille toujours à la tenue et à l'élégance des personnages. Il dut connaître les collections royales, car on décèle dans ses oeuvres l'influence de Titien et de van Dyck.

620 **«Le jugement d'un âme»** (t. 145 × 104). Attribué jadis à Cabezalero. Thème très prôné par la Contre-réforme, où l'âme comparaît pour être jugée, en compagnie de saints intercesseurs.
658 **«L'Assomption»** (t. 237 × 169).
659 **«Les noces mystiques de Sainte Catherine»** (t. 207 × 163). Signé et daté de 1660. Mise en scène compliquée, avec un fond de colonnes et de rideaux.
2244 **«Saint Augustin»** (t. 208 × 126). Signé et daté de 1663.

3159 **«Nature morte»** (t. 100 × 227). On vient de la lui attribuer, mais le catalogue la considère encore comme d'un anonyme de l'entourage de Pereda. Cerezo n'a signé que 2 natures mortes qu'on connaisse.

3256 **«La stigmatisation de Saint François»** (t. 170 × 110). Daté de 1660.

**CIEZA, Vicente Cieza** (peignit à Madrid de 1677 à 1701).

571 **«Le jugement de Salomon»** (t. 110 × 140).

**COELLO, Claudio Coello** (Madrid, 1642-1693). De l'école madrilène. C'est le meilleur représentant de celle-ci à la fin du XVII<sup>e</sup> s. Fils d'un bronzier portugais, il se forma avec Francisco Rizi, dont il assimila l'élan baroque, tout en le soumettant à la discipline d'un dessin extrêmement correct. En outre, il subit l'influence de Carreño, des Vénitiens et des Flamands des collections royales, notamment de Rubens. Ses fresques et grandes toiles d'autel représentent le sommet du baroque espagnol décoratif: maîtrisant les méthodes de l'illusionnisme spatial, il créa des compositions ambitieuses, avec des mises en scènes théâtrales de colonnades, escaliers, balustrades et rideaux. Pour ses types humains, il cherchait la beauté et un port digne, à l'abri de l'agitation environnante. Peintre de chambre depuis 1685, il eut aussi l'occasion de prouver ses dons d'excellent portraitiste.

660 **«La Vierge et l'Enfant, entourés des vertus théologales»** (t. 232 × 273). Signé et daté de 1669. Comme dans le tableau qui suit, il s'agit de «saints entretiens» à la mode italienne, assez rares dans la peinture espagnole, que le peintre place dans un riche décor de cour.

661 **«La Vierge et l'Enfant, vénérés par Saint Louis, roi de France»** (t. 229 × 249). Voir n.º 660.

662 **«Saint Dominique de Guzmán»** (t. 240 × 160). Fait pendant au tableau n.º 663. L'artiste transforme ici le type iconographique du saint isolé dans une niche, remontant aux retables médiévaux, en perçant sa niche pour lui donner un fond de paysage. C'est que l'espace étroit de la représentation classique, où le saint ressortait sur un fond neutre, répugnait nettement à son style baroque.

663 **«Sainte Rose de Lima»** (t. 240 × 160). Voir n.º 662.

664 **«Le triomphe de Saint Augustin»** (t. 271 × 203). Le thème traditionnel de l'apothéose d'un saint, entouré d'anges qui portent ses emblèmes, se trouve rehaussé ici par l'aspect grandiose des architectures classiques.

665 **«Marianne d'Autriche, reine d'Espagne»** (t. 97 × 79). Douteux.

992 **«Le Père Cabanillas»** (t. 76 × 62). Portrait d'un franciscain.

2504 **«Charles II»** (t. 66 × 56).

2583 **«Jésus enfant, à la porte du Temple»** (t. 168 × 122). Attribué jadis à Carlo Dolci. On soupçonne d'apocryphe la signature de Coello.

**COELLO. Copie.**

316 **«La mort de Marie-Madeleine»** (t. 190 × 120).

**COLLANTES, Francisco Collantes** (Madrid, 1599-1656). De l'école madrilène. Principal paysagiste espagnol de son temps, influencé par les paysages italien et flamand, pleins de figures et de détails architectoniques.

666 **«La vision d'Ézéchiel»** (t. 177 × 205). Signé et daté de 1630.

849 **«Paysage»** (t. 75 × 92). Signé.

027 **«Saint Onofre»** (t. 168 × 108). La peinture de ses figures est nettement inspirée de Ribera: réaliste, elle a un modelé vigoureux et un empâtement dense, mais une lumière claire.

086 **«L'incendie de Troie»** (t. 144 × 197).

**CORREA, Juan Correa de Vivar** (?-Tolède, 1566). Travailla à Tolède dans la ligne de Jean de Bourgogne. Peignit dans un style italianisant, plein d'éléments maniéristes, où se glissaient souvent des morceaux d'architecture ou de nature morte, dénotant un souci d'observer la réalité.

671 **«La dormition de la Vierge»** (b. 254 × 147). On y remarque le portrait du donateur, Francisco de Rojas, qui participe à la scène. L'assiette de fruits, qui se trouve sur la table de nuit de la Vierge, paraît une anticipation des natures mortes tolédanes et dénote cette contradiction, typique alors, entre le substrat réaliste flamand et les formes italiennes.

672 **«La Vierge et l'Enfant Jésus avec Sainte Anne»** (b. 94 × 90). Vient du retable de San Martin de Valdeiglesias, de même que les num. 673 et 2832. Les figures douces et idéalisées manifestent l'influence italienne, tandis que la combinaison de l'intérieur avec le paysage entrevu à travers une triple arcade est typiquement flamande.

673 **«Saint Benoît donne une bénédiction à Saint Maur»** (b. 94 × 87). Voir n.º 672.

580 **«Saint Bernard»** (b. 91 × 35).

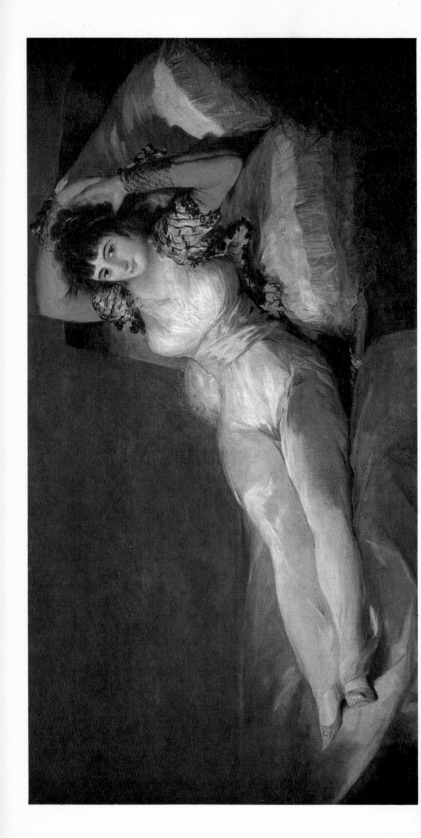

741. Francisco de Goya. La maja habillée.

742. Francisco de Goya. La maja nue.

687 «La présentation de Jésus au Temple» (b. 219 × 87). Vient du mo
nastère de Guisando, comme le n.º 689.

689 «La Visitation» et, au dos, «Saint Jérôme faisant pénitence» (
212 × 77).

690 «La Nativité» (b. 228 × 183).

2828 «L'Annonciation» (b. 225 × 146).

2832 «L'apparition de la Vierge à Saint Bernard» (b. 225 × 146).

CORTE, Juan de la Corte (? 1597-Madrid, 1660). Peintre d'origine flamand
qui travailla à la cour. Fit des tableaux très laborieux de paysages ou d
batailles.

3102 «Le rapt d'Hélène» (t. 150 × 222).

3103 «L'incendie de Troie» (t. 140 × 238).

DELEITO, Andrés Deleito ou Deleyto. On ignore tout de sa vie, si c
n'est qu'il peignit vers 1680, avec une style très personnel, des nature
mortes principalement.

3125 «L'expulsion des vendeurs du Temple» (t. 60 × 80). Seul et uniqu
tableau de figures qu'on connaisse de lui.

DONOSO. Voir Jiménez Donoso.

ESCALANTE, Juan Antonio de Frías y Escalante (Cordoue, 1633
Madrid, 1670). De l'école madrilène. Formé dans le cercle de Ricci,
laissa un oeuvre témoignant de son excellente technique et de sa sensib
lité raffinée. Sa palette claire et nacrée, ses figures fines et élégantes, u
peu poupines de femmes, aux longs membres et aux doigts effilés, ain
que sa préférence pour les éléments gracieux et délicats, devancent le sty
rococo.

696 «L'Enfant Jésus et Saint Jean» (t. 46 × 122).

697 «Le Christ gisant» (t. 84 × 162).

698 «La sage Abigaïl» (t. 113 × 152). Signé et daté de 1667. Elle offre de
vivres aux troupes de David. Avec les num. 699 et 2957 fit partie d'un
série de 18 tableaux sur des thèmes eucharistiques, peints de 1666 à 166
pour le couvent de la Merci à Madrid.

699 «Triomphe de la foi sur les sens» (t. 113 × 152). Signé et daté de 166
Voir n.º 698.

2957 «L'eau du rocher» (t. 104 × 143). Voir n.º 698.

3046 «La communion de Sainte Rose de Viterbe» (t. 215 × 190). Signé.

3114 «Ecce homo» (t. 105 × 82). Signé.

3135 «Elie et l'ange» (t. 114 × 103).

3220 «Jésus et la Samaritaine» (t. 104 × 123).

ESPAGNOLET. Voir Ribera.

ESPINOSA, Jerónimo Jacinto Espinosa (Cocentaina, 1600-Valence
1667). De l'école valencienne. Se forma avec son père, peintre fixé
Valence depuis 1612. Subit l'influence des Ribalta, d'Orrente et de Zurba
rán, dont il dut connaître l'oeuvre à Séville v. 1640-1647. Ses tableau
religieux offrent un violent réalisme et un clair-obscur qui modèle fort le
formes. Les couleurs en sont très abîmées à présent, car elles ont été ma
préparées.

700 «Marie-Madeleine» (t. 112 × 91). Fait pendant au n.º 701.

701 «Saint Jean-Baptiste» (t. 112 × 91). Fait pendant au n.º 700.

3087 «Saint Raymond Nonnat» (t. 245 × 180).

ESPINOSA, Juan de Espinosa (1ère moitié du XVIIe s.). On le confon
avec 2 autres peintres homonymes, car on ignore leurs biographie
Celui-ci excella dans la peinture des fruits.

702 «Pommes, prunes, raisins et poires» (t. 76 × 59).

703 «Raisins et pommes» (t. 50 × 59).

ESTEVE, Agustin Esteve (Valence, 1753-Madrid, ap. 1820). Portrai
tiste, qui imite le style de Goya.

2581 «Joaquina Téllez-Girón, fille des ducs d'Osuna» (t. 190 × 116). Signé
On lit au bas de la toile: Agée de 13 ans et 4 mois. Imite le coloris sobre e
délicat, non moins que l'intensité psychologique des portraits de Goya

2876 «Mariano San Juan y Pinedo, comte consort de la Cimera» (t. 128 × 89

ESTIMARIU, Maître d'Estimariú (anonyme du XIVe s.). De l'écol
catalane. Formé sans doute dans l'atelier de Destorrents, avait un style na
et simple, où prédominait la narration.

2535 «La légende de Sainte Lucie» (b. 161 × 97). Ces 2 planches raconten
2536 son martyre en bandes horizontales. La monotonie est rompue au moye
de simples architectures qui changent la couleur du fond, afin de mieu
distinguer les scènes l'une de l'autre. Dans l'école catalane, influencée pa

la peinture siennoise, on met les silhouettes fort en relief et l'on aime bien le coloris pur et lumineux.

**EZQUERRA, Jerónimo Antonio de Ezquerra** (vie inconnue; repéré en 1725).

704 **«L'eau»** (t. 248 × 160). Achève une série de 3 «éléments», peinte par Palomino.

**FERNANDEZ, Alejo Fernández** (Cordoue, v. 1475-Grenade, 1545/6). Fondateur de l'école sévillane de la Renaissance, encore assez liée au style flamand.

1925 **«La flagellation»** (b. 42 × 35).

**FERNANDEZ DE NAVARRETE.** Voir Navarrete.

**FERRO, Gregorio Ferro** (La Corogne, 1742-Madrid, 1812).

2780 **«Le comte de Floridablanca, protecteur du commerce»** (t. 35 × 27). Ebauche. On y voit une signature apocryphe de Goya, dont il fut souvent le rival.

**FIGUEROA.** Voir Rincón.

**FLANDRE, Jean de Flandre** (?-Palencia, av. 1519). De l'école hispano-flamande. On ignore son nom et son origine. On sait qu'il entra en 1496 au service d'Isabelle la Catholique. Son style reflète une formation flamande, influencée déjà par la Renaissance italienne. Peintre de grande classe, il dessine avec fermeté et obtient un modelé délicat; son sens de l'espace est renaissance. Dans son coloris uni aux tons froids, les bleus prédominent et les blancs abondent.

2935 **«La résurrection de Lazare»** (b. 110 × 84).
2936 **«La prière au Jardin de Gethsémani»** (b. 110 × 84).
2937 **«L'Ascension du Seigneur»** (b. 110 × 84).
2938 **«La venue de l'Esprit Saint»** (b. 110 × 84).

**FLANDRE. Disciple de Jean de Flandre.**

541 **«La Visitation»** (b. 52 × 36).

**FRANCES.** Voir Nicolás Francés.

**GALLEGO, Fernando Gallego** (actif de 1466/7 à 1507). De l'école hispano-flamande de Castille. Il exerça une profonde influence par le truchement de son vaste atelier. Inspiré de la peinture flamande, son style accuse en outre maintes analogies avec celle des pays germaniques. Il a une interprétation très personnelle et un penchant spécial pour le drame.

647 **«Le Christ bénissant»** (b. 169 × 132). C'est un Christ de majesté, placé entre l'Église et la Synagogue et entouré par les 4 Évangélistes.

997 **«Le Calvaire»** (b. 92 × 83). Son profond pathétisme lui fait pardonner les incorrections de son dessin. Le paysage, rude et volumétrique, est bien de lui.

998 **«La Pietà ou la cinquième douleur de la Vierge»** (b. 118 × 102). Révèle son expressionnisme, ainsi que son modelé sec et anguleux. Le paysage flamand est interprété avec une rudesse bien castillane.

039 **«Le martyre de Sainte Catherine»** (b. 125 × 109). Sûrement peint par Francisco Gallego, disciple et peut-être parent de Fernando.

**GARCIA DE BENABARRE, Pedro García de Benabarre** (actif à Barcelone en 1455-56). De l'école catalane. Disciple de Martorell, dont il reprit l'atelier à sa mort.

324 **«Saint Sébastien et Saint Polycarpe détruisent des idoles»** (b. 160 × 68).
325 **«Martyre des saints Sébastien et Polycarpe»** (t. 160 × 68).

**GILARTE, Mateo Gilarte** (Valence, v. 1620-1675). De l'école valencienne. Peintre archaïsant et maniériste, dont les compositions sont statiques et serrées.

714 **«Nativité de la Vierge»** (t. 228 × 147). Signé.

**GOMEZ, Jacinto Gómez Pastor** (San Ildefonso, 1746-1812). Disciple de Bayeu, il fit de la peinture à fresque.

715 **«Les anges adorent le Saint-Esprit»** (t. 46 × 45). Ebauche pour le plafond de l'oratoire de La Granja.

**GONZALEZ, Bartolomé González** (Valladolid, 1564-Madrid, 1627). Portraitiste de cour, dans la ligne de Coello et de Pantoja, qui peignait ses modèles dans des poses raides, en détaillant très minutieusement leurs habits et leur bijoux.

16 **«La reine Marguerite d'Autriche»** (t. 116 × 100). Signé et daté de 1609.
41 Copie d'Antonio Moro.
18 **«Philippe II»** (t. 160 × 109).

**GONZALEZ VELAZQUEZ, Zacarías González Velázquez** (Madrid, 1763-1834). Se forma à l'Académie et travailla pour la Fabrique de tapisseries.

763. Francisco de Goya. Saturne dévorant un de ses enfants.

761. Francisco de Goya. Sabbat.

2998. Gallego. La Pietà.

2495 **«Antonio González Velázquez»** (t. 80 × 58). Portrait de son père, qui était aussi peintre et notamment fresquiste.

2897 **«Pêcheur»** (t. 110 × 196).

**GOYA, Francisco de Goya y Lucientes** (Fuendetodos, Saragosse, 1746-Bordeaux, 1828). C'est un de ces géants de l'art, qui vous émerveille tant par l'envergure, la diversité et la liberté de son génie, qu'il s'avère impossible de lui reconnaître telle ou telle tendance artistique. Sa longue vie se déroula à une époque critique de l'histoire d'Espagne: le début de l'esprit philosophique avec Charles III, le règne convulsé de Charles IV, la Guerre de l'Indépendance et la réaction avec Ferdinand VII. Malgré sa nature robuste, il n'échappa point à d'atroces maladies, qui le menèrent plusieurs fois aux portes du tombeau et le laissèrent sourd à l'âge mûr. Mais son tempérament infatigable et curieux lui firent prendre le dessus, si bien qu'il était de nouveau prêt, après chaque rechute, à faire face à la vie avec un acquis plus profond, une plus grande maîtrise de soi et de son art. Il a mûri lentement et avec peine, mais toute son évolution artistique fut marquée par la tension de son esprit lucide, qui ne cessait de s'interroger sur le sens de tout ce qu'il voyait et de chercher les moyens pour l'exprimer. C'est ainsi qu'il expérimenta constamment de nouvelles techniques, de manière à pouvoir donner forme au contenu inépuisable de son monde intérieur.

Il étudia à Saragosse avec José Luzán, qui s'était formé à Naples. A la suite de 2 échecs successifs aux concours de l'Académie de Madrid, en 1770, il partit pour l'Italie. A son retour, un an après, il reçut ses premières grosses commandes et se maria avec Josefa Bayeu. Francisco, frère de celle-ci, l'introduisit à la Fabrique royale de tapisseries, à laquelle il fournira longtemps des cartons. Il eut ainsi la chance de pouvoir entrer en contact avec la cour, connaître les collections royales et devenir peu à peu le portraitiste favori de la noblesse. C'est alors le Goya joyeux et clair des tapisseries, qui combine la délicatesse hédoniste rococo avec les règles académiques, dans une peinture, qui, sans être géniale, est très agréable, d'un fin coloris et le résultat d'une observation pétillante du réel.

Au contact des milieux éclairés et libéraux, Goya mûrit et se cultive. Il acquiert peu à peu des vues plus critiques sur le monde qui l'entoure, dans le mesure où il prend conscience des problèmes de la société de son temps. Aussi blâmera-t-il dans ses tableaux les vices de la cour, l'obscurantisme religieux, la vanité, la stupidité et l'ignorance, non avec la froideur du moraliste distant, mais avec la passion du témoin impliqué.

On l'estimait de plus en plus dans la société. Il atteignit le sommet de sa carrière artistique, lorsqu'il fut nommé en 1799 premier peintre du roi. Mais dès 1792, il avait été rendu sourd par sa terrible maladie. Celle-ci marqua un grand tournant dans sa vie, à tel point qu'il en sortit un second Goya, caustique et amer, qui, dans son isolement, se mit à distiller la vraie moelle de sa personnalité redoutable. Artiste de 1er ordre, essentiellement peintre, loin d'adhérer au néo-classicisme, il préféra s'abreuver aux sources baroques: «Mes seuls maîtres, disait-il, sont Vélasquez, Rembrandt et la Nature». La lumière et la couleur sont ses principaux soucis. Même s'il n'a pas été tout à fait correct, son dessin a pris en revanche de telles libertés qu'il réussira à être expressif à souhait, tout en captant vite la réalité. Son indépendance vis-à-vis de la discipline classique, qui régnait alors en Europe, lui fera parcourir tout seul une longue route dans l'étude des effets de lumière, à tel point que sa peinture débouchera directement sur l'impressionnisme.

La Guerre de l'Indépendance marqua un autre jalon dans sa vie. Ses affreux spectacles exciteront une inquiétude, toujours latente chez lui, à l'égard des éléments irrationnels sous-jacents à la personne humaine, de l'animal qui se cache en elle, attendant la moindre occasion pour se déchaîner. Les rêves, les diableries et les sorcelleries, qui étaient présents dans son oeuvre presqu'à ses débuts, anticipent en quelque sorte certains aspects du romantisme et même du surréalisme, vont alors converger avec le profond pessimisme causé en lui par la guerre. C'est pourquoi sa peinture s'orientera cette fois vers un expressionnisme déformant. Quel n'est pas notre étonnement de voir Goya trouver, dans chaque cas, un langage artistique approprié à ce qu'il veut extérioriser!

Le règne de Ferdinand VII mit le comble à sa déception. Vieux et infirme, il partit pour la France, où il s'installa à Bordeaux. Il y trouva un refuge paisible pour les dernières années de sa vie. Goya avait eu beau peindre à l'huile, faire des fresques, réaliser d'innombrables dessins, révolutionner la gravure et traiter tous les sujets possibles dans son abondante production. Il entreprit alors des lithographies et des miniatures. Comme le vieillard de son célèbre dessin, il pouvait dire: «J'apprends encore». En dépit de ses amertumes et désillusions, il maintint intactes jusqu'au bout sa curiosité et son énergie créatrice.

719 **«Charles IV à cheval»** (t. 305 × 279). Daté de 1799. Fait pendant au n.º 720. Goya admirait tant Vélasquez qu'il fit une série de gravures inspirées de ses oeuvres. Ici, non seulement il lui emprunte la conception du portrait équestre et la manière d'insérer la figure dans le paysage, mais encore il imite à la lettre le cheval de Marguerite d'Autriche peint par lui. Ce n'est pas un portrait héroïque; aussi choisit-il un cheval qui va au pas; du reste, l'élégante courbette des portraits équestres masculins de Vélasquez n'aurait guère cadré avec la gaucherie de Charles IV. Les tons gris prédominent: non les argentés de Vélasquez, mais des tons plombés qui donnent au paysage un air orageux.

720 **«La reine Marie-Louise à cheval»** (t. 335 × 279). Daté de 1779. Fait pendant au n.º 719. Elle monte «Martial», cheval que Godoy lui avait offert, dont la silhouette copie celle du cheval de la reine Isabelle de Bourbon. Grâce à un effet de contre-jour, sa figure se détache sur le paysage et le peintre évite la monotonie des tons foncés. On est surpris

719. Goya. Charles IV à cheval.  720. Goya. La reine Marie-Louise.

2899. Francisco de Goya. La laitière de Bordeaux.

809. Le Greco. Le chevalier posant la main sur le coeur.

par l'expression de la reine Marie-Louise, fière et sûre d'elle-même, comme dans tous les portraits que Goya en a faits. Pas plus que le roi, elle ne respire la dignité; mais, en revanche, elle affiche un air de défi, bien propre de qui se sait maître de la situation.

721 **«Le peintre François Bayeu»** (t. 112 × 84). Daté de 1791. Portrait posthume, basé sur son autoportrait. C'était son beau-frère et son maître, qui l'introduisit dans la Fabrique des tapisseries. Au point de vue chromatique, c'est l'une de ses toiles les plus exquises, où il manie la gamme des gris avec une extrême délicatesse.

722 **«Josefa Bayeu de Goya»** (t. 81 × 56). La tradition a reconnu la femme de Goya dans ce portrait de v. 1790, mais ce n'est pas sûr, encore qu'il présente un air d'intimité familiale.

723 **«Autoportrait»** (t. 46 × 35). Daté de 1814. Signé. La guerre est finie. Goya est un veuf de 69 ans, sourd depuis longtemps. Son visage ne fait pas vieux, mais semble plein d'amertume et de déception. Très libre, la facture du tableau fait un grand usage du noir, comme d'habitude alors. L'aspect débraillé de Goya et sa «projection» hors de la toile confèrent à celle-ci une note quasi confidentielle.

**727. Goya. Charles IV.**

**724. Goya. Ferdinand VII.**

724 **«Ferdinand VII dans un camp»** (t. 207 × 140). Signé (en posant les lettres à l'envers). Date de v. 1814. Ferdinand VII veilla (avec raison) à éluder les rencontres avec Goya. Ce n'est pas lui qui a commandé ses portraits; et la preuve qu'il ne se prêtait pas à poser, c'est que dans tous le peintre a utilisé la même tête. Goya s'est vraiment acharné à y décharger l'antipathie qu'il ressentait à son égard, sans chercher le moins du monde à atténuer la laideur de son visage, son expression bête et sa lourdeur dégingandée. Paradoxalement, les portraits de ce roi sont les plus pompeux. Leur emphase, dont ceux de Charles IV sont absolument dépourvus, ne fait en somme qu'accroître le ridicule du modèle.

725 **«Le général José de Palafox à cheval»** (t. 248 × 224). Signé et daté de 1814. Palafox, qui se distingua en 1808 dans la défense de Saragosse contre les troupes françaises, eut des rapports personnels avec Goya. Son portrait est nettement inspiré de celui du comte-duc d'Olivares par Vélasquez.

726 **«La famille de Charles IV»** (t. 280 × 336). Daté de 1800. Cette oeuvre célèbre de Goya surprend d'autant plus si l'on songe qu'elle a été peinte la même année que le fameux portrait de *Mme Récamier* par Louis David. La disposition des figures en frise parallèle au plan du tableau et la sobriété de la scène sont, si l'on veut, des notes du néo-classicisme, mais on ne trouve rien ici de la froideur distante de celui-ci, ni de son culte à la ligne

et à la gravité sculpturale de la forme. C'est un tableau essentiellement pictural, où la lumière joue le rôle principal: entrant par la gauche, elle fait scintiller les bijoux et décorations, briller les bandes de soie et costumes en mousseline brodés d'or et resplendir les tons jaunes prédominants. Goya s'est montré capable ici de capter la forme en des touches détachées et vibrantes, sans l'assujettir au lacis du dessin. Il rend hommage à Vélasquez en se peignant lui-même au fond, comme l'avait fait l'auteur des *Ménines;* cependant, ce qui l'interesse, ce ne sont pas les subtils jeux d'espace de ce tableau, mais la fonction de témoignage remplie par son autoportrait. Celui-ci, en effet, lui permet de nous lancer un regard de complicité, pour nous donner à entendre le jugement peu favorable qu'il portait sur cette famille. Charles IV, bien intentionné et bonasse, mais tout à fait dominé par la reine, a un air absent et bébête; par contre, Marie-Louise a comme toujours une expression de défi, avec le cou bien dressé (dont elle était si fière). Il n'est pas douteux que la femme qui détourne le visage est la future épouse de Ferdinand VII qu'on ne connaissait pas encore. Les physionomies des autres personnages ne sont guère plus sympathiques, sauf celles des enfants, que Goya traite toujours avec une délicate tendresse.

727 «**Charles IV**» (t. 202 × 126). Daté de 1798/9. Réplique de l'original se trouvant au Palais royal. Comme le n.º 728, qui lui fait pendant, il appartint à Godoy, le favori tout-puissant qui s'imposa durant le règne de Charles IV, grâce aux faveurs démesurées de la reine Marie-Louise.

728 «**La reine Marie-Louise, couverte d'une mantille**» (t. 209 × 125). De la même date que le n.º 727. La reine est vêtue d'une robe de maja, passée du peuple à l'aristocratie. Les noirs sont rendus de façon magistrale. La reine écrivit à Godoy qu'elle trouvait ce portrait «fort ressemblant».

729 «**L'infante Marie-José**» (t. 74 × 60). Soeur de Charles IV. Comme les num. 730-33, cette étude d'après nature servait de préparation à *La famille de Charles IV*. Ces toiles sont extraordinairement vivantes. La préparation rougeâtre que Goya utilisait d'habitude, reste à découvert.

730 «**L'infant François de Paule-Antoine**» (t. 74 × 60). Fils de Charles IV.

731 «**L'infant Charles-Marie-Isidore**» (t. 74 × 60). Fils de Charles IV et frère de Ferdinand VII, il brigua le trône d'Espagne à la mort de celui-ci, provoquant les «guerres carlistes» entre ses partisans, les absolutistes, et les libéraux, qui défendaient les droits d'Isabelle, fille de Ferdinand VII.

732 «**Louis de Bourbon, prince de Parme et roi d'Etrurie**» (t. 74 × 60). Gendre de Charles IV.

733 «**L'infant Antoine-Marie-Pascal**» (t. 74 × 60). Frère de Charles IV.

734 «**Isidoro Máiquez**» (t. 77 × 58). Signé et daté de 1807. Goya fit le portrait de ce célèbre acteur avec la hardiesse et la désinvolture qu'il réservait aux gens qui jouissaient de sa confiance. Il esquissa à peine le fond et son buste, pour centrer l'attention sur les yeux pétillants de son visage, tracé de façon vive et très expressif.

735 «**Ferdinand VII, drapé dans son manteau royal**» (t. 212 × 146). Daté de 1814. C'est à coup sûr le plus grotesque de tous ses portraits. Sa

725. Goya. Le général Palafox.

2785. Goya. Le colosse ou la panique.

810. Le Greco. Un chevalier.

gaucherie, sa façon maladroite de tenir le sceptre et son manque absolu de majesté, présentent un contraste déplaisant avec les prétentions de sa tenue, que Goya décrit avec une simplicité magistrale en touches détachées, violentes et chargées d'empâtement.

736 «Le général Urrutia» (t. 200 × 135). Signé et daté de 1798. Sa sobre élégance lui donne une certaine allure anglaise, qu'ont certains portraits de Goya.

737 «Charles III, chasseur» (t. 210 × 127). On connaît plusieurs versions presque identiques de ce portrait de v. 1786-88, nettement inspiré par Vélasquez.

738 Le cardinal Louis-Marie de Bourbon et Vallabriga» (t. 214 × 136). Date de v. 1800. Il en existe un exemplaire antérieur, dans la position inverse (Sao Paulo).

739 «Le duc et la duchesse d'Osuna et leurs enfants» (t. 225 × 174). Daté de 1788. Le portrait de famille est un genre qui n'est guère traditionnel dans la peinture espagnole, dont l'origine vient de la peinture hollandaise du XVIIe s. et qui fut fort répandu chez les Anglais au XVIIIe. Goya simplifie le genre en supprimant le décor de fond de la maison. La composition pyramidale unifie le groupe, de même que la couleur claire et harmonieuse, nuancée très délicatement. Les Osuna se distinguèrent dans la société de Madrid et protégèrent Goya. Fine et très cultivée, la duchesse fut une sorte de rivale et d'antagoniste de la duchesse d'Albe. Comme toujours, les enfants nous révèlent le côté sentimental du peintre aragonais: comment oublier leur fragilité et la curiosité avec laquelle ils fixent leurs regards transparents sur le spectateur!

740 «Doña Tadea Arias Enríquez» (t. 190 × 106). Signé et daté de 1793-4. Sensible à tous les registres de la féminité, Goya composa ici un portrait fort rococo aux tons pâles de porcelaine, sur un fond vaporeux de jardin, convenant parfaitement à la figure hautaine et distante du modèle, peinte avec ce maintien rigide si typique des personnages goyesques.

740a «Charles IV» (t. 126 × 94). Copie d'atelier, comme le suivant.

740b «Charles IV» (t. 152 × 110). Voir n.º 740a.

740c «La reine Marie-Louise» (t. 152 × 110). Fait pendant au n.º 740b.

740i «La décollation» (fer-blanc 29 × 41). Reprise d'un original sur bois. Certains critiques pensent qu'il a été peint avant la guerre de l'Indépendance. Le thème de la férocité aveugle, de la violence inutile et gratuite sera fort développé dans les eaux-fortes des *Désastres de la guerre*.

740j «Le bûcher» (fer-blanc 32 × 46). Voir le précédent.

741 «La maja habillée» (t. 95 × 190). Voir n.º 742.

742 «La maja nue» (t. 97 × 190). Il n'y pas de tableaux plus mythiques. C'est qu'ils sont entourés d'un halo de scandale, du fait de leur liaison légendaire avec la duchesse d'Albe. Il n'est pas douteux que Goya eut des relations amoureuses avec celle-ci, célèbre en son temps pour sa beauté et son aplomb. Mais les portraits que Goya lui-même en fit ne ressemblent en rien aux *Majas*. On trouve dans la maja nue l'archétype féminin que Goya reprend sans cesse dans ses dessins et gravures. Sa facture lisse et polie, la netteté de ses contours en font un nu académique, idéal, plutôt que de femme en chair et en os. Dans la maja habillée, Goya profite de la fine transparence des tissus pour en tirer un jeu très délicat de lustres et de nuances. Sa facture, bien plus libre, nous montre, en particulier à l'endroit du boléro, les touches audacieuses de la maturité de Goya. En 1808, elles figuraient toutes 2 sur la liste des biens confisqués au ministre Godoy, qui les avait peut-être commandées. On a pensé que la maja habillée avait servi à cacher la nue dans un double cadre. Cela n'aurait rien d'étonnant, car les tableaux ont eu maille à partir avec l'Inquisition. Ceux-ci furent peints v. 1800.

743 «Le majo à la guitare» (t. 135 × 110). Daté de 1779-80. Goya travailla depuis 1775 pour la Fabrique de tapisseries, d'abord comme adjoint de son beau-frère Bayeu. Mengs avait eu l'idée de renouveler cette fabrique, qui depuis longue date ne cessait de tisser des sujets flamands rebattus, en confiant à de jeunes peintres l'exécution de cartons sur des thèmes joyeux et populaires. Jusqu'en 1790, Goya lui livrera des cartons, qui lui serviront de bancs d'essai pour mûrir son style. Il les concevait comme des tableaux indépendants, sans guère songer qu'ils devaient servir à faire des tapisseries, si bien qu'il mettait souvent les tisserands dans l'embarras. On a ici une composition pyramidale, de style très néo-classique, dont Goya fait souvent usage dans ses débuts.

744 «Un gardien de troupeaux à cheval, armé d'une pique» (t. 56 × 47).

Les sujets relatifs au monde taurin ne cesseront jamais d'inspirer Goya, qu
les développera magistralement dans les eaux-fortes de *La Tauromachie*

745 &laquo;**Le Christ en croix**&raquo; (t. 255 × 153). Daté de 1780. Ce tableau, qui lu
valut d'entrer à l'Académie, est très classique et obéit à une technique
polie et émaillée. On y trouve beaucoup de réminiscences de Vélasquez.

728. Goya. La reine Marie-Louise avec sa mantille.

746 &laquo;**La Sainte Famille**&raquo; (t. 200 × 148). Daté de 1780. La composition fer
mée et la facture lisse de cette toile très néo-classique sont évidemment
influencées par Mengs.

747 &laquo;**L'exorcisé**&raquo; (t. 48 × 60). Date de v. 1813-18. Goya traita souvent d
l'obscurantisme religieux et parfois avec une extrême violence. Le grou
pement des figures, l'éclairage et le rapport entre les personnages et l
vaste espace environnant permettent de retrouver ici des traces de l'in
fluence de Rembrandt.

748 &laquo;**Le 2 mai 1808 à Madrid: la lutte contre les mamelouks**&raquo; (
266 × 345). Daté de 1814. Goya n'était pas très cultivé, mais il fréquen
tait les milieux libéraux francisés et partageait leurs idées progressiste
L'invasion française dut provoquer chez lui un terrible conflit intérieur. E
outre, les atrocités de la guerre laissèrent une empreinte ineffaçable dan
son coeur, déjà handicapé par sa surdité et son isolement, et firent défer
ler des flots d'amertume et de déception sur toutes ses dernières oeuvres
On voit ici la masse anonyme du peuple madrilène, qui fait face au
soldats égyptiens de Napoléon (mamelouks). Il ne s'agit pas d'heroïsme
mais d'une colère aveugle et atavique, qui convulse les traits des gen
crispe leurs attitudes et remplit toute la toile d'une violence inouïe
Pendant du n.º 749.

749 &laquo;**Le 3 mai 1808 à Madrid: les exécutions sur le mont du Principe Pio**
(t. 266 × 345). Daté de 1814. Comme le précédent, ce tableau fut pein
&laquo;pour perpétuer... les prouesses les plus remarquables et les plus héroï
ques... de notre glorieuse insurrection contre le tyran de l'Europe&raquo;. Toute
fois, loin d'être glorieux, il est fort angoissé. Goya ne souligne pas l'aspec
héroïque ou chevaleresque de la guerre, mais ses effets abrutissants pou
l'homme. Il décrit sa force de destruction comme une puissance étrangèr
aux hommes, dominant exécuteurs et exécutés. La réalisation picturale d

ce tableau est aussi violente que son thème. Goya atteint ici le seuil de l'expressionnisme, à force de pousser à fond les contrastes, de déformer les traits et de renoncer à tout raffinement, pour conférer à cette scène toute l'intensité que réclame sa terrible charge émotionnelle.

"50 **«La prairie de Saint Isidore»** (t. 44 × 94). Daté de 1788. Carton de tapisserie. On aperçoit Madrid dans le fond.

'51 **«Un dindon mort»** (t. 45 × 63). Signé. Fait pendant au n.º 752.

"52 **«Volailles mortes»** (t. 46 × 64). Fait pendant au n.º 751.

"53 **«Chiens en laisse»** (t. 112 × 170). Daté de 1775. Carton de tapisserie.

**Peintures noires de la «Villa du Sourd»** *(Numéros 754 à 768).*

Ces peintures (num. 754-767), réalisées entre 1819 et 1823, décoraient (façon de dire!) les murs du salon et de la salle à manger de la maison que Goya avait achetée sur la rive du Manzanarès. Il les peignit à l'huile sur le mur; en 1873, elles furent passées sur toile et restaurées par Martinez Cubells. Elles sont appelées noires, à cause de la prédominance du noir, nuancé d'ocres et de terres. Elles vous causent une impression d'ensemble pour le moins agaçante, non seulement parce que leur vrai sens vous échappe, mais encore parce que leurs images bizarres et hallucinantes vous paraissent des produits du délire. Après être sorti d'une des crises les plus aiguës de sa maladie, Goya, déjà très vieux, s'entoura dans sa maison de ces êtres monstrueux. Travaillant à son propre compte, il put peindre sans entraves et sans concessions, lâcher la bride aux fantômes de son monde intérieur et les façonner avec une audace technique sans précédents, qui nous ahurit encore aujourd'hui, nous qui sommes déjà habitués à l'expressionnisme et à la peinture abstraite. Au comble du pessimisme, Goya nous

748. Goya. La lutte contre les mamelouks (2 mai 1808).

fait encore montre de sa puissance créatrice, à même d'inventer un no
veau langage plastique et d'exécuter dans sa vieillesse une des oeuvres l
plus personnelles et surprenantes de la peinture moderne.

754 **«Une femme du peuple: Mme Léocadie Zorrilla»** (147 × 132). El
partagea les dernières années de sa vie et l'accompagna dans son exil
France.

755 **«Pèlerinage à la fontaine de Saint Isidore (Le saint office**
(123 × 266). On a mis entre parenthèses les titres qui figuraient da
l'inventaire de la villa et sont sûrement ceux donnés par Goya.

756 **«Vision fantastique (Asmodée)»** (120 × 265). Deux êtres bizarres v
lent vers la montagne, mais 2 soldats les visent du coin droit.

757 **«Le destin (Atropos)»** (123 × 266). A droite, on aperçoit la Moire, prê
à couper le fil de la vie.

758 **«Duel à coups de bâtons»** (123 × 266). Enlisés dans la boue jusqu'a
genoux, 2 hommes luttent sans pouvoir se séparer.

759 **«Deux moines»** (144 × 66).

760 **«La fête de Saint Isidore»** (140 × 438). Ce sujet, traité par Goya dans
carton (n.º 750), inondé de joie et de lumière, est devenu ici un mor
trueux cauchemar.

750. Goya. La prairie de Saint Isidore.

761 **«Sabbat»** (140 × 438). La foule des sorcières est suspendue à l'interve
tion du bouc, habillé en moine.

762 **«Deux vieux en train de manger»** (53 × 85).

763 **«Saturne dévorant un de ses enfants»** (146 × 83). Ce thème classiqu
traité ici avec une extrême cruauté, fait sûrement allusion au pouvo
destructeur du temps. Chacun des sujets, pris à part, s'avère difficile
interpréter. Mais il se dégage de leur ensemble une réflexion amère sur
vanité de la vie et la fatalité du destin, ainsi que sur la stupidité de
hommes et leur manque de communication entre eux.

764 **«Judith et Holopherne»** (146 × 84).

765 **«Deux femmes et un homme»** (125 × 66).

766 **«La lecture»** (126 × 66).

767 **«Un chien à moitié embourbé»** (134 × 80).

768 **«Le gouter sur la berge du Manzanares»** (t. 272 × 295). Carton
tapisserie, daté de 1775. C'est le monde joyeux et insouciant de la je
nesse de Goya (voir n.º 743). Ses fêtes et divertissements populair
transposent dans son milieu à lui les fêtes champêtres du rococo françai
en y remplaçant dames et aristocrates par des femmes du peuple et de
majos. Leur ensemble nous donne des vues vivantes et insouciantes sur
société madrilène de son temps, pleines de coloris et de pittoresque,
point d'anticiper certains aspects du romantisme.

**Cartons pour les tapisseries de la salle à manger du Pardo (1777-78**

769 **«Le bal de San Antonio de la Florida»** (t. 272 × 295). Goya se mont

**756. Goya. Vision fantastique (Asmodée).**

satisfait du résultat de ce carton, car il s'y était senti plus maître de ses moyens.

70  «La rixe de la nouvelle auberge» (t. 275 × 414). Le sujet a un certain rapport avec les thèmes courants des scènes de genre des cartons flamands.

71  «La maja et les hommes qui se cachent le bas du visage» (t. 275 × 190). Ces hommes sont drapés comme d'habitude dans leur larges capes, dont l'interdiction par Esquilache, ministre de Charles III, avait provoqué une célèbre émeute.

72  «Le buveur» (t. 107 × 151).

73  «L'ombrelle» (t. 104 × 152). Un des cartons les mieux réussis de la série. A noter sur le visage de la femme le bel effet obtenu par le tamisage de la lumière.

74  «Le cerf-volant» (t. 269 × 285).

75  «Les joueurs de cartes» (t. 270 × 167). C'est le schéma de composition le plus fréquent dans les cartons d'alors: le groupe des figures forme une pyramide, animée à gauche par des branches d'arbre.

76  «Des enfants gonflent une vessie» (t. 116 × 124). Les jeux et les poses des enfants reviennent souvent avec leur charme et leur vivacité.

77  «Des enfants cueillent des fruits» (t. 119 × 122).

**Cartons pour les tapisseries de la chambre à coucher des princes au Pardo (1778-80):**

78  «L'aveugle à la guitare» (t. 260 × 311). Sur la Place de la Cebada.

79  «La foire de Madrid» (t. 258 × 218). Sur la Place de la Cebada.

80  «Le marchand de poteries» (t. 259 × 220). Composition plus complexe.

81  «Un militaire et une dame» (t. 259 × 100).

82  «La vendeuse d'azeroles» (t. 259 × 100).

83  «Des garçons jouent aux soldats» (t. 146 × 94).

84  «Le jeu de la pelote basque, lancée avec une chistera» (t. 261 × 470).

85  «L'escarpolette» (t. 260 × 165).

**754. Goya. Mme Léocadie Zorrilla.**          **764. Goya. Judith et Holopherne.**

786 **«Les lavandières»** (t. 218 × 166).
787 **«La course de jeunes taureaux»** (t. 259 × 136). Le torero en hab
rouge, qui se retourne vers le spectateur, est le portrait de Goya.
788 **«La contrebande de tabac»** (t. 262 × 137).
789 **«L'enfant qui joue sous un arbre»** (t. 262 × 40). Goya résout asse
habilement la composition d'une toile très haute et très étroite.
790 **«Le garçon jouant avec un oiseau»** (t. 262 × 40). Voir n.º 789.
791 **«Les bûcherons»** (t. 141 × 114). Les scènes de travail sont présentées
exactement de la même façon que celles de divertissement.
792 **«Le rendez-vous»** (t. 100 × 151).

### Cartons pour les tapisseries de la salle à manger du roi au Parc (1786-88):

793 **«Les fleuristes (le printemps)»** (t. 277 × 192). Le style de Goya est dé
plus formé ici: ses compositions sont plus habiles, ses figures sont plu
remuantes et ses couleurs sont extrêmement délicates. A noter la gr
cieuse silhouette de la fleuriste à genoux.
794 **«L'aire (l'été)»** (t. 276 × 641). La composition pyramidale s'éparpille
façon charmante. Les tons jaunes lui donnent une chaleur spéciale.
795 **«La vendange (l'automne)»** (t. 275 × 190). Dans cette composition bie
réussie, le schéma pyramidal est animé par l'entrelacement des personn
ges, dont les poses gracieuses et élégantes sont bien croquées.
796 **«Le maçon blessé»** (t. 268 × 110). Certaines étincelles de critique s'inf
trent déjà dans les thèmes goyesques. Parmi les scènes riantes, joyeuses
insouciantes dont Goya a décoré les pièces du palais royal, se glisse so
dain un motif discordant, qui certes ne convient guère à une salle à mang
du roi.
797 **«Les pauvres à la fontaine»** (t. 277 × 115). On constate de nouveau
le changement de sensibilité qui s'opère en Goya, au contact de ses am
éclairés. Il se met à présenter l'autre face de la vie de l'homme de la ru
dont il avait montré jusqu'ici les curieuses coutumes.
798 **«La chute de neige (l'hiver)»** (t. 275 × 293). C'est dans la même per
pective qu'il peint ce très joli carton aux fines tonalités, dont les personn
ges, qui cheminent gelés et avec peine dans la bourrasque de neige, évo
quent les dures conditions de la vie de certains.

### Cartons pour les tapisseries du bureau du roi à l'Escorial (1790-92)

799 **«La noce»** (t. 267 × 293). Ayant sans doute été échaudé par les sujets qu
Goya lui avait peints pour sa salle à manger, le roi lui précisa bien q
ceux de ces cartons-ci devaient être champêtres et joyeux. Mais, vu que
peinture de cartons n'offre guère plus d'attrait à un peintre célèbre
estimé, comme il l'était alors, Goya n'obéit qu'en rechignant et en tarda
à s'exécuter. Le mariage d'une jeune fille avec un homme âgé est un thèm
qui revient dans un grand nombre de ses dessins et gravures, où il souligr
l'injustice de ces unions conclues par intérêt.
800 **«Les jeunes filles portant leur cruche»** (t. 262 × 160). Composition trè
simple, avec des architectures à grands plans.
800a **«Le jeu des géants»** (t. 137 × 104).
801 **«Les échasses»** (t. 268 × 320).
802 **«Le pantin»** (t. 267 × 160).
803 **«Un garçon grimpant à l'arbre»** (t. 141 × 111).
804 **«Le jeu de colin-maillard»** (t. 269 × 350). Daté de 1787. Ce carto
presque rococo est un des plus connus. Les figures sveltes et fragiles, q
ressemblent à des poupées, sont de couleurs pâles.
805 **«Le chasseur avec ses chiens»** (t. 262 × 71). Daté de 1775. Forme u
ensemble avec d'autres cartons à sujets cynégétiques, destinés à l'Escoria
2446 **«Corneille van der Gotten»** (t. 62 × 47). Sa signature et sa date (178
sont peut-être apocryphes, mais ce portrait est sûrement peint par Goya.
s'agit du fils du directeur de la Fabrique des tapisseries, qui dressa u
inventaire des cartons livrés par Goya de 1775 à 1786.
2447 **«Marie-Antoinette Gonzaga, marquise de Villafranca»** (t. 87 × 72
Son visage révèle une sensibilité raffinée. Une gamme de couleurs trè
sobre, appliquée en très fins glacis, confère une élégance extraordinaire
ce portrait.
2448 **«La marquise de Villafranca»** (t. 195 × 126). Signé et daté de 1804. O
l'y voit peindre le portrait de son mari.

449 **«Le duc d'Albe»** (t. 195 × 126). Daté de 1795. Amateur de musique et de peinture, il protégea Goya. Il est appuyé sur un piano et tient une partition en main. La tache de lumière qu'on voit derrière lui est un truc fort utilisé par Goya pour donner du relief à une silhouette et la faire se détacher sur le fond. Goya est toujours partial dans ses portraits. Ici, il manifeste clairement sa sympathie pour le duc, qu'il nous présente sous le jour très agréable d'un homme cultivé et élégant, qui s'adonne chez lui à son hobby favori.

450 **«Manuel Silvela»** (t. 95 × 68). Date de v. 1809-12.

798. Goya. La chute de neige (l'hiver).

524 **«Deux enfants avec un mâtin»** (t. 112 × 145). Carton de tapisserie.

546 **«Le commerce»** (t. 227 diam.). Date de v. 1797-1800. Peinte, comme les 2 toiles suivantes, pour le palais de Godoy. Cette représentation est fort curieuse. Son éclairage lui donne un certain air hollandais.

547 **«L'agriculture»** (t. 227 diam.). Voir n.º 2546.

548 **«L'industrie»** (t. 227 diam.). Voir n.º 2546.

650 **«Sainte Justine et Sainte Rufine»** (b. 47 × 29). Ebauche pour le tableau de la cathédrale de Séville, peint en 1817.

781 **«Le jeu de colin-maillard»** (t. 41 × 44). Réduction avec des variantes du carton n.º 804, peinte pour le palais des ducs d'Osuna, de même que les num. 2782 et 2783.

782 **«Le maçon ivre»** (t. 35 × 15). Réduction du carton n.º 796, dont le thème est transformé.

783 **«L'ermitage de Saint Isidore, le jour de sa fête»** (t. 42 × 44). De 1799.

784 **«Le général Antonio Ricardos»** (t. 112 × 84). De v. 1793-94.

785 **«Le colosse ou la panique»** (t. 116 × 105). Date d'av. 1812. On l'a appelé *Le colosse,* car il ressemble à un dessin sur ce thème; dans l'inventaire de ses biens, fait en 1812, Goya l'intitule *Un géant.* Sa présence sème la panique dans une caravane de gens, qui s'enfuient dans tous les sens, bien que le géant ne les attaque pas. Seul un âne, au milieu de la foule, reste impassible. Ce thème bizarre annonce le monde angoissé des peintures noires. On l'a interprété de diverses manières.

856 **«Chasse à l'appeau»** (t. 111 × 176). Carton de tapisserie de 1775.

857 **«Partie de chasse»** (t. 290 × 226). Carton de tapisserie de 1775.

**773. Goya. L'ombrelle.**

2862 «**La reine Marie-Louise, vêtue d'une robe à crénoline**» (t. 222 × 140
De 1789. Son accoutrement bizarre, inspiré à moitié des robes du XVI
s., correspond, semble-t-il, à une tentative d'imposer une mode nationa
qui supplanterait la française.

2895 «**Un berger jouant du pipeau**» (t. 131 × 130). Carton de v. 1786-87
2896 «**Un chasseur près d'une source**» (t. 131 × 130). Carton de v. 1786-8
2898 «**Juan Bautista de Muguiro**» (t. 103 × 84). Signé avec dédicace, à Bo
deaux en 1827. Ce portrait révèle la grande vitalité de Goya, qui e.
encore capable de se renouveler. Les noirs de la fin de sa vie y prédom
nent. Le visage et les mains sont peints à petits coups de pinceaux, qui le
font vibrer de manière vivante.

2899 «**La laitière de Bordeaux**» (t. 74 × 68). En 1827, Goya, ayant encor
l'envie et la force d'apprendre de nouvelles techniques (miniature et litho
graphie), peignit ce tableau très fameux, qu'on a coutume de considére
comme un des plus clairs antécédents de la peinture impressionniste. L
pureté de ses couleurs et la plénitude de sa lumière y semblent le fru
d'une ultime réconciliation de Goya avec la vie et d'un nouveau dési
d'expérimentation, afin d'ouvrir jusqu'au bout de nouvelles pistes.

2995 «**Joachim Company, archevêque de Saragosse et de Valence**» (
44 × 31). De v. 1800.

3045 «**Les comédiens ambulants**» (fer-blanc 43 × 32). Peint à coup sûr a
cours de sa convalescence en 1792, comme plusieurs autres tableaux su
fer-blanc. On y trouve l'inscription: *Allégorie de Ménandre.*

**788. Goya. La contrebande de tabac.**          **795. Goya. La vendange.**

804. Goya. Le jeu de colin-maillard.

047 **«Course de taureaux»** (t. 38 × 46). De 1824.

113 **«L'arrestation du Christ»** (t. 40 × 23). Ebauche pour le tableau qu'il peignit en 1788 pour la sacristie de la cathédrale de Tolède.

224 **«Charles IV»** (t. 220 × 140).

236 **«Gaspar Melchior de Jovellanos»** (t. 205 × 123). Signé en 1798. Le Prado a acheté récemment ce splendide portrait de l'éminent juriste et écrivain, qui parvint à être Ministre de la Justice (pour peu de temps, car ses idées libérales le conduisirent bientôt en prison et en exil). Amateur des beaux-arts, il fut un bon ami de Goya, sur la mentalité duquel il exerça sans nul doute une énorme influence. On sait que Goya faisait le portrait des gens qu'il appréciait, avec beaucoup de sympathie et de finesse psychologique. Aussi laissa-t-il transparaître sur le visage de cet intellectuel les traces de sa préoccupation et de son désanchantement.

254 **«Le cardinal Louis-Marie de Bourbon»** (t. 200 × 114). Réplique de l'original qui se trouve au Musée de Sao Paulo.

255 **«Le comte de Floridablanca»** (t. 175 × 112). De v. 1783.

**GRECO, Domenikos Theotokopoulos, dit le Greco** (Candie, Crète, 1540/1-Tolède, 1614). On sait qu'il se trouvait à Candie en 1566 et qu'il se rendit en 1567 à Venise, où il entra sans doute dans l'atelier de Titien. En 1570, recommandé au cardinal Alexandre Farnèse par le miniaturiste Giulio Clovio, qui voyait en lui un «excellent peintre», il partit pour Rome, où il resterait jusqu'en 1573-5. Il repassa certainement par Venise avant de venir en Espagne en 1577. Fuyait-il ainsi la peste qui infesta Venise en 1576? Avait-il l'espoir de pouvoir travailler à la décoration de l'Escorial qui était alors en cours? On l'ignore. En tout cas, ce devait être très dur de rivaliser en Italie avec des peintres tels que le Tintoret, Véronèse, Bassano ou Zuccaro, qui étaient tous à leur zénith. En fait, à notre connaissance, on ne lui y avait fait aucune commande de quelque envergure. Après un bref séjour à Madrid, il s'établit à Tolède, où il travaillait déjà en 1577 aux retables de Santo Domingo el Antiguo et au *Dépouillement du Christ de ses vêtements* pour la Cathédrale. Il y fut vite célèbre et y noua amitié avec des intellectuels, tels qu'Antonio de Covarrubias, Fray Hortensio Paravicino ou Gongora. Il dut avoir très tôt des rapports avec Doña Jerónima de las Cuevas, car son fils Jorge Manuel naquit dès 1578. Tout cela, joint à l'incompréhension de ses oeuvres par Philippe II, qui lui ferma la porte de la cour, dut le pousser à se fixer définitivement à Tolède, où jusqu'à sa mort en 1614, il ne cesserait de peindre des portraits et des tableaux religieux pour des monastères, des couvents et des paroisses rurales.

# Greco/ECOLE ESPAGNOLE

Les critiques s'accordent pour dire que son style si singulier, qui a prêté le flanc aux hypothèses les plus extravagantes sur sa vue défectueuse et d'autres absurdités, ne s'est épanoui qu'après son arrivée en Espagne, encore que ses racines plongent dans sa formation italienne. L'ambiguïté spatiale, la préférence pour une composition verticale plaçant les figures sur un seul plan, l'allongement des corps, l'élégance affectée, les attitudes instables et les raccourcis recherchés: voilà autant de traits qui caractérisent le maniérisme international. Mais, à un moment où ceux-ci sont en déclin dans toute la peinture européenne, le Greco les pousse au paroxysme, pour en tirer des possibilités insoupçonnées de dynamisme et d'expressivité. Il hérité des Vénitiens la primauté absolue de la couleur sur le dessin, mais sur sa palette, leurs magnifiques couleurs deviennent acides et froides, leur sensibilité étant dévorée par une forte lumière abstraite. L'éclat de celle-ci fait fondre les contours, spiritualise les corps et couvre ses tableaux de leurs vibrations typiques.

Le Greco se cantonna dans 2 genres de peinture: le portrait et les scènes religieuses. En effet, hors de la cour, il n'y avait pas place en Espagne pour la peinture profane ou mythologique. C'est dans ses protraits qu'il se montre le plus réaliste. Dans ceux de buste, il centre l'attention sur la tête du modèle, rehaussée par la fraise blanche sur un fond neutre et foncé, sans y ajouter d'autres attributs. Dans ceux en pied, on constate qu'il est même de faire une observation réaliste et de bien représenter les qualités matérielles des objets. Malgré la vigueur des caractérisations, il y garde la dignité et la distance propres au style maniériste. Dans ses compositions religieuses, il demeura toujours indépendant vis-à-vis des modèles iconographiques traditionnels, d'une façon qu'on jugera souvent déplacée; cependant, elles étaient si bien acceptées par le peuple qu'on en fit un grand nombre de copies et d'imitations. Sa biographie ne nous révèle pas un homme au tempérament religieux, mais plutôt un humaniste raffiné, fier de sa culture et jouisseur. Pourtant, on le prend d'habitude pour un peintre mystique. C'est qu'il donnait toute la mesure de son originalité dans la peinture religieuse. En effet, détachés de tout lien avec la réalité, les traits décrits plus haut (corps spiritualisés, couleurs irréelles, éclairage spectral) s'avèrent très efficaces, lorsqu'il s'agit d'évoquer tout ce qu'il y a de mystérieux et de prodigieux dans le fait religieux, précisément à une époque où la peinture européenne, sous le couvert de la Contre-réforme, cherchait à traduire le sacré en termes familiers, sentimentaux et quotidiens.

806 **«Un vieux chevalier»** (t. 46 × 43). Signé. Fait entre 1585 et 1595, avec une technique très libre, par petites touches parallèles qui laissent les contours indécis, faisant ainsi vibrer le visage de façon expressive.

807 **«Le docteur Rodrigo de la Fuente»** (t. 93 × 82). Signé. D'av. 1598.

808 **«Don Rodrigo Vázquez, Président des Conseils de Castille et des Finances»** (t. 62 × 40). V. 1594-1604.

809 **«Le chevalier posant la main sur le coeur»** (t. 81 × 66). Signé. V. 1577-84. Sa facture lisse et un peu serrée montre qu'il s'agit d'un de ses 1ers portraits en Espagne. On y voit généralement Juan de Silva, au moment d'être armé chevalier, car il pose la main sur le coeur et porte l'épée.

810 **«Un chevalier»** (t. 64 × 51). Signé. Entre 1600 et 1614.

811 **«Un jeune chevalier»** (t. 55 × 49). Entre 1597 et 1614.

812 **«L'avocat Jerónimo de Cevallos»** (t. 64 × 54). V. 1604-14. Montre bien la maturité de son style: les formes aux contours très brisés y sont entourées de touches longues et détachées.

813 **«Un chevalier»** (t. 65 × 55). V. 1584-94.

814 **«Saint Paul (ou Saint Barthélemy)»** (t. 70 × 56). V. 1594-1601.

815 **«Saint Antoine de Padoue»** (t. 104 × 79). Signé. Entre 1577 et 1604. Cette toile, fort noircie, n'a pas la qualité habituelle de celles du Greco, bien qu'elle soit autographe.

817 **«Saint Benoît»** (t. 116 × 81). Signé. Daté de 1577/9. Peint pour l'église du couvent de Santo Domingo el Antiguo à Tolède.

819 **«Saint François d'Assise»** (t. 152 × 113). Signé. V. 1585-95. Selon certains critiques, son atelier aurait pris une grande part dans l'exécution. Il eut beaucoup de versions de ce thème fort populaire.

820 Voir Greco. Copies anonymes.

821 **«Le baptême du Christ»** (t. 350 × 154). Signé. Fut commandé en 1596 pour l'Ecole Marie d'Aragon à Madrid et livré en 1600. Sur ce tableau typique, de format très vertical, les figures sont placées sur 2 plans, le terrestre et le céleste, qui communiquent entre eux par les nuages, quasi solides. Il n'y a presque pas de référence concrète à l'endroit où se passe

l'action sur terre. Les rapports spatiaux sont confus et ambigus, d'autant plus que les figures relèvent de différents canons.

822 **«Le Christ embrasse la croix»** (t. 108 × 78). Signé. Entre 1591 et 1605. On connaît beaucoup de versions de ce thème qui fut très populaire. La technique aux touches fort longues est d'une grande agilité. L'expression pathétique du visage est accentuée par le ton grisâtre des carnations, qui contraste avec la forte couleur des manteaux.

823 **«La crucifixion»** (t. 312 × 169). Signé. V. 1600-10. Tombant avec force sur les personnages, la lumière les fait briller sur le fond noir du ciel nocturne, concentre sur eux toute l'attention et laisse dans l'ombre tous les détails accessoires. D'où la désolation dramatique qui se dégage de cette oeuvre de maturité, une des meilleures du Greco.

824 **«La Trinité»** (t. 300 × 179). Peinte en 1577-79 pour Santo Domingo el Antiguo, cette 1ère toile du Greco à Tolède reflète encore sa formation italienne récente: les anatomies ont le vigoureux modelé inspiré par Michel-Ange et les couleurs pâles sont bien du goût de certains maniéristes.

825 **«La Résurrection»** (t. 275 × 127). Signé. Entre 1584 et 1610. On a cru voir son pendant dans le n.º 828, mais celui-ci est d'une autre époque.

**828.** Le Greco. La Pentecôte.   **823.** Le Greco. La crucifixion.

Léger dans l'espace, le Christ glorieux a ébloui les gardes, qui se sont jetés convulsivement par terre l'un sur l'autre, où leurs corps apparaissent crispés en de violents raccourcis. L'insistance sur les nus, à peine voilés, n'est pas du tout espagnole; elle trahit sa formation italienne.

**824. Le Greco. La Trinité.**   **826. Le Greco. La Sainte Famille.**

826  **«La Sainte Famille avec Sainte Anne et Saint Jean»** (t. 187 × 69
Signé. Entre 1594 et 1605.

827  **«L'Annonciation»** (b. 26 × 18). V. 1570-73. Selon la critique, date d
l'époque où le Greco était à Venise, car on y remarque de grandes diffé
rences avec son style mûr: sous l'influence du Tintoret, l'architectur
forme un profond espace derrière les figures; le coloris est clair et lum
neux; la surface du tableau est lisse et émaillée.

828  **«La Pentecôte»** (t. 275 × 127). Signé. Entre 1604 et 1614. Seule toile d
Greco sur ce thème, faite, avec la collaboration de son fils Jorge Manue
suivant la technique de sa maturité: les touches droites et parallèles brise
les contours, donnant aux figures un aspect flamboyant. Loin de s'atténue
les traits maniéristes ne font que s'accentuer avec le temps.

829  **«La Vierge Marie»** (t. 52 × 41). Signé. V. 1594-1604.

2444  **«Saint Jean l'Evangéliste»** (t. 90 × 77). V. 1597-1607. Cette oeuvr
isolée a des affinités de style avec le *Saint Jean* de la série des Apôtres s
trouvant à la Cathédrale de Tolède.

2445  **«Julián Romero et son saint patron»** (t. 207 × 127). L'inscription e
postérieure au tableau, qui fut peint entre 1594 et 1604.

2644  **«Un moine trinitaire ou dominicain»** (t. 35 × 26). V. 1600-10.

2645  **«Le couronnement de la Vierge»** (t. 90 × 100). V. 1590-160
Première version de ce thème, qui serait repris plusieurs fois.

2819  **«Saint André et Saint François»** (t. 167 × 113). Signé. V. 1590-160(
Les 2 saints utilisent leurs mains dans le dialogue. Leurs figures, déjà trè
hautes, paraissent monumentales, car elles sont vues de très bas, si bie
qu'elles se découpent presqu'entièrement sur le ciel.

2874  **«La Sainte Face»** (t. 71 × 54). Très restauré. L'atelier est intervenu.

2889  **«Le Sauveur»** (t. 72 × 55). Avec les num. 2890 à 2892, faisait partie d
groupe des Apôtres de l'église d'Almadrones (Guadalajara). On les attr
bue presque complètement à l'atelier, car ils sont de 2ème qualité.

2890  **«Saint Jacques le Majeur»** (t. 72 × 55). Voir n.º 2889.

2891  **«Saint Philippe ou Saint Thomas»** (t. 72 × 55). Voir n.º 2899.

2892  **«Saint Paul»** (t. 72 × 55). Voir n.º 2889.

988 «L'Adoration des Bergers» (t. 319 × 180). V. 1603-14. Le Greco desti-
nait cette toile à sa propre chapelle funéraire. L'Enfant Jésus sert de foyer
de lumière: c'est un moyen symbolique dont il a trouvé des exemples en
Italie. La tonalité générale est plus chaude que d'habitude. Les surfaces
sont animées par les reflets rougeâtres de lumière, qui pétillent sur les
figures.

002 «Saint Sébastien» (t. 115 × 85). V. 1600-05.

262 «Saint Jérôme faisant pénitence» (t. 91 × 90). Version d'un original se
trouvant à Edimbourg. Certains critiques y voient une oeuvre d'atelier. V.
1595-1600.

**GRECO. Copies par son fils Jorge Manuel.**

830 «L'enterrement du comte d'Orgaz» (t. 189 × 250). C'est la copie du bas
de la célèbre toile se trouvant à l'église Santo Tomé à Tolède.

832 «Le Christ est dépouillé de ses vêtements» (t. 120 × 65). V. 1595-
1600. L'original en a été peint pour la Cathédrale de Tolède.

**GRECO. Copies anonymes.**

820 «Saint Jean L'Evangéliste et Saint François d'Assise» (t. 64 × 50).

831 «Saint Eugène (?)» (t. 241 × 162).

**GUEVARA.** Voir Rizi.

**HAMEN, Juan van der Hamen** (Madrid, 1596-1631). De l'école madrilène. Auteur de natures mortes, dont la composition est équilibrée et
dont les objets, peints avec grand soin, se détachent sur un fond sombre.

164 «Nature morte» (t. 52 × 88). Signé et daté de 1622.

165 «Compotier» (t. 56 × 110). Signé et daté de 1623.

877 «Offrande à Flore» (t. 260 × 140). Signé et daté de 1627. Un de ses
rares tableaux avec une figure.

**HERRERA, Francisco de Herrera, dit le Vieux** (Séville, v. 1590-Ma-
drid, 1656). De l'école sévillane. Vécut et travailla à Séville, mais en 1650
il partit pour Madrid où il mourut. Il joua un grand rôle dans la transition du maniérisme au naturalisme, en peignant dans un style courageux
et désinvolte, avec des touches détachées et vigoureuses, qui modelaient
énergiquement les formes.

832a «Le pape Saint Léon le Grand» (ovale t. 164 × 105). Sa facture ressemble plus à celle de Herrera le Jeune, son fils.

441a «Saint Bonaventure reçoit l'habit de Saint François» (t. 231 × 215).
V. 1628. Une de ses meilleures toiles, faisant partie d'un cycle sur la vie
de ce saint, qui sera achevé par Zurbarán.

058 «Tête de saint décapité» (t. 61 × 65). Signé.

773-4 «Têtes d'apôtres» (t. 39 × 32). Ne semblent pas être de lui.

**HERRERA, Francisco de Herrera, dit le Jeune** (Séville, 1622-Madrid,
1685). Fils de Herrera le Vieux. Se forma en Italie, où il acquit un style
aux effets théâtraux, qui, à son retour, poussa la peinture espagnole dans le
sens d'un baroque plus dynamique.

832a Voir Herrera de Vieux.

833 «Le triomphe de Saint Herménégild» (t. 328 × 229). Il présente dans
un style fougueux l'apothéose du saint, aux pieds duquel Léovigild et un
évêque arien sont épouvantés de leur vision.

**HUGUET, Jaume Huguet** (Valls, Tarragone, 1414/15-Barcelone, 1498).
De l'école catalane.

683 «Un prophète» (b. 30 × 26). A noter l'expression mélancolique des personnages de ce peintre, qui a un style délicat et un excellent dessin.

**HUGUET. Disciple.**

680 «La Crucifixion» (b. 88 × 63).

**INGLES, Jorge Inglés.** De l'école hispano-flamande. En 1458 a peint le
retable de l'Hôpital de Buitrago, dont l'avait chargé le marquis de Santillana. Introduisit en Castille l'influence flamande.

666 «La Trinité entourée d'anges» (b. 97 × 86).

**INZA, Joaquín Inza** (actif entre 1763 et 1808).

514 «Don Tomás Iriarte» (t. 82 × 59).

**IRIARTE, Ignacio Iriarte** (Santa María de Azcoitia, Guipúzcoa, 1621-
Séville, 1685). De l'école sévillane. Se rendit très jeune à Séville, où il
entra à l'Académie. Il peignit de vastes paysages aux fonds abrupts, dans
des tons orangés, avec une facture très vaporeuse, en y insérant des figurines. Ils ressemblent à ceux de Murillo.

836 «Paysage avec un torrent» (t. 112 × 198). Fait pendant au n.º 2970.

837 «Paysage avec des ruines» (t. 97 × 101).

970 «Paysage avec des bergers» (t. 106 × 109). Signé et daté de 1665.

**JIMENEZ, Miguel.** Voir Ximénez.

**JIMENEZ DONOSO**, José Jiménez Donoso (Consuegra, 1628-Madrid 1690). De l'école madrilène. Formé à Rome.

694 «**Vision de Saint François de Paule**» (t. 172 × 163).

**JORDAN, Lucas Jordán**. Voir Giordano (Ecole italienne).

**JUAN DE JUANES**. Voir Juanes.

**JUANES, Vicente Juan Masip**, dit **Juan de Juanes** (Valence, v. 1510-1579). De l'école valencienne. Fils de Vicente Masip, il continua le style raphaélesque de celui-ci, mais dans un sens carrément maniériste, marqué par une molle affectation et une exécution très léchée. Sa peinture religieuse, douce et sentimentale, fut très populaire, en particulier son *Sauveur*. Par le truchement de son grand atelier, il exerça une profonde influence, qu'on peut retrouver même chez Ribalta.

838 «**Saint Étienne à la synagogue**» (b. 160 × 123). Avec les num. 839 à 842, faisait partie du retable du maître-autel de l'église Saint-Etienne de Valence, qui était un de ses chefs-d'oeuvre. Cette scène et la suivante se déroulent dans un intérieur renaissance fort orné, dont le peintre modèle les reliefs sculpturaux avec la même mollesse que la chair de ses personnages; on aperçoit dans le fond un paysage capricieux, rempli de ruines à la mode flamande. L'emphase du récit confère aux figures une gesticulation très rhétorique.

839 «**Saint Étienne, accusé de blasphème**» (b. 160 × 123). Voir n.º 838.

840 «**Saint Étienne, conduit au martyre**» (b. 160 × 123). Voir n.º 838.

841 «**Martyre de Saint Etienne**» (b. 160 × 123). Voir n.º 838.

842 «**La sépulture de Saint Etienne**» (b. 160 × 123). Fort inspiré de *La sépulture du Christ* de Raphaël. On suppose que l'homme en noir, qui ne participe pas à la scène, est un autoportrait de l'artiste. Voir n.º 838.

844 «**Le Sauveur**» (b. 73 × 40). Type iconographique qu'il rendit très populaire en le refaisant un grand nombre de fois. En général, le Christ tient en main le calice qu'on conserve à la cathédrale de Valence et qu'une tradition prétend être celui de la Dernière Cène. Le fond du tableau est en or, ce qui est fort archaïque pour l'époque.

846 «**La Dernière Cène**» (b. 116 × 191). S'inspire de la fameuse *Cène* de Léonard de Vinci, mais évoque ici l'institution de l'Eucharistie.

848 «**Ecce Homo**» (b. 83 × 62).

853-4 «**Melchisédech, roi de Salem**» et «**Le grand prêtre Aaron**» (b. 80 × 135). Battants de la porte d'un tabernacle. L'un comme l'autre préfigurent le Christ dans l'Ancien Testament.

855 «**Don Luis de Castelvi**» (b. 105 × 80). Une étiquette du XVIIIe s. collée derrière le tableau a permis d'attribuer celui-ci et d'en identifier le personnage. Mais on a estimé dernièrement que le peintre pourrait être Vicente Masip, son père. De toute façon, c'est une oeuvre de 1ère qualité, fort influencée par Titien.

**JUANES. Disciple de Juan de Juanes.**

1262 «**L'ordination diaconale de Saint Étienne**» (b. 160 × 123).

**JULIA, Ascensio Juliá** (Valence, v. 1771-Madrid, 1816). Disciple de Goya.

2573 «**Une scène d'une comédie**» (t. 42 × 56).

844. Juan de Juanes. Le Sauveur.

3018. Maino. La Pentecôte.

**JUNCOSA, Fray Joaquín Juncosa** (Cornudella, 1631-Rome, 1708).

652 **«Sainte Hélène et sa fille»** (t. 170 × 124). La qualité de cette toile est supérieure à celle des autres de ce peintre.

**LEONARDO, Jusepe Leonardo** (Calatayud, 1601-Saragosse, av. 1653). De l'école madrilène. Se forma à Madrid avec Pedro de las Cuevas et Cajés. Subit les influences de Carducho et de Vélasquez, dont il imita les effets atmosphériques, la facture légère et certains des types. Il avait une grande facilité pour le dessin et un coloris clair très fin.

67 **«Saint Sébastien»** (t. 192 × 58). Attribué jadis à Carducho.

858 **«La reddition de Juliers»** (t. 307 × 381). Comme le n.º 859, fut peint en 1635 pour le Salon des royaumes du palais du Buen Retiro. Comme dans

3017. Machuca. La descente de croix.

*Les lances* de Vélasquez, le protagoniste de cet événement de 1622 est Ambrosio Spinola, qui reçoit les clés de la ville des mains de l'ambassadeur hollandais.

859 **«La prise de Brisach»** (t. 304 × 360). Voir n.º 858. Le duc de Feria est le protagoniste de cet épisode de la Guerre de Trente Ans, qui s'est passé en 1633. Ces 2 tableaux se distinguent par le naturel avec lequel les personnages sont disposés, l'habileté avec laquelle l'atmosphère est rendue et l'insertion adroite des scènes dans le paysage, qui prouvent que les éléments de Vélasquez ont été bien assimilés.

860 **«La nativité de la Vierge»** (t. 180 × 122). De 1640.

229 **«La décollation de Saint Jean-Baptiste»** (t. 104 × 143). V. 1635-39.

**LLORENTE, Bernardo Germán Llorente** (Séville, 1680-1759).

871 **«La Bergère de Dieu»** (t. 167 × 127). Il ne cessa de reprendre ce thème, dans un style imitant celui de Murillo.

**LUNA, Maître des Luna.** De l'école hispano-flamande. Ce maître doit son nom au retable de la chapelle d'Alvaro de Luna dans la Cathédrale de Tolède, peint entre 1483 et 1485. Il pourrait bien être Juan de Ségovie, un des peintres qui fut chargé de ce retable et dont certains thèmes sont repris dans les tableaux suivants.

289 **«La Vierge allaitant l'Enfant Jésus»** (b. 112 × 71).

425 **«La 7ème douleur de Marie»** (b. 105 × 71).

**MACHUCA, Pedro Machuca** (Tolède, fin du XVᵉ s.-Grenade, 1550). Formé en Italie, il travailla à Grenade à partir de 1520, surtout en qualité d'architecte. Avec Berruguete, il est une grande figure de la peinture maniériste espagnole.

579 **«La Vierge secourt les âmes du purgatoire»** (b. 167 × 135). Signé et daté de 1517. Thème italien. L'influence de Michel-Ange (dont il a dû être

le disciple) est adoucie par l'usage d'une lumière estompée et d'un colo
unifié.

3017 «**La descente de croix**» (b. 141 × 128). Daté de 1547. Une atmosphè
ambiguë et mystérieuse, accentuée par l'éclairage nocturne, émane de
tableau tout à fait maniériste, qui a conservé son cadre original.

**MAELLA, Mariano Salvador Maella** (Valence, 1739- Madrid, 181
Vint tout jeune à Madrid faire ses études à l'Académie de San Fernand
En 1758, il obtint une bourse pour Rome. En 1765, il fut élu Académici
de San Fernando. On note ensuite dans ses oeuvres l'influence né
classique de Mengs, qui y atténue ses réminiscences du baroque et
rococo italiens. Il fut nommé peintre de la cour en 1774. Son succ
officiel alla jusqu'à éclipser celui de Goya. Il devint Directeur de l'Acad
mie de San Fernando en 1795 et premier peintre du roi en 1799. Fer
nand VII, à son retour, l'écarta de la cour pour avoir collaboré avec l
envahisseurs français.

873 «**Marine**» (t. 55 × 28). Il ne pratique guère ce genre, qu'il rattache ici
paysage italien.

874 «**Marine**» (t. 56 × 74). Scène représentée avec réalisme.

875 «**Pêcheurs**» (t. 56 × 75). Uni par son thème aux 2 précédents.

2440 «**Charlotte-Joachim, infante d'Espagne, reine de Portugal**» (t. 177
116). Fille de Charles IV, née en 1775; épousa Jean VI de Portug

2484 «**Vision de Saint Sébastien d'Aparicio**» (t. 171 × 121). Saint d'orig
galicienne, qui, pendant sa prière, reçoit l'apparition de 2 anges musicie
Thème fréquent dans la peinture baroque italienne.

2497 «**Les saisons: le printemps**» (t. 144 × 77). Voir n.º 2500.

2498 «**Les saisons: l'été**» (t. 144 × 77). Voir n.º 2500.

2499 «**Les saisons: l'automne**» (t. 142 × 77). Voir n.º 2500.

2500 «**Les saisons: l'hiver**» (t. 144 × 77). Ces 4 toiles forment une série d
saisons. Ce thème, souvent repris depuis la Renaissance, est interprété
sous forme de scènes paysannes, dont certaines empruntent leurs perso
nages à la mythologie.

3140 «**Le songe de Saint Joseph**» (papier sur carton 27 × 19). Ebauche.

3141 «**La délivrance de Saint Pierre**» (papier sur carton 27 × 19). Ebauch
**MAINO, Fray Juan Bautista Maino** (Guadalajara, 1581-Madrid, 164
Se forma dans sa jeunesse en Italie. En 1613 il fit profession com
dominicain à Saint-Pierre Martyr de Tolède. A Madrid, il fut nommé
1620 professeur de dessin du futur Philippe IV et depuis lors travai
souvent pour la cour. Son style atteste qu'il a connu directement le clas
cisme italien (Annibale Carrache et le Guide) et le premier naturalisme
Caravage. Il cultive un réalisme tempéré. Son dessin est ferme et sa co
position, aisée. Il utilise un éclairage dirigé, mais sans ombres ténébriste
et une couleur claire, unie, à touches lisses.

885 «**La récupération de Bahia (Salvador) au Brésil**» (t. 309 × 381). Da
de 1634/5. Peint pour le Salon des royaumes du Buen Retiro. En 162
Frédéric de Tolède récupéra la ville, occupée alors par les Hollandais. L
protagonistes demeurent au 2ème plan, tandis que des personnages seco
daires se trouvent au 1er plan: d'où le ton moins héroïque et plus réali
de la toile.

886 «**L'Adoration des Mages**» (t. 315 × 174). Signé. A été commandé
1612 pour le retable des Quatre Pâques de Saint-Pierre Martyr à Tolè
de même que les num. 3018, 3128, 3212 et 3227. Les étoffes des mag
sont merveilleusement étudiées. Ce tableau n'est pas cérémonieux, com
d'autres sur ce thème, mais réaliste, aimable et sentimental.

1276 «**Portrait de chevalier**». Inventorié en 1794 comme fait par Maine. V
Tristán.

2595 «**Portrait de chevalier**» (t. 96 × 73). Signé v. 1600/5.

3018 «**La Pentecôte**» (t. 285 × 163). Voir n.º 886.

3128 «**Saint Jean l'Evangéliste dans un paysage**» (t. 74 × 163). La figure
aisément insérée dans un paysage vaste et serein. Chose rare dans la pe
ture espagnole, qui révèle l'influence d'Annibale Carrache. Voir n.º 88

3129 «**Sainte Catherine de Sienne**» (b. 118 × 92). Sommet d'un retable.

3130 «**Saint Dominique**» (b. 118 × 92). Fait pendant au n.º 3129. C'est pe
être un autoportrait.

3212 «**Saint Jean-Baptiste dans un paysage**» (t. 74 × 163). Voir num. 886
3128.

3225 «**La pénitente Marie-Madeleine**» (b. 58 × 155). Date de la même ép
que que les num. 3128 et 3212.

3226 «**Saint Antoine, abbé**» (b. 61 × 155). Fait pendant au n.º 3225.

2988. Le Greco. L'Adoration des Bergers.

3227 **«L'adoration des bergers»** (t. 315 × 174). Réaliste, cette toile accuse un
forte influence caravagesque et comporte en abondance des détails d
nature morte. Voir n.º 886.

**MARCH, Esteban March** (Valence, 1610-1668). De l'école valencienne
Influencé par Orrente, dont on croit qu'il fut le disciple.

883 **«Le passage de la mer Rouge»** (t. 129 × 176).

**MARCH (?).**

878 **«Un vieux buveur»** (t. 73 × 62).

879 **«Une vieille buveuse»** (t. 73 × 62).

880 **«Une vieille avec un tambourin»** (t. 80 × 62).

**MASIP, Vicente Masip** (? v. 1475-Valence, 1545). De l'école valen
cienne. Introduisit l'influence raphaélesque dans la peinture valencienne
Collabora souvent avec son fils, Juan de Juanes, dont le style découle d
sien, au point de parfois se confondre avec lui. Mais le père peint d'un
manière plus sereine et plus classique, avec un dessin plus correct et u
modelé plus serré.

843 **«Le martyre de Sainte Agnès»** (b. 58 diam.). Fait pendant au n.º 851
Les 2 furent peints pour le couvent de Santo Tomás de Villanueva
Valence. L'influence des cartons pour tapisseries de Raphaël se fait sentir
notamment dans la conception du cadre et les poses des personnages.

874. Maella. Marine.

849 **«Le Christ portant sa croix»** (b. 39 × 80).

851 **«La Visitation»** (b. 60 diam.). Voir n.º 843.

852 **«Le Couronnement de la Vierge»** (b. 23 × 19). Ovale.

855 Voir Juanes.

**MASIP, Vicente Juan.** Voir Juanes.

**MASIP, Vicente Juan Masip** (Valence, v. 1565-ap. 1606). Fils de Jua
de Juanes, dont il imite fidèlement le style.

850 **«Descente de croix»** (b. 108 × 98).

**MAZO, Juan Bautista Martínez del Mazo** (? v. 1615-Madrid, 1667). D
l'école madrilène. Gendre de Vélasquez, il entra à la cour grâce à celui-
et devint peintre du roi à sa mort. A l'âge mûr, en 1657, il fit un voya
ge à Naples. Il peignit, en imitant la style de son beau-père et maître
des tableaux d'excellente qualité. Cependant, il ne parvint pas à comprer
dre la portée réelle de ses découvertes. Comme il était en outre un trè
bon copiste, de nombreux problèmes d'attribution se sont posés. Il fit de
portraits et des paysages. Ces derniers sont animés par des figurines et l'u
ou l'autre édifice.

888 **«L'impératrice Marguerite d'Autriche»** (t. 209 × 147). C'est l'infan
dont Vélasquez a fait le portrait dans *Les Ménines*. L'inscription l'identifiar

avec Marie-Térèse est postérieure. On constate la fascination exercée sur lui par les jeux d'espace de Vélasquez dans la scène qu'on entrevoit par la porte du fond.

889 Voir Vélasquez et Mazo.

899a **«La mort d'Adonis»** (t. 246 × 217).

1212 Voir Vélasquez, atelier.

1213 Voir Vélasquez.

1214 **«La rue de la Reine à Aranjuez»** (t. 245 × 202). Cete toile, qui est sûrement de lui, est exécutée avec tant d'aisance et de rapidité et rend si finement la lumière qu'on s'explique les erreurs possibles dans l'attribution de ses paysages à lui-même ou à Vélasquez.

1215 **«Un bassin du Buen Retiro»** (t. 147 × 114).

1216 **«Le jardin d'un palais»** (t. 148 × 111).

1217 **«Paysage avec un temple»** (t. 148 × 111). Jadis attribué à Vélasquez.

1218 **«Edifice classique avec un paysage»** (t. 148 × 111). Voir n.º 1217.

2571. Mazo. La chasse au châtelet à Aranjuez.

221 **«Le prince Balthazar-Charles»** (t. 209 × 144). Daté de 1645. Fut attribué à Vélasquez.

706 Voir Rubens, copies (Ecole flamande).

708 Voir Rubens, copies (Ecole flamande).

711 Voir Rubens, copies (Ecole flamande).

712 Voir Jordaens (Ecole flamande), copie par Mazo.

571 **«La chasse au châtelet à Aranjuez»** (t. 249 × 187).

**MELENDEZ, Luis Eugenio Meléndez ou Menéndez** (Naples, 1716-Madrid, 1780). Né en Italie d'une famille espagnole, il s'est formé à Madrid. Se spécialisa en natures mortes et suivit la tradition espagnole de ce genre. On trouve chez lui des traits qui rappellent nettement les oeuvres de Zurbarán ou de Sánchez Cotán: sobriété, réalisme, mise en ordre claire des éléments détachés l'un de l'autre et forts contrastes de lumières et d'ombres. Sa magnifique série de natures mortes décorait une salle du palais d'Aranjuez, où il avait voulu évoquer la diversité de «produits comestibles qu'on trouve en Espagne».

902 **«Une tranche de saumon, un citron et trois pots»** (t. 42 × 62). Remarquable par son soin des détails et sa virtuosité technique.

2683. Jaume Huguet. Un prophète.

866. Fray Juan Bautista Maino. L'Adoration des Mages.

903 «**Daurade et oranges**» (t. 42 × 62). Signé et daté de 1772.

906 «**Boîte de sucreries**» (t. 49 × 37). Signé et daté de 1770.

907 «**Poissons, ciboulettes et pain**» (t. 50 × 36).

909 «**Assiette de cerises et de fromage**» (t. 40 × 62). Daté et signé de 177
A noter le coloris des fruits et la parfaite représentation de la céramiqu
populaire.

910 «**Oranges, pastèques, pot de confiture et boîtes de sucreries**»
47 × 34). Signé.

911 «**Cerises, prunes, fromage et pot**» (t. 47 × 34). Signé.

912 «**Poires, pain, pot, flacon et tourtière**» (t. 47 × 34). Signé et daté
1760.

915 «**Pastèque, pain et couronnes**» (t. 34 × 47). Signé.

919 «**Poires, melon et baril**» (t. 48 × 35). Signé et daté de 1764.

924 «**Prunes, figues et pain**» (t. 35 × 48). Signé.

927 «**Grenades, pommes, pots de confiture et boîte de sucreries**»
37 × 49). Signé.

929 «**Service à chocolat**» (t. 48 × 36). Signé et daté de 1770. Une de s
toiles les plus fines et les plus sobres: les éléments en sont placés habil
ment et le coloris en est varié.

930 «**Concombres et tomates**» (t. 41 × 62). Signé et daté de 1772.

931 «**Coings, pêches, raisins et courges**» (t. 36 × 62). Signé.

932 «**Cruchon et pain**» (t. 48 × 34). Signé.

933 «**Pigeonneaux et corbeille**» (t. 49 × 36). Signé.

934 «**Jambon, oeufs et pain, avec des poteries en terre cuite**» (t. 49 × 37)

935 «**Corbeille de raisins avec des prunes et des pommes**» (t. 48 × 35
Signé et daté de 1762.

936 «**Pommes, noix, pot de configure et boîtes de sucreries**» (t. 36 × 49
Signé et daté de 1769.

937 «**Assiette de figues et de grenades, avec une bouteille de vin blanc**»
(t. 36 × 49). Signé.

938 «**Morceau de viande, jambon et poteries en terre cuite et en cuivre**»
(t. 41 × 63). Une des plus complexes, qui se rattache aux natures mort
napolitaines du XVII$^e$ s.
**MELENDEZ, Miguel Jacinto Meléndez** (Oviedo, 1679-v. 1731).

958 «**Saint Augustin conjure une invasion de sauterelles**» (t. sur
85 × 147). Comme le n.° 959, ébauche pour un tableau destiné à Sa
Felipe el Real. Après sa mort, les tableaux ont été exécutés par Andrés
la Calleja.

959 «**L'enterrement du comte d'Orgaz**» (t. sur b. 85 × 147). Voir n.° 958
**MELENDEZ (?).**

901 «**La Sainte Famille**» (t. 19 diam.).
**MENENDEZ.** Voir Meléndez.
**MIRANDA.** Voir Carreño.
**MOHEDANO, Antonio Mohedano** (Cordoue, 1563-1625).

2911a «**Saint Jean l'Evangéliste**» (233 × 130). Toile murale, provenant d'un
chapelle de Lucena (Cordoue). Oeuvre douteuse.
**MORALES, Luis de Morales, dit le Divin** (Badajoz, v. 1500-1586
Peintre de sujets religieux, particulièrement populaire pour ses tableautir
de dévotion, où il souligne les éléments pathétiques et sentimentaux. So
style est d'inspiration flamande, avec des touches fondues et lisses. Se
couleurs sont pauvres. Ses ombres rappellent de loin Léonard. Ses figure
longues et stéréotypées, au modelé doux, semblent émerger d'un fon
sombre.

943 «**La Présentation du divin Enfant**» (b. 146 × 114).

944 «**La Vierge à l'Enfant**» (b. 57 × 40). Il reprend souvent ce thème (vo
num. 946 et 2656), qui est très représentatif de son style, parfois profor
dément émotif, mais toujours empreint d'une religiosité intime et affec
tive. Il centre l'attention sur la Vierge et l'Enfant, qui se détachent sur
fond obscur et se regardent l'un l'autre.

946 «**La Vierge à l'Enfant**» (b. 43 × 32). Voir n.° 944.

947 «**Saint Jean de Ribera**» (b. 40 × 28).

948a «**Saint Etienne**» (b. 67 × 50). La pierre fait allusion au martyre du sain
qui apparaît dans un paysage de type flamand.

2512 «**L'Annonciation**» (b. 109 × 83).

2656 «**La Vierge à l'Enfant**» (b. 84 × 64). Le mieux réussi de ses tableaux su
ce thème.

2770 «**Ecce Homo**» (b. 40 × 28). Thème aussi fort repris, toujours sur
même ton pathétique et crispé.

147 **«La Sainte Famille»** (b. 40 × 57). Oeuvre d'école.
**MORENO, Joseph Moreno** (Burgos, 1642?-1674). De l'école madrilène. Formé avec Francisco de Solis, a des touches détachées et un coloris agréable.

872 **«La fuite en Égypte»** (t. 209 × 250). Signé. V. 1668.

994 **«La Visitation»** (t. 185 × 132). Signé et daté de 1662.
**MUÑOZ, Sebastián Muñoz** (Ségovie, v. 1654-Madrid, 1690). De l'école madrilène. Disciple et collaborateur de Claudio Coello. Se rendit en Italie.

957 **«Autoportrait»** (t. 35 × 33).
**MUR, Maître de l'archevêque Dalmau de Mur, XVᵉ s.**

334 **«Saint Vincent, diacre et martyr»** (b. 185 × 117).

**961. Murillo. L'Adoration des bergers.**

**MURILLO, Bartolomé Esteban Murillo** (Séville, 1618-1682). De l'école sévillane. Fils et père de famille nombreuse, qui avait un caractère agréable. Il mena une vie tranquille et paisible à Séville, où son art jouit toujours d'une estime extraordinaire. Il se forma chez Juan del Castillo, peut-être en même temps qu'Alonso Cano, car il a plus d'affinités avec la peinture sensible et élégante de celui-ci qu'avec celle de son maître. En 1658, il était à Madrid, mais nous ignorons combien de temps il y resta. C'était l'époque des grandes créations de Vélasquez, qui lui causèrent sans nul doute une profonde impression, de même que les tableaux italiens et flamands de la collection royale. En 1660 se fonda à Séville l'Académie, dont il fut président et dont Herrera le Jeune et Valdés Leal furent les premiers membres.

Murillo détermina une nouvelle inflexion dans l'art espagnol. Sa peinture, loin d'aspirer à la grandeur, comme celle des grands maîtres du XVIIᵉ s., s'oriente vers la grâce et la délicatesse, comme celle du XVIIIᵉ s. Sa technique, prodigieusement légère, a été appelée «vaporeuse». En effet, elle délaie les formes, les dépouille du poids de la matière et de ses valeurs tactiles, pour les convertir en visions purement picturales de lumière et de couleur. Ses tableaux religieux risquent aujourd'hui de nous paraître doucereux, mais ils répondaient à une directive de la Contre-réforme, qui entendait enraciner profondément le fait religieux dans la vie quotidienne. Leur langage simple et agréable était de nature à toucher les cœurs des fidèles et à s'assurer leur sympathie. Les images de la Sainte Famille, de la belle Vierge jouant avec l'Enfant Jésus mignon ou de la candide Immaculée Conception étaient plus à leur portée que celles des ascètes et des

2656. Luis de Morales. La Vierge à l'Enfant.

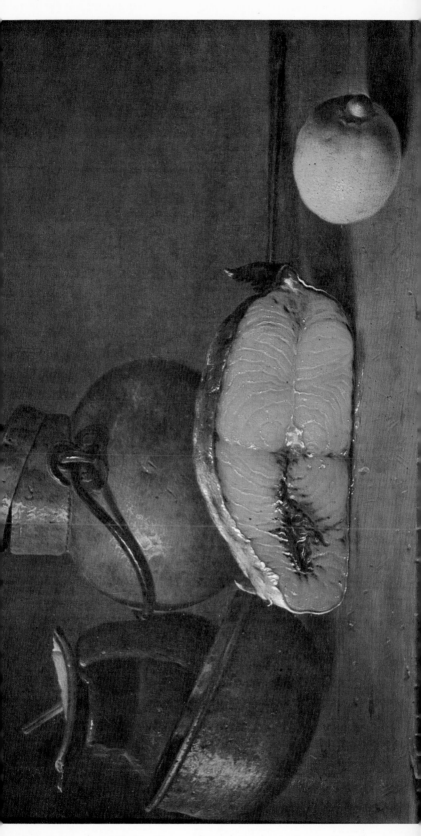

902. Luis Eugenio Meléndez. Une tranche de saumon, un citron et trois pots.

martyrs. Sa peinture de genre offre des apports originaux et eut un succé
extraordinaire à son époque, car elle évoque l'espièglerie des enfants d'ur
façon fraîche et spontanée.

960 «**La Sainte Famille à l'oiselet**» (t. 144 × 188). V. 1650. Oeuvre tr
populaire, qui représente bien son type de religiosité simple et familial
On y voit la «Trinité de cette terre» dans son intimité quotidienne:
travail y a été interrompu par le jeu de l'enfant. La sensibilité et la techn
que de cette toile doivent encore beaucoup à Zurbarán. L'éclairage en e
assez ténébriste. Elle prête une attention spéciale aux détails de natu
morte.

961 «**L'Adoration des bergers**» (t. 187 × 228). V. 1650. La scène nocturr
n'est éclairée que par la lumière qui rayonne de l'Enfant Jésus. C'est là u
moyen symbolique, courant depuis le maniérisme. Les bergers, avec leu
offrandes, telles que l'agneau, créent une ambiance naturaliste.

962 «**Le bon Pasteur**» (t. 123 × 101). V. 1665. L'enfant pasteur a l'air grav
Avec les ruines et son troupeau, il forme un tableau bucolique classiqu
qui a toujours plu au peuple.

963 «**Saint Jean-Baptiste enfant**» (t. 121 × 99). V. 1665. Peint lors
l'inauguration de Santa Maria la Blanca à Séville. Comme le précédent
le suivant, il témoigne de l'attention du peintre au monde de l'enfanc

964 «**Les enfants à la coquille**» (t. 104 × 124). V. 1670. La compositic
pyramidale et bien d'aplomb, trahit son origine classique, empruntée à u
gravure du Guide. On y trouve la facture molle, ainsi que les tons chau
et dorés de ses oeuvres de maturité.

965 «**Ecce Homo**» (t. 52 × 41). V. 1668-70. Fait pendant au n.º 977.

966 «**Le Christ en croix**» (t. 183 × 107). Thème peu fréquent chez Murill
qui s'inspire ici d'un tableau de van Dyck.

967 «**Le Christ sur la croix**» (t. 71 × 54). V. 1675-80.

968 «**Sainte Anne et la Vierge**» (t. 219 × 165). V. 1665. Marie écoute av
déférence la leçon de sa mère, près de laquelle se trouve la corbeille
ouvrage. Comme ailleurs, Murillo décrit la vie quotidienne des personn
ges sacrés avec ingénuité, dans un cadre propre et bien tenu.

969 «**L'Annonciation**» (t. 183 × 225). V. 1655.

970 «**L'Annonciation**» (t. 125 × 103). V. 1560. Réplique de la version
l'Ermitage de Leningrad. Sa technique est plus avancée que celle du n
969: ses touches sont plus agiles et nerveuses. Les figures y sont mieu
placées. La gloire céleste envahit presque tout le tableau, l'inondant de
lumière dorée et l'achevant harmonieusement dans le haut.

972 «**L'Immaculée Conception "de l'Escorial"**» (t. 206 × 144). V. 1656-6
Les Immaculées de Murillo correspondent au prototype du plein baroqu
commencé par Ribera chez les Augustines de Salamanque, où le thème e
fort mêlé à celui de l'Assomption, aboutissant à une image dynamique a
vêtements amples, accompagnée d'anges qui ne cessent de voltiger

**963. Murillo. Saint Jean-Baptiste enfant.**  **968. Murillo. Sainte Anne et la Vie**

débarrassée des attributs traditionnels de la litanie. Les touches subtiles de Murillo, qui suggèrent la forme sans presque la toucher, sont les plus adéquates pour mettre en valeur ce mystère de la conception sans tache originelle. On a ici une des versions les plus célèbres.

973 «L'immaculée Conception» (t. 91 × 70). V. 1665.

974 «L'Immaculée Conception "d'Aranjuez"» (t. 222 × 118). V. 1656-60. Version postérieure à celle du n.º 972 et plus baroque. L'ampleur de la cape et les diagonales qui croisent le tableau contribuent à son dynamisme. Les angelots prolongent vers le bas la silhouette de la Vierge, la rendant plus svelte et gracieuse.

975 «La Vierge du Rosaire» (t. 164 × 110). V. 1650. Murillo aborde souvent ce thème, convenant très bien à sa sensibilité, qui saisit avec tant de

964. Murillo. Les enfants à la coquille.

finesse la beauté féminine et le charme enfantin. Il y a des rémiscences des prototypes rafaélesques, non seulement dans le motif, mais encore dans le ton classique de la composition pyramidale.

976 «La Vierge à l'Enfant» (t. 151 × 103). V. 1660.

977 «Notre-Dame des Sept Douleurs» (t. 52 × 41). V. 1668-70. Fait pendant au n.º 965.

978 «Apparition de la Vierge à Saint Bernard» (t. 311 × 249). V. 1660. La Vierge fait parvenir au saint un jet de son lait, pour récompenser l'éloquence avec laquelle il la loue et la défend. Murillo, contrairement à la coutume, place la Vierge plus au niveau du saint, ce qui rend sa composition plus homogène.

979 «Descente de la Vierge pour récompenser les écrits de Saint Ildephonse» (t. 309 × 251). V. 1660. Le thème et le format de ce tableau étant pareils à ceux du précédent, on a pensé qu'ils se faisaient pendants. Evitant le geste malaisé de l'imposition de la chasuble, Murillo préfère représenter la Vierge présentant celle-ci au saint, tandis que les anges semblent faire l'éloge de sa beauté. La composition est animée par la grande diagonale du jet de lumière, qui sort des nuées et fait resplendir le coloris.

980 «Saint Augustin entre le Christ et la Vierge» (t. 274 × 195). C'est une méditation du Docteur de l'Eglise. La composition est empruntée à une gravure d'une oeuvre de van Dyck.

981 «Vision de Saint François à la Portioncule» (t. 206 × 162). V. 1667. Comme toujours, Murillo cherche à fusionner le plus possible l'objet de la

960. Bartolomé Esteban Murillo. La Sainte Famille à l'oiselet.

972. Bartolomé Esteban Murillo. L'Immaculée de El Escorial.

vision céleste avec la partie terrestre du tableau, celle-ci étant pratique
ment envahie par des vapeurs lumineuses.

982 **«Le martyre de Saint André»** (t. 123 × 162). V. 1675-80. Le dram
n'étant pas son fort, Murillo préfère une composition où l'action principal
se perd au milieu des détails anecdotiques et du grouillement des perso
nages. Dans la figure qui sert de repoussoir à gauche, il y a une nett
réminiscence de la fileuse de Vélasquez, en position inverse.

984 **«La conversion de Saint Paul»** (t. 125 × 169). V. 1675-80. Fait penda
à la toile antérieure. Composition très baroque, où il faut surtout releve
le splendide effet de lumière.

987 **«Saint Jérôme»** (t. 187 × 133). V. 1652. Tableau de jeunesse, où l
peintre se plie au schéma iconographique propre au naturalisme. Il e
encore très ténébriste. Ce thème est rare chez Murillo.

**994. Murillo. Le songe du patricien Jean.**

989 **«L'Apôtre Saint Jacques»** (t. 134 × 107). V. 1656-60. Ressemble fort
*Saint Simon* de Ribera (n.º 1090), mais sa position est inversée.

994 **«La fondation de Sainte-Marie-Majeure à Rome. Le songe du patri
cien Jean»** (t. 232 × 522, arc surbaissé). V. 1665. C'est la 1ère d'une séri
de 4 toiles (avec le n.º 995, une au Louvre et une autre dans une collectio
privée anglaise) en forme d'arc surbaissé, qui furent commandées à Mu
rillo pour décorer l'église Santa Maria la Blanca à Séville, qui fut trans
formée en 1665. Enlevées par le maréchal Soult, elles revinrent en Es
pagne en 1816. A Paris, on leur avait donné, à l'aide d'écoinçons, leu
forme rectangulaire actuelle. Celle-ci représente la Vierge apparaissant e
songe au patricien, pour lui inspirer la construction d'une église sur le mon
Esquilin. La composition décrit une légère courbe, contraire à celle d
l'arc. Les personnages endormis, le livre laissé sur la table, le petit chie
roulé en boule, la corbeille à ouvrage: la paix de cette scène intime n'es
pas troublée par l'apparition de la Vierge, si légèrement évoquée par l
technique délicate de Murillo. En pleine maturité, celui-ci s'y montre par
faitement maître de son art pictural.

995 **«La fondation de Sainte-Marie-Majeure à Rome. Le patricien révèl
son songe au Pape»** (t. 232 × 522). Fait pendant au n.º 994. Tandis que
le patricien raconte au pape Libère ce qui lui est arrivé, on aperçoit
droite l'épisode suivant: tout le monde va voir l'Esquilin, qui est miracu
leusement couvert de neige en plein été. Murillo a manié ici ses pinceaux
avec une aisance remarquable: les formes sont suggérées avec une fraî
cheur charmante; les couleurs claires et harmonieuses, formant de fins glacis
traduisent une sensibilité proche de celle du XVIIIᵉ s.

996 **«Rébecca et Éliézer»** (t. 107 × 171). V. 1665. Schéma très classique
bien que le sujet soit traité comme une scène de genre.

996a **«Jésus et la Samaritaine»** (t. 30 × 37). Ébauche.

997 **«L'enfant prodigue recueille sa part de fortune»** (t. 27 × 34). V. 1675
Cette toile et les 3 suivantes sont des ébauches pour une série de 6
tableaux, se trouvant dans la collection Beit (Blessington, Russborough)
Les compositions en sont empruntées à des gravures de Caillot.

**965. Murillo. Ecce Homo.**     **977. Murillo. N.-D. des 7 Douleurs.**

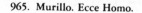

998   «L'enfant prodigue prend congé» (t. 27 × 34). Voir n.º 997.

999   «L'enfant prodigue dissipe sa fortune» (t. 27 × 34). Voir n.º 997.

1000  «L'enfant prodigue vit à l'abandon» (t. 27 × 34). Voir n.º 997.

1001  «La vieille en train de filer» (t. 61 × 51). Oeuvre de jeunesse, de tendance naturaliste, révélant le goût précoce de Murillo pour la peinture de genre.

1002  «La Galicienne à la pièce de monnaie» (t. 63 × 43).

1005  «Paysage» (t. 95 × 123). Attribution douteuse.

1006  «Paysage» (t. 95 × 123). Fait pendant à l'antérieur.

2657  «Un inconnu» (t. 49 × 41).

2809  «L'Immaculée Conception "de Soult"» (t. 274 × 190). V. 1678. Peinte à la demande de Justino de Nève (qui avait commandé la série de toiles de Santa Maria la Blanca), pour l'Hôpital des prêtres de Séville. Emportée par le maréchal Soult en 1813, elle revint en Espagne en 1940. La composition est plus statique que celle d'autres Immaculées antérieures. Par contre, Murillo a fort développé la gloire des anges, qui forment autour de la Vierge un splendide halo doré. Par sa facture sensuelle en détrempe, il semble donner une leçon de peinture vénitienne.

845  «Chevalier au collet» (t. 198 × 127). Dans ce genre qu'il n'a guère pratiqué, il s'en tient au portrait sobre de Vélasquez.

1008  «Paysage» (t. 194 × 130). Paysage imaginaire, de facture très libre et spongieuse, qui ressemble fort à ceux de son disciple Iriarte.

3060  «Nicolas Omazur» (t. 83 × 73). Daté de 1672. Ce commerçant flamand et poète amateur fut l'ami de Murillo. Comme il tient une tête de mort en mains, son portrait devient une vanité. Ce genre, plutôt rare dans la pein-

**1002. Murillo. La Galicienne.**     **3060. Murillo. Nicolas Omazur.**

2422. Luis Paret y Alcázar. Charles III déjeunant sous les yeux de sa cour.

ture espagnole, est assez fréquent dans la flamande. Des inscriptions en complétaient le sens; elles ont été coupées, mais nous sont connues grâce à Cea Bermudez qui les a transcrites.

**MURILLO (?).**

971 «L'Immaculée Conception» (t. 96 × 64).
983 «Saint Ferdinand» (t. 56 × 38).
985 «La tête de Saint Paul» (t. 50 × 77).
986 «La tête de Saint Jean-Baptiste» (t. 50 × 77).
990 «Saint François de Paule» (t. 104 × 100).
991 «Saint François de Paule» (t. 111 × 83).
777 «Deux anges» (t. 44 × 68).
012 «Autoportrait» (t. 44 × 68).

**NAVARRETE, Juan Fernández de Navarrete, dit le Muet** (Logroño, v. 1526-Tolède, 1579). Se forma en divers endroits d'Italie et dans l'atelier de Titien. Peignit à l'Escorial à partir de 1568. Il combine la grandeur et le décorum des maniéristes réformés avec le goût du vif détail anecdotique et un éclairage contrasté, qui pointent vers le naturalisme.

012 «Le baptême du Christ» (b. 49 × 37). Signé. Son 1er tableau connu.

**NICOLAS FRANCES, Maître Nicolás Francés** (Actif à Léon av. 1434-1468). Introduisit à Léon le style gothique international.

545 «Retable de la vie de la Vierge et de celle de Saint François» (b. 557 × 558). Prédelle: *Bustes de saints*. Centre: *Vierge à l'Enfant entourée d'anges musiciens, Assomption* et *Calvaire*. Volet droit: *Annonciation, Nativité* et *Purification*. Volet gauche: *Saint François chez le Sultan, Le songe d'Honorius III et la fondation de l'ordre franciscain* et *Les stigmates*. Son dessin est ferme et délicat, son coloris, frais et joyeux. Son goût pour l'espace trahit nettement l'influence italienne. Il cherche à varier ses types et à les rendre expressifs, tout en veillant toujours à leur élégance.

**NUÑEZ DE VILLAVICENCIO.** Voir Villavicencio.

**ONZE MILLE VIERGES, Maître des onze mille vierges** (anonyme, actif à Ségovie, v. 1475/1500). De l'école hispano-flamande. Tout en faisant montre d'indépendance par rapport au milieu castillan, il a tendance à styliser les figures et à employer maints détails de l'art mudéjar.

290 «Le couronnement de la Vierge» (b. 129 × 92).
293 «Sainte Ursule avec les onze mille vierges» (b. 112 × 79). Ce tableau, dont le Maître a tiré son nom, représente la sainte se rendant à Rome avec sa suite insolite, selon le récit de Jacques de Voragine dans la *Légende dorée*.
294 «L'imposition de la chasuble à Saint Ildephonse» (b. 165 × 91).

**ORRENTE, Pedro d'Orrente** (Murcie, 1588-Valence, 1645). De l'école tolédane. Travailla à Valence, Tolède et Madrid. A dû se rendre à Venise (av. 1612) et y travailler chez Léandre Bassano, car l'influence de celui-ci se note dans ses oeuvres. Il peint un grand nombre de personnages dans de vastes paysages vénitiens. Ses sujets lui servent de prétexte pour y introduire des animaux et des détails de nature morte.

015 «L'adoration des bergers» (t. 111 × 162).
016 «La Crucifixion» (t. 153 × 128).
017 «Laban rejoint Jacob» (t. 116 × 209). De 1ère qualité, entièrement de sa main, comme le n.º 1016.
018 «Episode de l'Exode» (t. 113 × 180). Copie d'atelier.
020 «Le retour au bercail» (t. 74 × 89). Oeuvre douteuse.
421 «La parabole de l'ivraie» (t. 100 × 140).
771 «Un âne et une brebis» (t. 34 × 51). Oeuvre de l'école madrilène, postérieure à Orrente.
772 «Un cheval avec des poteries» (t. 34 × 51). Fait pendant au n.º 2771.
052 «Remise des clés à Saint Pierre» (t. 103 × 102).
229 «Voyage de Tobie et de Sara» (t. 100 × 139).
242 «Autoportrait» (t. 45 × 36).

**PACHECO, Francisco Pacheco** (Sanlúcar de Barrameda, 1564-Séville, 1654). De l'école sévillane. Maître et beau-père de Vélasquez, il a joué un rôle plus important dans l'art espagnol comme théoricien (*L'art de la peinture*, 1649) que comme peintre. Se rendit en Flandre, à Tolède (av. 1612) et à Madrid (1623). Son style personnel est en retard et un peu sec. Ses portraits au crayon sont très intéressants; il les a réunis dans son *Livre de description de vrais portraits d'hommes illustres et mémorables*.

022 «Sainte Agnès» (b. 103 × 144). Signé et daté de 1608. Forme une série avec les 3 tableaux suivants.
023 «Sainte Catherine» (b. 102 × 43).
024 «Saint Jean l'Evangéliste» (b. 99 × 45).

1025 **«Saint Jean l'Évangéliste»** (b. 99 × 45).

**PACULLY, Maître de la collection Pacully** (anonyme castillan, XVᵉ s

2971-2 **«Les saints apôtres Philippe, Barthélemy, Simon, Thaddée et Th mas»** (b. 25 × 40). Planches d'un soubassement de retable, attribuées dis au Maître de San Ildefonso.

**2545. Maître Nicolas Francés. Retable sur les vies de la Vierge et de Saint François.**

**PALOMINO, Antonio Palomino** (Bujalance, 1655-Madrid, 1726). D l'école madrilène. Peignit surtout des fresques pour décorer des églises d Madrid, parfois en collaboration avec Coello. Son style dynamique fougueux doit beaucoup à Lucas Jordán. Son livre *Musée de peinture échelle des couleurs* (2 vol. 1715, 1724) l'a fait appeler le «Vasari espagnol

1026 **«L'Immaculée Conception»** (t. 193 × 137). Signé.

3161 **«Sainte Agnès»** (t. 250 × 168).

3186 **«Sainte Agnès»** (t. 250 × 160).

3187 **«Le vent»** (t. 246 × 156). Signé.

**PANTOJA DE LA CRUZ, Juan Pantoja de la Cruz** (Valladolid 1553-Madrid, 1608). Peintre à la cour de Philippe II. Il imita fidèlement style de Sánchez Coello, son maître, mais sans atteindre sa qualité. Il f aussi de la peinture religieuse.

1030 Voir Sánchez Coello, copies.

1031 Voir Sánchez Coello, copies.

1032 **«Marguerite d'Autriche, épouse de Philippe III»** (t. 112 × 97). Sign et daté de 1607.

1034 **«Un chevalier de l'Ordre de Saint Jacques»** (t. 51 × 47). Signé et dat de 1601.

1035 **«Une dame inconnue»** (t. 56 × 42).

1038 **«La nativité de la Vierge»** (t. 260 × 172). Signé et daté de 1603.

1040a **«Saint Augustin»** (t. 264 × 115). Signé et daté de 1601. Voir n. 1040b.

1040b **«Saint Nicolas de Tolentino»** (t. 264 × 135). Signé et daté de 160 Peint, comme le précédent, pour l'Ecole Marie d'Aragon.

2562 **«Philippe III»** (t. 204 × 122). Signé. Fait pendant au n.º 2563.

2563 **«La reine Marguerite»** (t. 204 × 122). Signé et daté de 1606.

**PAREJA, Juan de Pareja** (Séville, v. 1610-Madrid, 1670). Domestiqu de Vélasquez, il commença à peindre à la dérobée, jusqu'au jour où réussit à montrer ses tableaux à Philippe IV. Vélasquez fit son portrait.

1041 **«La vocation de Saint Mathieu»** (t. 225 × 325). Signé et daté de 1661 La figure de gauche est son autoportrait.

**PARET, Luis Paret y Alcázar** (Madrid, 1746-1798/9). Peintre un pe insolite dans le cadre espagnol de son temps. Son oeuvre s'inspira de peinture vénitienne du XVIIIᵉ s., qu'il connut en Italie (1763-66), et d rococo français, qui lui parvint à travers son maître, Charles de la Traverse qui était disciple de Boucher.

1042 **«Vase de fleurs»** (t. 39 × 37). Signé.

43 **«Vase de fleurs»** (t. 39 × 37). Signé.

44 **«Les couples royaux»** (t. 232 × 365). Signé. Fête hippique à Aranjuez, où se trouvait la famille royale, présidée par Charles III et Marie-Louise de Parme.

45 **«Le serment de Ferdinand VII, comme prince des Asturies»** (t. 237 × 159). Signé et daté de 1791.

22 **«Charles III déjeunant sous les yeux de sa cour»** (b. 50 × 64). Signé en lettres grecques: «Fait par Luis Paret, fils de son père et de sa mère».

75 **«Le bal masqué»** (b. 40 × 51). V. 1767. Vue du Théâtre du Prince à Madrid.

91 **«Répétition d'une comédie»** (t. 38 × 51).

**PERALTA.** Voir Sigüenza.

**PEREA, Maître des Perea** (anonyme de la fin du XVe s.). De l'école valencienne. Introduisit déjà dans son style quelques nouveautés de la Renaissance.

78 **«La Visitation»** (b. 176 × 155).

**PEREDA, Antonio Pereda** (Valladolid, v. 1608-Madrid, 1678). De l'école madrilène. C'est un peintre inégal: autant il excelle dans la représentation matérielle (objets décrits avec minutie, étoffes aux riches couleurs vénitiennes et reflets osés), autant il échoue dans ses efforts d'adaptation au dynamisme que le baroque décoratif imposait à son époque. Il a peint de célèbres natures mortes de vanité.

46 **«Saint Jérôme»** (t. 105 × 84). Signé et daté de 1643.

47 **«Le Christ, homme de douleurs»** (t. 97 × 78). Signé et daté de 1643.

17a **«Le secours prêté à Gênes par le 2ème marquis de Santa Cruz»** (t.

1032. Pantoja. Marguerite d'Autriche, épouse de Philippe III.

290 × 370). Signé. V. 1634/5. C'est en 1625 que la ville fut libérée du siège des Français. Peint pour le Salon des royaumes du Buen Retiro, quand il travaillait à la cour et était en pleine forme.

317b Voir Van de Pere.

340 **«Saint Pierre, délivré par un ange»** (t. 145 × 110). Signé et daté de 1643.

355 **«L'Annonciation»** (t. 134 × 77). Signé et daté de 1637.

**PEREZ, Bartolomé Pérez** (Madrid, 1634-1693). De l'école madrilène Gendre et principal collaborateur de Juan d'Arellano, peintre de fleurs. peignit, dans le même style, de grands bouquets de fleurs aux couleu fortes sur des fonds foncés, avec une excellente technique, libre et ric en couleurs. Il fit aussi des figures pour les guirlandes de son beau-père des décors de théâtre.

1048 **«Vase de fleurs»** (t. 86 × 76).
1049 **«Vase de fleurs»** (t. 86 × 76).
1050 **«Vase de fleurs»** (t. 107 × 72).
1051 **«Vase de fleurs»** (t. 112 × 71).
1052 **«Vase de fleurs»** (t. 75 × 56). Comme les 5 suivants, ce tableau provie du couvent de San Diego d'Alcalá de Henares.
1053 **«Vase de fleurs»** (t. 75 × 56).
1054 **«Vase de fleurs»** (t. 62 × 84).
1055 **«Vase de fleurs»** (t. 62 × 84).
1056 **«Saint François-Xavier dans une guirlande»** (t. 95 × 73). Fait penda au n.º 1057.
1057 **«Sainte Térèse de Jésus dans une guirlande»** (t. 95 × 73). Fait penda au n.º 1056.

**PEREZ SIERRA, Francisco Pérez Sierra** (Naples, 1627-Madrid, 170( De l'école madrilène. Collabora avec Carreño et Ricci.

3181 **«Saint Joachim»** (t. 214 × 122).

**PICARDO, Léon Picardo** (à Burgos de 1514 à 1530, m. 1547). Peint du Connétable de Castille, il travailla pour la chapelle de celui-ci dans Cathédrale de Burgos. D'origine picarde, il se forma en Flandre et connaissait l'art italien qu'à travers les romanistes flamands.

2171 **«L'Annonciation»** (b. 171 × 139). Comme les 2 suivants, ce tableau pr vient du monastère de Támara.
2172 **«La Purification»** (b. 170 × 139).
2173 **«Paysage de Jérusalem»** (b. 170 × 139).

**POLO, Diego Polo** (Burgos, v. 1610-Madrid, 1665). De l'école madrilèn Influencé par Titien en matière de couleurs et de peinture en détrempe

3105 **«Saint Roch»** (t. 193 × 142).

**PRADO, Blas de Prado** (Tolède, v. 1546-v. 1600). Travailla à Tolède à la cour du Maroc.

1059 **«La Sainte Famille, Saint Ildephonse, Saint Jean l'Evangéliste et Maître Alonso de Villegas»** (t. 209 × 165). Signé et daté de 1598.

**PUGA, Antonio Puga** (Orense, 1602-Madrid, 1648). De l'école m drilène. Fut en rapport avec Cajés. Fit des oeuvres de milieu populaire

3004 **«La mère du peintre»** (t. 147 × 109).

**RAMIREZ, Cristobal Ramírez** (1ère moitié du XVIIᵉ s.). Vie inconnue
1060 **«Le Sauveur bénissant»** (t. 207 × 129). Signé et daté de 1628.

**RAMIREZ, Felipe Ramírez** (1er tiers du XVIIᵉ s.). De l'école tolédane
2802 **«Nature morte»** (t. 71 × 92). Signé et daté de 1628. De ce peintre, fo en rapport avec Sánchez Cotán, on ne connaît rien d'autre que cette magni fique toile, composée avec une rigueur mathématique et peinte avec ur authentique virtuosité. La coupe en or avec les lis jette une note trè raffinée au milieu du chardon et des raisins, dont la sobriété est typique c la nature morte castillane, parfois dénommée «de carême».

**RIBALTA, Francisco Ribalta** (Lérida, 1565-Valence, 1628). De l'éco valencienne. Catalan, il se forma à Madrid et se fixa à Valence av. 1599, o il exécuta de grosses commandes de retables et exerça sä maîtrise dans so grand atelier, où travailla son fils Juan. Au début, son style imita celui d peintres de l'Escorial, marqué par certaines anticipations naturalistes une recherche de l'éclairage contrasté. Mais, à partir de 1620, son réalism devint plus direct et plus rude, son éclairage, plus ténébriste. C'est qu aura connu le caravagisme, lors d'un voyage en Italie. En tout cas, il joua u rôle de 1er plan au début du naturalisme espagnol; son style sévère, m numental et très expressif eut une influence considérable.

1061 **«Le Christ avec deux anges»** (t. 113 × 90).
1062 **«Saint François, réconforté par un ange»** (t. 204 × 158). Il y a plusieu versions de ce tableau. Il y veille aux questions d'éclairage, ainsi qu'à un représentation réaliste et concrète des personnages et des objets, dont nous présente les qualités matérielles avec une excellente technique.
1063 **«Ame bienheureuse»** (t. 58 × 46). Voir n.º 1064.
1064 **«Ame en peine»** (t. 58 × 46). On rejette généralement l'attribution d ces toiles à Ribalta.
1065 **«Les saints évangélistes Mathieu et Jean»** (t. 66 × 102). Fait pendant a

n.º 2965, avec lequel il aura fait partie du soubassement d'un retable. Attribués à Orrente ou à Juan Ribalta.

804 «Le Christ embrasse Saint Bernard» (t. 158 × 113). Tout à fait remarquable, en raison de l'usage dramatique de la lumière et de la vigueur plastique des 2 figures.

065 «Saint Marc et Saint Matthieu» (t. 166 × 102). Fait pendant au n.º 1065.

RIBALTA, Juan Ribalta (Madrid, 1596/7-Valence, 1628). Fils, élève et collaborateur de Francisco.

044 «Saint Jean l'Evangéliste» (t. 182 × 113). Signé.

1121. J. de Ribera. Archimède.

2804. F. Ribalta. Le Christ embrasse Saint Bernard.

RIBERA, José de Ribera, dit l'Espagnolet (Játiva, Valence, 1591-Naples, 1652). On ignore tout de sa formation, mais il alla très jeune en Italie, à Rome et à Parme. En 1616, il se fixa à Naples, où il passa le reste de sa vie, sous la protection des vice-rois et dans une position sociale confortable. Déraciné d'Espagne, il fit donc carrière en Italie. Mais il signa toujours de son nom espagnol, et ses oeuvres envoyées en Espagne par les vice-rois y eurent une grosse influence, si bien que l'art espagnol l'a toujours revendiqué comme sien. On nous l'a dépeint comme un homme sanguinaire et féroce, mais cette légende tient au fait qu'il vécut à Naples en des années de constantes révoltes contre le pouvoir espagnol et aussi peut-être à l'âpreté de son caractère. Du reste, les thèmes effrayants, qui impressionnèrent tant les romantiques, étaient monnaie courante dans la peinture religieuse de son temps, où abondaient les martyres. C'est au Caravage qu'il devait sa tendance toujours carrément naturaliste et son éclairage ténébriste, qui confère au modelé une vigueur sculpturale et fixe l'attention sur les éléments essentiels du tableau, tout en réduisant les éléments de la composition et en les ordonnant selon des schémas simples. Quant à sa manière d'empâter la toile, elle était bien personnelle: ses coups de pinceau denses suivent de près les tensions de la forme, en montrant sous la peau des figures le mouvement des tendons et des muscles et en reproduisant avec virtuosité les qualités superficielles de la matière. C'est certes à son activité de graveur qu'il devait la sûreté impe[ccable] de son dessin, toujours ferme et solide. Il est surtout connu comm[e] peintre de saints ermites, de martyrs, de vieillards ridés, usés par la pé[ni]tence et la souffrance. C'était là l'aspect le plus dramatique de l'art de [la] Contre-réforme. N'oublions pas, cependant, qu'il traita aussi beaucoup [de] thèmes mythologiques et que toute son oeuvre attestait sa connaissan[ce] de l'art classique: il suffit de voir la rigueur de sa composition, ainsi que [la] digne gravité de ses personnages qui, au milieu de leurs souffrances, ga[r]dent un profond équilibre intérieur. En outre, au contact de la peintu[re] vénitienne, son art s'enrichit d'un souci coloriste, qui le poussait à son[ger] ses figures en plein air et à rendre sa palette de plus en plus lumineu[se]. Mais, du début à la fin, il s'intéressa toujours à la personne humai[ne] concrète, la dépouillant de toute rhétorique et de toute anecdote super[fi]cielle, pour la revêtir d'une dignité monumentale. On trouve dans s[es] tableaux certains des meilleurs exemples de l'art baroque.

1067 **«Le Sauveur»** (t. 77 × 65). C'est la toile la plus classique d'une sé[rie] d'Apôtres, peinte v. 1630/32, dont font partie les num. 1071, 1074, 107[8] 1082, 1084, 1087, 1088, 1089, 1090, 1092 et 1099. Ribera peignit pl[u]sieurs groupes d'Apôtres, mais c'est le seul qui nous soit parvenu presq[ue] entier. Il s'agit de bons portraits expressifs.

1069 **«La Trinité»** (t. 226 × 181). La composition de ce chef-d'oeuvre de 1635/6 est basée, comme très souvent, sur des diagonales courbes. Malg[ré] les fortes ombres, la couleur atteint, surtout dans le haut, un éclat dig[ne] des Vénitiens. La version la plus humanisée de la Trinité avec le Chr[ist] mort eut d'illustres interprètes au XVIe s.: Dürer, Michel-Ange et [le] Greco. Ribera accentue encore cette humanisation en représentant le Pè[re] plongé dans la douleur: il appuie ses mains sur la couronne d'épines et s[ur] le corps livide de son Fils, qui a encore les bras raides.

1070 **«L'Immaculée Conception»** (t. 220 × 160). Cette toile de v. 1637/40 e[st] une version, sur un ton plus bas, de l'Immaculée des Augustines de Sa[l.] manque, qui eut une telle importance dans la peinture espagnole.

1071 **«Saint Pierre»** (t. 75 × 64). Voir n.º 1067.

1072 **«Saint Pierre»** (t. 128 × 100). V. 1632. Le manteau jaune de ce vieilla[rd] au noble port, remplit presque entièrement le tableau , dont la compo[si]tion triangulaire produit un effet monumental.

1073 **«Saint Pierre, délivré par un ange»** (t. 177 × 232). Signé et daté d[e] 1639. L'éclairage est nettement caravagesque. On remarquera la belle [fi]gure de l'ange. La composition ressemble fort à celle du *Songe de Jacob* (n[.º] 1117).

1074 **«Saint Paul»** (t. 75 × 63). Voir n.º 1067.

1075 **«Saint Paul ermite»** (t. 143 × 143). Signé et daté de 1640. Le thème d[es] saints ermites, si cher à la Contre-réforme pour sa mise en valeur de [la] pénitence, est très souvent traité par Ribera, qui aime surtout décrire leu[rs] corps à demi nus, épuisés par le jeûne, et leurs visages absorbés dans [la] méditation. Sont bien typiques la façon dont il place la figure en obliq[ue] par rapport au plan du tableau, avec les jambes vers le fond, et le schém[a] de la composition en diagonale.

1076 **«Saint André»** (t. 76 × 64). Oeuvre d'atelier.

1077 **«Saint André»** (t. 76 × 63). Signé. La date de 1641 est apocryphe. V[oir] n.º 1067.

1078 **«Saint André»** (t. 123 × 95). V. 1630/32. Nous montre bien à quel poi[nt] il est capable de représenter la réalité avec toutes ses qualités épiderm[i]ques. Les cheveux crépus, la peau rugueuse, hirsute à la poitrine et ca[l]leuse aux mains, de ce vieux pêcheur, forment l'enveloppe de son ima[ge] inoubliable, digne et mélancolique plus que décrépite.

1079 **«Saint André»** (t. 127 × 100). Réplique d'un original du Musée de Br[u]xelles.

1082 **«Saint Jacques le Majeur»** (t. 78 × 64). Voir n.º 1067.

1083 **«Saint Jacques le Majeur»** (t. 202 × 146). Signé et daté de 1631 (o[u] 1651). Ferait pendant au n.º 1109. De provenance identique, ils sont to[us] 2 des figures monumentales en pied, ayant la gravité des philosoph[es] classiques.

1084 **«Saint Thomas»** (t. 75 × 62). Voir n.º 1067.

1087 **«Saint Mathieu»** (t. 77 × 65). Voir n.º 1067.

1088 **«Saint Philippe»** (t. 76 × 64). Voir n.º 1067.

1089 **«Saint Jacques le Mineur»** (t. 75 × 63). Voir n.º 1067.

1090 **«Saint Simon»** (t. 74 × 62). Voir n.º 1067.

1091 **«Saint Simon»** (t. 107 × 91). A son habitude, Ribera nous donne, sous déguisement du saint, l'image de l'homme concret, qu'il a connu et observé. En général, ce sont des hommes âgés, couverts de rides, dont le regard profond semble nous communiquer toute leur résignation.

092 **«Saint Thaddée»** (t. 76 × 64). Voir n.º 1067.

094 **«Saint Augustin en prière»** (t. 203 × 150).

095 **«Saint Sébastien»** (t. 127 × 100). V. 1635/40. Ici, Ribera se montre déjà tout à fait libéré du ténébrisme. La figure, mise en pleine lumière, révèle les affinités du peintre avec les classiques bolonais dans la recherche de l'harmonie et de la plénitude de la forme. Cette expression de l'équilibre intérieur auquel aspire l'esprit classique, caractérise aussi l'iconographie traditionnelle de ce saint.

096 **«Saint Jérôme»** (t. 109 × 90). Signé et daté de 1644. Toile inachevée, notamment au manteau et dans le fond, que le peintre avait commencé à éclaircir derrière la tête.

098 **«Saint Jérôme faisant pénitence»** (t. 77 × 71). Signé et daté de 1652. Ce chef-d'oeuvre de la fin de sa vie nous donne une magnifique tête du saint ermite, qui se distingue non seulement par son aspect sauvage avec ses longs cheveux et sa grande barbe, mais encore par l'intensité de son expression. La technique recueille magistralement la lumière en touches détachées, frisées, chargées de matière.

099 **«Saint Barthélemy»** (t. 77 × 64). Voir n.º 1067.

100 **«Saint Barthélemy»** (t. 183 × 197). V. 1640. Avec les num. 1103, 1106 et 1108, forme un admirable ensemble, où la conception simple et grandiose de la forme se joint à un raffinement progressif dans l'usage de la lumière et à un éclat des couleurs, qui manifeste déjà l'influence vénitienne. Les 4 toiles ont été élargies ultérieurement, de telle sorte que leur composition s'en trouve un peu altérée.

101 **«Martyre de Saint Philippe»** (t. 234 × 234). Signé et daté de 1639 (ou 1630). On a toujours cru que c'était la scène précédant le martyre de Saint Barthélemy, mais on a précisé récemment qu'il s'agissait de celui de Saint Philippe. Cette toile a un certain air de parenté avec celle du Caravage sur

1103. J. de Ribera. Sainte Marie-Madeleine ou Sainte Thaïs.

1069. J. de Ribera. La Trinité.

le même thème, notamment en ce qui concerne le bourreau qui tire sur les cordes et l'insertion d'une série de gens qui assistent impassibles à la scène. Le schéma de la composition est fréquent chez Ribera: une grande diagonale croise le 1er plan, contrebalancée par une autre en sens inverse au 2ème plan. L'équilibre de ce schéma est renforcé ici par les lignes horizontales et verticales des éléments architectoniques et des troncs d'arbres du supplice. Le contraste entre le corps musclé du saint et l'abandon où il se trouve, entre son angoisse et l'indifférence des spectateurs, rend la scène plus dramatique. Loin de l'étalage de cruauté qu'on reprochait tant au peintre, nous y trouvons une conception profonde de la douleur et de la dignité face à la souffrance.

1102 «Saint Joseph et l'Enfant Jésus» (t. 126 × 100).

1103 «Sainte Marie-Madeleine ou Sainte Thaïs» (t. 181 × 195). C'est la plus attrayante des 4 toiles citées plus haut (voir n.º 1100). On a supposé que ce modèle, qui revient souvent chez Ribera, reproduisait les traits ravissants de sa fille qui, selon la tradition, fut séduite par Jean-Joseph d'Autriche, le bâtard de Philippe IV, et obligée à passer la fin de sa vie dans un couvent. La richesse éblouissante de la cape rouge, l'équilibre subtil de la composition et le savoir-faire dans l'emploi de la lumière encadrent, comme il convient, la beauté sereine de la pénitente.

1104 «Sainte Marie-Madeleine, pénitente» (t. 97 × 66).

1105 «Sainte Marie-Madeleine, pénitente» (t. 153 × 124). Certains critiques ont proposé dernièrement de l'attribuer à Luca Giordano.

1106 «Sainte Marie l'Égyptienne» (t. 183 × 197). Voir n.º 1100.

1107 «Vision de Saint François d'Assise» (t. 120 × 98). V. 1630-38. Le saint voit lui apparaître un ange, portant une ampoule pleine d'eau, symbole de la pureté.

1108 «Saint Jean-Baptiste au désert» (t. 184 × 198). Voir n.º 1100.

1109 «Saint Roch» (t. 212 × 144). Signé et daté de 1631 (ou 1651). Voir n.º 1083.

1110 «Saint Roch» (t. 126 × 93).

1111 «Saint Christophe» (t. 127 × 100). Signé et daté de 1637. Toile de ton très vénitien, où l'énorme saint contraste avec l'enfant délicat.

1112 «Le sculpteur aveugle Gambazo» (t. 125 × 98). Signé et daté de 1632. Il ne s'agit pas du personnage que le titre nomme, mais bien plutôt d'une représentation du sens du toucher, faisant peut-être partie d'une série sur les sens.

113 **«Tityos»** (t. 227 × 301). Signé et daté de 1632. Comme le suivant, ce tableau faisait partie de la série des 4 géants que Ribera peignit pour Luc van Uffel et que celui-ci dut lui renvoyer, car ils avaient tant effrayé sa femme que celle-ci donna le jour à un enfant difforme. Ces sujets peu agréables ont forgé au peintre un renom de sanguinaire, que les romantiques s'empressèrent d'exagérer. Le géant est ici lié, car Jupiter l'a condamné, pour avoir cherché à violer Latone, à voir ses entrailles éternellement rongées par un vautour. La toile est très noircie par un usage excessif de bitume, si bien qu'on distingue à peine le vautour. Ce thème est assez rare, mais Titien l'a aussi traité (n.º 427).

114 **«Ixion»** (t. 220 × 301). Signé et daté de 1632. Le géant, châtié par Jupiter, est lié à une roue enflammée. Voir n.º 1113.

115 **«Saint Paul ermite»** (t. 118 × 98).

116 **«Un anachorète»** (t. 128 × 93). Oeuvre d'atelier.

117 **«Le songe de Jacob»** (t. 179 × 233). Signé et daté de 1639. Ribera, loin de se conformer à la tradition, qui représentait l'échelle où Jacob vit en songe les anges monter et descendre, transforme sa vision en un brouillard doré qui illumine sa tête et où l'on entrevoit des anges finement dessinés. Il centre toute l'attention sur le patriarche couché, profondément absorbé par son rêve. La composition horizontale à peine brisée par la ligne du tronc, la lumière chaude où baigne la scène et l'abandon complet du dormeur, forment un tableau extrêmement lyrique.

118 **«Isaac et Jacob»** (t. 129 × 289). Signé et daté de 1637. Une de ses oeuvres les plus vénitiennes, où la couleur assure une protagonisme décisif. Les grands rideaux rouges inondent de leurs reflets les 2 personnages principaux, grâce à la façon magistrale dont Ribera a capté la lumière colorée. C'est aussi la couleur qui structure les différents plans de la toile.

120 **«Ésope»** (t. 118 × 94). Oeuvre d'atelier, d'après la critique.

121 **«Archimède»** (t. 125 × 81). Signé et daté de 1630. Oeuvre singulièrement expressive, qui ressemble fort à l'une ou l'autre de Vélasquez quant au type humain choisi et à la spontanéité de son geste.

122 **«Fragment du "Triomphe de Bacchus"»** (t. 67 × 53). Comme au n.º 1123, il s'agit d'un fragment d'une composition connue par une copie et s'inspirant d'un bas-relief classique, conservé au Musée de Naples. Il en existe 2 autres fragments. Ceux-ci attestent la joie débordante du tableau, grâce à la densité de sa lumière dorée et aux vibrations de ses couleurs.

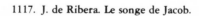

1117. J. de Ribera. Le songe de Jacob.

1123 «**Fragment du "Triomphe de Bacchus"**» (t. 55 × 46). Voir n.º 112.

1124 «**Combat de femmes**» (t. 235 × 212). Signé et daté de 1636. Il s'agit de femmes qui se sont vraiment battues en duel à Naples pour l'amour d'u homme. Oeuvre de maturité aux tons homogènes et chauds.

2506 «**Une vieille usurière**» (t. 76 × 62). Signé et daté de 1638. Tablea d'atelier, fort restauré.

3053 «**Saint François reçoit les stigmates**» (t. 227 × 175). Signature refait Daté de 1644. Réplique d'un original de l'Escorial.

**RICCI.** Voir Rizi.

2549. Rincon. Un miracle des Saints Côme et Damien.

**RINCON, Fernando del Rincón de Figueroa** (actif à Guadalajara à fin du XV<sup>e</sup> s.-ap. 1517).

2518 «**Don Francisco Fernández de Córdoba y Mendoza**» (b. 51 × 40 av le cadre). Portrait d'inspiration italienne certaine.

2549 «**Un miracle des Saints Côme et Damien**» (t. 188 × 155).

**RIZI, Francisco Rizi (ou Ricci) de Guevara** (Madrid, 1614-Escori 1685). De l'école madrilène. Fils d'un des peintres italiens qui étaie venus travailler à l'Escorial, il se forma avec Vicente Carducho à la cou Dès 1656, il travailla comme peintre du roi. Il peignit des fresques, d décors de théâtres et de grandes toiles d'autel, dans un style baroqu pompeux et dynamique. Son audace technique diluait les formes en ma ses vaporeuses aux couleurs vibrantes. Chez lui convergent la traditic coloriste vénitienne et l'influence décisive de Rubens sur ses types h mains et sa manière de composer. A son époque, on lui reprocha l incorrections de son dessin. Toutefois, au point de vue technique, s oeuvre a représenté un progrès considérable et ouvert des pistes à l'écc madrilène. Il eut un grand atelier, où se sont formés Antolinez, Escalan et Claudio Coello.

1126 «**Autodafé sur la Grand-Place de Madrid**» (b. 277 × 438). Signé daté de 1683. Cet autodafé eut lieu de 30 juin 1683, en présence Charles II, de sa mère et de son épouse, qui figurent au balcon roya

1127 «**Un général d'artillerie**» (t. 202 × 135). Peint sur un fond de paysag avec une dignité rappelant van Dyck.

1128 «**L'Annonciation**» (t. 112 × 96). C'est bien son style, aux touches ne veuses et aux couleurs brillantes, animé par les éclairs de lumière. Appa tenait peut-être au même retable que les 2 toiles suivantes.

1129 «**L'Adoration des rois mages**» (t. 54 × 57). Faisant pendant au n.º 113 se trouvait dans le soubassement d'un retable.

1130 «**La Purification**» (t. 54 × 57). Fait pendant au n.º 1129.

1130a «**L'Immaculée Conception**» (t. 289 × 174). Signé.

2870 «**Sainte Agathe**» (t. 184 × 108).

962 «La Purification» (t. 206 × 291). Comme le n.º 3136, fit partie d'une série de tableaux oblongs qu'il peignit v. 1663.

136 «La Visitation» (t. 206 × 291). Voir n.º 2962.

RIZI, Fray Juan Andrés Rizi (ou Ricci) de Guevara (Madrid, 1600-Mont Cassin, 1681). De l'école madrilène. Fils d'Antoine et frère aîné de Francisco. En 1627, fit sa profession comme moine bénédictin. Son style est réaliste et monumental. Il aime le clair-obscur et un coloris sobre.

887 «Tiburcio de Redin y Cruzat» (t. 203 × 124). L'inscription du nom est postérieure. Attribué jadis à Mazo.

510 «Saint Benoît bénit un pain» (t. 168 × 148).

600 «Le souper de Saint Benoît» (t. 185 × 216).

108 «Saint Benoît donne sa bénédiction à Saint Maur» (t. 188 × 166).

214 «Saint Benoît détruit les idoles».

ROBREDO, Maître de Robredo (anonyme de Burgos du XVᵉ s.).

596 «Le souper de Jésus chez un Pharisien» (b. 39 × 51).

ROMAN, Bartolomé Roman (ou Romano) (Cordoue, v. 1590-Madrid, 1647). De l'école madrilène. Disciple de Carducho.

077 «Saint Bède» (t. 205 × 110).

ROMANA, Pedro Romana (Cordoue, 1488-1536). Dans la ligne d'Alejo Fernández.

233 «Vocation de Sainte Catherine de Sienne» (b. 95 × 72).

RUIZ DE LA IGLESIA, Francisco Ignacio Ruiz de la Iglesia (Madrid, 1648-1704). De l'école madrilène. Formé chez F. Camilo et Carreño.

029 «La duchesse d'Aveiro» (t. 81 × 60). Ovale.

RUIZ GONZALEZ, Pedro Ruiz González (Cuenca, 1640-Madrid, 1706).

807 «Le Christ, la nuit de sa Passion» (t. 123 × 83). Signé et daté de 1673.

SALMERON, Francisco Salmerón (? 1608-Cuenca, 1632).

135 «Les troupes de Gédéon» (t. 114 × 210). Oeuvre douteuse.

SAN NICOLAS, Maître de San Nicolás (anonyme du XVᵉ s.). De l'école hispano-flamande.

684 «Saint Augustin, revêtu des ornements pontificaux» (b. 127 × 53).

SANCHEZ, Mariano Sánchez (Valence, 1740-1822). Peintre de la cour depuis 1796, il peignit beaucoup de vues de ports pour Charles III.

919 «Pont de Badajoz» (t. 57 × 111).

922 «Pont de Martorell» (t. 67 × 102).

1138. Sanchez Coello. Les infantes Isabelle-Claire-Eugénie et Catherine-Michèle.

**SANCHEZ COELLO,** Alonso Sánchez Coello (Valence, 1531/32 Madrid, 1588). Encore enfant, partit avec ses parents pour le Portuga forma chez le portraitiste Antonio Moro (1550-54). En 1555, il travailla déjà pour la cour espagnole à Valladolid, Tolède et Madrid, en y faisar des portraits et des tableaux d'autel. Ses portraits imitent le modèle d cour de son maître: le personnage est vu de trois-quarts sur un fon neutre, avec une main posée sur un fauteuil ou une table et tenant dar l'autre ses gants ou son mouchoir. Il a adouci cette influence flamande (l description minutieuse des surfaces, des étoffes et des bijoux, le réalism des visages, la pose protocolaire et distante des personnages qui les fa ressembler à des objets sacrés) en humanisant ses modèles, ainsi qu'e utilisant une couleur plus dorée et une pâte plus sensuelle, sous l'influenc de Titien, dont il copiait les oeuvres. Sa peinture religieuse est tributair du milieu de l'Escorial, où prédominait alors l'influence italienne.

1036 «**Philippe II**» (t. 88 × 72). Av. 1582. Son attribution n'est pas sûre: on pensé à Pantoja ou à un Italien.

1136 «**Le prince Charles**» (t. 109 × 95).

1137 «**L'infante Isabelle-Claire-Eugénie**» (t. 116 × 102). Signé et daté d 1579. Un des portraits les plus touchants de la fille favorite de Philippe I où se reflètent sa grâce et sa douceur.

1138 «**Les infantes Isabelle-Claire-Eugénie et Catherine-Michèle**» (t. 135 × 149).

1139 «**Catherine-Michèle d'Autriche, duchesse de Savoie**» (t. 111 × 91).

1140 «**Une jeune fille inconnue**» (b. 26 × 28).

1142 «**La dame à la fourrure d'hermine**» (b. 67 × 56).

1143 «**Un chevalier de l'Ordre de Saint Jacques**» (b. 41 × 30). Attribué jadi à Antonio Moro.

1144 «**Noces mystiques de Sainte Catherine**» (liège 164 × 80). Signé et dat de 1578.

2511 «**Autoportrait (?)**» (b. 38 × 32).

2861 «**Saint Sébastien entre Saint Bernard et Saint François**» (b. 295 × 196 Signé et daté de 1582.
**SANCHEZ COELLO. Copies par Pantoja.**

1030 «**La reine Elisabeth de Valois, 3ème épouse de Philippe II**» (t. 119 × 84

1031 «**La reine Elisabeth de Valois, 3ème épouse de Philippe II**» (t. 205 × 123 **SANCHEZ COELLO. Disciples.**

861 «**Isabelle-Claire-Eugénie et Madeleine Ruiz**» (t. 207 × 129).

1284 «**La reine Anne d'Autriche, 4ème épouse de Philippe II**» (t. 84 × 67). **SANCHEZ COTAN,** Juan Sánchez Cotán (Tolède, 1560-Grenade 1627). De l'école tolédane. Célèbre pour ses natures mortes.

3222 «**La femme barbue de Peñaranda**» (102 × 61).
**SERRA. Atelier.** Jaime et Pedro Serra travaillèrent en Catalogne dans l dernier tiers du XIVᵉ s.

3106 «**Episodes de la vie de Marie-Madeleine**» (b. 280 × 92). Voir n.º 3107

3107 «**Episodes de la vie de Saint Jean-Baptiste**» (b. 280 × 92). Les 2 ta bleaux, qui se font pendants, sont liés à la Vierge du retable de Tobec dont ils pourraient être des volets.
**SEVILLA,** Juan de Sevilla Romero (Grenade, 1643-1695). De l'écol grenadine.

1160 Voir Valdés Leal.

2509 «**Le mauvais riche et le pauvre Lazare**» (t. 110 × 160). Signé.
**SIGÜENZA, Maître de Sigüenza, Juan de Peralta** (milieu du XVᵉ s. Les retables de la Cathédrale de Sigüenza lui ont valu ce nom, mais au jourd'hui on l'identifie avec Juan de Peralta. Relève du gothique interna tional.

1327 «**Saint Luc**» (b. 95 × 55).

1336 «**Retable de Saint Jean-Baptiste et de Sainte Catherine**» (b. centr 161 × 127; 4 volets 135 × 64).
**SISLA, Maître de la Sisla.** Anonyme de l'école hispano-flamande, auque on attribue 6 planches provenant du monastère de la Sisla (Tolède), don le style a des rapports avec le **Maître de San Ildefonso** (actif en 1483/85) On y distingue 2 mains distinctes: l'une dépendante de l'influence d Nord (num. 1254, 1255 et 1259), l'autre progressiste avec des élément de la Renaissance italienne (num. 1256, 1257 et 1258). Passées de bois su toile, elles ont une qualité extraordinaire: leur dessin est sûr et ferme; leu modelé traduit le volume; leurs valeurs tactiles sont décrites avec préci sion: leurs types profondément humains nous montrent le goût de l'au teur pour la noblesse et l'embellissement.

254 «L'Annonciation» (200 × 100).

255 «La Visitation» (200 × 114).

256 «L'Adoration des rois mages» (214 × 109).

257 «La Présentation de Jésus au temple» (203 × 100).

258 «La Circoncision» (213 × 102).

259 «La Dormition de la Vierge» (212 × 113).

SOPETRAN, Maître de Sopetrán (anonyme du XVe s.). De l'école hispano-flamande. Auteur de 4 planches, provenant du monastère bénédictin de Sopetrán (Guadalajara). Son style dérive de celui de Jorge Inglés, mais est plus avancé, car il a un meilleur sens de l'espace; en outre, il accuse une influence de van der Weyden.

575 «L'Annonciation» (b. 103 × 60).

576 «Un jeune homme en prière» (b. 103 × 60). On a voulu y voir le fils du marquis de Santillana, 1er duc du fief de l'infant.

577 «La Nativité» (b. 103 × 60).

578 «La dormition de la Vierge» (b. 103 × 60).

THEOTOKOPOULOS. Voir Greco.

TOBAR, Alonso Miguel de Tobar (Huelva, 1678-Madrid, 1758).

153 «Bartolomé Esteban Murillo» (t. 101 × 76). Copie de l'autoportrait.

TOLEDO, Capitaine Juan de Toledo (Murcie, 1611-Madrid, 1665). Comme militaire, il alla en Italie, où il se forma chez Cerquozzi, disciple du Bamboche. Il peignit des batailles, navales en particulier, où grouillent beaucoup de figurines.

154 «Combat naval entre Espagnols et Turcs» (t. 62 × 110). Forme un ensemble avec les 3 suivants.

155 «Naufrage» (t. 62 × 110). Voir n.º 1154.

156 «Débarquement et combat» (t. 62 × 110). Voir n.º 1154.

157 «Abordage» (t. 48 × 84). Voir n.º 1154.

775 «Bataille» (t. 62 × 146). Fait pendant au n.º 2776.

776 «Bataille» (t. 63 × 146). Voir n.º 2775.

TRISTAN, Luis Tristán (? dernier tiers du XVIe s.-Tolède, 1624). De l'école tolédane. Disciple du Greco. Se rendit en Italie, où il connut Ribera. Son style mêle les influences du Greco et des maniéristes de l'Escorial avec un naturalisme naissant.

158 «Un vieillard» (t. 47 × 34).

159 «Saint Antoine abbé» (t. 167 × 110).

276 «Le Calabrais» (t. 108 × 95). D'après Angulo et Pérez Sánchez, il est impossible de l'attribuer à Tristán à cause de la date à laquelle nous renvoient les vêtements du personnage.

836 «Sainte Monique» (t. 42 × 40). Signé et daté de 1616. Du retable de Yepes.

837 «Une sainte en pleurs» (t. 42 × 40). Voir n.º 2836.

975 «La Pietà» (t. 61 × 48). Sans doute d'un artiste non espagnol.

078 «Saint Pierre d'Alcántara» (t. 169 × 111).

VALDES LEAL, Juan de Valdés Leal (Séville, 1622-1690). De l'école sévillane. Se forma jeune à Cordoue avec Antonio del Castillo, dont l'influence est évidente dans certaines de ses oeuvres. En 1656, il retourna à Séville, où il participa en 1660 à la fondation de l'Académie. C'est de 1672 que datent ses rapports avec Miguel de Mañara, qui lui commanda les fameux *Hiéroglyphes des fins dernières,* son chef-d'oeuvre, très significatif dans le baroque espagnol, auquel il doit son renom. Contemporain de Murillo, il est au pôle opposé de la sensibilité de celui-ci. C'est un peintre effronté et violent, qui travaille vite, au détriment du dessin, et dont les tableaux se rachètent par leurs couleurs brillantes et leur technique fougueuse.

160 «La présentation de la Vierge au Temple» (t. 153 × 138). Attribution douteuse pour le Catalogue du Prado. On a proposé dernièrement de l'attribuer à Juan de Sevilla.

161 «Jésus discute avec les docteurs» (t. 200 × 215). Signé et daté de 1686. Composition très théâtrale et décorative.

582 «Un martyr hiéronymite» (t. 249 × 130). Voir n.º 2593.

593 «Saint Jérôme» (t. 211 × 131). Signé. Premier de la série de tableaux peints pour sainte Isabelle de Séville, à laquelle appartient le n.º 2582. Les 2 sont plus sereins et monumentaux que d'autres de Valdés.

49 «Saint Michel» (t. 205 × 109). Pris d'une gravure sur une oeuvre de Raphaël.

VALERO, Cristóbal Valero (Valence, ?-1789).

62 «Don Quichotte à l'auberge» (t. 56 × 79).

1163    **«Don Quichotte, armé chevalier»** (t. 56 × 79).

        **VAN DE PERE, Antonio van de Pere** (Madrid, v. 1618/20-v. 1688
        De l'école madrilène.

1317b **«Apparition de la Vierge à Saint Félix de Cantalicio»** (t. 77 × 55
        Signé et daté de 1665. Attribué jadis à Pereda, faute d'avoir bien déchiffr
        la signature.

        **VÉLASQUEZ, Diego Rodriguez da Silva y Velázquez** (Séville
        1599-Madrid, 1660). Se forma à Séville, d'abord un peu chez Herrera l

1167.  Vélasquez. Le Christ. en croix.

Vieux, puis dans l'atelier de Francisco Pacheco, où il entra en 1610. Il s
maria avec sa fille Juana en 1617. Bien conscient, certes, de ses dons excep
tionnels, il aspira à devenir peintre du roi. Après un 1er voyage infruc
tueux à Madrid, il réussit en 1623, grâce à la protection du comte-du
d'Olivares, ministre de Philippe IV, à faire le portrait du roi. Il fut immé
diatement nommé peintre de la cour. Dès lors, il se fixa à Madrid avec s
famille et sa carrière de peintre s'y déroula parallèlement à sa carrière a
Palais, où il fut successivement nommé Huissier de la cour, Valet d
chambre et Chambellan du palais. En 1658, ses ambitions seront comblée
par son admission dans l'Ordre de Saint Jacques, privilège de la haut
noblesse. Sa situation à la cour et son amitié personnelle avec le roi lu
permirent d'exercer son art avec une liberté incroyable, tout en lui offran
l'accès aux meilleures écoles: les collections royales de peinture et surtou
l'Italie, où il fut envoyé 2 fois en mission (1629-31 et 1649-51) pour
acheter des oeuvres d'art.

Favorisé de la sorte, Vélasquez accomplira dans la peinture européenn
une révolution décisive, qui ouvrira une infinité de pistes à l'art postérieu
Il convertit la peinture en un art exclusivement visuel, où la réalité e
interprétée en tant que lumière et couleur, qui nous sont fournies par l
vue, et dépouillée de toutes les données qui proviennent d'autres sen
(volume, corporéité, effets tactiles), ainsi que des préjugés intellectue

(dessin, perspective linéaire). Il voit ainsi les choses avec des yeux neufs, si bien qu'il peut non seulement percevoir les plus subtiles gradations de la lumière et les nuances les plus délicates de la couleur, mais encore découvrir des effets inexplorés jusqu'alors: par exemple, notre vue ne peut saisir de façon précise que l'objet qu'elle fixe, tandis que les autres, se trouvant derrière, devant ou à côté, sont flous. Le peintre représente ces effets au moyen de différentes techniques, plus ou moins précises ou ébauchées. Il parvient de la sorte à nous donner l'impression de l'espace sans recourir à des appuis géométriques: c'est ce qu'on a appelé la «perspective aérienne» et l'«instantané photographique» de ses peintures. Nous ne devons certes pas pour autant ne voir en Vélasquez qu'un oeil parfait qui, aidé par une main sûre, nous offre des images immédiates de la réalité. Il s'initia à la peinture dans le cadre du naturalisme ténébriste qui, tout en préférant les sujets empruntés à la réalité et les modèles concrets, utilisait une forte lumière contrastée, modelant les formes avec une dureté sculpturale. Depuis ce point de départ jusqu'à son style mûr, il y eut tout un processus volontaire d'intellectualisation, d'assimilation consciente de diverses influences, en particulier de la peinture vénitienne, d'exploitation très habile de motifs parfois étrangers. Il compose avec rigueur, équilibrant soigneusement les masses, choisissant les poses les plus naturelles pour ses personnages, corrigeant ici une jambe, là un bras. Il distribue la lumière en plans alternés, qui augmentent la sensation de profondeur, et il la projette sur le motif qui l'intéresse le plus. C'est pourquoi ce qui nous apparaît comme une tranche de réalité, surprise au hasard à n'importe quel instant, est le résultat de toute une élaboration cérébrale, qui a permis au peintre d'intégrer tous les éléments du tableau, fusionnant corps et espace au moyen de la lumière, pour obtenir la synthèse optique parfaite.

166 «L'Adoration des rois mages» (t. 203 × 125). Oeuvre de jeunesse (1619), où il se montre encore attaché à l'éclairage contrasté et au modelé précis. On y a vu les portraits de sa famille: la Vierge serait sa femme; un des mages, son beau-père; et le plus jeune, lui-même. Il s'agit, en tout cas, de modèles bien concrets. Comme dans ses autres tableaux religieux (très rares), il cherche à être vraisemblable et à éviter toute exaltation.

167 «Le Christ en croix» (t. 248 × 169). Peint v. 1630 pour le couvent de Saint-Placide, à la demande de Philippe IV. Image sereine, exempte de tout

1171. Vélasquez. La forge de Vulcain.

trait pathétique: le corps du Christ, d'une magnifique beauté classiqu‹ n'est ni tendu, ni rigide; sa chevelure lui couvre pudiquement le visage

1168 **«Le couronnement de la Vierge»** (t. 176 × 124). Peint v. 1641-42 po‹ l'oratoire de la reine. Composition rigoureuse, dont le schéma en forme ‹ coeur a reçu une interprétation symbolique (J. Gállego), renforcée p‹ l'harmonie des couleurs à base de carmin et le geste de la Vierge.

1169 **«Saint Antoine abbé et Saint Paul ermite»** (t. 257 × 188). Oeuv‹ tardive de v. 1642, où le paysage est fort développé et conduit nos ye‹ vers le fond, en les faisant passer par le chemin sinueux le long duqu‹ sont représentés les épisodes successifs de leur vie.

1170 **«Les Ivrognes»** ou **«Le triomphe de Bacchus»** (t. 165 × 225). Premiè‹ oeuvre mythologique de 1628. Dans la peinture espagnole, les thème‹ mythologiques étaient rares, car il n'avaient pas de tradition humanis‹ pour les justifier ni de clientèle, à part la cour et la noblesse, qui préf‹ raient recourir dans ce but à des peintres italiens ou flamands. Vélasqu‹ les traite en cherchant à les relier à la réalité, d'une façon ironique. Aus‹ le titre donné couramment à ce tableau est-il très expressif: *Les ivrogne‹* Bien que la scène se passe en plein air, le peintre tient encore à l'éclaira‹ contrasté, mais il se montre déjà maître de tous ses moyens. Remarquo‹ qu'il traite différemment la figure de Bacchus, qu'il soigne et éclaire d‹ vantage, et celles de ses compères aux expressions très vives, brossées e‹ touches longues et détachées, bien typiques. Les regards de certains ivr‹ gnes fixent franchement le spectateur, comme pour quêter sa complicit‹

1171 **«La forge de Vulcain»** (t. 223 × 290). Peint en 1630, lors de son 1‹ séjour en Italie, ce tableau décrit Apollon qui annonce à Vulcain, le div‹ forgeron, la trahison de son épouse Vénus. C'est le plus italien, où ‹ montre de l'intérêt pour les nus. Loin de donner à cette scène mytholog‹ que un aspect intemporel, Vélasquez la transpose dans la réalité de s‹ temps. La figure d'Apollon, qui ressort sur un fond clair et se détache ‹ fait de sa plus forte luminosité, de ses couleurs plus chaudes et de ‹ facture plus polie, accapare l'attention. Les autres personnages, tout stup‹ faits et incrédules, se tournent vers lui: c'est là un de ces instantané‹ prodigieux, comme Vélasquez sait en prendre! Celui-ci est aussi fo‹ préoccupé par la lumière, qui étale toutes ses nuances sur leurs visage‹ dans la pénombre de la forge.

1172 **«Les lances»** ou **«La reddition de Breda»** (t. 307 × 367). Peint av. 16‹ pour le Salon des royaumes du palais du Buen Retiro, afin de commémo‹ rer la victoire espagnole en juin 1625. Justin de Nassau remet les clés ‹ la ville de Breda à Ambrosio Spinola. Celui-ci allonge courtoisement ‹ bras, afin d'empêcher celui-là de s'agenouiller. Cet échange de gestes e‹ exprimé par Calderón en ces termes: «Le courage du vaincu rend le vai‹ queur célèbre». Les soldats, de part et d'autre, forment une splendi‹ collection de portraits: on devine telle ou telle personne en chacun d'eu‹ Certains fixent le spectateur, comme pour le prendre à témoin avec eu‹ La composition est simple: il y a 2 masses équilibrées à droite et à gauch‹ qui laissent un vide au centre pour permettre d'apercevoir le fond. L'‹ pace est stratifié en plans parallèles, comme les coulisses d'un théâtre; l‹ fameuses lances contribuent à produire cet effet. Vélasquez s'est bel ‹ bien documenté et a même trouvé beaucoup d'antécédents concrets po‹ faire ce tableau. Cela nous confirme son habileté à fusionner tous l‹ éléments disponibles dans une vision unitaire et cohérente. Certains cri‹ ques prétendent qu'il a signé par son autoportrait dans la figure de l'e‹ trême droite qui nous regarde.

1173 **«Les fileuses»** ou **«La fable d'Arachné»** (t. 220 × 289). Cette toile ‹ 1657 avait été traditionnellement présentée comme une scène de trava‹ dans la fabrique de tapisseries de Sainte Isabelle. A présent, d'après l'i‹ terprétation la plus reçue (proposée par Angulo et confirmée par des d‹ couvertes de documents par Caturla), elle représente la fable d'Arach‹ qu'Ovide raconte dans ses *Métamorphoses*. Minerve, déesse des arts, dégu‹ sée en vieille femme, avait rivalisé avec la célèbe tisseuse Arachné po‹ confectionner une tapisserie. Au second plan, on voit Minerve en tenue ‹ guerre, qui réprimande Arachné d'avoir osé représenter les faiblesses d‹ dieux (la tapisserie du fond est le rapt de la nymphe Europe par Zeu‹ métamorphosé en taureau). Les dames, qui sont là tout près, sont cell‹ qui, d'après Ovide, avaient coutume de venir contempler l'oeuvre d'Arac‹ né. En guise de châtiment, celle-ci sera changée en araignée, mais ‹ viole symbolise ici la musique, antidote traditionnel contre les piqûr‹ d'araignée. Pour de Tolnay, il faut voir dans cette toile une apologie d‹

1101. José de Ribera. Martyre de Saint Philippe.

1172. **Vélasquez. Les lances ou la reddition de Breda.**

beaux-arts, considérés comme supérieurs aux arts manuels: les tisseuses d
1er plan symbolisent l'artisanat, tandis qu'au second plan, éclairé par l
lumière de l'entendement, on aperçoit Minerve, entourée par la peintu
(Arachné), la musique (dame près de la viole), l'architecture et la sculptu
(les 2 dames de droite). Quel que soit le thème, Vélasquez ne se montr
pas trop explicite, afin de peindre une scène cohérente, où le mythe n
dépasse pas les limites de la vraisemblance. Les fileuses travaillent rapid
ment, car le mouvement fait vibrer leurs membres et le rouet tourne s
vite qu'on ne voit pas ses rayons. Malgré la simplicité du schéma d
composition, strictement orthogonal, le peintre évite la monotonie en a
ternant les poses des figures et en guidant notre vue, de la fileuse plu
éclairée à droite à celle de gauche plus floue, puis, par-dessus l'auxiliai
qui ramasse la laine et est laissée à dessein dans la pénombre, vers la scèr
du fond, où la lumière entre à flots. Comme toujours, Vélasquez diriξ
consciemment le spectateur, mais d'une façon plus indirecte que d'hab
tude dans la peinture baroque. En effet, au lieu d'attirer son attention p;
des gestes oratoires ou des mouvements impressionnants, il semble plutō
qu'il ait laissé le spectateur lancer un appel aux protagonistes du tableau,
bien qu'une dame dans le fond à droite se retourne pour le regarder.

1174 **«Les Ménines»** ou **«La famille de Philippe IV»** (t. 318 × 276). Ce table
de 1656, qui mêle divers thèmes traditionnels (autoportrait de l'artiste e
train de peindre, portrait de cour, scène de groupe à l'intérieur) dans ur
combinaison insolite, a été unanimement considéré par la critique comn
l'oeuvre la plus importante de Vélasquez: sommet de son évolution pictura
vers la saisie de l'espace en termes purement lumineux, c'est un des chef
d'oeuvre de l'art universel. On a fait état depuis toujours de l'audace incroy
ble de sa technique, de son effet fascinant de profondeur et de son aspe
«impressionniste» en tant qu'il surprend une tranche de réalité à tel mome
donné. On y voit Vélasquez lui-même, peignant une toile, dont un bout c
châssis apparaît à gauche, ainsi que l'infante Marguerite, dont s'occupe
deux ménines (filles d'honneur), une dame de compagnie, un garde du corp
un nain et une naine, tandis qu'on aperçoit par la porte du fond José Niet

chambellan de la reine. Qu'est-ce qui se passe en réalité? Voici l'interprétation la plus complète, proposée dernièrement par J. Brown: l'infante est
venue voir travailler Vélasquez; tandis qu'une de ses ménines lui présente le
verre d'eau qu'elle a demandé, le roi et la reine sont entrés dans la pièce, si
bien que leurs images se reflètent dans le miroir du fond; plusieurs des
personnages, s'en étant rendu compte, lèvent les yeux et projettent leurs
regards en dehors du tableau. Vélasquez ne peignit ici ni l'infante, ni le roi et
la reine, ni personne d'autre, mais le plus grand tableau qu'il fit dans sa vie: *Les
Ménines...*! Tout en faisant montre de la familiarité de ses rapports avec les
membres de la cour, il les prend à témoin de sa création la plus importante.
La présence de la famille royale près du peintre confirme la noblesse de son
art, bien que les lois de l'époque ne l'ait pas reconnue, considérant la peinture
comme un métier purement manuel ou artisanal. Or, cela empêchait Vélasquez d'obtenir le titre nobiliaire auquel il aspirait. Ces regards qui se lèvent,
accentuant l'instantané de la scène, se dirigent vers les souverains, mais à vrai
dire ils se croisent avec les nôtres, de telle sorte que nous nous sentons
comme compris dans l'espace même du tableau, qui, avec beaucoup de
vraisemblance, se prolonge jusqu'à nous. C'est ainsi que Vélasquez, avec
autant d'intelligence que de discrétion, de subtilité que de naturel, parvient
au comble des aspirations de l'illusionnisme baroque, en supprimant les
limites du tableau et de sa double dimension, pour confondre les sens de celui
qui le contemple et lui donner l'illusion qu'il voit le réel.

75  «**Mercure et Argos**» (t. 127 × 248). Peinte en 1659 pour le Salon des glaces
de l'Alcázar, cette toile est fort riche et libre dans ses touches.

1174. Vélasquez. Les Ménines ou la famille de Philippe IV.

1036. Alonso Sánchez Coello. Philippe II.

1173. Diego Vélasquez. Les Fileuses.

1176 «**Philippe III à cheval**» (t. 300 × 314). Voir n.º 1179.

1177 «**La reine Marguerite d'Autriche, épouse de Philippe III**» 297 × 309). Voir n.º 1179.

1178 «**Philippe IV à cheval**» (t. 301 × 314). Voir n.º 1179.

1179 «**La reine Isabelle de France, épouse de Philippe IV**» (t. 301 × 314). ( portrait équestre et les 3 précédents furent peints pour le Salon des royaum du Buen Retiro. Sauf le n.º 1176, peint entièrement par Vélasquez, les autres ont dû être entamés avant son 1er voyage en Italie, achevés par autre artiste et repassés par lui à son retour. Les figures élégantes et sole nelles y sont encadrées dans de vastes paysages à la lumière argentée.

1180 «**Le prince Balthazar Carlos à cheval**» (t. 209 × 173). Peint v. 1635 pour le Salon des royaumes, où le prince devait figurer comme héritier trône. Après les avortements successifs de la reine, sa naissance avait cau une joie énorme au roi et à la cour, qui fondaient tous leurs espoirs sur l Hélas! il devait mourir à 17 ans. Son portrait équestre est très toucha élégant sur son cheval, l'enfant prend un air grave, comme s'il voulait s'ada ter au ton héroïque du genre, qui sans nul doute le surpasse; son petit cor fragile, vêtu d'un habit or et rose, est d'une délicatesse prodigieuse. tableau dans son ensemble, vu la finesse de ses couleurs, la légèreté de s exécution et l'atmosphère argentée où il baigne, est une des plus jol réussites du peintre.

1181 «**Le comte-duc d'Olivares**» (t. 313 × 239). De 1634. Cette attitude héroïque entend évoquer le souvenir de la bataille de Fuenterrabia. raccourci du cheval accentue l'impression de profondeur et insère davanta la figure dans le paysage.

1182 «**Philippe IV**» (t. 201 × 102). Av. 1628. Réduisant au minimum les él ments qui, de son temps, devaient obligatoirement encadrer un personna pour évoquer son rang social, Vélasquez a transformé de fond en comble portrait de cour, en centrant toute l'attention sur le modèle. La supériorité roi n'y est indiquée pratiquement que par son expression impassible, q convient à l'égalité d'humeur dont un monarque doit témoigner, ainsi que p la raideur lumineuse de son visage, où le peintre ne met jamais de touch légères ou brossées.

1183 «**Philippe IV**» (t. 57 × 44). Paraît un fragment d'un portrait équest datant de 1628 (?). Voir n.º 1182.

1184 «**Philippe IV**» (t. 191 × 126). Peint v. 1634/36 pour la Torre de la Parad pavillon de chasse du Pardo, de même que les num. 1186 et 1189. C portraits de chasseur sont de beaux prétextes pour chercher à obtenir splendides effets de plein air, dans les ravissants et profonds paysages Pardo, où la figure s'intègre de façon très harmonieuse.

1185 «**Philippe IV**» (t. 69 × 56). V. 1655/60.

1186 «**Le cardinal infant Ferdinand d'Autriche**» (t. 191 × 107). Ce portrait chasseur du frère de Philippe IV date de v. 1632/36. Voir n.º 1184.

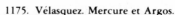

1175. **Vélasquez. Mercure et Argos.**

87 **«Marie d'Autriche, reine de Hongrie»** (t. 55 × 44). Daté de 1630. On croit que ce portrait fut peint à Naples, où Vélasquez se trouva en même temps que cette soeur de Philippe IV, qui épousa Ferdinand III de Hongrie.

88 **«L'infant Carlos»** (t. 209 × 125). V. 1652/53. Frère de Philippe IV, il aimait comme lui les beaux-arts. Il mourut jeune. Ce portrait est d'une sobriété et d'une élégance exemplaires: tout de noir habillé, à la mode de la cour espagnole, il tient un gant du bout des doigts, d'un geste négligent, qui diffère fort de la fermeté juvénile avec laquelle le fameux *Homme au gant* de Titien tenait le sien. Il émane de lui un air de réserve et une moue mélancolique, que nous retrouvons souvent sur les portraits du roi. Supprimant tout accessoire superflu, Vélasquez ne recourt qu'à la lumière pour obtenir que la silhouette du modèle se détache nettement dans l'espace.

89 **«Le prince Balthazar Carlos»** (t. 191 × 103). Portrait du prince héritier en chasseur, à l'âge de 6 ans (v. 1635). Voir n.º 1184.

91 **«La reine Marianne d'Autriche»** (t. 231 × 131). V. 1652/3. Pour la reine et les infantes, Vélasquez s'en tient davantage aux conventions du portrait d'apparat. Ces portraits prouvent à merveille son talent coloriste, qui met en valeur les scintillements de la lumière sur les très riches étoffes, broderies et joyaux, avec des touches très légères et une pâte presque pareille à celle d'une aquarelle.

92 **«L'infante Marguerite d'Autriche»** (t. 212 × 147). Inachevé à la mort de Vélasquez, son visage a été fait par Mazo. En revanche, sa robe rose et argentée relève sans nul doute de la technique prodigieuse du maître.

93 **«Juan Francisco Pimentel, 10ème comte de Benavente»** (t. 109 × 88). Portrait fort titianesque de 1648 (?).

94 **«Juan Martínez Montañés»** (t. 109 × 107). De 1635. Il fut le plus célèbre sculpteur espagnol de son temps (1568-1649). Le roi l'appela à Madrid v. 1635, afin qu'il lui fasse un portrait qui serve de modèle pour la statue équestre, que Pietro Tacca devait sculpter en Italie sur des dessins de Vélasquez et avec la collaboration technique de Galileo Galilei; c'est celle qui se trouve aujourd'hui à la Place d'Orient à Madrid. Vélasquez fit ici le portrait du sculpteur au travail. Il laissa inachevée l'ébauche de l'oeuvre, de même que son effigie qu'il ne termina que quelques années plus tard. C'était un homme d'âge mûr, mais très vigoureux, avec une noble tête, surmontant un corps robuste et bien droit.

95 **«Diego de Corral y Arellano, Auditeur du Conseil suprême de Castille»** (t. 215 × 110). De 1631. Fait pendant au n.º 1196.

96 **«Antonia d'Ipeñarrieta et son fils»** (t. 215 × 110). Toute la critique nie que ce soit une oeuvre de Vélasquez.

97 **«Juana Pacheco (?), déguisée en sibylle»** (t. 62 × 50).

98 **«Pablo de Valladolid»** (t. 209 × 123). V. 1632. Ce portrait surprenant paraît moderne, du fait que son fond est tout à fait dénudé. Les portraits des bouffons et des nains, qui égayaient la cour, sont fort intéressants, non seulement parce que Vélasquez rachète leur monstruosité en les humanisant et personnalisant, mais encore parce qu'il peut y étancher librement sa soif d'expérimentation, sans se voir lié par des règles officielles. Remarquons dans ces portraits (num. 1198 à 1205) l'audace de leur exécution, la simplicité des moyens employés pour monter leurs figures dans un espace dense et enveloppant, ainsi que la richesse des nuances conférant à leurs visages cette expression profonde qui les rend inoubliables.

99 **«Le bouffon "Barberousse", Cristóbal de Castañeda»** (t. 198 × 121). Il se déguisait en un fameux pirate turc, Khayr-al-Din, dit «Barberousse», qui s'était rendu maître de la Méditerranée, mais fut battu à Lépante. Ce portrait est demeuré inachevé, mais les veines gonflées du visage et la crispation des mains traduisent bien la mimique féroce du bouffon pour parodier le pirate en question.

200 **«Le bouffon appelé "Don Juan d'Autriche"»** (t. 210 × 123). De 1632. Faisant contraste avec Barberousse, le vainqueur de celui-ci, Don Juan d'Autriche est personnifié par ce bouffon à l'air las, entouré de ses armes. Dans le fond, la bataille se déroule fictivement. C'est à peine si les très légers coups de pinceaux couvrent la toile.

201 **«Le bouffon Diego d'Acedo, dit "le Cousin"»** (t. 107 × 82). De 1644. La taille du nain contraste ici avec l'énorme format des livres. Son regard distrait et la prétention de sérieux de sa tenue imprègnent son image d'une profonde mélancolie.

202 **«Le bouffon Sebastián de Morra»** (t. 106 × 81). V. 1643/44. Un des plus touchants, en raison de l'insistance avec laquelle il fixe ses yeux sur le spectateur.

1174. Diego Vélasquez. Les Ménines (fragment).

1180. Diego Vélasquez. Le prince Balthazar Carlos à cheval.

1181. Vélasquez. Le comte-duc
d'Olivares.

1182. Vélasquez. Philippe I

1203 «Un bouffon pris à tort pour Antonio "l'Anglais"» (t. 142 × 107).
1204 «L'enfant de Vallecas, Francisco Lezcano» (t. 107 × 83). De 1637.
1205 «Le bouffon Calabacillas, appelé erronément "l'idiot de Coria"»
    106 × 83). De 1639. C'est peut-être le plus agaçant, car il a un regard tou
    fait perdu et sourit en faisant une drôle de grimace.
1206 «Ésope» (t. 179 × 94). Peint en 1640, comme les 2 suivants, pour la Tor
    de la Parada. Comme d'habitude, Vélasquez aborde ces thèmes classiqu
    avec un ton sceptique et nullement héroïque.
1207 «Ménippe» (t. 179 × 94). Voir n.º 1206.
1208 «Le dieu Mars» (t. 179 × 95). Voir n.º 1206.
1209 «Francisco Pacheco (?)» (t. 40 × 36). On suppose que c'est le portrait
    son beau-père, fait à Séville en 1619. Sa facture est encore très serré
1210 «Vue du jardin de la villa Médicis à Rome» (t. 48 × 42). Ce petit table
    et le suivant, qui datent de v. 1650/51, marquent un jalon dans l'histoire d
    paysage. Complètement libre de l'influence flamande, qui joue encore sur l
    paysages servant de fond à ses portraits, Vélasquez cherche ici à saisir l

1186. Vélasquez. Le cardinal
infant Ferdinand d'Autriche.

1189. Vélasquez. Le prir
Balthazar Carlos.

1191. Vélasquez. La reine
Marianne d'Autriche.

1192. Vélasquez. L'infante
Marguerite d'Autriche.

effets fugaces de la lumière au moyen d'une technique rapide d'esquisse, justifiant ainsi parfaitement le titre de précurseur de l'impressionnisme qu'on lui a souvent donné. Par ailleurs, on y a vu un sentiment mélancolique, un peu élégiaque, qui apparenterait ces tableaux aux paysages classiques qu'on peignait alors à Rome.

211 «Vue du jardin de la villa Médicis à Rome» (t. 44 × 38). Voir n.º 1210.
213 «La fontaine des Tritons à Aranjuez» (t. 248 × 223). Douteux.
219 «Philippe IV en armes, avec un lion à ses pieds» (t. 231 × 131). Ne semble pas peint entièrement par lui.
224 «Autoportrait (?)» (t. 56 × 39). V. 1623.
873 «La Mère Jerónima de la Fuente» (t. 160 × 110). Signé et daté de 1620.
903 «Le Christ en croix» (t. 100 × 57). Signé et daté de 1631.
265 «Tête de cerf» (t. 66 × 52). De 1634 (?).
**VELASQUEZ et MAZO.**
889 «Vue de Saragosse» (t. 181 × 331). La critique n'est pas parvenue à se mettre d'accord pour délimiter la part qui correspond à chaque artiste. Mazo y figure comme auteur, mais la qualité exceptionnelle de cette toile a empêché de la lui attribuer entièrement.
**VELASQUEZ. Atelier.**
212 «L'arc de Titus à Rome» (t. 146 × 111). On a tendance actuellement à l'attribuer à Mazo, qui se rendit en Italie à la fin de sa vie.
220 «Philippe IV en prière» (t. 209 × 147). Fait pendant au n.º 1222.
222 «Marianne d'Autriche en prière» (t. 209 × 147). Fait pendant au n.º 1220.
961 «Un palais italien» (t. 56 × 36).

1194. Vélasquez. Juan
Martinez Montañes.

1195. Vélasquez. Diego
de Corral y Arellano.

1202. Diego Vélasquez. Le bouffon Sebastián de Morra.

1239. Francisco de Zurbarán. Sainte Casilde.

1205. Vélasquez. Le bouffon
Calabacillas.

1201. Vélasquez. Le bouffon
Diego d'Acedo.

2996 &laquo;Le prince Balthazar Charles&raquo; (t. 121 × 96).
VELASQUEZ. Copies.

1223 &laquo;Luis de Góngora y Argote&raquo; (t. 59 × 46). Copie de l'original du Musée de Boston, qui date de 1622.

1230 &laquo;Chasse au sanglier, pris au piège dans une fosse&raquo; (t. 188 × 303). Copie de *La toile royale,* datant de v. 1638, qui se trouve à la National Gallery de Londres.

2553 &laquo;Esope&raquo; (t. 180 × 93). Copie du n.º 1206 sans variantes.

2554 &laquo;Ménippe&raquo; (t. 179 × 93). Fait pendant au n.º 2553. Copie du n.º 1207.
VELASQUEZ. Disciples.

1225 &laquo;Alonso Martinez de Espinar&raquo; (t. 74 × 44).

1233 &laquo;Le prince Balthazar Charles&raquo; (t. 158 × 113).
VIDAL, Pedro Antonio Vidal. Travailla à Madrid en 1617.

1950 &laquo;Philippe III&raquo; (t. 200 × 135). Seule oeuvre connue de lui (1617).
VILADOMAT, Antonio Viladomat (Barcelone, 1678-1755).

2662 &laquo;Saint Augustin et la Sainte Famille&raquo; (t. 107 × 72).
VILLAFRANCA, Pedro de Villafranca (de la Mancha, actif de 1632 à 1678). Avant tout graveur.

1232 &laquo;Philippe IV&raquo; (t. 203 × 125).
VILLANDRANDO, Rodrigo de Villandrando (?-1621). Portraitiste de cour, qui suivit la ligne marquée par Pantoja et Coello jusqu'au début du XVIIe s. Il peignit avec un soin particulier les détails de la tenue et des attributs de la royauté.

1234 &laquo;Philippe IV et le nain Soplillo&raquo; (t. 204 × 110). Signé.

1234a &laquo;Isabelle de France, femme de Philippe IV&raquo; (t. 201 × 115). Signé.
VILLAVICENCIO, Pedro Nuñez de Villavicencio (Séville, 1644-1700). De l'école sévillane. Peignit des scènes populaires, sous l'influence de Murillo.

1200. Vélasquez. Le buffon
appelé &laquo;Don Juan d'Autriche&raquo;.

1206. Vélasquez.
Esope.

1208. Vélasquez.
Le dieu Mars.

1210. Vélasquez. La villa Médicis
à Rome.

1213. Vélasquez. La fontaine
des Tritons à Aranjuez.

235 «Jeux d'enfants» (t. 238 × 207).

**VIVAR,** Voir Correa.

**XIMENEZ, Miguel Ximénez ou Jiménez** (connu entre 1466 et 1503). De l'école aragonaise.

519 **«La résurrection du Seigneur, au milieu d'épisodes de la légende de Saint Michel et du martyre de Sainte Catherine»** (b. 70 × 40 chaque panneau). Signé. Ce retable, qui provient d'Ejea de los Caballeros, est de qualité inégale. Il se peut qu'un autre peintre y ait collaboré.

**YAÑEZ, Fernando Yañez de l'Almedina** (actif entre 1505 et 1531 à Valence, Barcelone et Cuenca). Peintre castillan, formé à Florence, dans l'atelier de Léonard de Vinci. On le confond souvent avec son collaborateur, Fernando de los Llanos. Il composa ses tableaux avec ampleur et aisance, sur des fonds d'architecture renaissance dégarnie et de paysages italiens. Ses types très léonardesques sont modelés de façon molle et délicate. La lumière relie tout ensemble, faisant fondre formes et contours dans le typique estompage.

339 **«Saint Damien»** (b. 95 × 73, octogonal).

305 **«Sainte Anne, la Vierge, Sainte Elisabeth, Saint Jean et l'Enfant Jésus»** (b. 140 × 119). Provient sans doute du retable de l'Almedina. Clairement inspiré par Léonard.

002 **«Sainte Catherine»** (b. 212 × 112). Une des oeuvres capitales de la peinture espagnole de la Renaissance.

081 **«Vierge à l'Enfant»** (b. 58 × 46). Douteux.

**YEPES, Tomás Yepes** (Valence, v. 1600-1674). De l'école valencienne. Son représentant principal comme peintre de natures mortes et de fleurs.

203 **«Nature morte»** (t. 102 × 157).

889. Vélasquez et Mazo. Vue de Saragosse.

2803. Francisco de Zurbarán. Nature morte.

**ZURBARAN, Francisco de Zurbarán** (Fuente de los Cantos en Estréma-dure, 1598-Madrid, 1664). De l'école sévillane. Se forma d'abord à Séville. De 1617 à 1628, il vécut à Llerena, où il se maria 2 fois et où naquit son fils Juan, qui sera aussi peintre. A partir de 1628, il vécut à Séville, où il connaîtra ses années de splendeur. Il peignait sans trêve, à la tête d'un grand atelier, pour satisfaire une énorme demande de tableaux. Vélasquez et Cano une fois partis, il y était resté le maître indiscuté. En 1634, il se rendit à Madrid sur les indications de son ami Vélasquez. Il travailla pour le Buen Retiro et fut nommé peintre du roi. Son retour à Séville marqua l'apogée de sa carrière: il peignit alors les grandes séries monastiques de la Chartreuse de Jerez et du monastère hiéronymite de Guadalupe. Mais, peu après, c'est la crise: les com-mandes se font rares; veuf, il se marie pour la 3ème fois et n'a plus le sou. C'est pourquoi il se mit à peindre en série pour l'Amérique et à tenter sa chance en 1658 à Madrid, où il mourut en 1664.

Contemporain de Vélasquez et de Cano, il se forma à une époque de fureur naturaliste, où l'intérêt pour la représentation objective de la réalité s'alliait à un éclairage violent et contrasté, qui modelait vigoureusement les figures. Restant en marge de l'orientation de la peinture de son temps, de plus en plus visuelle et picturale, il restera toujours fidèle à son 1er style, attaché à la nature palpable des choses, avec une sorte de vocation sculpturale, occulte et tenace. Il simplifie la composition au maximum, évite toute complication narrative et ne s'intéresse guère aux effets atmosphériques ni à l'interaction des couleurs. Chaque objet ou figure est présenté comme quelque chose d'indépendant, étranger à son entourage; ce manque d'unité pourrait être un défaut de vue d'ensemble, mais, en réalité, c'est un des principaux attraits de sa peinture, car celle-ci met en valeur le caractère unique et particulier de chaque tranche du réel. Il nous présente des images d'une force plastique extraordinaire, car leurs formes simples acquièrent ainsi une gravité majes-tueuse. Les couleurs unies brillent avec une splendeur peu commune. Per-sonnes et choses nous imposent leur présence à un point tel que leur calme et leur mutisme ne font que l'intensifier et, paradoxalement, l'entourer de mystère.

656 **«Défense de Cadix contre les Anglais»** (t. 302 × 323). Daté de 1634. Peint pour le Salon des royaumes, lors de son 1er passage à la cour, à la demande de Vélasquez. La composition, très statique, est partagée en 2 plans: au premier, Fernando Girón, assis, donne des ordres (sans même les regar-der), à ses généraux rangés devant lui, très guindés et tous dans la même pose; au second plan apparaît la bataille (de 1625), qui ressemble à une scène de théâtre, avec un horizon très haut, comme toile de fond, et l'architecture à contre-jour, tenant lieu de coulisse.

236 **«Vision de Saint Pierre Nolasque»** (t. 179 × 223). Signé et daté de 1629. Comme le n.º 1237, peint pour le couvent de la Merci de Séville, qui lui commanda un très vaste cycle de peintures. Ici, un ange apparaît au saint et lui montre la Jérusalem céleste. Encore très ténébriste, la scène, de composition triangulaire très simple, est éclairée par la lumière de la vision avec très peu de références spatiales. La vision est centrée sur un petit nombre d'éléments, qu'il se complaît à représenter de façon réaliste, en présentant le miracle comme une chose courante et familière. On a de la peine à imaginer l'envol de ce garçon un peu paysan, déguisé en ange.

237 **«Apparition de l'Apôtre Saint Pierre à Saint Pierre Nolasque»** (t. 179 × 223). Signé et daté de 1629. Voir n.º 1236. La composition suit le même schéma. Le magnifique manteau du saint nous montre bien ce dont Zurbarán est capable quand il s'accroche à un modèle concret.

239 **«Sainte Casilde»** (t. 184 × 90). Daté de 1640. La sainte (gratifiée d'une discrète auréole et de roses pour l'identifier) est une des meilleures de son attrayante collection particulière: vêtues à la mode de l'époque, ces gran-des dames font étalage de leurs magnifiques robes, offrant un savoureux mélange de mondanité et de réserve. Sainte Casilde a une belle prestance, avec sa robe aux couleurs fortes, qui ressortent bien sur le fond sombre, et aux étoffes froufroutantes d'une qualité tactile prodigieuse.

241 **«Hercule sépare les montagnes de Calpé et d'Abylle»** (t. 136 × 167). V. 1634. Avec les num. 1242 à 1250, forme la série des travaux d'Hercule, qu'on lui commanda pour le Salon des royaumes. Ce sont ses toiles les moins bien réussies, mais, comme elles devaient être placées très haut, il suffisait qu'on en retire une impression d'ensemble.

242 **«Hercule remporte la victoire sur Géryon»** (t. 136 × 167). Voir n.º 1241.

1243 «**Lutte d'Hercule contre le lion de Némée**» (t. 151 × 166). Voir n. 1241.

1244 «**Lutte d'Hercule contre le sanglier d'Erymanthe**» (t. 132 × 153). Voi  n.º 1241.

1245 «**Hercule et le taureau de la Crète**» (t. 133 × 152). Voir n.º 1241.

1246 «**Lutte d'Hercule contre Antée**» (t. 136 × 153). Voir n.º 1241.

1247 «**Hercule et Cerbère**» (t. 132 × 151). Voir n.º 1241.

1248 «**Hercule arrête le cours du fleuve Alphée**» (t. 133 × 153). Voir n. 1241.

1249 «**Lutte d'Hercule contre l'hydre de Lerne**» (t. 133 × 167). Voir n. 1241.

1250 «**Hercule brûlé para la tunique du centaure Nessos**» (t. 136 × 167 Voir n.º 1241.

2442 «**Saint Diego d'Alcalá**» (t. 93 × 99). De 1640. Le saint montre les fleur en lesquelles se sont transformés les pains donnés en aumône.

2472 «**Saint Jacques de la Marche**» (t. 291 × 165). Signé. De 1658. Pein pour le couvent de Saint Diego d'Alcalá à Madrid. Le peintre s'efforce d s'y rapprocher des réussites de Vélasquez.

2594 «**Saint Luc peint le Christ en croix**» (t. 105 × 84). V. 1635. On a émi l'hypothèse que le peintre fût Zurbarán lui-même. Il semble insolite qu ce soit Saint Luc, car on a toujours représenté celui-ci en train de peindre  Vierge. Toile très ténébriste, au caractère dramatique intense, mais contenu

2803 «**Nature morte**» (t. 46 × 84). Il n'a peint que peu de natures morte mais, en quelque sorte, toute sa peinture est une nature morte: il s délecte avec amour dans la matière, la structure des surfaces, le poids et l consistance des choses. C'est pourquoi son art paraît ici se recontrer lui même: ses natures mortes sont d'une véracité prodigieuse et nous fasc nen par leur extrême simplicité. Les modestes poteries, alignées sans l moindre prétention, semblent évoquer autour d'elles un monde ordonné serein et net, un monde intime et familial où chaque objet a sa personna lité et son histoire.

656. **Zurbarán. Défense de Cadix contre les Anglais.**

1236. Zurbarán. Vision de Saint Pierre Nolasque.

888 «Vase de fleurs» (t. 44 × 34). Attribué avec réserves, ce tableau est en tout cas de 1ère qualité.

992 «L'Immaculée Conception» (t. 139 × 104). V. 1630-35. Cette petite fille, modeste et recueillie, répond bien au type de religiosité ingénue et candide du peintre. Oeuvre de sa belle époque, c'est l'Immaculée traditionnelle statique, bien plantée sur son quartier de lune, entourée des attributs de la litanie. On est encore loin de l'Immaculée montant au ciel, de la pleine époque baroque.

009 «Fray Diego de Deza, archevêque de Séville» (t. 211 × 161). Daté de 1631. Portrait idéalisé, car le modèle était mort en 1623.

010 «Saint Antoine de Padoue» (t. 148 × 108). Daté de 1640. Le saint contemple l'Enfant Jésus qu'il tient dans les bras. Le peintre utilise encore un éclairage violent. Le schéma de la composition est très souvent employé pour les ermites: le saint, agenouillé à l'entrée d'une grotte, laisse un triangle dégagé, par où l'on aperçoit un paysage dans le fond.

48 «Sainte Euphémie» (t. 83 × 73). Autre sainte, typique de sa galerie de portraits «canonisés» (voir n.º 1239), où de grandes dames sont déguisées en saintes avec l'attribut de leur patronne (ici la scie de son martyre).
ZURBARAN (?).

72 «Un clerc (?) défunt» (t. 50 × 68).

06 «Sainte Claire» (t. 152 × 79). Oeuvre d'atelier.
ANONYMES ESPAGNOLS.

n. «Peintures murales de San Baudelio de Casillas de Berlanga». Il s'agit de 6 fragments portés sur toiles, provenant de l'église mozarabe (XIᵉ s.) de San Baudelio de Berlanga (Soria). Les thèmes, d'origine arabe, sont cynégétiques et faisaient partie du répertoire courant des ivoires et des céramiques des Califes. Par ailleurs, leur style a bien des traits en commun avec la peinture du *Bienheureux*. Ces peintures furent exportées en 1926 en Amérique, où elles sont exposées dans divers musées. Celles-ci ont été déposées au Prado pour un temps indéfini par le Metropolitan Museum of Art de New-York.

n. «Peintures murales de l'ermitage de la Cruz de Maderuelo (Ségovie)». Passées sur toiles. Cet ensemble intéressant reproduit intégralement les

décorations de cet ermitage, qui était complètement couvert de peintur
dues à un maître anonyme, dont le style a des liens étroits avec le Maî
de Tahull, qui travaillait en 1123.

295 «**Don Diego Hurtado de Mendoza**» (b. 45 × 33). Du XVIᵉ s.
528 «**Un homme de 54 ans**» (b. de noyer 57 × 44). Du XVIᵉ s.
584 «**Le Christ portant sa croix**» (b. 65 × 51). Daté de 1543.
652 «**Marie-Louise de Bourbon, reine d'Espagne**» (t. 96 × 68). De l'éc
madrilène (v. 1680).
à 705 «**Episodes de la vie de Saint Jean-Baptiste**». Ces 6 planches, de diver
710 dimensions et provenant de la Chartreuse de Miraflores (Burgos), fur
peintes para un artiste hispano-flamand du XVᵉ s.
1037 «**La reine Isabelle de Bourbon, 1ère femme de Philippe IV**»
126 × 91). Du XVIIᵉ s.
1066 «**Un chanteur**» (t. 68 × 56). Du XVIIᵉ s. Attribué jadis à Ribalta.

1249. Zurbarán. Lutte d'Hercule contre l'hydre de Lerne.

1227 «**Une petite fille**» (t. 58 × 46). De l'école madrilène (v. 1660). Angu
attribue cette toile à Antolinez, ainsi que la suivante.
1228 «**Une petite fille**» (t. 58 × 46). Fait pendant au n.º 1227.
1260 «**La Vierge des Rois Catholiques**» (b. 123 × 112). Oeuvre hispan
flamande (v. 1490). Représente la Vierge intronisée avec l'Enfant Jés
entre Saint Thomas et Saint Dominique, vénérée par les Rois Catholique
le prince Juan et la princesse Isabelle, Fray Tomás de Torquemada et
chroniste Pedro d'Anglería. De 1ère qualité, cette planche reproduit
réalité de façon minutieuse, à la manière flamande. En outre, elle adouci
embellit les personnages. On l'a attribuée au Maître Bartolomé (n.º 1322
1298 «**La descente de croix**» (b. 128 × 78). Oeuvre hispano-flamande du X
s., basée sur une composition de Thierry Bouts.

99 «Un conquérant de l'Amérique» (b. 33 × 24). Du XVI⁻ s.

11 «Saint Grégoire le Grand» (t. 138 × 99). Voir n.º 1314.

12 «Saint Jérôme» (t. 133 × 99). Voir n.º 1314.

13 «Saint Ambroise» (t. 138 × 99). Voir n.º 1314.

14 «Saint Augustin» (t. 133 × 99). Cette toile et les 3 précédentes sont de la même main. Elles datent du milieu du XVII⁻ s.

17a «Jean-Joseph d'Autriche» (t. 83 × 60). De l'école madrilène, XVII⁻ s.

21 «Retable de l'archevêque Sancho de Rojas» Ce splendide retable gothique du XV⁻ s. provient de l'église Saint-Benoît de Valladolid, où il a été remplacé par celui de Berruguete. Il retrace les principaux épisodes de l'enfance et de la passion du Christ. Le panneau central en est consacré à la Vierge avec l'Enfant Jésus, entourés d'anges musiciens, en compagnie de Saint Benoît, de Saint Bernard, de l'archevêque Sancho de Rojas (identifié grâce aux blasons du haut), qui est couronné par la Vierge, et du roi Ferdinand d'Antequera, qui est couronné par l'Enfant Jésus. L'influence italienne prédomine dans la conception générale du style. Le coloris frais et lumineux est redevenu tout brillant sur les planches qu'on a réussi à nettoyer.

26 «Saint Michel archange» (b. passé sur toile 242 × 153). Oeuvre d'un maître hispano-flamand (v. 1475). Post l'attribue à Juan Sánchez de Castro ou à un disciple de celui-ci. Peinture de 1ère qualité et dessin d'une finesse exceptionnelle.

29 «Saint Grégoire» (b. 76 × 60). Du XVI⁻ s. Fait pendant au n.º 1331.

31 «Saint Jacques le Majeur» (b. 76 × 60). Fait pendant au n.º 1329.

35 «La Vierge au chevalier de Montesa» (b. 102 × 96). Ce tableau, d'une qualité exceptionnelle, représente la Vierge à l'Enfant, intronisée dans une église, entre Saint Benoît et Saint Bernard. A leurs pieds, on aperçoit un chevalier de l'Ordre de Montesa. C'est un schéma iconographique flamand. Mais, au point de vue formel, les caractères italiens prédominent: architectures renaissance, volumes pleins, manière d'utiliser la lumière. L'exécution est très raffinée. On y admire la beauté de la Vierge, douce et idéalisée. On y décèle d'étroites affinités de style avec les oeuvres de Paolo de Santo Leocadio, Italien qui travailla à Valence depuis 1472, amené par le futur pape Alexandre VI.

38 «La Vierge du Rosaire entre Saint Dominique et Saint Pierre martyr» (b. 134 × 150). De l'école valencienne du XVI⁻ s.

55 «Un jeune chevalier de l'Ordre de Saint Jacques» (t. 109 × 80). Du XVI⁻ s.

05 «Un fils de Francisco Ramos del Manzano» (t. 168 × 85). Du XVII⁻ s.

16 «Saint Jean-Baptiste» (b. 96 × 60). Peintre castillan de la fin du XV⁻ s.

17 «Le martyre de Sainte Ursule» (b. 97 × 122). Du XV⁻ s.

30 «Notre-Dame de Grâce et les Grands Maîtres de Montesa» (b. 125 × 105). Tableau du XV⁻ s., retouché au XVIII⁻ s.

32 «Notre-Dame de Grâce et les Grands Maîtres de Montesa» (b. 120 × 105). Du XV⁻ s. Retouché au XVIII⁻ s.

34 «Charles II» (t. 118 × 99). Du XVII⁻ s.

37 «Le Christ victorieux» (b. 151 × 173). Peintre castillan du XV⁻ s.

38 «Episodes de la vie du Christ» (triptyque: panneau central 78 × 67; volets 78 × 33). Oeuvre du XV⁻ s., peut-être bien du brugeois Louis Alimbrot, établi à Valence.

65 «Deux chasseurs» (b. 94 × 30). Peintre castillan du XV⁻ s.

68 «Transfert du corps de Saint Jacques le Majeur: embarquement à Jaffa» (b. 79 × 73). Fait pendant au n.º 2669.

69 «Transfert du corps de Saint Jacques le Majeur: arrivée en Galice» (b. 79 × 73). Fait pendant au n.º 2668. D'un maître aragonais du XV⁻ s.

70 «Le martyre de Saint Vincent, I» (b. 250 × 84). Voir n.º 2671.

71 «Le martyre de Saint Vincent, II» (b. 250 × 84). Un maître anonyme, sûrement un Valencien de la fin du XV⁻ s., évoque dans ces 2 planches le martyre de Saint Vincent avec une ingénuité délicieuse. C'est un curieux mélange de styles, où contraste l'effort pour obtenir une perspective linéaire dans certaines scènes avec la manière de peindre les figures comme des silhouettes plates. Mais celles-ci sont ravissantes avec leurs visages poupins et leurs proportions minuscules.

73 «Le martyre de Saint Sébastien» (b. 86 × 80). Maître aragonais, XV⁻ s.

74 «Sainte Irène enlève les flèches du corps de Saint Sébastien». Fait pendant au n.º 2673.

76 «La Vierge allaitant l'Enfant Jésus» (b. 58 × 32). Peintre aragonais, XIV⁻ s.

81 «Un saint décapité et deux donateurs» (b. 72 × 47). Du XVI⁻ s.

1260. Anonyme. La Vierge des Rois Catholiques.

2686  «**Anges musiciens**» (b. 130 × 33). Du XVIᵉ s.

2687  «**Nature morte**» (t. 30 × 44). Du XVIIᵉ s.

2693a «**Le Sauveur**» (b. 34 × 25). Peintre valencien du XVᵉ s. Fait pendant a tableau suivant.

2693b «**Notre-Dame des Sept Douleurs**». Fait pendant au précédent.

2707  «**La Vierge à l'Enfant**» (b. 161 × 92). Du XVᵉ s.

2717  «**Pentecôte**» (b. 52 × 39). Tableau castillan du XVIᵉ s.

2720-1 «**L'Annonciation**» (b. 34 × 23 chacune). Ces planches d'un maître vale cien du XVᵉ s. sont abîmées, mais gardent toute la richesse de leurs fon dorés au sgraffite. A genoux sur des carreaux en faïence émaillée, les figur sont dessinées avec une très fine élégance.

2778-9 «**Une paire de vases de fleurs**» (t. 104 × 65). Du XVIIᵉ s.

2829  «**Saint Pierre et Saint André**» (b. 106 × 64). Aragonais, XVᵉ s.

2830  «**Alonso Cano**» (t. 47 × 40). Du XVIIᵉ s.

2833  «**Le Frère Lucas Texero, devant la dépouille du Père Bernardin d'Obregón**» (t. 108 × 163). Daté de 1627.

2834  «**La Nativité**» (b. 78 × 44). Fait pendant au n.º 2835. Angulo l'attribue Rodrigo d'Osona le Jeune (actif à Valence de 1505 à 1513).

2835  «**L'Adoration des mages**» (b. 78 × 44). Voir n.º 2834.

3015  «**Saint Nicolas**» (b. 84 × 22). Aragonais, XVᵉ s.

3016  «**Sainte Thècle**» (b. 83 × 23). Aragonais, XVᵉ s.

3028  «**Sur le chemin du Calvaire**» (t. 181 × 283). De l'école madrilène c XVIIᵉ s.

3055  «**Parement d'autel de Guills**» (b. 92 × 175). Provient de l'église San E teban de Guills (Gérone). Représente le Christ en majesté, entouré d symboles des évangélistes. De la fin du XIIIᵉ s.

3111  «**Saint Dominique**» (b.). Valencien, XVᵉ s.

3112  «**Saint Grégoire, Saint Sébastien et Saint Tirso**» (b. 147 × 124). Toléda XVIᵉ s.

3150  «**Retable de Saint Christophe**». Du XIVᵉ s. Bon exemple du style g thique linéaire, marquant fort les contours et n'usant de la couleur que da un but décoratif. Sur le panneau central, occupé par l'énorme figure ( Saint Christophe, l'eau, qui lui arrive à mi-jambes, est curieusement repr sentée, pleine de silhouettes de poissons. Les volets relatent des épisod des vies de Saint Pierre et de Saint Millán.

3159  «**Nature morte**» (t. 100 × 227). Voir Cerezo.

3196  «**La terre**» (t. 245 × 160). De l'école madrilène du XVIIᵉ s.

3197  «**L'eau**». Fait pendant au n.º 3196.

# ECOLE FLAMANDE

e Prado possède une collection de peintures flamandes tout à fait exceptionnelle.
ès le XV⁰ s. les rapports commerciaux intenses de l'Espagne avec les Pays-Bas
nt suscité sans cesse des importations d'oeuvres d'art chez nous, au point
influencer l'orientation de la peinture espagnole elle-même, pour le moins
squ'au début du XVI⁰ s. L'art exquis des primitifs est représenté par certaines
ièces magistrales de Roger van der Weyden, Thierry Bouts, Hans Memling et
en d'autres, qui offrent un panorama assez complet de la splendide efflorescence
e cette école.

ous Charles Quint, les Pays-Bas faisant partie de la couronne espagnole, les liens
tistiques se sont renforcés encore davantage. Philippe II, fervent admirateur de
itien, fut aussi un collectionneur passionné des oeuvres flamandes, qu'il recher-
ait partout où il le pouvait et faisait copier à défaut de les obtenir. On lui doit
excellente série d'oeuvres de Bosch, devenue aujourd'hui une des principales
tractions du Musée. C'est au XVI⁰ s. que commencent à se différencier aux
ays-Bas les artistes de la partie nord (la Hollande du XVII⁰ s.) de ceux de la partie
d (Flandre), car la réforme religieuse allait y accentuer les différences nationales
n opposant protestants et catholiques. La peinture flamande de ce siècle est
présentée au Musée par certaines planches curieuses des maniéristes d'Anvers,
ais surtout par les oeuvres des romanistes, qui avaient ramené d'Italie les nou-
eautés de la Renaissance: Gossaert, van Orley, Pieter Coecke, van Hemessen et
autres moins connus, mais non moins intéressants. Nous y avons aussi certains
es meilleurs exemplaires des tableaux de Patinir, initiateur du paysage flamand,
e Marinus van Reymerswaele, précurseur de la peinture de genre, et surtout le
meux *Triomphe de la Mort* de Pieter Bruegel l'Ancien. Le Musée a encore un bon
ombre de portraits d'Antonio Moro, peintre de la Cour de Philippe II.

u XVII⁰ s. la séparation définitive des Pays-Bas est consommée. La Hollande,
dépendante et protestante, créa alors une école distincte, que nous étudierons à
art. La Flandre demeura rattachée à l'Espagne et au monde catholique. Son grand
tiste d'alors, Pierre Paul Rubens, est l'un des plus puissants génies qui ont créé
peinture européenne. Peintre de cour du duc de Mantoue, puis des archi-
ucs Albert et Isabelle, il vint 2 fois en Espagne, où il suscita d'emblée l'admira-
on du roi et de ses ministres, à tel point qu'on lui demanda d'y rester comme
eintre de la Cour. Il n'accepta pas, mais les collections royales, dont le Prado a
érité, ont accumulé une série fantastique de ses oeuvres et à vrai dire des
eilleures. Du reste, certaines ont été rachetées après sa mort, dans sa succession,
ar Philippe IV: c'étaient celles que le peintre s'était gardées pour lui-même.
Tous avons un ensemble imposant de van Dyck, tant d'oeuvres d'ordre religieux
u mythologique que de portraits, genre qui l'a rendu particulièrement célèbre. A
ôté de ces 2 représentants essentiels de la peinture flamande du XVII⁰ s. figurent
ne foule de spécialistes en natures mortes, fleurs, paysages ou peintures de
enre, dont les oeuvres de première qualité, comme toujours dans cette école,
rment une des séries les plus complètes du Prado.

**AALST**. Voir Coecke.
**ADRIAENSSEN, Alexandre van Adriaenssen** (Anvers, 1587-1661).
Peintre de natures mortes, notamment de pièces de gibier et de poissons.
Il cherche l'unité et l'équilibre de la composition avec un coloris ho-
mogène et une lumière diffuse.

341 **«Nature morte»** (b. 60 × 91). Signé. Il groupe les objets sur une table
parallèle au plan du tableau et les fait se détacher sur un fond sombre. Un
chat surgit à l'arrière-plan: certains peintres ont recours à ce truc pour
animer leur nature morte et lui fournir un «argument».

342 **«Nature morte»** (b. 60 × 91). Signé.

343 **«Nature morte»** (b. 60 × 91). Signé. Facture un peu plus sèche. Comme
dans les autres natures mortes, les objets dépassent légèrement le bord de
la table.

344 **«Nature morte»** (b. 59 × 91). Signé.
**AEKEN, Jérôme van Aeken**. Voir Bosch.
**ALSLOOT, Denis van Alsloot** (Malines, 1570-Bruxelles, 1628). Au service des Archiducs, il a peint des tableaux pour commémorer des fêtes et
des actes solennels, qui offraient un grand intérêt historique.

346 **«Mascarade de patineurs»** (b. 57 × 100).

347 **«Fête de l'Ommegang, procession des corporations»** (t. 130 × 380).
Signé et daté de 1616. Première d'une série de peintures évoquant la fête

de l'Ommegang, restaurée à Bruxelles sur initiative d'Isabelle-Clair
Eugénie. Les processions se déroulaient sur la Grand-Place.

1348 «Fête de l'Ommegang, procession de Notre-Dame du Sablon» (
130 × 382). Signé et daté de 1616. Voir n.º 1347.

2570 «Fête de Notre-Dame au Bois» (t. 156 × 238). Signé et daté de 161
ARTHOIS, Jacques d'Arthois (Bruxelles, 1613-1686). Paysagiste, a
coutumé à peindre des masses boisées de part et d'autre, en laissant u
espace vide au centre pour permettre au regard de plonger vers le fond,
long d'un chemin ou d'un ruisseau.

1351 «Paysage» (b. 115 × 154). Signé.

1352 «Région arrosée par un fleuve» (t. 140 × 200). Bien typique de sc
style. Les masses d'arbres et la présence de l'eau mettent en valeur l
coins ombragés et agréables du bois.

1353 «Paysage avec un lac» (t. 36 × 42). Signé.

1354 «Paysage» (b. 41 × 66).

1355 «Paysage» (b. 40 × 66).

1359 «Promenade au bord d'un fleuve» (t. 245 × 242). Comme ailleurs, A
thois anime le paysage de quelques figurants qui jouissent de la natu
agréable et sereine qu'il évoque dans ses tableaux.
ARTHOIS. Ecole.

2746 «Paysage avec des chasseurs» (b. 39 × 66).

2747 «Paysage avec des chasseurs» (b. 39 × 65).
BALEN, Henri van Balen. Voir Bruegel de Velours.
BEERT. Voir Beet.
BEET, Osias Beet ou Beert (Anvers, v. 1580-1624). Principal peintr
flamand de natures mortes au début du XVIIᵉ s.

1606 «Nature morte» (b. 43 × 54). Signé. Typique de son style, descriptif
virtuose. Vu de haut. Coloris homogène.
BEKE, Joos van der Beke. Voir Cleve.
BENEDETTI, Andries Benedetti (actif à Anvers de 1636 à 1641
Disciple de Jan de Heem (voir Ecole hollandaise).

2091 «Table garnie de desserts» (t. 121 × 145). Attribuée auparavant à u
disciple anonyme de Heem. Il y a beaucoup de mise en scène dans cet
nature morte, où l'on cherche de vastes espaces et une décoration rich

2093 «Buffet» (t. 121 × 147). Semblable au précédent.
BENSON, Ambroise Benson (?-Bruges, 1550). D'origine lombarde, il
travaillé à Bruges. Sa peinture dérive de celle des Flamands du XVᵉ s
notamment de celle de Gérard David, dont il a repris le calme et l'ordr
tout en montrant un goût plus prononcé pour la plasticité et le volume d
figures. Le Prado en conserve 7 planches, provenant d'une chapelle c
l'église de la Vera Cruz de Ségovie.

1303 «Saint Dominique» (b. 104 × 57). On distingue au fond une petite scèr
de la vie du saint, en prière au désert.

1304 «Saint Thomas (?) et un donateur» (b. 104 × 57). Ce donateur e
peut-être bien le bachelier Juan Pérez de Toledo, enterré dans la chapel
d'où vient ce retable.

1927 «Pietá» (b. 124 × 60). La pureté du dessin est remarquable.

1928 «Ensevelissement du Christ» (b. 125 × 60). L'artiste évacue le sens dr
matique de la scène.

1929 «Nativité de la Vierge» (b. 115 × 60). Cette planche respire l'ordre cla
et paisible qui se dégage de toute la série.

1933 «Sainte Anne, l'Enfant Jésus et la Vierge» (b. 125 × 90). Les mesure
de cette planche différant de celles de précédentes, elle dut appartenir
un autre retable. L'architecture fantastique du dais mélange des élémen
traditionnels gothiques avec de nouvelles formes de la Renaissance.
noter la tendance de l'artiste à la description minutieuse, quand il repr
sente la nature. On perçoit des échos de Léonard dans la technique et l
paysage.

1935 «L'embrassade devant la Porte dorée» (b. 115 × 60).
BESCHEY, Jacob Andries Beschey (Anvers, 1710-1786).

2364 «L'érection de la croix» (b. 46 × 35). S'inspire d'un original de Ruber
se trouvant à la Cathédrale d'Anvers.
BLOEMEN, Jan Frans van Bloemen, dit «Orizzonte» (Anvers, 1662
Rome, 1749). A Rome depuis 1680, il peignit des paysages dans le styl
classique créé par les peintres français qui y travaillaient.

1607 «La campagne romaine» (t. 47 × 56). Signé et daté de 1704.

1608 «Paysage» (t. 35 × 47).
BLOEMEN, Pieter van Bloemen (Anvers, 1657-1720). Frère du préc

dent. Il vécut à Rome, où il peignit des paysages dans le style classique, mais en y plaçant des personnages, des animaux et des ruines.

362 **«Caravane»** (t. 46 × 49). Signé et daté de 1704.

155 **«Halte de voyageurs»** (t. 35 × 47).

**BOEL, Peter Boel** (Anvers, 1622-Paris, 1674). Peintre de natures mortes et de scènes de chasse, dont la technique ressemble à celle de Fyt. Les premières sont pompeuses, comme dans la peinture flamande d'alors; les objets y sont groupés de préférence en hauteur. Ses compositions sont moins habiles que celles de Snyders ou de Fyt, mais sa qualité picturale est tout aussi bonne.

363 **«Chasse et chiens»** (t. 117 × 313). Signé. La composition est dominée par le cygne (motif fréquent dans ses natures mortes), dont la figure trace une grande diagonale.

364 **«Garde-manger»** (t. 172 × 251). Composition bigarrée, où pièces de gibier, fruits et objets divers remplissent tout à fait la surface du tableau.

365 **«Garde-manger»** (t. 172 × 251).

366 **«Nature morte»** (t. 168 × 237). Composition symétrique, ressortant sur un fond de paysage marin; comme d'habitude, des animaux vivants l'animent.

367 **«Armes et équipement de guerre»** (t. 169 × 313). Signé.

379 **«Loutres assaillies par des chiens»** (t. 64 × 177). Attribué antérieurement à Paul de Vos, mais non sans hésitations.

**BORKENS, Jean-Baptiste Borkens** (Anvers, 1611-1675). Influencé par Rubens.

368 **«L'apothéose d'Hercule»** (t. 189 × 212). Signé. Inspiré par une composition de Rubens.

369 **«L'apothéose d'Hercule»** (t. 98 × 98). Copie du n.º 1368 faite par Juan Bautista del Mazo.

**BOSCH, Jérôme van Aeken, dit Bosch** (Bois-le-Duc, v. 1450-1516). Il est né dans une petite ville du nord des Pays-Bas (future Hollande), loin des grands centres culturels et artistiques d'alors, tels que Bruges, Gand et Anvers au sud, ou Haarlem et Utrecht au nord. Fils et petit-fils de pein-

2052. Bosch. Le chemin de la vie (triptyque fermé).

tres, il a appris les rudiments de l'art dans le modeste atelier familial. Il y aura copié des images et illustrations populaires. Il aura connu, ne fût-ce que de loin, les progrès stylistiques des grands maîtres flamands du XVᵉ s. Dans sa jeunesse, il aura sans doute fait l'un ou l'autre voyage, car ses oeuvres trahissent nettement une connaissance directe de Thierry Bouts, de Metsys et surtout d'artistes du nord tels que Gérard de Saint-Jean ou le

Maître de la *Virgo inter Virgines*. Mais il a dû passer le restant de sa v
dans sa ville natale. Il n'y a guère de données biographiques qui no
soient parvenues à son sujet; grâce à des documents d'archives, on s
pourtant qu'il était marié et que depuis 1846 il était membre de la Confr
rie de Notre-Dame. Celle-ci avait des rapports étroits avec la plus célèb
Confrérie des Frères de la Vie Commune. Les idées de ce mouveme
profondément spirituel, rénovateur et ascétique, ont influencé l'art éni
matique de Bosch: les plaisirs et tentations du monde, la cruauté et l'aml
tion conduisent droit en enfer; on ne peut les combattre qu'avec les vert
d'humilité et de charité, ainsi qu'à force de méditation; on doit attaquer
corruption du clergé médiéval. Ce mysticisme moralisant a sûreme
influencé la peinture de Bosch. Pour sa part, celui-ci a dû être un homr
cultivé, qui connaissait la littérature de son temps, car il ne cesse de
référer à ses ouvrages. Mais il y a chez lui une veine populaire indéniab.
refrains et proverbes s'y transforment parfois en espèces d'allégories re
gieuses, de grande portée symbolique et moralisatrice. Par ailleurs, Bos
n'a cessé d'être inspiré par le monde ésotérique de l'alchimie, cet
pseudo-science médiévale, dont le sens reste souvent aujourd'hui entou
de mystère. On a voulu retrouver dans son interprétation fantastique d
habits et des coiffures un écho des costumes portés dans les *Mystè*
religieux du moyen âge ou dans les processions et autres fêtes de la Co
frérie de Notre-Dame. D'autres ont vu en lui un précurseur du surré
lisme de notre siècle, un névrosé presque au bord de la folie, dont l'oeu
devrait être interprétée à la lumière de la psychologie freudienne. Certe
il y a beaucoup de cela dans sa répétition constante de symboles érotiqu
ainsi que de motifs reliés à des obsessions et des fictions qui frisent
perversion. Mais, loin de se contenter de refléter sa propre intimité,
peinture nous décrit aussi ses semblables. Personne n'a su représente
avec autant d'esprit critique que lui, passions et vices, angoisses et misère
déformations morales et insouciance des hommes vis-à-vis de leur des
née. Le contenu l'intéresse plus que la forme. Son style est archaïsant. S
compositions sont symétriques et parfois rigides. Ses figures sont fines
délicates, presque transparentes et sans volume. En dépit de sa minut
Bosch ne s'arrête pas aux détails avec le soin exquis des maîtres flaman
au contraire, ses longs coups de pinceau, qui racourcissent parfois l
formes, révèlent son désir d'abstraction. Dans ses amples compositions, e
il place l'horizon très haut, on dirait que Bosch voit le paysage du ha
d'une tour et, à ses pieds, le monde, où il lâche la bride à son imaginatio
Groupes et scènes s'y succèdent; êtres de la nature et créations de l'esp
du peintre y sont mêlés; hommes et animaux n'y sont pas netteme
séparés; monstres et êtres difformes y paraissent naturels. L'oeuvre e
Bosch avait déjà suscité l'admiration de ses contemporains. Philippe
s'empressa de collectionner ses tableaux. Les fictions de Bosch se répanc
rent hors de sa ville natale: s'il n'eut pas de disciples, il ne manqua p
d'imitateurs et d'adeptes. C'est sans doute Pieter Bruegel l'Ancien qui, nc
content d'en imiter la forme, réussit le mieux à saisir son esprit satirique
fantasque.

2048    **«L'Adoration des Mages»** (triptyque signé: volets 138 × 34; panne
central 138 × 72). Avec les volets fermés, le triptyque représente un
messe miraculeuse de Saint Grégoire Ier. A l'intérieur, on trouve au cent
l'*Adoration des Mages* et, de part et d'autre, Saint Pierre et Sain
Agnès accompagnant les donateurs. Ce chef-d'oeuvre, datant de 1510 e
viron, illustre la dernière époque de Bosch. Sa technique de la couleur e
du clair-obscur a progressé. Ses personnages sont devenus plus imposan
et personnels. Le paysage s'étend au loin, avec un naturalisme et ur
véracité dont on notait l'absence auparavant, tandis qu'au fond, la vue e
Jérusalem se rapproche de notre sensibilité moderne par sa monochrom
et son abstraction. Cette oeuvre, tout en étant l'une des plus claires e
Bosch, contient des éléments difficiles à interpréter. Sur le volet gauch
où figure Saint Pierre, on distingue au fond Saint Joseph assis, qui fa
sécher près du feu les linges de l'Enfant; et, au-delà, un groupe de paysa
dansant au son d'une cornemuse (symbole des péchés de la chair). Le vol
droit nous présente la violence et le crime. Mais, c'est sur le panne
central que l'artiste a donné libre cours à son imagination. Les rois mage
dont les somptueux habits sont décorés de scènes bibliques, offrent leu
présents. La cabane est le point le plus discuté du tableau: des bergers so
montés sur le toit (on y retrouve la cornemuse); on entrevoit à l'intérie
des personnages inquiétants; l'homme à demi nu, sur le pas de la por

voudrait, dit-on, représenter l'Antéchrist, dont les armées au fond lance-raient un assaut contre la Jérusalem céleste.

2049  **«Les tentations de Saint Antoine»** (b. 70 × 51). Oeuvre tardive, expri-mant admirablement l'imagination et les symbolismes du peintre. Après les tentations, Saint Antoine, aidé par la méditation, semble avoir retrouvé son calme et sa sérénité spirituelle. Autour de lui se débattent des êtres monstrueux et démoniaques. Au premier plan, le reptile cornu et chatoy-ant représente la femme tentatrice. Aux pieds du Saint, on reconnaît le cochon, qui est son attribut; la clochette qui lui pend à l'oreille, permet de reconnaître qu'il appartient au couvent.

2052. Bosch. La charrette de foin.

2049. Bosch. Les tentations
de Saint Antoine.

2052  **«La charrette de foin»** (triptyque: volets 135 × 45; panneau central 100 × 100). Signé. A l'extérieur du triptyque fermé se trouve *Le chemin de la vie,* semé de périls et tentations. A l'intérieur, le volet gauche représente la création d'Adam et Eve, leur tentation et leur expulsion du paradis, origine de tous les maux de l'humanité. Au centre, la charrette de foin est une des scènes de Bosch les plus faciles à interpréter. Elle est inspirée par un proverbe flamand: «Le monde est une charrette de foin, dont chacun tire ce qu'il peut». Sous le regard du Christ, les hommes s'efforcent de prendre leur part d'une énorme charrette de foin, tirée par des démons, qui symbolise les biens et plaisirs trompeurs de la vie. A gauche, l'empe-reur et le pape, suivis de nobles, forment un superbe cortège pour s'approcher; plus bas, pauvres et mendiants cherchent aussi à en retirer leur part; à l'avant-plan, moines et moniales, qui ont déjà porté au couvent de grands sacs de foin, en jouissent à l'insu des autres. Les assassinats et la violence inondent la scène, mais il y a quelques havres de paix: un des groupes les plus sereins du tableau est celui des femmes avec leurs enfants, encore qu'il y ait là une bohémienne disant la bonne aventure à une dame; les amants, perchés sur la charrette, y font de la musique, sans se soucier de ce qui se passe autour d'eux, bien qu'une sorcière et une cruche, symboles de la malice et de la luxure, ainsi que l'étrange démon qui joue du trombone leur présagent une perte certaine. Sur le volet droit nous apparaît l'enfer, où les hommes sont châtiés pour leurs péchés. Bref, il s'agit ici d'une des plus importantes allégories satiriques et moralisantes de Bosch. Il est heureux qu'elle nous soit parvenue intacte.

2056  **«L'extraction de la pierre de la folie»** (b. 48 × 35). C'est une des premières oeuvres de Bosch, dont l'interprétation a été des plus controversées. La scène est encadrée par cette inscription: «Maître, enlève-moi vite cette pierre; je m'appelle "blaireau châtré"» (personnage niais et simplet). Pour certains, il s'agirait d'une satire contre les charlatans et guéris-seurs médiévaux, qui abusaient de la crédulité des gens et prétendaient guérir la folie en enlevant du front la pierre qui était censée la produire.

Pour d'autres, la scène serait plus difficile à expliquer. A vrai dire, chirurgien n'extrait pas une pierre, mais une fleur, symbole médiéval de castration. La cruche et l'entonnoir, représentations sexuelles fréquente se référeraient aussi au thème central: la castration d'un homme, po supprimer, croyait-on, la source de ses passions, en vue de lui permett d'entrer dans une de ces nombreuses sectes religieuses hérétiques qui o été florissantes au moyen âge. Ce qu'il y a de plus beau dans ce tablea c'est peut-être le paysage, très lyrique, tout en étant simple et paisibl

2695 **«Un arbalétrier»** (b. 28 × 20). Reprend avec des variantes la tête d'u bourreau d'un *Couronnement d'épines* perdu, mais connu aujourd'hui pa une copie du Musée d'Anvers.

2822 **«Table des péchés capitaux»** (b. 120 × 150). Signé. Ce tableau a appa tenu à Philippe II, qui le gardait au Monastère de l'Escorial. C'est une d premières oeuvres connues de Bosch: on y voit déjà le style et les thèm de sa production postérieure. Au centre de la table, autour du Christ,

2822. Table des péchés capitaux.

scènes illustrent les 7 péchés capitaux avec une imagination extrêmemer vive. Une légende permet d'identifier chacun d'eux. La colère est évoqué par une scène de jalousie et de lutte. Une femme qui se mire dans u miroir que lui tend un démon, représente l'orgueil. Deux couples d'amant parlent sous une tente, amusés par un bouffon: voilà la luxure; on y vo par terre des instruments de musique, dont une harpe, qu'on retrouver dans *Le Jardin des délices*. La paresse est représentée par un homme er dormi, que cherche à réveiller une femme toute habillée pour aller l'église. Une table remplie de mets et entourée de gens qui mangent ave voracité: on reconnaît la gourmandise. L'avarice est évoquée par un jug qui se laisse suborner. Enfin, l'envie se trouve dépeinte par le refrai flamand: «Quand 2 chiens se disputent un os, il est rare qu'ils se metten d'accord».

2823 **«Le Jardin des délices»** (triptyque sur bois, 220 × 195). Faite à la fin d sa vie, au XVIe s., cette oeuvre est peut-être la plus célèbre de Bosch e l'une des plus énigmatiques qui nous soit parvenue. A l'extérieur, sur les volets fermés du triptyque, il a peint en grisaille *La création du monde:* on le voit dans un globe en verre, qui fait allusion à sa fragilité. A l'intérieur,

2822. Bosch. Détails de la Table des péchés capitaux.

l'imagination créatrice du peintre est certes à son comble. Mais l'interprétation du tableau reste ambiguë. Des historiens ont pensé qu'il pourrait illustrer les croyances de la secte hérétique des Adamites (Frères et Soeurs de l'Esprit Libre), qui s'était répandue au moyen âge dans le nord de l'Europe. Ils prêchaient le retour à la pureté antérieure au péché originel, moyennant la liberté sexuelle. Il fallait dans ce but pratiquer des rites, où hommes et femmes tout nus cherchaient à travers le corps la libération de l'âme. Il est possible que Bosch ait connu les idées de cette secte et en ait reproduit les rites, mais il n'est guère probable qu'il y ait appartenu. Aussi l'explication traditionnelle est-elle sans doute la plus juste: il s'agit ici d'une satire moralisante, pareille à celle de *La charrette de foin*. Dans *Le Jardin des délices,* on trouve de même, à gauche, le paradis; au centre, l'humanité avide de plaisirs, symbolisés ici par les fraises ou arbouses que tous s'efforcent de cueillir; et à droite, la châtiment de l'enfer. Le paradis est tout peuplé de plantes, d'oiseaux et d'animaux. Au centre, sur une fontaine aux formes bizarres, trône une chouette, représentant la connaissance pour les uns et le mal pour les autres. En bas, le dragonnier, sous lequel Adam est assis, symbolise la vie, tandis qu'Eve, à droite, introduit dans le monde la luxure et les vices, symbolisés par des animaux (lapins, crapauds, couleuvres) et des monstres fantastiques. Le panneau central est rempli de groupes d'hommes et d'animaux, de plantes et de constructions bizarres. C'est une allégorie de la recherche des plaisirs de la chair, symbolisés par les fraises que tout le monde mange et se passe de main en main. L'explication est claire pour certains groupes. Ainsi, les amants enfermés dans une boule

2823. Bosch. Détails du Jardin des délices.

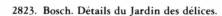

en verre illustrent le refrain: «Le plaisir est aussi fragile que le verre». L
clovisse géante, représentation du sexe féminin au moyen âge, évoqu
l'idée de l'humanité en proie au plaisir. Dans le haut, une série de gen
montent des animaux et des monstres: il s'agirait des hommes se laissan
entraîner par les vices. Au centre, on distingue un étang, qui s'élargit plu
haut: c'est la source de l'éternelle jeunesse. On a peut-être ici la représen
tation la meilleure et la plus dramatique de l'enfer que Bosch nous a
laissée. Un monstre au corps ovoïde et aux pattes en branches d'arbr
mort, porte sur la tête une plate-forme circulaire avec une cornemus
rose, faisant de nouveau allusion aux sexes masculin et féminin. On
voulu reconnaître un autoportrait de Bosch dans le visage de cet individu
qui est plongé dans un enfer glacé, faisant écho à n'en pas douter à *L
Divine Comédie* de Dante. Mais on y a vu, soit l'alchimiste aux différent
stades de la coction du mercure, soit l'homme universel corrompu. Plu
bas, les instruments de musique servent à châtier les péchés de la chair. A
premier plan, on aperçoit le châtiment des joueurs. À droite, la corruptio
du clergé est punie par un porc déguisé en abbesse, qui cherche à séduir
un homme pour lui faire signer un testament; cela fait allusion, soit au
faux héritages qui en enrichissaient certains, soit au marché des bulles don
l'Eglise abusait au moyen âge et qui suscita la Réforme. La ville en flamme
dans le fond est sans nul doute la plus belle partie du volet de l'enfer

2913 **«Les tentations de Saint Antoine, abbé»** (b. 70 × 115). Autre interpré
tation donnée par Bosch aux tentations de ce saint. Ce pourrait bien êtr
l'oeuvre d'un imitateur du maître, qui en a copié des éléments.

3085 **«Les tentations de Saint Antoine»** (b. 88 × 72). C'est peut-être un des
tableaux sur les tentations, que Philippe II a envoyés à l'Escorial en 157
**BOSCH. Copies.**

2050 **«Les tentations de Saint Antoine»** (b. 90 × 37). C'est une copie, d
format réduit, d'un des volets du triptyque sur le même thème, qui s
trouve au Musée de Lisbonne.

2051 **«Les tentations de Saint Antoine»** (b. 97 × 37). Copie d'un tableau d
Bosch qui est perdu.
**BOSCH. Imitations.**

2054 **«Fiction morale»** (b. 29 × 24). Inspiré de l'enfer du *Jardin des délices*

2055 **«Un ange conduit une âme à travers les abîmes de l'enfer»** (l
135 × 78).

2096 Voir Bruegel de Velours.

**BOSMANS, André Bosmans** (Anvers, 1621-Rome, 1681). Peintre c
fleurs, dans la ligne de Seghers.

1370 **«Guirlande avec Sainte Anne, la Vierge et l'Enfant»** (b. 85 × 55
Signé. Les figures en sont attribuées à Corneille Schut.
**BOUDEWYNS, Adrien-Frans Boudewyns** (Bruxelles, 1644-ap.1700
Il a coutume de peindre des types de paysages équilibrés et sereins. Le
masses légères de bois s'y ouvrent sur des plaines tranquilles, où abonde
hommes et animaux en miniature. Disciple de van der Stock, il a travaillé
Paris pour Louis XIV.

1371 **«Paysage avec des bergers»** (b. 26 × 38).

1372 **«Paysage avec des maisons»** (b. 31 × 43).

1373 **«Paysage»** (b. 31 × 43). L'évocation d'une nature harmonieuse, serva
de cadre aux activités humaines (garde des troupeaux, chasse ou simp
promenade), tout en offrant le charme de ses bois, de ses ruisseaux et c
ses ciels paisibles, rappelle les paysages d'Arthois, dont l'influence e
nette sur le style de ce peintre.

1374 **«Chemin au bord d'une rivière»** (b. 31 × 43).

1375 **«Paysage avec des bergers»** (b. 23 × 35).

1376 **«Paysage»** (b. 32 × 43).

1377 **«Un port»** (b. 32 × 43). Très bel effet de lumière du soleil couchant, q
baigne la scène dans un contre-jour doré et estompe les formes.

1378 **«Paysage avec des bergers»** (b. 23 × 35).

1379 **«Un port»** (t. 35 × 57).

1382 **«Vue d'une localité»** (t. 35 × 44). Attribué auparavant à Peter Bout.

2082 **«Paysage avec des bergers et des moutons»** (t. 42 × 61). Attribué à Jea
Glauber, comme les 3 tableaux suivants. Mais le catalogue actuel de pei
ture flamande du Musée les restitue à Boudewyns.

2083 **«Halte en route»** (t. 43 × 63). Voir n.º 2082.

2084 **«Paysage avec des ruines»** (t. 43 × 69). Voir n.º 2082.

2085 **«Arrêt sur un chemin»** (t. 43 × 62). Voir n.º 2082.

**BOUT, Peter Bout** (Bruxelles, 1658-1719). Peintre de paysages et de scènes de genre. A vécu longtemps à Paris.

30 «**Les patineurs**» (b. 27 × 43).

31 «**La place du village**» (b. 27 × 43). Signé et daté de 1678. Dans le style bien typiquement flamand du paysage anecdotique.

32 Voir Boudewyns.

**BOUTS, Albert Bouts** (Louvain, v. 1460-1549). Sa peinture est assez inférieure à celle de son père, Thierry Bouts, et trahit aussi l'influence d'Hugo van der Goes.

98 «**Tête du Christ**» (b. 30 diam.). Il traite souvent ce sujet, associé à la Vierge des Douleurs. Il a dû s'inspirer de compositions de son père.

**BOUTS. Disciple d'Albert Bouts.**

72 «**Buste**» (b. 33 × 23). Il y en a un autre pareil à Dijon.

**BOUTS, Thierry Bouts** (Haarlem, v. 1420-Louvain, 1475). A passé à Louvain la plus grande partie de sa vie. A assimilé des éléments provenant du style de van Eyck, mais surtout de celui de Roger van der Weyden.

51 «**L'Annonciation - La Visitation - L'Adoration des anges - L'Adoration des mages**» (triptyque: panneau central 80 × 105; panneaux latéraux 80 × 56). C'est la première oeuvre connue de cet auteur. Les scènes en sont encadrées dans des arcs diaphragmes, avec des sculptures sur les archivoltes de ceux-ci, selon une formule introduite par van der Weyden. Mais les figures ont une plénitude de volume rappelant celles de van Eyck et un éclairage entièrement personnel.

**BREUGHEL.** Voir Jean Ier Bruegel de Velours.

**BRILL, Paul Brill** (Anvers, 1554-Rome, 1626). Paysagiste, qui a travaillé en France et en Italie, où il a été influencé par le paysage italien et est entré en contact avec Elsheimer. A son tour, il a exercé une influence sur Poussin et le Lorrain.

35 Voir Coninxloo.

36 Voir anonymes flamands.

38 Voir Gysels.

49 «**Paysage avec Psyché et Jupiter**» (t. 93 × 128). Il ne cherche pas à donner un panorama de la nature, mais à la faire voir de près. Sous sa composition solide et équilibrée, on découvre un certain romantisme.

**BROECK, Crispin van der Broeck** (Malines, 1524-1591).

39 «**La Sainte Famille**» (b. 88 × 104). La Vierge, Saint Joseph et l'Enfant Jésus sont en compagnie de Sainte Elisabeth, de Zacharie et du petit Jean-Baptiste. L'artiste souligne les valeurs linéaires de la composition. L'attribution est douteuse.

**BROUWER, Adriaen Brouwer** (Audenarde, 1605-Anvers, 1638).

91-2 Voir David Téniers.

31 «**La coiffure**» (b. 17 × 14). Fut un des initiateurs des scènes de genre paysannes. Son style, plein d'aisance et d'une technique très libre, sera continué en Flandre par David Téniers.

1461. Th. Bouts. Triptyque sur l'Enfance du Christ.

**BRUEGEL, Jean Ier, dit Bruegel (ou Breughel) de Velours** (Anvers, 1568-1625). Fils de Pieter Bruegel l'Ancien. A peint dans des genres très variés (fleurs, paysages, allégories) avec beaucoup d'originalité et une technique très précise, minutieuse, voire de miniaturiste, qu'il semble avoir héritée des grands primitifs. D'où l'aspect luxueux de ses tableaux, qui lui valut le surnom «de velours». Il y dépeint la nature et la vie comme un grand spectacle, agréable aux sens, après les avoir observées très attentivement et avec

127

cette curiosité encyclopédique bien flamande. Aussi entasse-t-il tou
espèce d'objets dans ses compositions, mais sans jamais comprome
l'unité de l'ensemble. Il a été en Italie, où le Cardinal Borromée l'a p
tégé. Il a été peintre à la Cour des Archiducs à Bruxelles. La collection
ses oeuvres se trouvant au Prado est extrêmement riche. Il a souv
collaboré avec d'autres peintres: Frans II Franck, Joost de Momper, v
Balen, Brill et Rubens. Il fut très estimé à son époque.

1394 **«La vue»** (b. 65 × 109). Signé et daté de 1617. C'est la première
allégories des cinq sens. Bruegel se délecte à en décrire les objets av
virtuosité, reproduisant leurs moindres détails à l'aide de ses petits cou
de pinceau caractéristiques. Ce qu'il y offre à notre vue, c'est un cabinet
collectionneur, où sont amoncelés tableaux, sculptures (identifiables po
la plupart) et toute espèce d'objets précieux. Ces allégories, bien typiqu
de Bruegel, l'ont rendu très populaire. Actuellement, on attribue à Rube
les personnages figurant dans cette série.

1395 **«Allégorie de l'ouïe»** (b. 65 × 107). Vénus (ou peut-être Euter
chante, accompagnée par un Amour. Autour d'elle, il y a un cerf (symbo
de l'ouïe), des oiseaux et toute sorte d'instruments de musique et d'hor
ges. Aux murs pendent des tableaux où il est question de la musique. V
n.º 1394.

1396 **«Allégorie de l'odorat»** (b. 64 × 109). Signé. Une nymphe ou Flo
apparaît dans un jardin, entourée de toute espèce de fleurs. C'est là
sujet que Bruegel a traité volontiers. Voir n.º 1394.

1397 **«Allégorie du goût»** (b. 64 × 110). Une nymphe et un satyre mangen
une table bien garnie; au premier plan, une nature morte opulente, suiva
la coutume de l'époque. Voir n.º 1394.

1398 **«Allégorie du toucher»** (b. 65 × 110). Une nymphe donne un baiser à
Amour, entourée de multiples objets, doux ou rudes au toucher. Voir
1394.

1399 Voir Bruegel et van Balen.

1400 Voir Jean II Bruegel.

1403 Voir Bruegel, van Balen et d'autres.

1404 Voir Bruegel, van Balen et d'autres.

1406 Voir Bruegel, atelier.

1407 Voir Bruegel, atelier.

1408 Voir Jean II Bruegel.

1410 **«Le paradis terrestre»** (c. 59 × 41).

1411 Voir Bruegel et Rubens.

1412 **«Saint Jean en train de prêcher»** (c. 44 × 57). Il traite le sujet com
celui d'une peinture de genre, en accordant une grande importance
paysage.

1414 Voir Bruegel et van Balen.

1416 **«Guirlande de fleurs et de fruits avec la Vierge et l'Enfant»**
48 × 41). C'est Bruegel qui a créé ce type de tableau, qui remporta
grand succès et fut imité par de nombreux peintres.

1417 Voir Bruegel et Procaccini.

1418 Voir Rubens et Bruegel de Velours.

1419 Voir Veerendael.

1421 **«Vase»** (c. 48 × 35). Un des genres les plus pratiqués par Bruegel
celui des bouquets de fleurs. Il peignait celles-ci d'après nature, attend
chaque année leur floraison pour bien les observer. Leur coloris est t
frais.

1422 **«Vase»** (b. 44 × 66).

1423 **«Vase»** (b. 49 × 39).

1424 **«Vase»** (b. 47 × 35).

1425 **«Fleurs sur une assiette»** (t. 43 × 33).

1426 **«Vase»** (t. 41 × 33).

1427 **«Chemin dans un bois»** (b. 40 × 62). Dans ses paysages, Bruegel s'éca
progressivement des 3 tons traditionnels de la peinture flamande du X
s. (foncés, verts et bleus) pour tendre à une plus grande homogénéité
couleurs.

1428-9 Voir Momper et Bruegel de Velours.

1430 **«Paysage avec un moulin à vent»** (b. 34 × 50).

1431 **«Paysage»** (b. 40 × 62).

1432 **«Troupe de bohémiens dans un bois»** (c. 36 × 43).

1433 **«Paysage avec des chariots»** (b. 33 × 43). Signé et daté de 1603.

1434 **«Les Archiducs à la chasse»** (t. 135 × 246). Attribué auparavant à s
fils, Jean II Bruegel le Jeune. Ce paysage est bien de Jean I^er Bruegel

2052. Jérôme Bosch. La Charrette de fóin.

1395. Bruegel de Velours. Allégorie de l'ouïe.

Velours, qui en équilibre les lignes diagonales avec les horizontales, traite le feuillage avec délicatesse.

1435 **«Moulins à vent»** (t. 16 × 27).

1436 **«Chemin dans la montagne»** (t. 16 × 27).

1438 **«Banquet de noces»** (t. 130 × 265). Signé et daté de 1623. Le thème du paysage animé, décrivant des coutumes populaires, est très fréquent dans la peinture flamande: il plaît, tout en piquant la curiosité. Bruegel pratique très bien ce genre. La précision de sa technique lui permet de s'arrêter à des détails anecdotiques sans perdre de vue l'ensemble.

1439 **«Danse champêtre en présence des Archiducs»** (t. 130 × 226). Signé et daté de 1623.

1440 Voir Joost de Momper.

1441 **«Noces champêtres»** (t. 184 × 126).

1442 **«Banquet de noces, présidé par les Archiducs»** (t. 84 × 126). En participant à des fêtes et des noces rurales, les Archiducs mènent une vie bien différente de celle de la cour espagnole, si assujettie aux règles de l'étiquette. Bruegel réussit à évoquer le grouillement et l'allégresse de la foule dans une scène pleine d'animation.

1443 Voir Joost de Momper.

1444 **«La vie campagnarde»** (t. 130 × 293).

1447-50 Voir Bruegel, atelier.

1451 Voir anonymes flamands.

1452 Voir Bruegel, atelier.

1453 **«Le palais d'Isabelle-Claire-Eugénie à Bruxelles»** (t. 126 × 153). Catalogué auparavant parmi les anonymes flamands.

1439. Bruegel de Velours. Danse champêtre en présence des Archiducs.

455 Voir Bruegel, atelier.

885 «**Bois**» (b. 47 × 80).

096 «**Enfer**» (b. 54 × 78). Reprend des motifs de tableaux de Bosch. Catalogué auparavant parmi les anonymes flamands.

**BRUEGEL et Henri van Balen.** Henri van Balen (Anvers, 1575-1632)
a souvent collaboré avec des peintres de paysages pour en faire les figures.

399 «**Les quatre éléments**» (b. 62 × 105).

414 «**Guirlande avec l'offrande à Cybèle**» (b. 106 × 73).

**BRUEGEL, Henri van Balen et d'autres.**

403 «**La vue et l'odorat**» (t. 176 × 264). Les personnifications de ces 2 sens
sont présentées dans le vaste cadre d'une galerie de peintures. Dans le
Catalogue actuel, M. Díaz Padrón y reconnaît l'intervention de plusieurs
peintres, dont Frans II Franck. Ces diverses collaborations à un même
tableau étaient courantes dans la peinture flamande d'alors; loin de le
déprécier, elles lui conféraient plus de valeur.

404 «**Allégories de l'ouïe, du toucher et du goût**» (t. 176 × 264). Va de
pair avec la toile précédente.

1411. Bruegel et Rubens. La vision de Saint Hubert.

**BRUEGEL et Procaccini.**

417 «**Guirlande avec la Vierge, l'Enfant et deux anges**» (c. 48 × 36).

**BRUEGEL et Pierre Paul Rubens.**

411 «**La vision de saint Hubert**» (b. 63 × 100). C'est Rubens qui a peint la
figure de ce patron des chasseurs.

**BRUEGEL. Atelier et copies.**

406 «**Le paradis terrestre**» (c. 57 × 88).

407 «**L'entrée dans l'arche de Noé**» (c. 56 × 88).

447 «**Vase**» (b. 37 × 27).

448 «**Vase**» (b. 37 × 27). Va de pair avec le n.º 1447.

449 «**Vase**» (t. 181 × 70).

450 «**Vase**» (t. 181 × 70). Va de pair avec le n.º 1449.

452 «**Le paradis terrestre**» (c. 36 × 50).

455 «**Bois et maisons**» (b. 57 × 86).

732 «**Paysage**» (c. 47 × 73).

**BRUEGEL, Jean II dit Bruegel le Jeune** (Anvers, 1601-1678). A hérité l'atelier de son père, Jean Iᵉʳ Bruegel de Velours, et en a imité le
style.

00 «**Les quatre éléments**» (b. 65 × 111). Copie du n.º 1399, original de
Bruegel de Velours et de van Balen.

02 «**L'abondance**» (c. 40 × 58). Attribué auparavant à son père; on les confond souvent, car le fils suit fidèlement le style paternel.

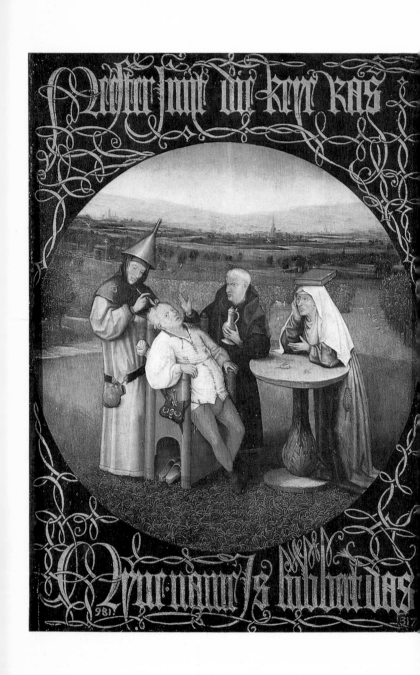

2056. Jérôme Bosch. L'extraction de la pierre de la folie.

2823. Jérôme Bosch. Le Jardin des délices (fragment).

1408 **«Adam et Eve au paradis»** (c. 40 × 50).

1409 Voir Clerck.

1434 Voir Bruegel de Velours.

**BRUEGEL, Pieter I**er **dit Bruegel l'Ancien** (Bréda ? v. 1525/1530
Bruxelles, 1569). Il s'est formé dans le milieu des peintres romani
tes et a voyagé en Italie (Calabre, Messine, Naples et Rome), mais on
trouve dans ses oeuvres aucune trace du style et des thèmes de la Renai
sance italienne. Par contre, il s'intéresse aux représentants de la plus pur
tradition flamande et aux maîtres, tels que Bosch, qui infusent dans leu
peinture l'esprit populaire des Pays-Bas, satirique et moralisant. Il me
aussi à profit les progrès de Patinir et de ses disciples dans le domaine d
paysage. Il a été, cependant, un innovateur et un peintre unique et génia
Il a cherché son inspiration dans la vie et ses multiples aspects, dans le
côtés comiques ou tragiques des faits quotidiens, ainsi que dans les scène
de paysans absorbés par leurs tâches ou égayés par leurs fêtes. Rie
n'échappe à son pinceau et il ne rejette rien, soucieux qu'il est de repré
senter la réalité de façon tout à fait objective. Il a introduit la laideur da
l'art. La sobriété de sa technique et les tons essentiels de son color
soulignent la structure nette de ses compositions, qui sont bien ordonnée
en dépit de la variété des événements qu'elles relatent. Enfin, n'oublio
pas que Bruegel l'Ancien est le fondateur d'une famille de peintres, q
s'est perpétuée jusqu'au milieu du XVIIe s.

1393 **«Le Triomphe de la mort»** (b. 117 × 162). Cette oeuvre, datée de 15(
environ, est l'une des plus célèbres de Bruegel. Elle s'inspire du thèm
littéraire médiéval de la danse de la mort. Elle offre une image désolan
du triomphe de celle-ci sur les choses terrestres. L'artiste rejette tou
consolation religieuse ou croyance en l'immortalité, pour nous présent
une fin angoissante et privée d'espérance. C'est un vaste panorama (
destruction et d'extermination, à force de batailles, d'incendies et de na
frages, qui se déroule jusqu'au paysage maritime du fond, rappelant
golfe de Naples. Au centre chevauche la Mort avec sa faux, pareille à l'u
des 4 cavaliers de l'Apocalypse. De part et d'autre se succèdent les diffé
rentes rencontres dramatiques avec la mort. Depuis l'empereur et les hau
dignitaires de l'Eglise jusqu'aux gens les plus pauvres et les plus humble
tous tombent sous ses coups. A droite, le passage est barré par une armé
de squelettes, brandissant des cercueils en guise de boucliers. Seul u
couple d'amoureux reste étranger à ce qui se passe aux alentours.

2470 **«L'Adoration des mages»** (t. 119 × 165). Copie, faite par Pieter Brueg
le Jeune, de la toile de son père se trouvant au Musée de Bruxelle
**BRUEGEL, Pieter II dit Bruegel (ou Brueghel) le Jeune** (Bruxelle
1564-Anvers, 1638). Fils de Pieter Ier Bruegel l'Ancien, dont il a cop
les oeuvres et imité le style.

1415 **«Guirlande avec l'Adoration des rois mages»** (c. 39 × 29). Signé.

3232. Coecke. Les tentations de Saint Antoine.

2045. Bruegel le Jeune. Site enneigé avec un piège à oiseaux.

154 **«Le rapt de Proserpine»** (b. 43 × 64).

155 Voir Bruegel de Velours, atelier.

156 **«Paysage avec des gens en route»** (b. 30 × 47).

157 **«Construction de la Tour de Babel»** (planche circulaire, transformée en planche carrée, 44 × 44). Oeuvre douteuse, inspirée de modèles de Bruegel l'Ancien.

158 Voir Heil.

159 Voir Heil.

782 Voir Stalbemt et Pieter Bruegel le Jeune.

045 **«Site enneigé avec un piège à oiseaux»** (b. 40 × 57). Signé. Copie d'un fameux original de Bruegel l'Ancien, dont il y a de nombreuses versions.

316 **«Site enneigé»** (b. 45 × 76). Copie d'un original perdu de Bruegel l'Ancien.

317 Voir Momper.

**BRUEGHEL.** Voir Pieter II Bruegel le Jeune.

**CAMPIN, Robert Campin.** Voir Maître de Flémalle.

**CHRISTUS, Pierre Christus** (Baerle, v. 1410-Bruges, 1472/73). Continuateur du style de van Eyck, auquel il a repris le sens du volume et de la spatialité, encore que son exécution en soit moins précise.

021 **«La Vierge à l'Enfant»** (b. 49 × 34).

**CLERCK, Henri de Clerck** (Bruxelles, v. 1570-1630). Il était en Italie en 1578. Sa peinture, qu'elle soit religieuse ou mythologique, suit la ligne du romanisme flamand. Il collabore souvent avec d'autres peintres.

**CLERCK et Denis van Alsloot.**

356 **«Paysage, où Diane est surprise par Actéon»** (b. 70 × 105).

409 **«Le Paradis avec les quatre éléments»** (c. 58 × 74). Signé. Date de 1607 environ. Les figures fusiformes, bien typiques de Clerck, rappellent évidemment Michel-Ange.

**CLERCK et Bruegel de Velours.**

401 **«L'abondance et les quatre éléments»** (c. 51 × 64).

**CLEVE, Joos van der Beke, dit van Cleve** (Clèves, v. 1485-Anvers, v. 1540-41).

482 Voir Holbein (Ecole allemande).

554 **«Le Sauveur»** (b. 60 × 47). Ce n'est sans doute qu'une oeuvre de son atelier. Il s'avère difficile de définir le style de cet artiste éclectique, qui dans son oeuvre suit le style des plus grands peintres de son temps.

**COCK, Jean de Cock** (actif à Anvers en 1506-mort avant 1529).

213 **«L'empereur Maximilien Iᵉʳ»** (b. 50 × 35). Copie d'un original perdu.

700 **«Sainte Anne, la Vierge et l'Enfant»** (b. 35 × 26). On n'y détecte pas grand-chose de l'art de Bosch, dont il est le disciple. A noter les formes douces et délicates de ses figures et son intérêt pour le paysage.

**COECKE, Pieter de Coecke van Aalst** (Alost, 1502-Bruxelles, 1550). C'est un peintre intellectuel et humaniste par excellence, qui connaissait à fond l'Antiquité classique et les progrès de la Renaissance italienne. Il

2823. Jérôme Bosch. Le Jardin des délices.

1514. Maître de Flémalle. Sainte Barbe.

séjourna en Italie et se rendit à Constantinople en 1533, si bien qu'
trouve dans ses oeuvres des reflets du monde oriental. Son style élégant
raffiné, ses très beaux modèles, ainsi que la surface brillante et émaillée
ses planches font de lui un des peintres maniéristes les plus suggestifs a
Pays-Bas. Il a peint à la cour de Charles Quint depuis 1534.

1609 **«Saint Jacques le Majeur et onze orants»** (b. 112 × 44). Voir n.º 1610

1610 **«Saint Jean l'Evangéliste avec deux dames et deux petites filles ora
tes»** (b. 112 × 44). Comme le précédent, c'est le volet d'un triptyqu
dont le panneau central n'a pas été conservé. Les visages des 2 sont d'u
très grand réalisme. Les enfants y ont beaucoup de grâce et de délicates
Au fond de la 2ème planche, relevons le paysage infernal, qui rappelle l
évocations de Bosch.

2223 **«Triptyque de l'Adoration des mages»** (planche centrale: 87 × 55; v
lets: 87 × 23). La forme allongée des figures se rattache au maniérisme
l'école d'Anvers.

2703 **«L'Annonciation, l'Adoration des mages et l'Adoration des berger**
(b. 81 × 67). On y admirera son goût pour la richesse et la variété d
éléments qui le caractérisent.

3210 **«La Sainte Trinité»** (b. 98 × 84). Acquise récemment, comme la pe
ture précédente. Oeuvre excellente de la dernière période. Noter la co
position symétrique du haut, avec l'anatomie parfaite du Christ, et le tr
beau paysage du bas.

3232 **«Les tentations de saint Antoine»** (b. 41 × 53). Le saint et les 2 femm
qui le tentent sont placés dans un paysage où pullulent de petites figur
de monstres, qui font une fois de plus penser à Bosch.

**COFFERMANS, Marcel Coffermans** (actif à Anvers de 1549 à 157

2719 **«L'ensevelissement du Christ»** (b. 17 × 13). Basé sur une gravure
maître allemand Schongauer.

2723 **«Retable avec la Flagellation, la Descente de croix, l'Annonciatio
saint Jérôme et une Halte dans la fuite en Egypte»** (b. 33 × 23 chaq
panneau; sauf le dernier 21 × 14). Presque toutes ces compositions so
basées sur des modèles antérieurs.

**CONINXLOO, Gilles van Coninxloo** (Anvers, 1544-1607). Premi
paysagiste flamand tout à fait baroque.

1385 **«Paysage»** (c. 24 × 19). Paysage dense et boisé, où les arbres ont u
allure grandiose. Attribué auparavant à Brill.

**COOSEMANS, Alexandre Coosemans** (Anvers, v. 1627-1689). Peint
de natures mortes, disciple de Davidsz de Heem.

1462 **«Nature morte»** (b. 33 × 77). Signé. Plus imposante que les natur
mortes de son maître.

2072 **«Compotier»** (b. 49 × 40). Signé.

**CORNELISZ, Corneille Cornelisz van Haarlem** (Haarlem, 1562-1638

2088 **«Le tribunal des dieux ou le jugement d'Apollon»** (b. 44 × 98). Sig
et daté de 1594. Formé dans la tradition maniériste de l'école française
Fontainebleau, cet artiste est l'un de ceux qui, à la fin du XVIe s.,
cherché à créer un nouveau style plus naturaliste, en remplaçant les allo
gements et les anatomies forcées du maniérisme par des compositions pl
classiques et des figures aux proportions harmonieuses. Il le fait dans
tableau, où il montre sa connaissance des modèles italiens.

**COSSIERS, Jean Cossiers** (Anvers, 1600-1671). Il a peint des suje
mythologiques et bibliques, des tableaux de genre et des portraits. S
figures rappellent celles de Rubens, avec qui il a collaboré, mais il
rapproche plus de Jordaens par son coloris et son éclairage.

1463 **«Jupiter et Lycaon»** (t. 120 × 115). Sur une esquisse de Rubens.

1464 **«Prométhée»** (t. 182 × 113).

1465 **«Narcisse»** (t. 97 × 93).

**COSTER, Adam de Coster** (Malines, 1586-1643). A fait des peintures
genre, où il utilise d'habitude l'éclairage d'une chandelle.

1466 **«Judith»** (t. 144 × 155). Attribution très douteuse. Considérée comm
anonyme par le Catalogue du Prado.

**COUWENBERG.** Voir Thielen.

**COXCIE, Michel van Coxcie ou Coxie** (Malines, 1499-1592). Rema
quable peintre romaniste flamand, qui est resté si longtemps en Ital
(1530-40) qu'il a pu y assimiler à fond le style de Raphaël et de s
disciples. Son succès à Rome lui valut d'être nommé membre de l'Acad
mie Saint-Luc. A travaillé à Malines et à Bruxelles. A été peintre à la co
de Philippe II. Ses peintures au Prado illustrent son style monumental
grandiose, parfois quelque peu maniéré et froid.

1467 **«Sainte Cécile»** (b. 136 × 104). Signé. Commandé par Philippe II, a été dans la vieille église de l'Escorial. Date de 1569 environ. Trahit clairement sa dépendance des modèles italiens, notamment de l'école romaine des disciples de Raphaël.

1468 **«Triptyque de la Vie de la Vierge»** (b. volets: 208 × 67; panneau
1469 central: 208 × 181). Le triptyque fermé nous montre à gauche l'*An-*
1470 *nonciation* et l'*Adoration des bergers* et, à droite, la *Visitation* et l'*Adoration des mages,* faites en grisaille. Le volet gauche du triptyque ouvert représente la *Nativité de la Vierge* et le volet droit, la *Présentation de l'Enfant Jésus au Temple.* On y voit au centre *La Dormition et l'Assomption de la Vierge.* Peint pour la Cathédrale de Sainte-Gudule à Bruxelles et acheté par Philippe II pour l'Escorial. Dans toute cette série on note la fusion parfaite des modèles italiens avec la tendance au réalisme et la minutie de tradition flamande. L'artiste obtient à la perfection l'espace voulu et réussit à fondre les figures dans l'architecture Renaissance.

2641 **«Jésus portant sa croix»** (b. 81 × 50). Signé. Ce thème dérive nettement des modèles de Sebastiano del Piombo (voir Ecole italienne).

**COXIE.** Voir Coxcie.

**CRAESBEEK, Joos van Craesbeek** (Neerlinter, v. 1605-Bruxelles, 1654/61). A peint des scènes de genre, dans la ligne de Brouwer.

1390 **«Le trio burlesque»** (b. 30 × 24).

1471 **«Le contrat de mariage»** (b. 71 × 54). Bien typique de son style, très expressif, de facture libre et dégagée.

**CRAYER, Gaspar de Crayer** (Anvers, 1584-Gand, 1669). A peint des sujets religieux (dont on conserve une excellente série à San Francisco el Grande à Madrid) et mythologiques, ainsi que des portraits. Il a un style délicat et sentimental.

1472 **«Le Cardinal infant»** (t. 219 × 125).

1553 **«Philippe IV à cheval»** (b. 28 × 22). Modèle pour un tableau. Attribué jadis à van Kessel le Vieux.

**CRONENBURCH, Adriaen van Cronenburch** (Pietersbierun, Frise, actif pendant la 2ème moitié du XVIe s.). On ne sait pas grand-chose concernant ce portraitiste hollandais. On l'a confondu jadis avec Anne Cronenburch, car il signe ses oeuvres d'un étrange monogramme qu'on a déchiffré tout récemment. Le Prado en garde une magnifique série d'oeuvres. La pureté cristalline des formes, les contours précis du dessin, ainsi que l'air froid, absent et distant des personnages révèlent un peintre maniériste. Par ailleurs, l'austérité totale des scènes, ainsi que l'allusion continuelle à la mort dans des symboles et des inscriptions reflètent bien le monde puritain de la Réforme protestante au N. des Pays-Bas.

2073 **«Dame à la fleur jaune»** (b. 107 × 79). Signé.

2074 **«Dame et petite fille»** (b. 104 × 78).

2075 **«Dame et petite fille»** (b. 105 × 78). Signé et daté de 1587. C'est peut-être le meilleur de la série, qui doit représenter des dames d'une même famille, à en juger d'après les édifices du fond. Les modèles y sont partout rigides et lointains. Les femmes y sont vêtues de robes foncées, admirablement décrites, où il suffit d'une note de couleur dans les fleurs ou les accessoires pour animer la scène. La tête de mort d'un réalisme impressionnant et l'inscription sur le mur font allusion à la mort et à la vanité de toutes choses.

2076 **«Dame hollandaise»** (b. 100 × 79). Signé.

**DALEM, Corneille van Dalem** (actif à Anvers en 1545-v. 1573/76).

1856 **«Paysage avec des pâtres»** (b. 47 × 68). Fut attribué à Valckenborgh. La vision panoramique de la nature fusionne des éléments réels avec des formes fantastiques.

**DASHORST.** Voir Moro.

**DAVID, Gérard David** (Oudewater, v. 1460-Bruges, 1523). A vécu à Bruges, dont il est devenu le peintre principal à la mort de Memling. Tout en étant fort ancré dans la tradition des primitifs, son art s'est enrichi d'un nouveau sens de l'homogénéité des couleurs et d'un modelé doux et estompé. Le paysage devient très important dans maintes de ses oeuvres.

512 **«La Vierge, l'Enfant et deux anges qui la couronnent»** (b. 34 × 27).

537 **«La Vierge à l'Enfant»** (b. 45 × 34). De bonne qualité, mais d'attribution douteuse. Les figures s'y encadrent dans une fenêtre de façon très originale. Les fleurs et le livre déposés sur la tablette de celle-ci constituent des embryons de natures mortes.

643 **«Halte dans la fuite en Egypte»** (b. 60 × 39). Ce thème eut beaucoup de succès et il en fit plusieurs versions. Il aimait bien les compositions

1394. Jean Bruegel de Velours. La vue.

1393. Pieter Bruegel l'Ancien. Le triomphe de la Mort.

robustes. La preuve en est que le fond du tableau est fermé par une mass
de troncs d'arbres dressés et que les roches, où la Vierge est assise, sor
coupées presqu'à angle droit. La figure de celle-ci, svelte et solennelle, e:
empreinte de tant de tendresse qu'on s'explique son succès.

**DAVID. Disciple.**

2542 **«La crucifixion»** (b. 45 × 33).

**DEMI-FIGURES, Maître des Demi-figures** (actif de 1530 à 1540).

1919 **«Adoration des mages»** (b. 54 × 36). Daté de 1525 environ. Emanatio
du style de Gérard David.

1921. Christus. La Vierge à l'Enfant.

1537. David. La Vierge à l'Enfan

2552 **«Triptyque de la Nativité»** (b. panneau central: 83 × 70; volet
83 × 33). Les volets représentent l'*Annonciation* et la *Présentation au Tem
ple.*

**DYCK, Antoine van Dyck** (Anvers, 1599-Londres 1641). C'est le 2èm
grand peintre flamand du XVII<sup>e</sup> s. Il s'est formé chez van Balen. Talen
précoce, il avait déjà une assez forte personnalité, lorsqu'il entra à l'atelie
de Rubens, pour ne pas se laisser complètement influencer par lui. Aus
fut-il plutôt un collaborateur très estimé du maître que son disciple. E
1621 il se rendit en Italie et peignit surtout à Gênes. C'est là qu'il commer
ça à se spécialiser dans le portrait, d'un genre solennel et pompeux, qu
Rubens avait déjà lancé, mais qu'il réussit à doter d'une distinction tout
spéciale, qui serait la clé de son succès. Après un nouveau séjour à Anver:
il part pour l'Angleterre (où il avait déjà été en 1620) et y entre au servic
de Charles I<sup>er</sup>. Ce pays protestant ne permettait guère de peindre autr
chose que des portraits. C'est donc à ce genre qu'il se consacre (comm
son contemporain Vélasquez à la cour de Madrid, pour des motifs tou
différents), devenant ainsi le favori des milieux aristocratiques. D'une ser
sibilité extrême, presque morbide, il entrait en contact avec la personnalit
de son modèle et, d'un regard pénétrant, captait son intimité. La virtuosi
de sa bonne technique flamande et sa finesse psychologique le dispenser
de recourir à des mises en scène pour doter ses personnages d'une suprêm
élégance: il lui suffit de disposer leur regard et leur maintien, de tell
sorte que leur naturel apparent mette précisément en relief toute leu
morgue de courtisans.

1473 **«Saint Jérôme»** (t. 100 × 71). Oeuvre discutée, qu'on lui attribue à pré
sent. Van Dyck a exercé tant d'influence sur l'école madrilène que cett
toile a parfois été considérée comme espagnole.

1474 **«Le couronnement d'épines»** (t. 223 × 196). Date de 1618/20. Va
Dyck est plus connu comme portraitiste, mais il a peint aussi beaucoup d
sujets religieux et mythologiques. Inspirée d'un fameux tableau de Titier
cette toile de jeunesse accuse à juste titre une forte influence de Ruben:
Mais sa sensibilité personnelle, plus introspective et bien plus attentiv
aux nuances psychologiques, affleure dans le dramatisme tendu, mais ré
primé de cette scène, où la noblesse classique du corps du Christ et so
attitude sereine contrastent avec les expressions rudes de ses bourreaux

75   Voir van Dyck, atelier.

77   **«L'arrestation de Jésus»** (t. 344 × 249). Date de 1618/20. On voit bien ici comment l'artiste approfondit le contenu spirituel des thèmes religieux. Le mouvement de domination des soldats paraît s'arrêter brusquement devant le Christ, digne et imposant, dont le calme du visage contraste avec la férocité de ceux-là. Le parfait enchaînement de la composition, l'exécution ferme et sûre d'elle-même, ainsi que l'éclairage adéquat révèlent d'aussi bonne heure la maturité artistique du peintre.

78   **«Saint François d'Assise»** (t. 148 × 113). Date de 1627/32.

79   **«Martin Ryckaert»** (t. 148 × 113). Le portrait de ce peintre manchot, fait à Anvers v. 1627-32, n'est pas du tout langoureux comme d'autres portraits de van Dyck. L'intéressé nous apparaît plein d'énergie et de vitalité, avec un regard profond, le bouche entrouverte et la main droite cramponnée au bras du fauteuil. Sa toilette prétentieuse brille de tout son éclat dans l'atmosphère dense qui l'enveloppe.

80   **«Le Cardinal infant»** (t. 107 × 106). Frère de Philippe IV, il fut Gouverneur aux Pays-Bas. Il porte ici la même épée que Charles Quint à Mülhberg.

81   **«Diane Cecil, comtesse d'Oxford»** (t. 107 × 86). L'attitude hautaine de cette dame, étirant son cou et dirigeant vers le spectateur un regard ambigu, mi-dialoguant, mi-réservé, confère à son portrait un charme particulier, qui fut certes apprécié à l'époque.

82   **«Frédéric-Henri de Nassau»** (t. 110 × 95). Daté de 1628. Fils de Guillaume d'Orange, ce prince avait été élu stathouder en 1625.

83   **«Amélie de Solms-Braunfels»** (b. 105 × 91). Daté de 1628. Ce portrait de l'épouse de Frédéric-Henri de Nassau va de pair avec le précédent. Elle a la pose d'Anne d'Autriche dans le portrait de Rubens (Prado). La blancheur de son visage et de ses mains ressort sur sa robe foncée.

84   Voir van Dyck, atelier.

85   **«Portrait d'une dame»** (t. 106 × 75). Date de v. 1628. Ce portrait sévère et élancé ressemble fort à ceux qu'il fit à Gênes.

86   **«Le comte Henri de Bergh»** (t. 114 × 100). Signé. Date de 1627/32. Le geste éloquent de la main, tendue vers le spectateur comme pour le convaincre, est un moyen très baroque, déjà utilisé par Rubens. Le visage nerveux révèle qu'on a affaire ici à une forte et énergique personnalité.

1477. Van Dyck. L'arrestation de Jésus.    1481. Van Dyck. Diane Cecil.

87   **«Jacques Gaultier (?)»** (t. 128 × 100). Van Dyck peignit d'habitude des portraits d'aristocrates, mais il en laissa aussi quelques-uns d'intellectuels ou d'artistes, extrêmement intéressants, car il y était plus libre. Celui-ci est un modèle de sobriété et de sagesse dans la composition, rythmée par des diagonales parallèles dont il use souvent.

88   **«Le graveur Paul de Pont (?)»** (t. 112 × 100). On a identifié ainsi ce

1930. Jan Gossaert, dit Mabuse. La Vierge à l'Enfant.

portrait parce qu'il ressemble à une de ses gravures. Mais son attitude bizarre et son épée ne semblent pas cadrer avec sa profession.

89 «Sir Endymion Porter et van Dyck» (t. 110 × 114, ovale). Date de v. 1623. Ce secrétaire du duc de Buckingham, homme très cultivé et amateur d'art, fut le protecteur et l'ami du peintre, qui s'est représenté ici près de lui, avec déférence et élégance tout à la fois. L'équilibre délicat de ce double portrait, pris de face et de profil, la très habile représentation des habits, en particulier du costume blanc de Porter aux nuances exquises, et

1489. Van Dyck. Sir Endymion Porter et van Dyck.

le jeu psychologique ambigu entre l'artiste, son protecteur et le spectateur, font qu'il s'agit ici d'une des pièces maîtresses du portrait baroque.

90 «Le musicien Henri Liberti» (t. 107 × 97). Ce portrait de l'organiste de la cathédrale d'Anvers nous montre bien ce mélange de négligence et d'arrogance, si typique de van Dyck.

91 «Tête de vieux» (t. 47 × 36).

92 «Diane et Endymion surpris par le satyre» (t. 144 × 163). Oeuvre de l'époque italienne, pleine de résonances vénitiennes.

93 «Policena Spinola» (t. 204 × 130). Date de 1622/27. Relève du genre majestueux et sévère de ses portraits gênois, où l'étiquette espagnole impose ses distances.

94 «Sainte Rosalie couronnée» (t. 106 × 81). Date de 1621/27.

95 «Mary Ruthven» (t. 104 × 81). Elle se maria avec van Dyck en 1639, alors qu'elle était veuve. On a discuté son identité et l'on a parfois pris ce tableau pour une copie.

44 «Les noces mystiques de sainte Catherine» (t. 121 × 173). Date de 1618/20. Oeuvre discutée, qu'on a attribuée à Rubens et à Jordaens, mais qui aujourd'hui est unanimement considérée comme étant de van Dyck.

45 «L'Enfant Jésus et saint Jean» (t. 130 × 74). Attribué jadis à Jordaens.

37 «Le serpent d'airin» (t. 205 × 235). Date de 1618/20. Oeuvre de jeunesse, alors qu'il était en contact avec Rubens, mais inspirée par un sentiment dramatique moins pompeux et plus profond que celui du maître. Les types humains, tout en étant pleins comme ceux de Rubens, sont plus nerveux. L'exploitation des possibilités expressives des mains est un trait typique de van Dyck.

42 «La Pietà» (t. 201 × 71). Date de 1618/20. Gardant le schéma des pietà sculptées du moyen âge, ce tableau respire un profond sentiment religieux. Le corps du Christ, qui s'est écroulé de tout son poids sur les genoux de la Vierge, reçoit la lumière sur ses chairs émaciées. Son inertie complète prouve bien qu'il n'est plus conscient de ce qui se passe.

94 «Tête de vieux» (papier sur toile, 45 × 24).

26 Voir van Dyck, atelier.

**VAN DYCK. Atelier et copies.**

75 «La Pietà» (t. 114 × 100). Reproduit un original de 1627 environ.

84 «Charles Ier» (t. 123 × 85). Réplique de l'original du château de Windsor,

1493. Van Dyck. Policena Spinola.                    1642. Van Dyck. La Pietà.

mais qui n'est pas entièrement faite de sa main. Sa composition s'inspi
directement du portrait du duc de Lerma par Rubens (Prado).

1499 **«Charles II, prince de Galles»** (t. 137 × 111).

1501 **«Charles Ier d'Angleterre»** (t. 366 × 281). Copie de l'original de la Na
tional Gallery de Londres.

1502 **«François de Moncada»** (t. 114 × 98). Van Dyck a fait le portrait
cheval de ce même personnage; l'original en est conservé au Louvre.

2526 **«Le comte d'Arundel et son petit-fils»** (t. 278 × 162). Copie de l'orig
nal du château de Windsor.

2556 **«Sainte Rosalie de Palerme»** (t. 127 × 108). Copie de l'original du Me
tropolitan Museum de New-York.

2565 **«L'infante Isabelle-Claire-Eugénie»** (t. 218 × 131). Copie du portra
officiel, avec une coiffe de veuve.

2569 **«L'infante Isabelle-Claire-Eugénie»** (t. 109 × 90). Voir n.º 2565.

**ERTVELT, André van Ertvelt** (Anvers, 1590-1652). Peintre de marine.

2163 **«Marine»** (t. 124 × 168). Typique de son style, très proche du styl
hollandais.

**ES, Jacques van Es** (?-Anvers, 1666). Peintre de natures mortes, dont l
style très sobre se rapproche du hollandais. Recherche l'homogénéité e
l'unité dans sa composition, sans trop s'arrêter aux petits détails.

1504 **«Huîtres et citrons»** (b. 27 × 32).

1505 **«Nature morte»** (b. 27 × 37). Coloris sobre et uniforme.

1506 **«Fleurs et fruits»** (b. 30 diam.). Les tons foncés du fond et de la napp
mettent les fruits en relief et font ressortir leurs qualités tactiles.

**EYCK, Gaspar van Eyck** (Anvers, 1613-Bruxelles, 1673). Peintre d
marines, disciple d'Ertvelt.

1507 **«Marine»** (t. 81 × 107). Oeuvre de son style, mais il n'est pas sûr qu'ell
soit de lui.

1508 **«Combat naval entre Turcs et Maltais»** (t. 87 × 118). Signé et daté d
1649.

1509 **«Marine»** (t. 87 × 108). Très bel effet de contre-jour sur les petites va
gues d'une mer tranquille.

**EYCK, Jan Eyck ou Yck** (actif 1626-1633). A collaboré avec Rubens.

1345 **«La chute de Phaéton»** (t. 197 × 180). Peinte pour la Torre de la Parad
sur une esquisse de Rubens. Les toiles de cette série sont les seules q
soient sûrement de lui.

1714 **«Apollon et Daphné»** (t. 193 × 207). Attribution incertaine.

**EYCK, Jan van Eyck** (Maaseyck?, v. 1390-Bruges, 1441). On ne possèd
en Espagne aucun original de ce grand maître des primitifs flamands, qu
la légende considère comme l'initiateur de la technique de la peinture
l'huile. Le Prado expose certaines oeuvres se rattachant à son style.

**EYCK, Ecole de Jan van Eyck.**

1511 **«La Fontaine de la grâce».** (b. 181 × 116). Ce tableau a été très discuté
on a tendance actuellement à y voir une copie d'un original perdu de va
Eyck ou l'oeuvre d'un disciple très proche. Elle a des rapports très étroit
avec le polyptyque de l'*Adoration de l'Agneau mystique* de Saint-Bavon
Gand. C'est une grande mise en scène, où le plan divin est soigneusemen
superposé au plan humain: en haut trône Dieu le Père, avec l'Agneau à se

pieds, entre la Vierge et saint Jean; en bas, l'Eglise triomphe de la Synagogue. Sans avoir la qualité d'un van Eyck, ce tableau présente tous les
caractères de son style: rigoureuse symétrie dans la composition, volume
plein des figures, soin minutieux des détails. A en juger par les copies de
l'époque, il a dû arriver assez tôt en Espagne, où il a appartenu au monastère del Parral à Ségovie.

**EYCK. Copies.**

10   Voir Mabuse.

17   **«Saint François recevant les stigmates»** (b. 47 × 36). Copie libre d'un
original de van Eyck, faite, semble-t-il, par le Maître d'Hoogstraten.

16   **«Le Christ bénissant»** (b. 52 × 39). Copie de la figure centrale du polyptyque de Gand, attribuée à Jan van Scorel, qui a travaillé à la restauration
de celui-ci.

**EYCK. Disciple de Jan van Eyck.**

96   **«La Vierge à l'Enfant»** (b. 18 × 15). Type iconographique bien de van
Eyck.

**FINSONIUS, Louis Finsonius** (Bruges?-Amsterdam, 1617). A travaillé
dans le Midi de la France et peut-être à Naples, où il a pu entrer en
contact avec le Caravage.

75   **«L'Annonciation»** (t. 173 × 218). Combine l'éclairage ténébriste avec
une facture serrée, presque métallique dans les étoffes, fort typique.

1511.  Ecole de van Eyck. La fontaine de la grâce.

**FLEMALLE, Maître de Flémalle.** Son nom lui vient de la Chartreuse de
Flémalle, près de Liège, d'où provenaient les peintures. Actuellement, on
l'identifie avec Robert Campin (v. 1375-1444), peintre à Tournai, qui fut
l'un des fondateurs de l'école flamande de peinture du XVe s.

13   **«Saint Jean-Baptiste et le maître franciscain Henri de Werle»** (b.
101 × 47). Daté de 1438. Comme le n.º 1514, c'est le petit volet d'un
triptyque, dont on a perdu le panneau central. Une inscription dans le bas
précise le nom du donateur et la date. On remarque l'influence de van
Eyck dans cette oeuvre de Campin: l'espace y est conçu avec plus de
cohérence et d'ampleur que dans d'autres oeuvres; on le note à certains
détails, tels que le miroir convexe.

14   **«Sainte Barbe»** (b. 101 × 47). Voir n.º 1513. La tour qu'on aperçoit par
la fenêtre permet d'identifier la sainte. Chef-d'oeuvre du maître, il marque
l'apogée de son évolution dans la conquête de l'espace à 3 dimensions. Les
primitifs flamands auront coutume d'utiliser pour leurs sujets religieux
l'intérieur d'une maison et d'attribuer un symbolisme caché à des objets
d'usage quotidien: la serviette qui pend et le flacon en verre transparent
sont ici des allusions à la virginité de la sainte. La combinaison de la
lumière froide entrant par la fenêtre avec les reflets rougeâtres du feu est

rendue avec une finesse extraordinaire. Sainte Barbe se distingue par grande délicatesse, jointe à la robustesse des figures de Campin.

1887 «Le mariage de la Vierge» (b. 77 × 88). Trahit encore ses liens avec gothique international, en multipliant les personnages secondaires, exhibant des toilettes exotiques et luxueuses et en caricaturant certai visages. A gauche, dans un petit temple roman, se produit le miracle bâton de saint Joseph. A droite, sous un porche gothique en constructio se déroule le mariage. L'opposition des architectures signifie la distincti entre l'Ancienne Loi et la Nouvelle. Au dos de la planche, on découv saint Jacques le Majeur et sainte Claire; ces plus anciennes figures grisaille qu'on connaisse font supposer que la planche faisait partie d' polyptyque. Leur volume plein et leurs abondantes draperies reflètent sculpture contemporaine.

1915 «L'Annonciation» (b. 76 × 70). L'attribution n'est pas unanime, c maints critiques y voient une oeuvre d'atelier de 1ère qualité. La scène lieu dans une maison gothique, comme il convient au 1er acte du Nouve Testament. Mais l'ange n'y entre pas, par respect pour la virginité Marie.

FLEMALLE. Atelier du Maître de Flémalle.

3144 «La Vierge à l'Enfant» (b. 18 × 13). Fragment d'une peinture pl grande, acquis récemment par le Musée, qu'on n'a encore guère étudié. sera sûrement une émanation tardive d'un modèle du Maître de Flémall

FLORIS DE VRIENDT, Frans Floris de Vriendt (Anvers, 1516-157(

1518 «La mort d'Abel» (t. 151 × 125).

FRANCFORT, Maître de Francfort. Voir Ecole allemande.

FRANCK ou FRANCKEN, Frans Iᵉʳ Franck ou Francken, dit le Vieu (Hérenthals, 1542-Anvers, 1616).

1521 Voir Franck, Frans II.

1522 Voir Franck, Frans II.

FRANCK ou FRANCKEN, Frans II Franck ou Francken, dit le Jeu (Anvers, 1581-1642). Principal représentant de la famille des peintr Franck. Formé dans l'atelier de son père, Frans Iᵉʳ Franck le Vieux, il encore perçu des échos du romanisme, mais, au cours de sa carrière second ordre, il a introduit dans son style les nouveautés du baroqu Spécialiste des tableaux de boudoir, il y a abordé les thèmes religieux mythologiques en cherchant leurs possibilités décoratives. Sa facture délica et précieuse donne à ses peintures un air luxueux, qui lui valut l'estime ses contemporains. Il a collaboré avec d'autres peintres (surtout Bruegel Velours, Neefs et Momper) en se chargeant des figures de leurs intérieu ou paysages.

1519 «Le jugement de Jésus» (b. 58 × 81). Signé. Comme toujours, il ain bien représenter beaucoup de petites figures, qui donnent à sa compo tion un air animé et remuant.

1520 «La prédication de saint Jean-Baptiste» (b. 56 × 91). Signé et daté 1623. Son penchant pour la décoration lui fait multiplier les personnag vêtus à la mode orientale, avec de grands turbans et des capes luxueuse qui sont très caractéristiques de ses tableaux.

1521 «Ecce homo» (c. 33 × 23). Signé.

1522 «L'arrestation de Jésus» (c. 44 × 23). Signé.

1523 «Triomphe de Neptune et d'Amphitrite» (c. 30 × 41). Signé. Suj qu'il a traité maintes fois en s'inspirant de compositions italiennes.

1525 «Le Christ dans le sein d'Abraham» (c. 26 × 20).

2734 «Le péché originel» (c. 68 × 86). Signé. Premier tableau d'une série de (jusqu'au n.º 2745) sur des thèmes bibliques. Ses compositions sont pa tout semblables: il remplit en général le centre du tableau d'un bouqu d'arbres, qu'il peint avec la plus grande minutie. Ses figures, un peu stéré typées, ont des traits fort caractéristiques: elles sont toujours élégantes distinguées dans leurs mouvements.

2735 «Caïn tuant Abel» (c. 68 × 86). Signé.

2736 «Noé dirige les opérations de l'entrée dans l'arche» (c. 68 × 86 Signé. Il a fait plusieurs versions sur ce sujet, qui a certes remporté grand succès, en raison des grandes possibilités décoratives qu'offrait représentation des divers objets et animaux qu'on devait introduire da l'arche. Cela n'aura pas manqué de satisfaire la curiosité de ses clients

2737 «La construction de la tour de Babel» (c. 68 × 86). Signé.

2738 «Abraham et Melchisédech» (c. 68 × 86). Signé.

2739 «Agar et l'ange» (c. 68 × 86). Signé.

2740 «Abraham et les trois anges» (c. 68 × 86). Signé.

'41 **«Loth et ses filles»** (c. 68 × 86). Signé.

'42 **«Le sacrifice d'Isaac»** (c. 68 × 86). Signé.

'43 **«Rébecca et Eliézer»** (c. 68 × 86). Signé. Un des plus beaux de la série.

'44 **«L'échelle de Jacob»** (c. 68 × 86). Signé.

'45 **«La lutte de Jacob avec l'ange»** (c. 68 × 86). Signé.

**FRANCK ou FRANCKEN, Frans III Franck ou Francken.** Voir Neefs, Louis. Fils de Frans II Franck.

**FYT, Jean Fyt** (Anvers, 1611-1661). Peintre de natures mortes et d'animaux de toute espèce. Après avoir été en France et en Italie, il est rentré à sa ville natale pour y passer le reste de ses jours. Sa conception de la nature morte part des nouveautés introduites par Snyders, mais celles-ci sont transformées par sa forte personnalité. Il préfère d'habitude des formats plus petits et plus carrés. Il compose des masses compactes occupant le centre du tableau, où objets, fruits et animaux sont serrés l'un contre l'autre. Une pâte épaisse et juteuse et de longs coups de pinceau caractérisent sa facture. Ses couleurs, vives et profondes, sont unifiées par la lumière, dont les contrastes donnent du relief aux objets. Il obtient des effets d'un réalisme étonnant lorsqu'il représente les qualités tactiles, en particulier des animaux à poils et à plumes.

26 **«Poulailler»** (t. 123 × 242).

27 **«Un milan»** (t. 95 × 134). Le rassemblement d'oiseaux de différentes espèces ne vise pas ici à dresser un inventaire ou à présenter une planche d'histoire naturelle, comme c'est parfois le cas dans les tableaux de Snyders ou de van Kessel. Fyt groupe davantage les animaux, obtenant ainsi une plus grande cohésion dans la scène.

28 **«Gibier mort avec un chien»** (t. 72 × 121). Signé.

29 **«Nature morte avec un chien et un chat»** (b. 77 × 112). Signé. Les qualités techniques en sont tout à fait remarquables. Le peintre s'est surpassé dans sa représentation des peaux, des plumes et des surfaces lisses ou veloutées des fruits, dont on devine presque le poids et la densité. Ce tableau vous invite vraiment à les toucher.

30 **«Lièvres poursuivis par des chiens»** (t. 113 × 163). Signé. Ce genre de thèmes est repris à Snyders et traité de façon analogue.

31 **«Canards sauvages et poules d'eau»** (t. 127 × 163). Signé.

32 **«Combat de coqs»** (t. 114 × 167). Thème également emprunté à Snyders, mais traité dans une composition plus compacte, unifiée, du reste, par la lumière qui se concentre sur le groupe principal.

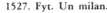

1527. Fyt. Un milan.

1533   **«Canards sauvages et poules d'eau»** (t. 119 × 174). Variante du n.º 153

1534   **«Concert d'oiseaux»** (t. 135 × 174). Signé et daté de 1661.

    **GHERING, Antoine Günther Ghering** (actif à Anvers, 1662/3-Ai vers, v. 1667). Peintre d'intérieurs d'églises et d'architectures fantastique

1535   **«L'église des Jésuites à Anvers»** (t. 84 × 121). Il reprend ce sujet ai leurs avec une parfaite maîtrise de la perspective et un ton homogène

    **GLAUBER.** Voir Boudewyns.

    **GOSSART ou GOSSAERT.** Voir Mabuse.

    **GOWY, Jacques-Pierre Gowy** (actif à Anvers, 1632-37). On ignore pra tiquement sa biographie.

1538   **«Hippomène et Atalante»** (t. 181 × 220). Signé. L'influence de Ruber est claire. Atalante s'est arrêtée pour ramasser les pommes d'or qu'Hip pomène lui a jetées.

1539   Voir Jordaens.

1540   **«La chute d'Icare»** (t. 195 × 180). Signé.

    **GYSELS, Pierre Gysels** (Anvers, 1621-1690). A peint des paysages, de animaux et des natures mortes. Son style ressemble fort à celui de Bruege de Velours.

1388   **«Paysage»** (c. 25 × 29). Attribué jadis à Brill; à présent, à Gysels, ma avec des hésitations.

    **HAARLEM.** Voir Cornelisz.

    **HAYE, Corneille de La Haye ou de Lyon** (La Haye, 1500-1574?).

1958   **«Un chevalier»** (b. 28 × 21).

    **HEERE, Luc de Heere, dit Luc de Hollande** (Gand, 1534-Paris, 1584).

1949   **«Philippe II»** (t. 41 × 32). Dans le style sobre des Hollandais du XVIᵉ s ce portrait est sans doute un fragment inachevé d'une plus grande compc sition.

    **HEIL, Daniel van Heil** (Bruxelles, 1604-1662?). Est surtout paysagiste

1458   **«Incendie et pillage d'une localité»** (b. panneau circulaire devenu carr 43 × 44). Va de pair avec le suivant.

1459   **«Ville incendiée»** (b. 54 × 78). Attribué jadis, comme le précédent, Pieter Bruegel le Jeune. Heil aime bien les motifs d'incendies.

    **HEMESSEN, Jan Sanders van Hemessen** (Hemixen, v. 1500-Haarlen v. 1564/66). Influencé par la peinture italienne dans ses compositions et I recherche de la monumentalité de ses figures. Mais il est bien flaman dans sa technique lisse et émaillée de la surface picturale, ainsi que dan l'interprétation minutieuse et réaliste des modèles. A noter qu'il lui plai de produire de forts contrastes de lumière et d'accentuer le dessin tend des figures.

1541   **«Le chirurgien»** (b. 100 × 141). Devant un paysage urbain, on procède l'extraction de la pierre de la folie. C'est un thème fréquent dans la pein ture flamande (voir Bosch, n.º 2056). A observer le grand réalisme de I nature morte sur la table et les différentes expressions des personnage: Oeuvre de 1ère qualité.

1542   **«La Vierge à l'Enfant»** (monogramme AOD, 1543; b. 135 × 91 Influencé par les Madones de Raphaël. Il réussit à fondre les figures dan le paysage de tradition flamande.

    **HERP, Guillaume van Herp** (Anvers, 1614-1677). Peintre de scène religieuses et de peintures de genre. Imitateur de Rubens.

1722   **«Les noces de Cana»** (c. 66 × 92).

1986   **«Libération de prisonniers»** (b. 90 × 58). Ce tableau ne figure pas a catalogue du Prado, car on a douté de son attribution.

    **HOLLANDE.** Voir Heere.

    **HUYNEN, C. van Huynen** (actif en 1671). Biographie inconnue.

2165   **«Guirlande de fleurs et de fruits avec la Pietà»** (t. 80 × 68). Etai catalogué, comme le suivant, parmi les anonymes hollandais. Or ces toiles sont signées, leur qualité est excellente et leur exécution, brillante.

2166   **«Guirlande de fruits avec la Sainte Famille»** (t. 81 × 61). Signé.

    **HUYS, Peter Huys** (Anvers, actif de 1545 à 1581).

2095   **«L'Enfer»** (b. 86 × 82). Signé et daté de 1570. Cet artiste n'est pas trè créatif, mais sa bonne technique lui permet d'interpréter fidèlement le compositions fantastiques de Bosch, qui furent très vite appréciées par le collectionneurs. Ce tableau, qui vient de l'Escorial, a dû faire partie de I collection de Philippe II, fervent admirateur du style de Bosch.

    **IJKENS.** Voir Ykens, Frans.

    **ISENBRANDT, Adrien Isenbrandt** (actif depuis 1510-Bruges, 1551 Disciple de Gérard David, il s'inspire de lui dans ses petits tableaux, o dominent une gamme raffinée de gris et bleus argentés, ainsi que de

1388. Gysels. Paysage.

formes estompées et douces, surtout dans les visages, qu'il interprète avec plus de sentimentalisme et de douceur que son maître.

43 «La messe de saint Grégoire» (t. 72 × 56). C'est devant une architecture Renaissance que le Pape Grégoire célèbre la messe, au cours de laquelle, comme il avait des doutes sur le mystère de l'Eucharistie, il vit le Christ lui apparaître.

44 «La Vierge, l'Enfant Jésus, le petit saint Jean et trois anges» (b. 165 × 123). Cette oeuvre, caractéristique du peintre, est en mauvais état.

64 «Marie-Madeleine» (b. 45 × 34). Tableau très délicat, se présentant comme le portrait d'une jeune fille de l'époque dans son studio.

18 «Le Christ, homme de douleurs» (b. 46 × 29). En mettant le Christ devant un paysage, il évite de dramatiser la scène. Technique d'estompage.

**JORDAENS, Jacob Jordaens** (Anvers, 1593-1678). S'est formé à Anvers chez Adam van Noort, dont il a épousé la fille, et y est resté toute sa vie, contrairement à Rubens et van Dyck. Il a collaboré avec celui-là et a subi son influence, mais son style personnel s'est toujours incliné davantage vers le populaire. Quand il aborde les thèmes mythologiques, on se rend compte qu'il manque de contact avec le monde classique. Peintre d'un grand prestige, il a reçu des commandes d'Angleterre, de Suède et de Hollande. Il a aussi travaillé à la Torre de la Parada pour Philippe IV. A la mort de Rubens, on l'a chargé de terminer ses oeuvres entreprises pour autrui.

39 «La chute des géants» (t. 171 × 285). Peint pour la Torre de la Parada, de même que les nums. 1551, 1634 et 1713, sur des esquisses de Rubens. Il cherche à s'adapter au style de celui-ci et à renoncer au sien, si bien qu'il s'est parfois avéré difficile de lui attribuer ces tableaux.

44-5 Voir van Dyck.

46 «Méléagre et Atalante» (t. 151 × 241). La densité de la composition, le vigoureux clair-obscur et le modelage serré des figures y sont bien typiques de son style.

47 «Offrande à Cérès» (t. 165 × 112). La déesse de l'agriculture reçoit les hommages des paysans. On note ici un solide naturalisme, qui se délecte dans les visages tannés et l'aspect rustique des personnages.

48 «Une déesse et des nymphes après leur bain» (t. sur b. 131 × 127).

49 «Portrait de famille» (t. 181 × 187). C'est un autoportrait de Jordaens avec sa famille. Le peintre a en mains un luth, qu'il aimait bien jouer. Sa femme, Catherine van Noort, est assise et, près d'elle, se trouve sa fille Elisabeth, au minois pétillant et gracieux. La femme qui pose debout à côté d'eux, est considérée comme leur servante, encore que son rôle prépondérant, qui n'est pas habituel dans la peinture de genre, et l'élégance de sa

151

mise choquent un peu. Le jardin du fond montre la situation aisée
peintre. Ce tableau respire cette atmosphère de cordialité, de confort et
solides vertus bourgeoises, qui émane si souvent des portraits familia
flamands et hollandais, surtout de ces derniers. Le naturel de la scène, s
vif coloris et la lumière qui filtre entre les arbres en font une des oeuv
les plus attirantes que le Musée conserve de Jordaens.

1550 «**Trois musiciens ambulants**» (b. 49 × 64). Il s'agit d'une esquisse, m
la fermeté de son exécution en traits énergiques, courts et droits, s
assurance dans la transcription de la forme et des effets de lumière en fo
une oeuvre autonome, dont la modernité est surprenante.

1551 «**Apollon, vainqueur de Marsyas**» (t. 181 × 267). Voir n.º 1539.

1634 «**Les noces de Thétis et de Pélée**» (t. 181 × 288). Voir n.º 1539.

1712 «**Apollon, vainqueur de Marsyas**» (t. 181 × 223). Copie de J. B.
Mazo.

1550. Jordaens. Trois musiciens ambulants.

1713 «**Cadmos et Minerve**» (t. 181 × 300). Voir n.º 1539.

**KESSEL, Jean van Kessel le Jeune** (Anvers, 1654-Madrid, 1708). Etal
à Madrid comme peintre de Charles II.

2525 «**Une famille dans un jardin**» (t. 127 × 167). Signé et daté de 168
Portrait réalisé avec une grande mise en scène, dont la mondanité
l'animation sont très éloignées de l'ambiance artistique espagnole de l'ép
que. Le peintre se montre à une fenêtre. On a voulu voir dans le porte
d'eau une caricature du roi.

**KESSEL, Jean van Kessel le Vieux** (Anvers, 1626-1679). Peintre
fleurs et surtout d'animaux, au style minutieux, qui s'intéresse à l'observ
tion attentive de la réalité. Il fait des tableautins, destinés sans doute
décorer des boudoirs en marqueterie. L'influence de son oncle, Jean
Bruegel le Jeune, sur sa technique et ses thèmes, se décèle dans s
oeuvres.

1552 «**Guirlande avec l'Enfant Jésus et saint Jean**» (c. 101 × 80). Sign
Copie d'une composition de Rubens.

1553 Voir Crayer.

1554 «**Les quatre parties du monde**» (c. 17 × 23 chacune). Signé et daté
1660. Ensemble de 40 pièces, qui en comptait jadis 68. C'est une illus
tion de la faune des différentes parties du monde. C'est à Bruegel
Velours, pionnier du genre, qu'il emprunte ces sujets à but didactique.
représentation des animaux y est très précise, mais en général les compo
tions manquent de cohérence et restent fort dispersées.

2749 «**Poissons et paysage**» (c. 14 × 19). Signé et daté de 1656.

750 «Poissons et marine» (c. 14 × 19). Va de pair avec le n.º 2749.

LAMEN, Christophe van der Lamen (Bruxelles?, 1606/7-Anvers, av. 1652). Peintre de scènes de conversation.

555 «Banquet de courtisanes et de villageois» (b. 47 × 63). C'est un sujet qui, tout banal qu'il soit, est présenté de manière agréable.

.86 «Scène de soldatesque» (b. 44 × 33). Attribué jadis à Palamède.

LA PASTURE, Roger de. Voir Weyden.

LEGENDE DE SAINTE CATHERINE, Maître de la Légende de sainte Catherine. Son nom lui vient de ses tableaux où il évoque l'histoire de cette sainte. Il accuse une dépendance étroite du style de van der Weyden. Aussi a-t-on songé à l'identifier avec son fils peintre, Pierre van der Weyden, né à Bruxelles en 1434.

563 «La Crucifixion» (b. 100 × 71). Reprend la plus grande partie de la composition du centre du triptyque de van der Weyden à Vienne.

706 «Le mariage de la Vierge» (b. 45 × 29). Au dos de ce petit volet de triptyque on trouve: «Le Christ, homme de douleurs».

LIGNIS, Pierre de Lignis (Malines?, v. 1577-Rome, 1627).

556 «L'Adoration des mages» (c. 70 × 54). Signé et daté de 1616. Très influencé par la peinture italienne.

LISAERT, Pieter Lisaert (Anvers?-?1629/30).

724 «Les vierges sages et les vierges folles» (b. 73 × 104). De style encore très maniériste.

LOMBARD, Lambert Lombard (Liège, 1506-1566).

207 «La Charité» (b. 163 × 105). Lombard a été à Liège un des représentants de la peinture romaniste. Il a fait ses études avec Gossaert, a été en Italie et est revenu à Liège en 1537. On a voulu voir dans ce tableau un écho de la fameuse *Léda* de Léonard de Vinci, aujourd'hui perdue, mais qu'il aurait pu voir en Italie ou connaître grâce à des copies ou des gravures.

LUCIDEL. Voir Neufchâtel.

LUYCK, Frans Luyck (Anvers, 1604-Vienne, 1668).Portraitiste de cour. A été peintre de l'empereur et a travaillé aux cour de Vienne et de Prague.

267 «Ferdinand IV» (t. 214 × 128). L'inscription l'identifiant à Joseph I$^{er}$ est fausse.

272 «Marie d'Autriche» (t. 215 × 147). Il est évidemment influencé par Vélasquez, dont il a connu les tableaux envoyés à Vienne.

441 «Marianne d'Autriche» (t. 231 × 215). Suit le schéma de composition de Vélasquez, mais avec sa technique minutieuse bien flamande.

LUYCKS, Christian Luycks (Anvers, 1623-v. 1653). Peintre de fleurs et de natures mortes, en particulier de vanités, qu'il élabora en Espagne.

460 «Guirlande avec trois Amours» (t. 102 × 72). Signé.

MABUSE, Jan Gossart ou Gossaert de Maubeuge, dit Mabuse (Maubeuge, 1478-Middelburg, v. 1533). Sa peinture joint à la tradition flamande de richesse et de soin des détails, le style grandiose et les thèmes mythologiques italiens qu'il a connus lors de son voyage à Rome en 1508, car il y faisait partie de la suite de Philippe de Bourgogne. Ses principaux clients

2801. Q. Metsys. Ecce Homo.    1536. Mabuse. La Vierge de Louvain.

ont été les princes de la maison de Bourgogne; d'où la parfaite qualité d
ses oeuvres, pensées pour l'aristocratie.

1510 «Le Christ entre la Vierge Marie et saint Jean-Baptiste» (b. 122 × 133
Las têtes son peintes sur du papier, collé sur le panneau en bois. Le
figures à mi-corps sont des copies libres de celles du polyptyque de Ja
van Eyck de l'église Saint-Bavon à Gand. C'est une oeuvre de maturité
accomplie suivant une technique parfaite, marquée par une sérénité et un
plénitude harmonieuses, qui est clairement inspirée tout à la fois par l
classicisme de la peinture italienne et la tradition du Nord.

1536 «La Vierge de Louvain» (b. 45 × 39). Une inscription latine au verso d
la planche l'attribue à Gossaert et précise que la ville de Louvain en a fa
don à Philippe II en 1588. Certains critiques ont cru qu'elle pourrait bie
être de van Orley, contemporain de Mabuse. A noter l'architecture fanta
tique, s'inspirant de motifs de la Renaissance italienne, qui sert de cadre
la figure délicate de la Vierge.

1930 «La Vierge à l'Enfant» (b. 63 × 50). C'est une des oeuvres les plu
caractéristiques de Mabuse en raison des formes monumentales et gran
dioses de la Vierge et de l'Enfant Jésus. Celui-ci rappelle les enfants nus d
Michel-Ange, que l'artiste a dû voir en Italie. La lumière moule les anato
mies, faisant légèrement ressortir les plis des draperies et la finesse de
cheveux, qui sont traités avec un souci du détail propre à la plus pur
tradition flamande.

LYON. Voir Haye.

MARINUS. Voir Reymerswaele.

MASSYS. Voir Metsys.

MATSYS. Voir Metsys.

MEIREN, Jean-Baptiste van der Meiren (Anvers, 1664-?1708). Pays
giste.

2046 «Le voyage de Jacob» (t. 43 × 51). Fut attribué au hollandais Bloemaer
MEMLING, Hans Memling (Selingenstadt, v. 1440-Bruges, 1494
Formé dans l'atelier de van der Weyden, il s'établit à Bruges, où il jou
d'une renommée extraordinaire. La forme de son style lui vient de so
maître, mais son esprit est tout à fait à l'opposé: son penchant pour l
décoration lui fait préférer les compositions claires et symétriques, évite
tout dramatisme et rechercher un effet général de douceur et d'harmonie.

1557 «La Nativité - L'Adoration des rois mages - La Purification (Triptyque
Panneau central: 95 × 145. Volets: 95 × 63). Découle du triptyque d
van der Weyden sur les mêmes sujets, qu'on conserve à la Pinacothèqu
de Munich. Cette version supprime beaucoup d'éléments pour obtenir u
espace plus diaphane, mais ses personnages demeurent sans rapports entr
eux et semblent rester absents à l'action qu'ils jouent.

1558 Voir Weyden, copie par Memling.

2543 «La Vierge à l'Enfant entre deux anges» (b. 36 × 26). Le peintre re
prend ailleurs ce geste de l'ange qui offre un fruit à l'Enfant Jésus. O
estime que c'est une oeuvre d'atelier.

METSYS, Corneille Metsys ou Matsys ou Massys (Anvers, v. 1510-1562

1612 «Une halte dans la fuite en Egypte» (b. 63 × 112). Les paysages de c
fils de Quentin Metsys proviennent de ceux de Patinir. Cependant,
emploie ici des tons foncés dans la gamme des bruns. Les formes son
dissoutes et spongieuses, si bien que la composition offre un caractèr
fantastique.

METSYS, Jean Metsys ou Matsys ou Massys (Anvers, v. 1509- av
1575). Cet autre fils de Quentin Metsys suit les modèles de son père, tou
en les adaptant aux nouveaux goûts italianisants du XVIe s.

1561 «Le Sauveur» (b. 44 × 35). Signé: Quentin Metsys, 1529. Voir n.º 1562.

1562 «La Vierge Marie» (b. 44 × 35). Ces 2 planches vont de pair. Bie
qu'elles soient signées de Quentin, la critique les a attribuées à son fil
Jean et d'autres historiens, à Marinus van Reymerswaele. On admire leu
qualité excellente, ainsi que la finesse de leur dessin et de leur coloris

2207 «La charité» (voir Lombard).

METSYS, Quentin Metsys ou Matsys ou Massys (Louvain, 1466-Anver
1530). De la dernière génération des primitifs flamands. Tout en ayan
peint au XVIe s., il ne fut pas romaniste, mais resta fidèle au style flaman
traditionnel. Il s'inspira clairement de Léonard de Vinci et s'efforça surtou
de rendre ses figures expressives. Avec Patinir, il fut l'un des premier
à chercher le moyen de faire du paysage un genre indépendant.

1615 Voir Patinir et Quentin Metsys.

2801 «Le Christ est présenté au peuple» (b. 160 × 120). Le chef-d'oeuvre d

v. 1515 date de sa maturité. On y observe non seulement le goût flamand pour la richesse des étoffes et la parfaite représentation des qualités de la matière, mais encore la décoration renaissance du fond. Voyant la scène d'en bas, on y participe comme si l'on se trouvait au milieu de la foule. A noter la splendide série de têtes de bourreaux aux traits caricaturaux.

74 **«Une vieille s'arrachant les cheveux»** (b. 55 × 40). C'est peut-être une allégorie de la colère ou de l'envie, qu'on a coutume de représenter sous la forme d'une vieille femme aux traits déformés et expressifs.

**MEULEN, Adam-François van der Meulen** (Bruxelles, v. 1632-Paris, 1690). Peintre de batailles et disciple de Snayers. Se mit au service de Louis XIV et fournit des modèles pour les tapisseries des Gobelins.

49 **«Un Général revenant de campagne»** (t. 69 × 80). Signé et daté de 1660.

63 **«Choc de cavalerie»** (t. 86 × 121). Signé et daté de 1657.

1557. Memling. La Nativité.

3209. Mostaert. Jeune chevalier.

**MEULENER, Peter Meulener ou Molenaer** (Anvers, 1602-1654). Spécialiste en batailles. Il y imite Snayers, mais ses vues sont moins panoramiques et ses couleurs, plus pâles.

65 **«Défense d'un convoi»** (t. 52 × 79).

66 **«Combat de cavalerie»** (b. 52 × 79). Signé et daté de 1644.

27 **«Charge de cavalerie»** (c. 25 × 32). Voir n.º 2528.

28 **«Escarmouche de cavalerie»** (c. 25 × 32). On avait attribué ce tableau et le précédent à Courtois. Mais le Catalogue actuel de peinture flamande du Musée les restitue à Meulener. Ils sont signés P. M.

**MICHAU, Théobald Michau** (Tournai, 1676-Anvers, 1765). Disciple de Bruegel de Velours, qu'il imite, mais avec une facture plus souple et picturale.

67 **«Rivière avec des gens et du bétail»** (b. 29 × 40).

68 **«Fermes d'un hameau près d'une rivière»** (b. 29 × 40).

**MIEL, Jean Miel** (Beveren-Waas, 1599-Turin, 1663). Peintre de scènes de genre en plein air. A travaillé surtout à Rome, où il fut ami de van Laer. A fait aussi des paysages et des portraits.

69 **«Joueur de guitare»** (t. 67 × 50).

70 **«Le gouter»** (t. 49 × 68). Typique de sa manière de composer, avec dans le fond des murs très simples en diagonale.

71 **«Cabane avec ses habitants»** (t. 49 × 49).

72 **«Halte de chasseurs»** (t. 50 × 67). Suit son schéma caractéristique, tout en allégeant la diagonale du fond avec un arbuste effeuillé, qu'il reprend souvent. L'exécution est très simplifiée, sans s'arrêter aux détails.

73 **«Scènes populaires»** (t. 50 × 65). On a donné le nom de «bambochades» à ces scènes de genre, qui furent en général peintes à Rome par des Flamands ou des Hollandais. Le créateur de ce genre avait été van Laer, qu'on avait surnommé «le Bamboche» en raison du caractère burlesque et désinvolte de ses thèmes.

74 **«Paysage avec des bergers»** (t. 43 × 37).

1575 «**Conversation en chemin**» (t. 48 × 37).
1577 «**Le carnaval de Rome**» (t. 68 × 50). Signé et daté de 1653.
**MINDERHOUT, Henri van Minderhout** (Rotterdam, 1632-Anv[
1696). Paysagiste hollandais, qui a vécu en Belgique.
2104 «**Débarquement**» (t. 70 × 167). Signé et daté de 1668.
2105 «**Embarquement pour une fête**» (t. 70 × 167). Daté et signé de 16[
**MIROU, Antoine Mirou** (Anvers, 1570-? ap. 1661). Paysagiste.
1579 «**Paysage avec l'histoire d'Abraham et d'Agar**» (c. 52 × 43). Sig[
Exécution délicate et clair penchant pour le pittoresque.
**MOL, Pierre van Mol** (Anvers, 1599-Paris, 1650). Disciple de Rube[
mais son exécution est plus lourde et son éclairage, plus contrasté.
1937 «**Saint Marc**» (b. 64 × 49).
1938 «**Saint Jean l'évangéliste**» (b. 61 × 49).
**MOLENAER.** Voir Meulener.
**MOMPER, Jan de Momper.** Peintre de paysages avec des figures. [
ignore pratiquement tout de sa vie.
1586 «**Chasse au cerf**» (t. 70 × 130). Va de pair avec le n.º suivant.
1587 «**Chasse au sanglier**» (t. 70 × 130). De facture rapide et négligée.
2077 «**Un môle**» (t. 91 × 134). Attribué jadis à B. G. Cuyp (Ecole hollandais[
**MOMPER, Joost de Momper** (Anvers, 1564-1635). Paysagiste, qui s'[
formé auprès de son père, également peintre. Part de schémas traditic
nels du XVIe s. et est fort influencé par Bruegel de Velours. Mais s[
style évolue vers une conception plus personnelle du paysage, parf[
majestueux et teint de romantisme.
1440 «**La vie à la campagne**» (t. 165 × 165). Attribué jadis à Bruegel
Velours. Suit des schémas de Bruegel l'Ancien.
1443 «**Marché et lavoir en Flandre**» (t. 166 × 194). Attribué à Bruegel
Velours. Le Catalogue actuel de peinture flamande du Prado le considè
comme étant de Momper.
1588 «**Paysage avec des patineurs**» (b. 58 × 88). Le paysage correspond d[
tout à fait au style de Momper. Il nous montre sa facture typique, où [
formes sont rehaussées par des touches claires, droites et menues.
1589 «**Paysage**» (b. 58 × 84). On suppose que les figures sont de Bruegel [
Velours.
1590 «**Une ferme**» (b. 42 × 68). Le vaste paysage, formé par des plans
croisant en diagonale, est bien typique de son style.
1592 «**Paysage de mer et de montagnes**» (t. 174 × 256). Une des oeuvres [
plus personnelles de l'artiste, avec de majestueuses montagnes aux form[
quelque peu fantastiques et des lointains nébuleux.
2817 «**Passage d'une rivière**» (b. 57 × 84). Figure attribuée à Bruegel
Jeune.
**MOMPER et Bruegel de Velours.**
1428 «**Excursion champêtre d'Isabelle-Claire-Eugénie**» (t. 176 × 237).
1429 «**L'Infante Isabelle-Claire-Eugénie au Parc de Mariemont**» (t. 76 × 23[
1591 «**Paysage**» (b. 42 × 68).
**MORO, Anton Mor van Dashorst, dit Antonio Moro** (Utrecht, 151[
Anvers, 1576). Disciple de Jan van Scorel, s'est spécialisé à tel poi[
dans le portrait qu'il est parvenu à être un des plus célèbres portraitis[
de son temps. Protégé par le cardinal Granvelle et le duc d'Albe, Gouve[
neurs des Pays-Bas, il a été peintre de la cour de la régente Marie [
Hongrie et, par elle, de son neveu Philippe II. Il gagna à Madrid l'amitié
la confiance du monarque, mais ne resta que peu de temps en Espagn[
sans doute par crainte de l'Inquisition, en raison de sa sympathie à l'éga[
des protestants. Comme il ne peignait que des membres de la famil[
royale ou de l'aristocratie, ses compositions sont toujours élégantes, ser[
nes et majestueuses. Sous l'influence de Titien, il fait l'étude psycholo[
que de ses personnages. En Italie, il a dû connaître les oeuvres de Bro[
zino et d'autres portraitistes fameux. Il donne beaucoup d'importance a[
éléments qui contribuent à mettre en valeur le pouvoir, l'autorité ou [
richesse de ses modèles, tels que vêtements ou bijoux, qu'il soigne par[
culièrement. Il rend leurs visages plus expressifs en concentrant leur [
ractère dans la mimique de leur bouche ou leur regard hautain. Son [
vre permet de comprendre l'évolution du portrait de cour en Espag[
depuis la fin du XVIe s. jusqu'à l'apparition de Vélasquez. Le Prado co[
serve certaines de ses meilleures peintures, qui proviennent de la colle[
tion royale.
2107 «**Pejerón, bouffon du comte de Benavente et du duc d'Albe**» (
181 × 92). Identifié dans les anciens inventaires royaux sous le nom [

«Pejerón, fou du comte de Benavente». Ses contemporains racontent que c'était «un homme drôle et affable, qui n'offensait personne». C'est peut-être le 1er portrait de bouffon dans l'histoire de la peinture.

2108 **«La reine Marie d'Angleterre, deuxième femme de Philippe II»** (b. 109 × 84). Signé et daté de 1554. Fille d'Henri VIII et de Catherine d'Aragon, elle naquit en 1516, se maria avec Philippe II en 1554 et mourut 4 ans après. C'est un des chefs-d'oeuvre de Moro qui retient l'intérêt en raison de sa perfection technique et de l'étude psychologique de la reine.

2109 **«Catherine d'Autriche, femme de Jean III de Portugal»** (b. 107 × 84). Fille de Philippe le Beau et de Jeanne la Folle, soeur de Charles Quint, elle épousa en 1525 le roi de Portugal Jean III.

2110 **«L'impératrice Marie d'Autriche, femme de Maximilien II»** (t. 181 × 90). Signé et daté de 1551. Fille de Charles Quint, elle naquit en 1528 et mourut en 1603. En 1548, elle s'était mariée avec l'empereur Maximilien II.

2111 **«L'empereur Maximilien II»** (t. 184 × 100). Signé et daté de 1550. Fils de Ferdinand Ier, roi des Romains, il naquit à Vienne en 1527. Cette toile va de pair avec la précédente.

2112 **«Jeanne d'Autriche, mère du roi Sébastien de Portugal»** (t. 195 × 104). Fille de Charles Quint, elle naquit en 1535. Elle épousa en 1552 Don Juan, prince du Brésil, et mourut en 1573. Elle avait fondé à Madrid le couvent des «Descalzas Reales», où elle a été enterrée. Ce portrait donne une idée de l'austérité de la cour d'Espagne au XVIe s.

2113 **«La dame au petit bijou»** (b. 107 × 83). Ce portrait a été acheté à Naples par Charles III. On n'a pas réussi à identifier cette dame: les uns y voyaient l'impératrice Isabelle, femme de Charles Quint; les autres, Marie de Portugal, fiancée de Philippe II.

2114 **«Metgen, femme du peintre»** (b. 100 × 80). On y a reconnu la femme d'Antonio Moro.

2115 **«La duchesse de Feria (?)»** (t. 95 × 76). Fille de Sir William Dormer, née en 1538. Amie de Marie Tudor.

2116 **«Dame avec une croix au cou»** (t. 94 × 76). Identifiée sans fondement à Marguerite Harrington, fille du baron d'Extor et femme de Benito Cisneros.

2117 **«Marie de Portugal, femme d'Alexandre Farnèse»** (b. 39 × 15). Fille d'Edouard, frère de Jean III de Portugal, elle naquit à Lisbonne en 1538. Elle se maria avec Alexandre Farnèse, gouverneur des Pays-Bas et capitaine de l'Armada de Philippe II.

117 bis **«Marguerite de Parme»** (b. 39 × 15). Fille de Charles Quint et de Jeanne van der Gheyst, elle naquit en 1521 et fut la mère d'Alexandre Farnèse.

2118 **«Philippe II»** (b. 41 × 31). Portrait de jeunesse du roi, qui servit de modèle à Moro pour d'autres tableaux, qu'on conserve à l'Escorial et à Vienne.

2119 **«La dame aux chaînes en or»** (t. 112 × 97).

880 **«Portrait de dame»** (t. 96 × 76).

**MORO. Copies par Bartolomé González.**

141 **«La reine Anne d'Autriche, quatrième femme de Philippe II»** (t. 107 × 86). Fille de Maximilien II et de l'impératrice Marie, elle épousa en 1570 son oncle Philippe II. Copie d'un portrait de Moro, conservé au Musée de Vienne.

143 **«Chevalier de l'Ordre de Saint-Jacques»** (b. 41 × 30). Copie du portrait de Moro, daté de 1558 et conservé au Musée de Budapest.

**MORO, Disciple d'Antonio Moro.**

516 **«Chevalier de 48 ans»** (b. 75 × 31).

517 **«Dame de 35 ans»** (b. 72 × 56). Va de pair avec le précédent. Furent attribués l'un comme l'autre à Franz Floris de Vriendt.

881 **«Portrait de dame»** (t. 96 × 75).

**MOSTAERT, Jan Mostaert** (Haarlem, v. 1475-1555/56).

209 **«Portrait de jeune chevalier»** (b. 53 × 37). A un gant à la main droite et un anneau à la main gauche. Pendant un certain temps, on a pensé que c'était un portrait de Charles Quint. C'est peut-être bien un portrait de fiançailles, mais les traits n'en sont pas ceux de l'empereur.

**NEEFS, Louis Neefs** (Anvers, 1617-ap. 1648). Peintre d'intérieurs. Frère de Neefs l'Ancien.

98 **«Intérieur d'église»** (b. 28 × 25). Signé et daté de 1646. Les figures sont de Frans III Franck.

**NEEFS, Pierre Ier Neefs l'Ancien** (Anvers, v. 1578-v. 1656/61). Peintre d'intérieurs architectoniques, notamment d'églises de style gothique à 3 nefs. Il maîtrise parfaitement la perspective et soigne très bien l'éclairage. Il collabore d'habitude avec Frans Franck le Jeune, qui peint les figures.

1599 «Intérieur d'une église flamande» (b. 84 × 72). Oeuvre douteuse.

1600 «Le viatique à l'intérieur de l'église» (b. 51 × 80). Signé et daté de 1636. Les figures sont de Franck le Jeune.

1601 Voir Pierre Neefs le Jeune.

1602 «Intérieur d'église et vénération de reliques» (b. 27 × 39). Il recourt souvent au contraste de lumières, grâce auquel il réussit à envelopper ses strictes perspectives dans un certain mystère.

1605 «Eglise de Flandre» (b. 58 × 98). Signé et daté de 1618.

2726 «Intérieur de la cathédrale d'Anvers» (b. 38 × 63). Signé par Neefs et par Franck, qui a fait les figures. Va de pair avec le n.º 2727.

2727 «Intérieur de la cathédrale d'Anvers» (b. 39 × 63). Signé.

NEEFS, Pierre II Neefs le Jeune (Anvers, 1620-1675). Suit le style de son père Neefs l'Ancien, dont il se distingue à peine.

1601 «Intérieur de la cathédrale d'Anvers» (b. 31 × 44). Signé.

NEUFCHATEL, Nicolas de Neufchâtel, dit Lucidel (Mons, 1577-Nuremberg, v. 1600).

1957 «Une dame portant un petit chien» (b. 77 × 57).

OOSTSANEN, Jacob Cornelis van Oostsanen (Oostsanen, v. 1470-Amsterdam, 1533).

2697 «Saint Jérôme» (b. 48 × 43). Ce maniériste hollandais est sans doute le premier peintre important de l'école d'Amsterdam. On y décèle l'influence de Dürer, qui envahit la peinture hollandaise dès le début du XVIe s. Mais il l'interprète d'une manière provinciale et avec un sens écrasant de l'espace. A noter le modelé énergique de la tête du saint en méditation.

ORIZZONTE. Voir Bloemen, Jan Frans.

ORLEY, Bernard van Orley (Bruxelles, v. 1491-1542). Peintre de la cour à Bruxelles et Anvers. Dans la ligne des rénovateurs de la peinture flamande, il introduit aux Pays-Bas le style Renaissance. Il n'a jamais dû aller en Italie, mais il a certes connu des gravures des maîtres italiens et les fameux cartons de Raphaël pour les tapisseries du Vatican, qui ont été tissées en Flandre en 1517. Son oeuvre raffinée et décorative a plu au milieu de la cour pour lequel il travaillait.

1920 «La Vierge allaitant l'Enfant Jésus» (b. 54 × 30). Oeuvre importante, dont on conserve de nombreuses copies et qui provient de l'Escorial.

1932 «La Vierge à l'Enfant» (b. 98 × 71). Peinte vers 1516. Composition délicate et harmonieuse, où l'on remarque un léger estompage des figures

1932. Orley. La Vierge à l'Enfant.     2692. Orley. La Sainte Famille

ainsi qu'une grande précision dans les draperies, les objets et les architectures. Très beau paysage, conforme à la tradition nordique la plus pure

2692 «La Sainte Famille» (b. 90 × 74). Signé et daté de 1522. Un des tableaux

les plus significatifs de son style. La Vierge et l'Enfant sont repris à Raphaël, mais les figures et les objets sont traités avec le souci bien flamand du
détail. La tapisserie, la couronne et les fleurs semblent même faites par des
maîtres du XVᵉ s.

**ORLEY. Copie de B. van Orley.**

**25** «**La Vierge de Carandolet**» (b. 56 × 40). Copie d'un original fameux de
l'artiste. On a cru qu'elle avait été faite par Rubens.

**ORLEY. Disciple de B. van Orley.**

**34** «**La Vierge à l'Enfant, Hernán Gómez Dávila et saint François**» (b.
60 × 78). Provient de la chapelle funéraire de Gómez Dávila dans la Cathédrale d'Avila. Ce chevalier, maître d'hôtel et seigneur de Navamor-
cuende, mourut au combat de Gueldres en 1511.

**PALAMÈDE. Voir Lamen.**

1614. Patinir. Paysage avec Saint Jérôme.

**PATINIR, Henri.** Voir Metsys, Corneille.
**PATINIR, Joachim Patinir** (Bouvignes, v. 1480-Anvers, 1524). Les
merveilleux paysages de fond des maîtres flamands du XVᵉ s. deviennent
les protagonistes chez Patinir. Il fut le premier à renverser le rapport
figure-paysage, en accordant plus d'importance à ce dernier et en reléguant
scènes et figures au second plan. Celles-ci paraissent se perdre dans l'im-
mensité de sa vision de la nature. C'est ainsi qu'il a créé un genre artistique, qui deviendrait indépendant par après. Dans ses paysages, qui sont
pris de haut, on distingue des masses de végétation, des bois, des plaines
vertes et tranquilles, des collines, des vallées et des formations rocheuses
fantastiques, des lacs et des rivières, des architectures réelles, des cabanes
et des fermes, à côté d'immenses édifications sorties de son imagination.
C'est grâce à cette riche diversité d'éléments que ses paysages arrivent à
nous donner une vue complète de la nature, toujours calme et ombreuse,
parfois mélancolique, ou encore sillonnée de jets de lumière qui font
ressortir tel ou tel point de la composition. En plaçant bien haut son
horizon et en employant habilement les couleurs —du brun au premier
plan, du vert au second et du bleu au fond— il obtient une impression de

distance et des effets panoramiques. Il a travaillé dans la riche ville d'A
vers et à collaboré avec ses paysages aux tableaux d'autres peintres, t
que Quentin Metsys, Joos van Cleve ou Isenbrandt.

1611 **«Halte au cours de la fuite en Egypte»** (b. 121 × 77). Le groupe form
par la Vierge et l'Enfant Jésus, dont le dessin et le coloris sont exqu
occupe le centre de la composition, mais le vaste paysage y est essenti
Le côté droit, qui nous montre les travaux des champs et les paysans a
village, est peut-être le plus intéressant. A gauche, l'Egypte est évoqu
par un groupe d'architectures fantastiques, des personnages vêtus à
mode orientale et des gens offrant des sacrifices à une idole. Saint Jose
s'approche, apportant une cruche de lait.

1614 **«Paysage avec saint Jérôme»** (b. 74 × 91). Signé. Un des paysages 
plus complets et les plus caractéristiques. A gauche, le saint médite deva
un crucifix, en compagnie du lion. Au fond s'étend un paysage désolé
rocheux avec une ville. A droite, une vaste plaine, près de l'embouchu
d'un fleuve, rappelle un vrai paysage des Pays-Bas. On aperçoit de peti
scènes secondaires, qui ont peut-être une portée symbolique, telles q
l'aveugle conduit par un enfant ou le lion s'attaquant à un paysan q
chemine avec son âne.

1616 **«Le passage du Styx»** (b. 64 × 103). C'est un chef-d'oeuvre célèb
L'ample paysage, qui se détache sur un ciel lumineux, est si beau qu'il vo
fait oublier le sujet du tableau, qui illustre, en les mêlant, les croyanc
chrétiennes et païennes sur ce qui se passe après la mort. A gauche 
trouve le paradis: 2 anges conduisent les sauvés vers la Jérusalem célest
des paons et des fleurs occupent le premier plan; les formes cristallines d
architectures célestes rappellent clairement les constructions de Bosch. A
centre, Charon, le nocher mythologique chargé de conduire les âmes 
enfer, fait passer le Styx à l'une d'elles dans sa barque. Sur la rive droite 
ce fleuve est situé l'enfer: la porte en est gardée par Cerbère, chien à 
têtes; les incendies qu'on y voit flamboyer et les tourments infligés a
âmes rappellent encore Bosch.

**PATINIR et Quentin Metsys.**

1615 **«Les tentations de saint Antoine abbé»** (b. 155 × 173). Signé. En p
gnant les figures, Metsys a collaboré avec Patinir qui a peint le paysage 
ce tableau. L'unité n'en est pas moins parfaite. Au centre, le saint est ten
par 3 belles femmes aux robes de luxe, tandis qu'un diable, déguisé 
singe, le tire par son habit. La vieille à gauche, représentant la caducité 
la beauté, est bien typique de Metsys. Il y a 2 autres scènes de tentatio
fondues dans l'admirable paysage, qui ressemble de nouveau à ceux 
pays natal de Patinir, avec une rivière, de petits villages, des moulins, d
paysans au travail dans les champs, etc. Son intérêt pour la lumière et 
changements atmosphériques aura de nettes répercussions sur les paysag
hollandais et flamands du XVIIe s.

**PATINIR. Disciple.**

1613 **«Halte au cours de la fuite en Egypte»** (b. 63 × 112). Le coloris a
tons foncés, ainsi que l'insistance sur les arbres et la végétation de tou
espèce, diffèrent des paysages bien ordonnés de Patinir.

**PEETERS, Bonaventure Peeters** (Anvers, 1614-Hoboken, 1652). Pei
tre de marines. Frère de Jean Peeters.

1618 **«Marine»** (b. 18 × 24).

**PEETERS, Claire Peeters** (Anvers, 1594-1659). Peintre de natures mo
tes, autodidacte et précoce. Elle excelle dans la représentation des obje
qu'elle a coutume de grouper, en vue d'assurer l'unité voulue à sa comp
sition, sur une table parallèle au plan du tableau et vue de haut.

1619 **«Nature morte»** (b. 51 × 71). Signé et daté de 1611.

1620 **«Table»** (b. 52 × 73). Signé et daté de 1611. Très représentatif de s
style exquis, de facture serrée, modelant durement les objets sur un fo
ombré. Elle remplit les espaces vides de petites fleurs, de friandises, e
Aussi naïf qu'il soit, ce stratagème ne manque pas de charme. Elle dessi
son propre reflet sur les métaux.

1621 **«Table»** (b. 50 × 72). Signé et daté de 1611.

1622 **«Table»** (b. 55 × 73). Signé. L'usage de tons homogènes, tendant à 
monochromie, fait penser qu'elle aurait pu avoir l'un ou l'autre rappo
avec l'école hollandaise de Haarlem.

**PEETERS, Jean Peeters** (Anvers, 1624-1677). Peintre de marines, to
comme ses frères Bonaventure et Gilles. A vécu en Hollande.

2128 **«Un port de mer»** (c. 70 × 86). Signé.

**POURBUS, Franz Pourbus** (Anvers, 1569-Paris, 1622). Portraitiste, q

1557. Hans Memling. L'Adoration des Rois mages.

a travaillé aux cours de Bruxelles, de Mantoue et de Paris. Son style re
dans la tradition du XVIe s.: il peint des portraits de cérémonie solenne

1624  **«Marie de Médicis»** (t. 225 × 115). Signé et daté de 1617. La rei
veuve d'Henri IV, était alors régente de France.

1625  **«Elisabeth de France, femme de Philippe IV»** (t. 193 × 107). On n'
pas sûr que ce soit elle, car elle devrait porter le deuil de sa belle-mè
morte en 1611.

1977  **«Elisabeth de France»** (t. 61 × 51). Cet excellent portrait témoigne de
beauté de la reine, qui était fort renommée. Elle porte sur la poitrine
diamant fameux, qui avait été acheté par Philippe II.

1624. Pourbus. Marie de Médicis.

2293  Voir Breenbergh, Bartholomeus (Ecole hollandaise).
**POURBUS. Copie par Charles Beaubrun.**

2233  **«Marie de Médicis»** (t. 108 × 88). Copie de l'original du Louvre.
**PREVOST, Jean Prévost** (Mons, v. 1465-Anvers, 1529).

1296  **«Zacharie»** (b. 123 × 45). Ce fut à l'origine un volet du polyptyque de
*Généalogie de la Vierge,* aujourd'hui perdu, inventorié jadis dans la colle
tion de Philippe II. Un autre de ses volets, mutilé, est conservé au Louvr
L'exécution de cette planche nous montre les caractéristiques du peintr
Il met sa figure parfaitement en place dans un espace fermé: un jard
cultivé avec soin, derrière le mur duquel s'étend un vaste et luminer
paysage. Le personnage accuse une certaine tension: ses mains fines
nerveuses sont ouvertes en signe d'étonnement et l'intensité de son e
pression est renforcée par la lumière. Au dos du volet, la figure en grisail
de saint Bernardin de Sienne simule une statue.
**QUELLINUS, Erasme Quellinus** (Anvers, 1607-1678). Formé chez sc
père, il semble avoir été ensuite disciple de Rubens avec qui il a collabo
plusieurs fois. A joui d'un grand prestige. A la mort de Rubens, il lui
succédé en tant que peintre de la ville d'Anvers.

1627  Voir Rubens.

1628  **«Le rapt d'Europe»** (t. 126 × 87). Signé. Peint pour la Torre de la P
rada, de même que les tableaux suivants. Tous ont été faits d'après de
esquisses de Rubens, qui a dirigé la décoration de l'ensemble. Leurs suje
sont empruntés aux *Métamorphoses* d'Ovide. L'esquisse de ce tableau e
conservée au Prado (n.º 2457).

29   «Bacchus et Ariane» (t. 180 × 95). Signé.

30   «La mort d'Eurydice» (t. 179 × 195). Signé.

31   «Jason avec la toison d'or» (t. 181 × 195). Signé.

32   «Cupidon naviguant sur un dauphin» (t. 98 × 98).

33   «Les harpies poursuivies par Zétès et Calais» (t. 98 × 99).

18   «L'Amour endormi» (t. 81 × 98). Faisait partie d'une composition ayant pour thème Psyché et l'Amour.

**REYMERSWAELE, Marinus Claeszoon van Reymerswaele** (Roemeswaele, v. 1497-? ap. 1567). A été un des créateurs des scènes de genre. Ce type de peinture atteindra son apogée dans l'école hollandaise du XVII<sup>e</sup> s. L'oeuvre de Marinus dépend de Quentin Metsys et de Gossaert, mais il est possible que, pour certains aspects techniques, elle ait été influencée par Dürer. On a dit que son dessin était agressif et expressionniste, frisant parfois la caricature.

00   «Saint Jérôme» (b. 75 × 101). Signé sur l'appuie-livres et daté de 1551. L'artiste a souvent repris ce sujet, où il s'inspire de l'original peint par Dürer à Anvers en 1521. Le saint y apparaît nerveux et expressif. Son énergie est concentrée sur l'expression de son visage et sur ses mains délicates aux doigts longs et pointus, qui montrent une tête de mort. La forte lumière fait ressortir la matière des objets, qui deviennent les protagonistes de la composition. Le livre ouvert est orné d'une miniature du Jugement dernier, sur lequel saint Jérôme médite. Les écrits de celui-ci sont empilés sur sa table et encombrent aussi ses étagères.

01   «La Vierge allaitant l'Enfant Jésus» (b. 61 × 46). Daté de 1511.

67   «Le changeur et sa femme» (b. 83 × 97). Signé et daté de 1539. Autre des scènes les plus reprises par Marinus, pour laquelle il s'inspire du tableau de Quentin Metsys se trouvant au Louvre. Révèle une fois de plus l'habileté avec laquelle l'artiste représente la matière et vous donne la sensation que les objets et les étoffes acquièrent une réalité tangible. Nous retrouvons ici les mains nerveuses et allongées des personnages, ainsi que l'intensité de leur expression.

53   «Saint Jérôme» (b. 80 × 108). Signé et daté de 1547. Réplique du n.º 2100.

**REYMERSWAELE. Disciple de Marinus van Reymerswaele.**

99   «Saint Jérôme» (b. 75 × 101). Copie de la version connue du maître.

**RIGOULTS.** Voir Thielen.

**ROMBOUTS, Théodore Rombouts** (Anvers, 1597-1637). A été en Italie, où il a été gagné par le courant du Caravage. A son retour en 1625, s'est laissé influencer par Rubens.

2567. van Reymerswaele. Le changeur et sa femme.

1588. Joost de Momper. Paysage avec des patineurs.

108. Antonio Moro. La reine Marie d'Angleterre, deuxième femme de Philippe II.

1635. Rombouts. L'arracheur de dents.

1635 «L'arracheur de dents» (t. 119 × 221). Très caractéristique du type c
peinture pratiqué par les caravagistes du Nord: des tableaux de genre, av
des demi-figures, présentées avec un éclairage ténébriste.

1636 «Joueurs de cartes» (t. 100 × 23).

**RUBENS, Pierre Paul Rubens** (Siegen, 1577-Anvers, 1640). A pas
son enfance à Cologne. A reçu sa formation artistique à Anvers, dans le
ateliers de Tobie Verhaecht, d'Adam van Noort et d'Othon van Vee
Une fois maître, est parti pour l'Italie, où il séjournera 8 ans (1600-160
au service du duc de Mantoue. De retour à Anvers, il fut nommé peint
des Archiducs. Ceux-ci l'estimaient tant qu'ils lui confièrent des missio
diplomatiques difficiles, comme celle de négocier la paix entre l'Espagne
l'Angleterre. Homme équilibré, optimiste, de vaste culture et de caractè
affable, il fut apprécié par tous ceux qui eurent l'occasion de l'approche
Ses contemporains ont laissé d'abondants témoignages sur sa cordialité, s
grandes qualités de causeur, ses profondes connaissances sur les sujets l
plus divers, la littérature classique en particulier, et son incroyable vitali
qui le rendait capable de traiter en même temps des affaires très disser
blables. Comme peintre, il eut du succès dans toute l'Europe: les princip
les cours de son époque lui ont commandé des tableaux. Nous nous fa
sons une idée de sa vie personnelle en voyant l'image radieuse que no
offrent les portraits de ses enfants et de ses 2 femmes, Isabelle Brandt
Hélène Fourment, qu'il aima profondément. Ses premières oeuvres n
diffèrent guère de celles du romanisme flamand. En Italie, il a peint peu c
chose, car il était avide d'apprendre. Il s'y est mis à dessiner et à copier l
grands maîtres, entrant ainsi en contact avec les courants qui inspiraie
l'art italien d'alors: le classicisme bolonais et le naturalisme caravagist
Sans s'inféoder à une tendance ou l'autre, il acquit là-bas une conceptio
héroïque de l'homme et de l'ampleur dans les formes. Ce sont ces not
qui, venant se greffer sur la sève vitaliste de l'art flamand, son attachem e
à la réalité et sa franche sensualité, ont produit chez lui une forme c
baroque tout à fait personnelle, qui était capable de satisfaire tous le
besoins de persuasion de l'Eglise de la contre-réforme et tous les désirs c
grandeur des monarques européens, grâce à un langage plastique d'un
éloquence irrésistible. Il était doué d'une facilité remarquable pour
composition: il assemblait le mouvement des personnages selon des ligne
de force, qui secouaient le tableau d'un bout à l'autre. Une techniqu
souple, un dessin énergique, des coups de pinceau longs et vibrants fa
saient palpiter de vie ces formes, auxquelles il conférait un relief spécial
coup de touches détachées, bien chargées de pâte. Artiste fécond, il prat
qua tous les genres: portrait, peinture religieuse, histoire, mytholog i
allégorie, paysage. Il leur communiqua la vie vigoureuse, les formes ex
bérantes et les couleurs exultantes bien à lui. Sa personnalité a marqué c
façon décisive l'art de son temps et banni toute timidité de la peintu
flamande. Il a fait vivre à celle-ci sa deuxième grande époque, comparab
au grand siècle des primitifs par l'importance de ses apports.

1543 Voir école de Rubens.

1627 «L'Immaculée Conception» (t. 198 × 124). Attribuée jadis à Quellinu
Malgré les documents en sa faveur, l'identification en était difficile, du fa
qu'on en avait transformé le dessus (à l'origine, elle était surmontée d'u
arcade en plein cintre) et qu'on l'avait fort repeinte. Du reste, ces reto

ches sont faites avec une telle sûreté de main qu'on a même pensé que Vélasquez en était l'auteur. Rubens remplace ici l'attitude traditionnelle de recueillement de la Vierge par un pose plus dynamique: elle esquisse un geste d'accueil avec les mains et un mouvement du corps sur lui-même. Cette toile fut commandée en 1628.

38 **«L'Adoration des mages»** (t. 346 × 438). Daté de 1610. Tableau offert par la Mairie d'Anvers à Rodrigo Calderón. En 1628, lors de son deuxième séjour en Espagne, Rubens l'a complètement repeint et lui a ajouté de nouvelles bandes de toile dans le haut et à droite. Son état primitif a ainsi fait place à un style plus mûr, coulant et pictural. La composition, d'abord enfermée entre les parenthèses que formaient la figure de la Vierge et les serviteurs à demi nus du premier plan, a ensuite été ouverte par Rubens, de manière que le tableau entier fût traversé d'une diagonale partant de l'angle supérieur droit, le long de laquelle les personnages se succèdent comme en cascade, pour faire porter l'attention sur la Vierge et l'Enfant Jésus placés à l'extrême opposé. L'effet d'ensemble est éblouissant. Rubens a sûrement appris de Véronèse la façon de déployer au maximum les virtualités décoratives du sujet. D'où cette opulente cérémonie, où scintillent soies, brocarts et bijoux exhibés par les rois mages au port superbe et les nombreux membres de leur suite.

39 **«La Sainte Famille avec sainte Anne»** (t. 115 × 90). Date de 1626/30.

40 **«Repos, en compagnie de saints, au cours de la Fuite en Egypte»** (b. 87 × 125). Date de 1632/35. Oeuvre de maturité, que Rubens gardait chez lui. Il y reprend des modèles et des attitudes du *Jardin d'amour*. Comme si souvent, la Vierge a les traits d'Hélène Fourment, sa seconde femme.

42 Voir Antoine van Dyck.

43 **«Le diner d'Emmaüs»** (t. 143 × 156). Date de 1635/38.

44 **«Saint Georges»** (t. 304 × 256). Date de v. 1606. Tableau de son époque

1639. Rubens. La Sainte Famille.　　　　1644. Rubens. Saint Georges.

italienne: a la facture de son 1er style, lisse et émaillée, rehaussée de grosses touches, faisant vibrer la surface. Noter le modelé serré, l'intensité des couleurs à certains endroits et la très jolie décoration de l'armure du saint (son casque est copié d'un portrait de Léonard). Cette composition est déjà tout à fait baroque. La tension de la lutte y est exprimée par le choc des diagonales et le jeu des attitudes opposées. Ce vieux thème médiéval, sujet favori de la peinture italienne, trouve ici son interprète le plus passionné.

45 Voir Rubens et Jan Wildens.

46 **«Saint Pierre»** (b. 108 × 84). Premier apôtre du groupe des 12 (aujourd'hui incomplet, car il y manque le Sauveur), que Rubens a peints pour le duc de Lerma, on ne sait trop quand. C'est encore sa technique de jeunesse: surfaces très polies et rehaussées par de grosses touches, modelé ferme et importance donnée aux couleurs locales. A côté de types d'apôtres plus traditionnels, quelques-uns trahissent une forte personnalité.

47 **«Saint Jean l'évangéliste»** (b. 108 × 84). Voir n.º 1646.

48 **«Saint Jacques le Majeur»** (b. 108 × 84). Un des apôtres les plus vigou-

1616. Joachim Patinir. Le passage du Styx.

1638. Pierre Paul Rubens. L'Adoration des Mages.

reux de la série. Il a une attitude vaillante et un visage très personne
animé par un regard vif et pénétrant. Voir n.º 1646.

1649 «Saint André» (b. 108 × 84). Voir n.º 1646.

1650 «Saint Philippe» (b. 108 × 84). Voir n.º 1646.

1651 «Saint Jacques le Mineur» (b. 108 × 84). Voir n.º 1646.

1652 «Saint Barthélemy» (b. 108 × 84). Voir n.º 1646.

1653 «Saint Matthias» (b. 108 × 84). Voir n.º 1646.

1654 «Saint Thomas» (b. 108 × 84). Ce vieillard, recevant la lumière sur
tête et sa magnifique barbe, se distingue dans la série. Voir n.º 1646.

1655 «Saint Simon» (b. 108 × 84). Voir n.º 1646.

1656 «Saint Matthieu» (b. 108 × 84). Ce modèle est souvent utilisé par R
bens. Voir n.º 1646.

1657 «Saint Paul» (b. 108 × 84). Ce modèle est aussi repris ailleurs. L'Apôt
tranche sur les autres par son visage énergique, encadré d'une chevelu
pittoresque, et surtout par son regard profond, qui se fixe sur le spectate
avec un air impérieux. Voir n.º 1646.

1658 «Le rapt de Déidamie» (t. 182 × 290). Date de 1636/38. Peint pour
Torre de la Parada, pavillon de chasse que Philippe IV avait fait construi
au Pardo. Sa décoration était une entreprise ambitieuse, à laquelle le r
s'intéressait beaucoup et qu'il a lui-même surveillée de près. Il avait char
Rubens d'en superviser l'ensemble. Celui-ci a peint lui-même un bo
nombre de toiles et a fourni des esquisses pour celles que devaient pei
dre ses disciples. Vélasquez y a aussi participé en peignant les portraits
chasseurs et certaines mythologies. Le programme comportait des suje
de chasse et des thèmes mythologiques, empruntés aux *Métamorphos*
d'Ovide. Ces derniers constituent une illustration du texte classique, d'un
envergure sans précédents. Rubens a travaillé sans trêve à cette oeuv
durant les dernières années de sa vie, alors qu'il avait déjà la goutte, car
y était contraint par l'impatience du roi. Mais, à sa mort, elle resta inach
vée. Ce tableau-ci est bien représentatif de l'esthétique de l'entreprise. 
violence baroque y atteint son paroxysme. En effet, la scène représente
moment où la tension est à son comble, lorsque Thésée arrache Déidam
aux bras du Centaure. Les poses des personnages sont enchaînées de te
sorte que chaque mouvement semble dériver du précédent et provoqu
le suivant; d'où leur formidable dynamisme.

1659 «Le rapt de Proserpine» (t. 180 × 270). Pour la Torre de la Parada (vo
n.º 1658). Proserpine est enlevée par Pluton, tandis que Minerve, Vén
et Diane cherchent à l'en empêcher. Ici encore, toutes les attitudes vise
à donner une impression générale de mouvement, et avec plein succè

1660 «Le festin de Térée» (t. 195 × 267). Voir n.º 1658. Philomèle et Proc
présentent à Térée la tête coupée de son fils, dont il venait de manger
chair sans le savoir. Contre son habitude, Rubens n'élude pas ici le c
ractère sinistre de l'épisode. Il l'a croqué à l'instant où la tension drama
que est la plus forte.

1662 «Atalante et Méléagre» (t. 160 × 260). Date d'av. 1636. Dans le
dernières années de sa vie, Rubens s'est senti spécialement attiré par
paysage. La forêt, dense et profonde, où la lumière pénètre à peine, e
ressentie par lui comme un organisme vivant, que ses pinceaux font vibr

1656. Rubens. Saint Matthieu.　　1670. Rubens. Les trois Grâces.

aussi fort que tout le reste. C'est une magnifique scène de chasse, où les personnages se précipitent vers le sanglier harcelé, qui se défend avec furie.

63 **«Persée et Andromède»** (t. 265 × 160). Cette toile, inachevée à la mort de Rubens, a été terminée par Jordaens. Le dragon étant mort, Persée se dispose à libérer Andromède, dont le visage reflète bien le soulagement. Un dialogue s'établit entre les yeux des 2 personnages, où l'habileté de Rubens réussit à exprimer la détente et le calme après le danger.

65 **«Diane et ses nymphes surprises par des satyres»** (t. 128 × 314). Wildens et Snayers y ont collaboré en en faisant respectivement le paysage et les animaux. Comme souvent, Rubens fait pencher vers la droite le poids de la composition, pour accélérer le mouvement. En effet, il tire ainsi parti du fait qu'on lit normalement le tableau de gauche à droite.

66 **«Nymphes et satyres»** (t. 136 × 175). Sujet fréquent chez Rubens, digne héritier de Titien. Il aime aussi évoquer une humanité heureuse, habitant une nature sereine, qui prodigue ses fruits, la fraîcheur de son eau et l'ombre accueillante de ses bois, à un âge d'or où les enfants peuvent jouer avec les fauves et les nymphes ne doivent pas fuir les satyres. Cette oeuvre, qui respire une sensualité tranquille, de même que d'autres toiles de cette époque (1635), pourrait être une allégorie de l'abondance.

67 **«Orphée et Eurydice»** (t. 194 × 245). Voir n.º 1658.

68 **«La création de la voie lactée»** (t. 181 × 244). Voir n.º 1658.

69 **«Le jugement de Pâris»** (b. 199 × 379). Date de v. 1639. Pâris doit donner la pomme d'or à celle des 3 déesses qu'il juge être la plus belle. Rubens a peint ce tableau pour Philippe IV, un an avant de mourir, alors qu'il avait la goutte, avec toute la sûreté technique de sa maturité.

70 **«Les trois Grâces»** (b. 221-181). Date de v. 1636 (?). Rubens a gardé chez lui ce tableau, célèbre à juste titre pour la délicatesse de son exécution, qui s'attarde avec une délectation évidente à décrire le peu transparente des 3 Grâces, à détailler les fleurs et les rideaux qui leur servent de dais et à brosser l'harmonieux paysage. Les Grâces ont cette beauté opulente qui plaît à Rubens; leurs silhouettes sont enlacées l'une à l'autre, suivant un jeu subtil de courbes et de contrecourbes anime leurs contours bien remplis, les faisant vibrer de vitalité. Cette scène lumineuse et joyeuse exprime parfaitement bien le sensualisme direct et sain du grand maître.

71 **«Diane et Callisto»** (t. 202 × 323). Les nymphes révèlent à Diane que Callisto est enceinte. Cette toile baigne dans la même atmosphère chaude que d'autres compositions mûres de Rubens. L'exécution en est très soignée. Une lumière dorée en harmonise toute la composition.

73 **«Mercure et Argos»** (t. 179 × 297). Voir n.º 1658. Mercure s'apprête à tuer Argos, gardien d'Io, transformée en génisse.

74 **«La Fortune»** (t. 179 × 95). Voir n.º 1658.

76 **«Vulcain»** (t. 181 × 97). Voir n.º 1658.

77 **«Mercure»** (t. 180 × 69). Voir n.º 1658.

78 **«Saturne»** (t. 180 × 87). Voir n.º 1658. Saturne dévore son fils; Rubens est ici bien explicite et force la note de la cruauté; il réalise ainsi une des versions les plus dramatiques de cette histoire, qui, sans l'ombre d'un doute, a dû impressionner Goya.

79 **«Le rapt de Ganimède»** (t. 181 × 87). Voir n.º 1658.

80 **«Héraclite»** (t. 181 × 63). Voir n.º 1658.

81 **«Un Satyre»** (t. 181 × 64). Voir n.º 1658. Confondu jadis avec Démocrite.

82 **«Démocrite»** (t. 179 × 66). Voir n.º 1658.

85 **«Marie de Médicis»** (t. 130 × 108). Date d'av. 1622. Portrait inachevé, qui devait sans doute servir de modèle pour la série allégorique que la reine de France avait commandée à Rubens sur sa propre vie. Le peintre la connaissait bien; elle, l'admirait et l'estimait. Cette connaissance transparaît dans la forte personnalité qui ressort du portrait.

86 **«Philippe II à cheval»** (t. 314 × 228). Portrait allégorique, pour lequel Rubens utilise comme modèles les portraits du roi peints par Titien.

87 **«Le Cardinal infant»** (t. 335 × 258). Portrait commémorant la bataille de Nördlingen (1634), surmonté de la personnification de la Renommée et de l'aigle de la maison d'Autriche.

88 **«Thomas More»** (b. 105 × 73). Copie avec des variantes du portrait de Thomas More par Holbein, inclus aujourd'hui dans la collection Frick.

89 **«Anne d'Autriche»** (t. 129 × 106). Date de v. 1622. Fille de Philippe III, elle avait épousé Louis XIII de France.

1690. Pierre Paul Rubens. Le Jardin d'amour.

1800. David Téniers. Le vieux et la servante.

1690 **«Le Jardin d'amour»** (t. 198 × 283). Date de v. 1633. On a enco
intitulé ce tableau: *Conversation à la mode, La soirée, L'école de l'amour* ou *
Jardin des charmes.* A l'époque, on y a vu la famille de Rubens lui-mêm
qui a fait d'autres versions de ce thème. On l'a beaucoup admiré. Philip
IV l'a mis dans sa chambre à coucher. Il s'agit sans doute d'une allégorie
l'amour conjugal. La scène se déroule dans un jardin, près du porche d'u
maison, qui est la transposition idéalisée de celle de Rubens. A droite, u
fontaine représente Junon, déesse protectrice du mariage. Quelqu
Amours volent avec des symboles d'amour (les flèches, les fleurs du plais
la torche d'Hyménée, les colombes de la fécondité et le joug du mariage
tandis que d'autres encouragent résolument les couples. Le groupe
centre a été interprété de différentes façons: dans d'autres versions,
composition, un peu distincte, montre bien qu'il s'agit d'un châtiment
Cupidon, qui est frappé par une dame à coups d'éventail; mais la versic
du Prado est plus ambiguë. En tout cas, il y a sûrement là un homma
rendu à Hélène Fourment, dont toutes les femmes reproduisent plus
moins les traits. La technique révèle la plénitude du style mûr de l'artist
fait de touches souples et vibrantes. Une dense atmosphère dorée inon
la scène, unifiant ainsi les couleurs. Une fois de plus, Rubens a hérité
Titien son hédonisme vital, qui transforme la peinture en une invitatic
aux sens.

1691 **«Danse de villageois»** (b. 73 × 106). Date de v. 1630. C'est l'un des pl
beaux exemples de l'habileté avec laquelle Rubens relie sa composition
moyen d'une ligne continue, dont le mouvement secoue toute la scène. C
sujet, qui est courant dans la peinture flamande, est ici rempli de sugge
tions italiennes dans le paysage et l'habillement des figures. Certains d
tails semblent même insinuer l'un ou l'autre sens allégorique au-delà de
pure anecdote de la danse.

1692 **«Adam et Eve»** (t. 237 × 184). Date de 1628/29. Copie de l'original
Titien, conservé au Prado (n.º 429).

1693 **«Le rapt d'Europe»** (t. 181 × 200). Date de v. 1628. Copie de l'origin
de Titien ayant appartenu à Philippe II. Rubens a fait cette copie et
précédente lors de son 2ème séjour en Espagne. Elles témoignent de sc
intérêt à l'égard du maître vénitien, qui restera bien évident dans toute
production postérieure.

1695 **«Sainte Claire parmi les docteurs de l'Eglise»** (b. 65 × 68). Fait part
d'un ensemble de modèles (avec les nums. 1696 à 1700) pour des tapiss
ries, qui avaient été confiées à Rubens par Isabelle-Claire-Eugénie, sa
doute à titre d'ex-voto pour la victoire de Breda, sur le thème général: *
Triomphe de l'Eucharistie.* On conserve ces tapisseries au Couvent des De
calzas Reales à Madrid.

1696 **«Abraham offre la dîme à Melchisédec»** (b. 87 × 91). Voir n.º 169
Dans le pain et le vin apportés à Abraham par le prêtre Melchisédec,
tradition patristique a vu une figure de l'Eucharistie.

1697 **«Le Triomphe de l'Eucharistie sur l'hérésie»** (b. 68 × 91). Voir n
1695. Le temps et la vérité triomphent des hérétiques, parmi lesquels c
reconnaît Luther et Calvin.

1698 **«Le Triomphe de l'Eglise sur la furie, la discorde et la haine»** (l
86 × 91). Voir n.º 1695. Conçue comme un triomphe de Rome, c'est ur
des compositions les plus pompeuses de la série. Elle exprime parfait
ment bien l'esprit religieux de la contre-réforme.

1699 **«Le Triomphe de l'Eucharistie sur l'idolâtrie»** (b. 69 × 91). Voir n.º 169

1700 **«Le Triomphe de l'Amour divin»** (b. 87 × 91). Voir n.º 1695. Au
pieds de la Charité se trouve un pélican, qui, d'après la légende, nourr
ses petits de sa propre chair et est un symbole traditionnel de l'Eucharisti

1701-2 Voir copies de Rubens.

1703 **«La Vierge entourée de saints»** (c. 64 × 29). Date de v. 1628. Rédu
tion de la toile conservée au Musée d'Anvers. Rubens emprunte à
Renaissance le thème de la conversation sacrée et lui donne un sens ne
tement baroque en y faisant réellement dialoguer les personnages. I
composition se déroule en cascade, décrivant une large courbe qui relie
figures entre elles dans le cadre d'une mise en scène somptueuse.

1727 **«Diane chasseresse»** (t. 182 × 194). Date de v. 1620.

1731 **«Le jugement de Pâris»** (b. 91 × 114). Oeuvre de jeunesse, encore tr
maniériste.

2038-9 Voir copies de Rubens.

2040 **«Apollon et le serpent Python»** (t. 27 × 42). Esquisse pour le tableau
Corneille de Vos, destiné à la Torre de la Parada (Prado n.º 1861).

41 **«Deucalion et Pyrrha»** (b. 25 × 17). Esquisse pour le tableau de Jean Cossiers, destiné à la Torre de la Parada, mais disparu aujourd'hui.

42 **«Prométhée»** (b. 25 × 17). Esquisse pour le tableau de Jean Cossiers, destiné à la Torre de la Parada (Prado n.º 1464).

43 **«Héraclès et Cerbère»** (b. 28 × 31). Esquisse pour une toile, disparue aujourd'hui, de la Torre de la Parada.

44 **«Vertumne et Pomone»** (b. 26 × 38). Esquisse pour la Torre de la Parada.

54 **«L'éducation d'Achille»** (b. 110 × 80). Fait partie, avec les 2 tableaux suivants, d'une série de modèles pour des tapisseries, aujourd'hui dispersées, sur la vie d'Achille. Ces tableaux ont un encadrement architectonique, avec des cariatides représentant des personnages dont il est question dans l'histoire. Ici, Achille monte le centaure Chiron, chargé de l'éduquer.

55 **«Achille découvert par Ulysse et Lycodème»** (b. 107 × 142). Achille, déguisé en femme, est découvert quand il prend les armes qui lui sont offertes par Ulysse et Lycodème, déguisés en marchands. Voir n.º 2454.

56 **«La mort du consul Dèce»** (b. 99 × 138). Rubens s'inspire de *La bataille d'Anghiari* de Léonard, qu'il a copiée lors de son séjour en Italie. En dépit de sa densité, cette composition est claire: elle est parfaitement bien organisée suivant un jeu de diagonales croisées. Rubens, qui maîtrise toutes les ressources théâtrales, a choisi l'instant le plus dramatique.

1691. Rubens. Danse de villageois.

57 **«Le rapt d'Europe»** (b. 18 × 14). Esquisse pour le tableau de Quellinus, destiné à la Torre de la Parada (Prado n.º 1628).

58 **«La poursuite des harpies»** (b. 14 × 14). Esquisse pour le tableau attribué à Quellinus, destiné à la Torre de la Parada (Prado n.º 1633).

59 **«Céphale et Procris»** (b. 26 × 28). Esquisse pour une toile perdue de la Torre de la Parada.

60 Voir copies de Rubens.

61 **«La mort de Hyacinthe»** (b. 14 × 14). Esquisse pour une toile de la Torre de la Parada.

66 **«Briséis est rendue à Achille»** (b. 106 × 162). Voir n.º 2454.

11 Voir école de Rubens.

48 Voir atelier de Rubens.

37 **«Le duc de Lerma»** (t. 283 × 200). Signé. Date incomplète. Fait lors du 1er séjour de Rubens à Madrid (1603). Celui-ci y était venu en mission diplomatique, pour le compte du duc de Mantoue, au service duquel il se trouvait alors, afin d'accompagner l'envoi de tableaux et de cadeaux destinés au roi d'Espagne. Le duc de Lerma éprouva une grande admiration pour lui et tint à ce qu'il lui fasse son portrait. Ce tableau représente une grande innovation dans le schéma classique du portrait équestre. En effet,

175

2825. Roger van der Weyden. La descente de croix.

au lieu de placer le cheval de profil, il le situe face au spectateur, comme s'il allait s'avancer et fondre sur lui. La fine exécution, qui ne manque pas de préciosité pour représenter l'armure et l'habit du duc, affiche encore des traits maniéristes dans ce tableau dont la conception est déjà baroque.

**RUBENS et Jean Bruegel de Velours.**

18 **«Guirlande avec la Vierge et l'Enfant»** (t. 79 × 65). Date de 1614/18.

683 **«L'archiduc Albert»** (t. 112 × 173).

684 **«L'infante Isabelle-Claire-Eugénie»** (t. 102 × 173). Va de pair avec le n.º 1683.

**RUBENS et Antoine van Dyck.**

561 **«Achille découvert par Ulysse et Lycomède»** (t. 246 × 267). Date de v. 1618. Suivant sa coutume en cas de collaboration avec ses disciples, Rubens a fourni le dessin pour la composition et a complètement retouché le tableau, si bien qu'il s'avère difficile de distinguer le travail de chacun.

**RUBENS et Frans Snyders.**

20 **«Feston de fleurs et de fruits»** (t. 174 × 56).

564 **«Cérès et deux nymphes»** (t. 223 × 162).

572 **«Cérès et Pan»** (t. 177 × 279).

**RUBENS et Jan Wildens.**

545 **«Acte de dévotion de Rodolphe I<sup>er</sup> de Habsbourg»** (t. 198 × 283).

**RUBENS. Copies.**

701 **«Triomphe de l'Eucharistie sur les sciences, la philosophie et la nature»** (t. 86 × 91). Copie d'un original, conservé à Bruxelles, qui fait partie de la série de modèles pour tapisseries sur le *Triomphe de l'Eucharistie*.

702 **«Les quatre Evangélistes»** (t. 86 × 91). Comme le n.º 1701.

706 **«Démocrite»** (t. 119 × 47). Copie du n.º 1682.

708 **«Mercure»** (t. 108 × 49). Copie du n.º 1677.

709 **«Les quatre Evangélistes»** (b. 86 × 91). Copie du n.º 1702.

710 **«Héraclès en train de tuer l'hydre de Lerne»** (t. 117 × 49). Copie d'un original perdu de Rubens pour la Torre de la Parada.

711 **«Héraclès en train de tuer le dragon des Hespérides»** (t. 65 × 156). Copie d'un original perdu.

715 **«Andromède»** (t. 193 × 104). Copie de l'original du Musée de Berlin.

725 **«Diane chasseresse»** (t. 119 × 49). Copie d'un original perdu.

44-P **«Didon et Enée»** (t. 146 × 145). Copie d'un original perdu, par J. B. del Mazo.

38 **«Le géant Polyphème»** (b. 27 × 14). Copie d'un original de Cossiers, fait selon une esquisse de Rubens pour la Torre de la Parada.

39 **«Atlas soutenant le monde»** (b. 25 × 17). Copie d'une esquisse pour la Torre de la Parada, considérée jadis comme un original.

460 **«Le rapt de Déjanire»** (b. 18 × 13). Comme le n.º 2039.

**RUBENS. Atelier.**

575 **«Flore»** (t. 167 × 95).

48 **«La mort de Sénèque»** (b. 128 × 121).

**RUBENS. Ecole.**

43 **«Le jugement de Salomon»** (t. 184 × 217).

13 Voir Jordaens.

16 **«Eole»** (t. 140 × 126).

17 **«Vulcain»** (t. 140 × 126). Va de pair avec le n.º 1716.

18 Voir Quellinus.

25 **«Diane chasseresse»** (t. 119 × 49). Copie d'un original perdu.

11 **«Saint Augustin en train de méditer»** (t. 209 × 159).

**RYCKAERT, David Ryckaert** (Anvers, 1612-1661). Peintre de genre, qui excelle à représenter les natures mortes. Utilise une espèce d'éclairage nocturne, provenant de la peinture hollandaise.

30 **«L'alchimiste»** (b. 58 × 86).

**RYCKAERT, Martin Ryckaert** (Anvers, 1587-1631). Paysagiste, dans la ligne de Paul Brill. Formé en Italie.

02 **«Site accidenté et rocheux»** (c. 43 × 66).

**SAINT-SANG, Maître du Saint-Sang** (actif à Bruges au 1er tiers du XVI<sup>e</sup> s.). Nous connaissons ce maître anonyme, disciple de Quentin Metsys, grâce à un *Triptyque de la Pietà* qu'il a peint pour la chapelle de la Confrérie du Saint-Sang à Bruges. Celui-ci, joint à une autre série d'oeuvres de style analogue, nous aide à reconstituer sa personnalité artistique.

59 **«Triptyque de l'Ecce homo»** (b. panneau central: 109 × 89; volets: 109 × 39). Une de ses meilleures oeuvres, basée sur une planche de Quentin Metsys, conservée aujourd'hui au Palais des Doges à Venise.

Noter l'expressionnisme caractéristique de l'artiste, qui utilise un fort c
loris et un dessin précis. Il étudie à fond les têtes et les expressions d
figures, depuis les visages brutaux et caricaturaux des bourreaux jusqu'à
face délicate et sereine du Christ. Sur le volet gauche figure au 1er plan
donateur, parfait portrait d'un bourgeois de l'époque.

2494 **«Triptyque de l'Annonciation»** (b. panneau central: 39 × 33; vole
43 × 15). Au centre se trouve l'Annonciation; sur les côtés, saint Jérôr
et saint Jean-Baptiste, devant un fond de paysage. Bien qu'elle soit signé
ce n'est pas une oeuvre de 1ère qualité: elle présente des défauts indubi
bles quant aux proportions et quant à la disposition des figures dans l'e
pace. L'attribution aurait certes à en être révisée.

**SAINT-SANG. Style du Maître du Saint-Sang.**

2694 **«La Vierge et l'Enfant avec des anges musiciens»** (b. 121 × 87).

**SANDERS.** Voir Hemessen.

**SCOREL, Jan van Scorel** (Schoorl, 1495-Utrecht, 1562). C'est un d
artistes hollandais qui sont allés en Italie au début du XVIe s. Il a visi
Venise en 1519, puis s'est rendu en Terre sainte. En 1522, le pape Adrie
VI le nomma Conservateur des antiquités du Belvédère au Vatican. R
phaël l'avait été avant lui. Tout en suivant la tradition flamande, il conn
aussi les modèles italiens de Raphaël, de Michel-Ange et de quelqu
Vénitiens, tels que Giorgione et Palma le Vieux. Les contours de s
figures sont purs et bien définis, le volume en est clair et fort, mis en reli
par l'éclairage. Vers la fin de sa vie, il s'engage à fond dans le maniérism
ses compositions sont envahies par une foule de figures dramatiques et e
nus à la manière de Michel-Ange; il a complètement perdu l'équilibre
l'harmonie de ses premières années.

1515 **«Le Déluge universel»** (b. 109 × 178). Relève de sa période maniérist
Noter la clarté des formes et la minutie dans l'élaboration des détails, bie
typique des peintres du Nord.

2580 **«Un humaniste»** (b. 67 × 52). Portrait bien caractéristique: la figure
mi-corps occupe une partie de la composition, devant un fond de paysag
dont les éléments sont extrêmement délicats. L'éclairage est projeté sur
face du personnage afin d'en faire ressortir le volume et d'en renforc
l'expression.

**SEGHERS, Daniel Seghers, dit le Théatin** (Anvers, 1590-1661). Sp
cialiste en fleurs, dans la ligne de Bruegel de Velours, son maître, mais
introduit des nouveautés dans la composition. Il groupe les fleurs en gr
bouquets et relie ceux-ci entre eux à l'aide de branches de lierre ou e
feuilles épineuses. Il entoure ainsi un tableautin, où normalement quelqu'e
d'autre peint un motif religieux.

1905 **«Guirlande avec la Vierge et l'Enfant»** (t. 86 × 62). Les fleurs, tr
fraîches, où les boutons pullulent, sont bien typiques de Seghers. L
figures ont sans doute été faites par Schut ou Dipenbeek.

1906 **«Guirlande entourant la Vierge et l'Enfant»** (c. 88 × 67). Signé et da
de 1644. Les figures ont été faites par Schut le Vieux.

1907 **«Guirlande avec la Vierge et l'Enfant»** (b. 76 × 53). Les roses et l
tulipes sont les fleurs préférées de Seghers, qui aimait mieux peindre l
variétés poussant dans son pays. On suppose que les figures sont de Schu

**1906. D. Seghers. Guirlande.**   **1737. Snayers. Partie de chas**

08  «Guirlande entourant saint François-Xavier» (t. 109 × 80). Signé.
09  «Guirlande avec la Vierge, l'Enfant Jésus et saint Jean» (b. 76 × 60).
Les figures sont de Schut.
10  «Guirlande entourant la Vierge et l'Enfant» (c. 84 × 55).
11  «Guirlande de roses» (b. 39 × 65). Comme d'habitude, l'exécution est
délicate et minutieuse. On évite l'impression de groupes trop compacts en
les entourant de branches détachées dans des directions divergentes.
12  «Guirlande» (t. 93 × 70).
91  «Guirlande avec Jésus et sainte Thérèse» (t. 130 × 105). Attribué jadis
à Catherine Ykens, de même que le suivant.
94  «Guirlande de fleurs avec la Vierge, l'Enfant Jésus et saint Jean» (t.
130 × 105). Voir n.º 1991.
SEGHERS. Copies.
29  «La Vierge avec l'Enfant au milieu d'une guirlande» (t. 87 × 62).
SEGHERS. Style de.
30  «Guirlande de fleurs et de fruits avec une femme peintre» (b. 73 × 53).
SEGHERS, Gérard Seghers (Anvers, 1591-1651). En Italie (1611-20), il
est influencé par le Caravage. A son retour, il entre dans l'orbite de Rubens.
14  «Jésus chez Marthe et Marie» (t. 205 × 215).

1746. Snayers. Au secours de la place forte de Lérida.

SNAYERS, Pierre Snayers (Anvers, 1592-Bruxelles, v. 1666). Spécialiste en batailles, qui suit le style de Sébastien Vrancx et compte, à son
tour, de nombreux imitateurs. Au service des Habsbourgs, il a peint un
grand nombre d'épisodes de la Guerre de 30 ans. Il a également peint des
parties de chasse, des processions et des cérémonies officielles.
33  «Partie de chasse du Cardinal infant» (t. 195 × 302). Signé.
34  «Partie de chasse de Philippe IV» (t. 181 × 576). Commandé par le
Cardinal infant en 1638. C'est une partie de chasse à la mode espagnole,
dans une enceinte, comme sur certains tableaux de Vélasquez et de Mazo.
La vue panoramique est typique de son style; les figures sont placées au
1er plan qui est plus foncé.
5  «Choc de cavaleries» (t. 79 × 104). Signé et daté de 1646. C'est dans ce
genre qu'il se rapproche le plus du style de Vrancx.
6  «Partie de chasse de Philippe IV» (t. 180 × 149). Signé. Le roi, à pied,
tue un sanglier. Cela fit beaucoup de bruit, car cette manière de chasser
était dangereuse.
7  «Partie de chasse de Philippe IV» (t. 126 × 145). Signé.
8  «Le siège de Gravelines» (t. 188 × 260). Cette toile et toutes les suivantes appartiennent à un genre de peinture fort pratiqué par Snayers. Elles
ont une grande valeur de témoignage historique. Ce sont des vues panoramiques décrivant une bataille, un siège ou une défense. Elles sont pein-

tes en couleurs claires ou argentées. L'horizon y est haut placé et f[...]
élargi, afin que l'épisode se voie plus clairement. Les figures sont de pet[...]
taille. On sait qu'il faisait ces toiles sur la base de plans cartographique[...]

1739  «Attaque nocturne à Lille» (t. 181 × 267). Signé et daté de 1650.

1740  «Prise d'Ypres» (t. 184 × 263). Signé.

1741  «Siège de Bois-le-Duc» (t. 184 × 263).

1742  «Prise de Saint-Venant» (t. 184 × 263).

1743  «Prise de Breda» (t. 184 × 263). Signé et daté de 1650.

1744  «Au secours de Saint-Omer» (t. 184 × 263). Signé.

1745  «Siège d'Aire-sur-la-Lys» (t. 184 × 263). Signé et daté de 1753.

1746  «Au secours de la place forte de Lérida» (t. 195 × 288). Signé.

1747  «Isabelle-Claire-Eugénie au siège de Breda» (t. 200 × 265).

1748  «Perspective cavalière du siège de Breda» (t. 140 × 226). Signé. [...]
suppose que Vélasquez a tenu compte de cette toile pour les fonds [...]
*Lances*.

2022  Voir Anonymes flamands.

**SNYDERS, Frans Snyders** (Anvers, 1579-1657). Peintre de natures m[...]
tes et de scènes de chasse. Influencé par Pierre II Bruegel, dont il a [...]
disciple, et par Bruegel de Velours, son style s'est transformé de fac[...]
décisive au contact de Rubens, avec qui il a souvent collaboré. La natu[...]
morte flamande acquiert chez lui l'opulence décorative et le charme ba[...]
que.

1749  «La chasse au sanglier» (t. 109 × 192). Thème souvent traité et toujo[...]
avec un mouvement agité. Les figures sont coupées sur les bords du [...]
bleau pour suggérer la continuité de la scène dans l'espace.

1750  «Un garde-manger» (t. 99 × 145). Le besoin baroque d'animer [...]
scènes pousse à transformer les natures mortes en cette espèce de «na[...]
res à vif», où l'on est tenté de procéder au déploiement des viandes qui [...]
répandent sur les tables et par terre.

1751  «Un chien avec sa proie» (t. 105 × 174).

1752  «Renards poursuivis par des chiens» (t. 111 × 82). La scène se pa[...]
dans le cadre d'un vaste paysage, suivant le style de Wildens.

1753  «La fable du lièvre et de la tortue» (t. 112 × 84). Signé.

1754  «Oiseaux aquatiques et hermines» (t. 181 × 79). Signé. Ce genre [...]
tableaux, cultivé aussi par d'autres peintres flamands tels que van Kess[...]
témoigne d'une sorte de curiosité encyclopédique pour les différents [...]
pects de la nature. On y réunit divers animaux de différentes espèces, s[...]
prétexte d'une anecdote ou l'autre, et la composition générale est asse[...]
blée à l'aide du paysage.

1755  «La chatte et le renard» (t. 181 × 103). Signé.

1756  «La fable du lion et de la souris» (t. 112 × 84).

1757  «Le compotier» (t. 153 × 214). Signé. La peinture morte avec des figu[...]
est un genre qui a déjà été commencé au XVIe s. par la peinture flaman[...]
et se développera fort au XVIIe s.

1758  «Concert d'oiseaux» (t. 98 × 137).

1759  «Sanglier harcelé» (t. 98 × 101).

1760  Voir Paul de Vos.

1761  «Concert d'oiseaux» (t. 79 × 151).

1762  «Sanglier harcelé» (t. 79 × 145). Signé. Cette fois, la composition [...]
parfaitement bien liée: les mouvements des animaux s'entrelacent si b[...]
qu'ils donnent l'impression d'un grand dynamisme.

1763  «Taureau épuisé par des chiens» (t. 98 × 100).

1764  «Combat de coqs» (t. 158 × 200).

1766  Voir Paul de Vos.

1767  «Table» (t. 154 × 186).

1768  «Nature morte» (t. 121 × 183). Composée en diagonale et animée [...]
l'oiseau vivant qui picote les raisins, cette nature morte se distingue par [...]
richesse et l'abondance bien typiques des natures mortes flamandes: [...]
pyramides de fruits et les pièces de gibier débordent largement des pots [...]
de la table.

1770  «Le poulailler» (t. 99 × 144).

1771  «Compotier» (b. 70 × 102). Snyders peint les fruits, juteux et suintant [...]
aux formes bien pleines et de couleurs vives; il les fait se détacher sur [...]
fond foncé de la nappe et contraster avec les porcelaines.

1772  «Chasse au cerf» (t. 58 × 112).

1851  «Philoménès reconnu par une vieille» (t. 201 × 311). Attribué jadi[...]
Utrecht. Beaucoup de critiques affirment que les figures sont de la ma[...]
de Rubens. La nature morte prend une envergure énorme avec les gros[...]

pièces de gibier qui sont reliées en diagonale. Cela en fait un superbe tableau au point de vue décoratif.

1877   Voir Paul de Vos.

**SNYDERS. Atelier.**

1765   **«Une cuisinière au garde-manger»** (t. 188 × 254).

**SOMER, Paul van Somer** (Anvers, v. 1576-Londres, 1621). Portraitiste.

1954   **«Jacques Ier d'Angleterre»** (t. 196 × 120).

**SON, Georges van Son** (Anvers, 1623-1667). Peintre de natures mortes, dans la ligne de Davidsz de Heem. Peint aussi des guirlandes de fleurs et de fruits, qu'il groupe, autour du motif central, en grappes opulentes, reliées par des branches de cerisier. Leurs couleurs sont intenses et s'harmonisent bien.

1774   **«Nature morte»** (t. 48 × 33). Signé et daté de 1664.

1775   **«Nature morte»** (t. 48 × 33). Signé et daté de 1664. Va de pair avec le n.º 1774.

1776   **«Guirlande de fruits entourant saint Michel»** (t. 119 × 88). Signé et daté de 1657. La guirlande, entourant un tableautin ou un relief en grisaille avec un motif religieux, est une création de Bruegel de Velours. Ce genre a été fort pratiqué dans la peinture flamande au XVIIe s.

2728   **«La Vierge à l'Enfant au milieu d'un feston de fruits»** (t. 120 × 84).

**SON. Ecole.**

1779   **«Panier de raisins»** (t. 28 × 35).

**SPIERINCK, Pierre Spierinck** (Anvers, 1635-Angleterre, 1711?). Paysagiste, qui travaille en Italie et subit l'influence de Salvator Rosa.

1780   **«Site avec une petite auberge et un aqueduc romain»** (t. 81 × 114).

1781   **«Paysage d'Italie»** (t. 81 × 114). Va de pair avec le n.º 1780.

**STALBEMT, Adrien Stalbemt** (Anvers, 1580-1662). Travaille dans le cercle des Bruegel et collabore parfois avec Pieter le Jeune.

1405   **«Les sciences et les arts»** (b. 93 × 114). Le thème allégorique est conçu comme un véritable cabinet de collectionneur, où l'on réunit des objets faisant allusion aux arts et aux sciences.

1437   **«Intérieur»** (b. 40 × 41).

**STALBEMT et Pieter Bruegel le Jeune.**

1782   **«La victoire de David sur Goliath»** (b. 88 × 216). Signé par les 2.

**STEVENS, Pierre Stevens** (Malines, 1567-? ap. 1624). Paysagiste, qui a été peintre de Rodolphe II à Prague.

024   **«Site boisé»** (b. 33 × 48).

**STOCK, Ignace van der Stock** (actif à Bruxelles en 1660). Paysagiste dans la ligne de Jacques d'Arthois.

360   **«Paysage»** (t. 70 × 84). Signé et daté de 1660.

**SUSTERMANS, Juste Sustermans** (Anvers, 1597-Florence, 1681). Portraitiste de cour, extrêmement apprécié à son époque. A travaillé à Paris, puis à Florence au service des Médicis.

1761. Snyders. Concert d'oiseaux.

9 «Marie-Madeleine d'Autriche, grande-duchesse de Toscane» (t. 77 × 63). La surface lisse du visage et la facture polie du portrait nous rappellent Bronzino.

10 «Ferdinand II, grand-duc de Toscane» (t. 77 × 63).

**SUSTERMANS. Ecole.**

1961 «Eléonore de Mantoue» (t. 112 × 96).

1962 «Ferdinand II» (t. 111 × 96).

**SYMONS, Pierre Symons** (maître à Anvers en 1629).

1971 «Céphale et Procris» (t. 174 × 204). Signé. Pour la Torre de la Parada, suivant une esquisse de Rubens.

**TENIERS, Abraham Téniers.** Voir David Téniers.

1797. D. Téniers. Le roi boit!

**TENIERS, David Téniers, dit le Jeune** (Anvers, 1610-Bruxelles, 1690) Fils et élève de David Téniers, dit le Vieux (1582-1649). Peintre de scènes de genre, dans la ligne de Brouwer. A fait aussi des portraits ou de paysages. Plus superficiel que Brouwer, se complaît dans les détails de natures mortes et met l'accent sur l'aspect pittoresque des choses. Sa technique est excellente, rapide et précise; son coloris, délicat.

1391 «La musique dans la cuisine» (b. 33 × 55). Attribué jadis à Brouwer mais la critique actuelle l'a restitué à Téniers.

1392 «La conversation» (b. 33 × 56). Comme le précédent.

1785 «Fête campagnarde» (t. 69 × 86). Signé. Sujet typique de Téniers, où le grouillement des paysans contraste avec la calme de quelques bourgeois qui assistent à cette fête en spectateurs.

1786 «Fête champêtre» (t. 75 × 112). Signé et daté de 1647. Sa composition animée et pleine de mouvement, s'arrête, comme d'habitude, à des détail anecdotiques, qui forment différents arguments dans la même scène.

1787 «Fête champêtre» (c. 77 × 99). Signé.

1788 «Fête et repas au village» (t. 120 × 188). Signé et daté de 1637.

1789 «Jeu de boules» (b. 42 × 71). Signé.

1790 «Le tir à l'arbalète» (b. 54 × 88). Signé.

1791 «Le soldat joyeux» (b. 47 × 36). Signé. Thème souvent traité, où l'on voulu voir un autoportrait du peintre. Les gestes y sont pris sur le vif. O est charmé par l'atmosphère dense qui enveloppe les personnages. L lumière y est traitée délicatement. Bref, c'est l'un des tableaux les plu attrayants de Téniers.

1793 «Une taverne» (b. 52 × 65). Signé.

1794 «Fumeurs et buveurs» (b. 34 × 48). Signé. Thème très fréquent che

Téniers, qui y fait montre de sa maîtrise en matière de lumière: il règne ici une demi-pénombre, chargée de fumée. Suivant sa coutume, il unit dans ce tableau plusieurs scènes distinctes.

95 **«Buveurs et fumeurs»** (t. 40 × 50). Signé.

96 **«Fumeurs»** (b. 40 × 62). Signé.

97 **«Le roi boit!»** (c. 58 × 70). Signé. Coutume populaire de l'Epiphanie.

98 **«La cuisine»** (b. 35 × 50). Signé. Il aime beaucoup profiter de l'occasion pour accumuler des détails de nature morte, amoncelés en pyramide, comme le font souvent les peintres contemporains.

99 **«Le vieux et la servante»** (b. 55 × 90). Les sujets picaresques sont fréquents. Ici, les avances galantes du vieux sont surprises par sa femme, qui l'observe par une porte entrouverte au fond.

00 **«Le vieux et la servante»** (c. 49 × 64). Copie d'Abraham Téniers?

01 **«Gouter de villageois»** (b. 42 × 58). Le paysage est de Luc van Uden.

02 **«Opération chirurgicale»** (b. 38 × 61). Signé. La satire contre médecins et guérisseurs jouit d'une longue tradition dans la peinture flamande. Les expressions, bien étudiées, sont pleines de vivacité.

03 **«Opération chirurgicale»** (b. 33 × 25). Signé.

04 **«L'alchimiste»** (b. 32 × 25). Va de pair avec le n.º 1803. Il a bien sûr l'intention de mettre médecins et alchimistes dans le même sac.

05 **«Le singe peintre»** (c. 23 × 32). Signé. Entame une série, allant jusqu'au n.º 1810, où Téniers peint les scènes de genre courantes de son répertoire, mais interprétées cette fois par des singes.

06 **«Le singe sculpteur»** (c. 23 × 32). Signé.

07 **«Le singe dans une cave à vin»** (c. 21 × 30). Signé.

08 **«Singes à l'école»** (c. 25 × 34). Signé.

09 **«Singes fumeurs et buveurs»** (b. 21 × 30). Signé.

10 **«Banquet de singes»** (b. 25 × 34). Signé.

11 **«Le bivouac»** (b. 68 × 89). De grands faisceaux d'armes occupent une bonne partie de la cave (emplacement favori de Téniers), dont les hautes fenêtres laissent entrer la lumière, qui fait ressortir certains coins de la scène, tandis que d'autres restent dans la pénombre.

12 **«Le corps de garde»** (c. 67 × 52).

13 **«L'archiduc Léopold-Guillaume dans sa galerie de peintures»** (c. 100 × 129). Signé. Téniers a été peintre de chambre de l'archiduc et conservateur de sa collection. Ce genre de tableau, très courant au XVIIe s., a continué à se faire aussi au XVIIIe. Il est très intéressant au point de vue documentaire. On reconnaît ici beaucoup de tableaux célèbres, italiens pour la plupart. L'archiduc, son chapeau sur la tête, fait les honneurs de sa collection.

14 **«Conversation de bergers entre eux»** (t. 75 × 89). Signé.

15 **«Villageois en train de parler entre eux»** (b. 41 × 63). Signé.

16 **«La maison rustique»** (t. 136 × 179). Signé.

17 **«Paysage avec des ermites»** (t. 177 × 230). Téniers fait montre ici de son talent de paysagiste, en créant un vaste décor, quelque peu grandiose même, qui trahit l'influence de Joost de Momper.

18 **«Paysage avec des bohémiens»** (t. 177 × 239). Signé.

1803. D. Téniers. Opération.

1804. D. Téniers. L'alchimiste.

183

1819 **«Paysage avec un ermite»** (t. 95 × 143). Signé. Paysage un tant soit peu fantastique, qui donne lieu, grâce à l'ouverture de la grotte, à des effets de lumière bien étudiés.

1820 **«Les tentations de saint Antoine, abbé»** (b. 51 × 71). Thème favori de la peinture flamande depuis Bosch. Il prête le flanc à un défilé d'êtres fantastiques bariolés et aux aspects les plus variés.

1821 **«Les tentations de saint Antoine, abbé»** (t. 79 × 110). Signé.

1822 **«Les tentations de saint Antoine, abbé»** (c. 55 × 69). Signé. L'ermite est assailli par les péchés capitaux. L'endroit est infesté de toute espèce d'êtres bizarres, qui symbolisent sûrement des vices déterminés.

1823 **«Saint Paul, premier ermite, et saint Antoine, abbé»** (t. 63 × 94). Signé. La composition respire ici une tranquillité, qui fait d'ordinaire défaut aux tableaux de Téniers. La vaste grotte s'ouvre sur un beau paysage du même style que ceux de Joost de Momper.

1825 **«Armide devant Godefroid de Bouillon»** (c. 43 × 37). Signé. Premier d'une série de 12 tableaux (jusqu'au n.º 1836), illustrant l'histoire d'Armide et de Renaud, racontée par le Tasse dans *La Jérusalem délivrée*. Attribués jadis à David Téniers le Vieux, mais restitués au Jeune.

1826 **«Godefroid et le Conseil écoutent la demande d'Armide»** (c. 27 × 39). Signé.

1827 **«La recherche de Renaud»** (c. 27 × 39). Signé.

1828 **«Renaud dans l'île d'Oronte»** (c. 27 × 39). Signé.

1829 **«Renaud endormi dans la voiture d'Armide»** (c. 27 × 39). Signé.

1830 **«Charles et Ubald dans les Iles Fortunées (Canaries)»** (c. 27 × 39). Signé.

1831 **«Le jardin d'Armide»** (c. 28 × 31). Signé.

1832 **«Séparation d'Armide et de Renaud»** (c. 27 × 39). Signé.

1833 **«Renaud s'enfuit des Iles Fortunées (Canaries)»** (c. 27 × 39). Signé.

1834 **«Prouesses de Renaud face aux Egyptiens»** (c. 27 × 39). Signé.

1835 **«Armide dans la bataille, face aux Sarrasins»** (c. 27 × 39). Signé.

1836 **«Réconciliation de Renaud avec Armide»** (c. 27 × 39). Signé.

2732 **«Les fumeurs»** (b. 18 × 17).

**TENIERS. Copies et atelier.**

1783 **«Un corps de garde»** (c. 49 × 68).

1784 **«Un corps de garde»** (c. 49 × 68).

1839 **«Villageois en train de parler entre eux»** (t. 66 × 88).

**THÉATIN.** Voir Seghers.

**THIELEN, Jan Philips van Thielen ou van Rigoults ou van Couwenberg** (Malines, 1618-Boisschot, 1667).

1843 **«Saint Philippe, dans une niche entourée de fleurs»** (c. 126 × 96).

**THOMAS, Jean Thomas d'Ypres** (Ypres, 1617-Vienne, 1678). Disciple de Rubens.

1496 **«La Vierge aux roses»** (t. 111 × 86).

**THULDEN, Théodore van Thulden** (Bois-le-Duc, 1606-1669). Collaborateur de Rubens. Son style dérive de celui de ce dernier, mais sur un ton général plus serein.

1844 **«Orphée»** (t. 195 × 432). Peint pour la Torre de la Parada et sûrement avec la collaboration de Paul de Vos pour les animaux.

1845 **«La découverte de la pourpre»** (t. 189 × 212). Peint pour la Torre de Parada.

**TIEL, Juste Tiel (ou Tielens)** (actif en 1593). On ignore tout de sa vie, mais on suppose qu'il a travaillé pour la cour d'Espagne.

1846 **«Allégorie de l'éducation de Philippe III»** (b. 158 × 103). Signé. Portrait allégorique de style très maniériste.

**UDEN, Luc van Uden** (Anvers, 1595-v. 1672/73). Paysagiste, collaborant souvent avec des peintres de figures. Influencé par Momper et Rubens.

1848 **«Paysage»** (b. 49 × 68). Caractéristique de la construction de ses paysages, avec un promontoire, d'un côté, et une vallée, de l'autre.

**UTRECHT, Adrien van Utrecht** (Anvers, 1599-1653). Peintre de natures mortes de toute espèce, de guirlandes, de scènes de basse-cour, etc. Aime mettre les objets en place dans le sens horizontal et leur ménage un espace assez profond. Collabore souvent avec d'autres peintres.

1851 Voir Snyders.

1852 **«Un garde-manger»** (t. 222 × 307). Signé et daté de 1642. Cherche à provoquer des contrastes de lumière et à unifier son coloris en évitant les tons trop vifs.

1853 **«Feston de fleurs et de fruits»** (t. 186 × 60). Signé et daté de 1638.

**VALCKENBORGH, Luc van Valckenborgh** (Malines, 1540-Francfort, 1597). Paysagiste flamand, qui est passé par divers styles: il adopte d'abord le paysage vaste et panoramique, créé par Patinir; puis, il s'inspire de Bruegel, surtout dans ses thèmes; enfin, il obtient l'unité du paysage grâce à une technique picturale élaborée de nuances changeantes, où une tonalité grise recouvre la surface du tableau comme d'une sorte de brume, laissant transparaître les tonalités locales.

46 **«Paysage avec la guérison d'un possédé»** (b. 37 × 58). Au bord de la mer, Jésus-Christ et ses disciples guérissent un groupe de possédés. Les démons qui en sortent, changés en porcs, se jettent à l'eau.

54 **«Paysage avec des forges»** (b. 41 × 64). Signé et daté de 1595 (voir n.º 1855).

55 **«Paysage avec des forges»** (b. 41 × 60). Signé. Ce tableau et le précédent datent des dernières années du peintre, qui met toute sa minutie dans les descriptions de ces paysages, où le souvenir de Bruegel est resté.

57 **«Le Palais royal de Bruxelles»** (b. 168 × 257). Oeuvre d'une grande beauté au point de vue architectural.

**VEEN, Othon van Veen (ou Venius)** (Leyde, 1558-Bruxelles, 1629). Peintre romaniste très cultivé; Rubens a étudié dans son atelier.

58 **«Alphonse d'Idiáquez, duc de Cività Reale»** (b. 119 × 37). Volet d'un triptyque, comme le n.º 1859. Au dos, une grisaille représente saint Ildefonse. Attribution incertaine.

59 **«Jeanne de Robles, duchesse de Cività Reale»** (b. 119 × 37). Voir le n.º 1858. Au dos, une grisaille représente saint Jean-Baptiste.

**VEERENDAEL, Nicolas van Veerendael** (Anvers, 1587-1661). Peintre de fleurs.

19 **«Guirlande avec un buste de la Vierge Marie»** (c. 81 × 65). Exubérance typique de son style. Attribué jadis à Bruegel de Velours.

**VENIUS.** Voir Veen.

**VERHAECHT, Tobie Verhaecht** (Anvers, 1561-1631). Paysagiste de transition, encore très attaché aux conventions du XVIe s. A été en Italie.

57 **«Paysage alpin»** (t. 170 × 267). Son paysage est fantastique et décoratif. Il aime beaucoup le pittoresque.

**VIRGO INTER VIRGINES, Maître de la Virgo inter Virgines.** Maître anonyme, travaillant v. 1470-1550, ainsi appelé pour un tableau conservé au Musée d'Amsterdam.

39 **«La Pietà»** (b. 84 × 78).

**VOS, Corneille de Vos** (Hulst, v. 1584-Anvers, 1651). Essentiellement portraitiste, bien qu'il soit mieux représenté au Prado en tant que peintre de mythologies. A collaboré avec Rubens.

23 **«Portrait d'une dame inconnue»** (t. 109 × 87). Classé jadis comme anonyme flamand. L'attribution actuelle reste douteuse.

60 **«Triomphe de Bacchus»** (t. 180 × 295). Signé. Comme les 2 suivants, peint pour la Torre de la Parada, sur des esquisses de Rubens. Les tons de pastel sont typiques de ce peintre, qui préfère un coloris clair.

1860. Corneille de Vos. Triomphe de Bacchus.

1861 &laquo;**Apollon et le serpent Python**&raquo; (t. 188 × 265). Signé. Voir n.º 18(
On conserve au Prado l'esquisse de Rubens (n.º 2040), qui a repris l'Ap(
lon du Belvédère.

1862 &laquo;**La naissance de Vénus**&raquo; (t. 187 × 208). Voir n.º 1860.
**VOS, Paul de Vos** (Hulst, 1595-Anvers, 1678). Peintre d'animaux et
scènes de chasse, dans la ligne de Snyders, son beau-frère; tout en éta
moins doté que ce dernier pour la composition, il réalise des scènes pl
dynamiques. A travaillé pour Philippe IV à la décoration de la Torre de
Parada, pavillon de chasse du Pardo.

1760 &laquo;**Un lion et trois loups**&raquo; (t. 158 × 195). Jadis attribué à Snyders,
même que le n.º 1766.

1766 &laquo;**La chèvre et le louveteau**&raquo; (t. 214 × 212). Voir n.º 1760.

1865 &laquo;**Renard en pleine course**&raquo; (t. 84 × 81). Signé.

1866 &laquo;**Bataille de chats dans un garde-manger**&raquo; (t. 116 × 172). La compo
tion s'inspire de schémas de Snyders et de son souci habituel d'animer l
natures mortes au moyen du remue-ménage d'animaux vivants.

1867 &laquo;**Un chien**&raquo; (t. 116 × 82). Signé.

1868 &laquo;**Le chien et la pie**&raquo; (t. 115 × 83). Signé.

1869 &laquo;**Chasse au chevreuil**&raquo; (t. 212 × 347). Signé. La tension de la lutte se
ble renforcée par le schéma de la composition; les chiens forment d
lignes en diagonale, qui aboutissent au chevreuil harcelé.

1870. Paul de Vos. Cerf harcelé par une meute de chiens.

1870 &laquo;**Cerf harcelé par une meute de chiens**&raquo; (t. 212 × 347). Signé. Ici Pa
de Vos organise mieux sa composition que son maître Snyders. Il re
entre eux les mouvements des chiens et les fait converger vers le m(
principal: le cerf affolé qui se retourne, cherchant à échapper.

1871 &laquo;**Lévrier à l'affût**&raquo; (t. 116 × 84). Signé.

1872 &laquo;**Taureau épuisé par des chiens**&raquo; (t. 157 × 200).

1875 &laquo;**Fable du chien et de sa proie**&raquo; (t. 207 × 209). Illustre une fal
d'Esope.

1876 &laquo;**Un lévrier blanc**&raquo; (t. 105 × 105).

1877 &laquo;**Garde-manger**&raquo; (t. 177 × 291). Signé. Son style ressemble fort à ce
de Snyders, à qui il avait été attribué.

1879 Voir Boel.

1880 &laquo;**Le paradis terrestre**&raquo; (t. 156 × 196).
**VOS. Copie par Mazo.**

1873 &laquo;**Sanglier**&raquo; (t. 68 × 47).
**VRANCX, Sébastien Vrancx** (Anvers, 1573-1647). Peintre de scènes
pillages, sacs etc., qu'il a souvent vues à la guerre de 30 ans. Fit aussi d
scènes de genre, en collaboration avec Bruegel et Momper.

1882 &laquo;**Siège d'Ostende**&raquo; (t. 73 × 111). Oeuvre non citée par le catalogue comr
étant de Vrancx.

84 «**Attaque d'un convoi par surprise**» (b. 48 × 86).

85 Voir Bruegel de Velours.

**WEYDEN, Pierre van der Weyden.** Voir Légende de Sainte Catherine.

**WEYDEN, Roger van der Weyden, dit Roger de La Pasture** (Tournai, 1399/1400-Bruxelles, 1464). Travaille dans l'atelier de Robert Campin de 1427 à 1432. En 1435, il se trouve déjà à Bruxelles, où il demeurera jusqu'à sa mort. Nommé peintre de la capitale, il y a joui d'un énorme prestige. Il a repris des éléments, non seulement à Campin, mais encore à Jan van Eyck. Cependant, son style en diffère nettement: peintre narratif, il s'efforce surtout de souligner le contenu humain et sentimental des scènes religieuses. Aussi, il renouvellera sans cesse les formules iconographiques, à la recherche de mises en scène plus dramatiques, et il donnera aux visages et gestes de ses personnages une force d'expression complètement neuve. Il évite aussi la symétrie rigoureuse des compositions de van Eyck, reliant ses personnages en groupes rythmiques, de même qu'il renonce à l'espace profond et continu conquis par ce dernier, lui préférant un espace stratifié où la silhouette se détache plus fort. Son style, qui a eu de grandes répercussions dans toute l'Europe, a beaucoup contribué à la formation de la peinture hispano-flamande.

88
89  «**La Rédemption**» (Triptyque. Panneau central: 195 × 172; volets: 195 × 77).
91  On a traditionnellement douté que van der Weyden en fût l'auteur. La conception générale, les types humains et les arcs gothiques encadrant les scènes sont bien de son style, mais la qualité est inférieure à la sienne et il n'utilise pas les tons dorés qui sont archaïques. A présent, on attribue ce triptyque à Frans van der Stock, son disciple, né à Bruxelles v. 1420, qui hérita, à sa mort, de ses fonctions de peintre de la ville.

90
92  «**Le tribut dû à César**» (b. 195 × 77 chaque volet). Ces 2 volets, peints à l'extérieur du triptyque précédent, ne se voient que quand on ferme celui-ci. Ce sont des figures en grisaille, imitant des sculptures.

40 «**La Pietà**» (b. 47 × 35). On connaît 3 autres variantes sur ce sujet. Comme interprète des thèmes les plus pathétiques de l'Evangile, il est certes un artiste génial, qui est à même d'approfondir le sens de la scène et de la présenter avec de nouvelles nuances plus fortes: ici, le fait que la Vierge s'accroche au corps inerte de Jésus, tandis que saint Jean s'efforce de l'en écarter, met une note profondément humaine dans cette image, déjà si dramatique par elle-même. Il a de plus innové en faisant participer le donateur à l'événement. Cela deviendra une coutume.

22 «**La Vierge à l'Enfant**» (b. 100 × 52). L'image qu'il a peinte suscite souvent un équivoque, car on la prend pour une statue. C'est qu'alors les peintres ne dédaignaient pas de faire des travaux tels que dorer et polychromer des images. Il n'est pas douteux que cette familiarité avec la sculpture contribuerait à stimuler le désir des peintres flamands de doter leurs figures peintes d'une 3ème dimension solide et presque palpable. L'Enfant Jésus froisse le livre (détail d'observation réaliste), tandis que la Vierge le regarde d'un air mélancolique, qui présage la Passion.

2540. R. van der Weyden. La Pietà.

2825 **«La descente de croix»** (b. 220 × 262). Date de v. 1436. Une de s
oeuvres essentielles et, à n'en pas douter, une des plus représentatives
la peinture flamande primitive. La virtuosité technique, courante chez v.
der Weyden comme chez les grands maîtres de l'école, tient ici du prodi
pour représenter les étoffes, les brocarts et les peaux et pour nuancer l
carnations. Renonçant au fond, le peintre concentre son attention sur l
figures, aussi solides qu'un groupe sculptural, et c'est avec une sages
magistrale qu'il les fait se mouvoir dans un espace aussi exigu. Saint Jean
Marie-Madeleine forment comme les parenthèses qui enferment la cor
position. Sur le fond de figures verticales, les corps du Christ et de
Vierge, dont les courbes sont parallèles, brisent la symétrie en relia
autour d'eux les autres personnages. Le crâne d'Adam et le cadavre c
Christ résument l'histoire de la rédemption; la Vierge leur sert de lie
dans son rôle douloureux de médiatrice. Tout autour se groupent, comm
dans un choeur de tragédie, les visages émus des saintes femmes et d
hommes fidèles au Christ. C'est là une des plus grandes réussites de v.
der Weyden, dont on admire la finesse narrative et l'habileté dans
réinterprétation des thèmes traditionnels, en chargeant d'intention chaq
geste et chaque forme.

**WEYDEN. Copie par Menling.**

1558 **«L'Adoration des mages»** (b. 60 × 55). Copie avec des variantes du pa
neau central du triptyque de Munich.

**WEYDEN. Copie anonyme.**

1894 **«La descente de croix»** (b. 200 × 263). Copie du XVI$^e$ s.

**WEYDEN. Disciple de van der Weyden.**

1886 **«La Crucifixion»** (b. 47 × 31). Copie libre, de 1ère qualité, de l'origin
du Musée de Vienne. On y trouve la signature apocryphe de Dürer et
date de 1513.

2663 Voir Légende de Sainte Catherine.

**WOLFORDT, Arthur Wolfordt (?)** (Anvers, 1581-1641). On lui adju
2 cartons du Musée, signés du monogramme «A. W.» Le dernier Catal
gue de peinture flamande préfère mettre: «d'A. W.», laissant ainsi dans
doute son identification avec Wolfordt.

1900 **«La fuite en Egypte»** (c. 58 × 77). Signé.

1901 **«Halte au cours de la fuite en Egypte»** (c. 58 × 77). Signé.

**YCK.** Voir Eyck, Jan.

**YKENS, Catherine Ykens** (Anvers, 1659-?). Femme peintre de fleur
dans le style de Seghers.

1991 Voir Seghers (Daniel).

1994 Voir Seghers (Daniel).

**YKENS, Frans Ykens ou Ijkens** (Anvers, 1601-1693). Peintre de nat
res mortes, qui a également peint des guirlandes de fleurs et de fruits. L
1ère qualité, il suit la mode de son temps, sans guère innover.

1904 **«Garde-manger»** (t. 107 × 175). Signé. Nettement influencé pat Fyt.

2757 **«Table»** (b. 74 × 105). Excellente exécution et naturalisme marqué.

**YPRES.** Voir Thomas.

**ANONYMES FLAMANDS**

56 **«Enfant inconnu»** (b. 81 × 68). Attribué jadis à Bronzino, puis à Pou
bus.

1361 **«L'Adoration des mages»** (Triptyque. Panneau central: 58 × 30; volet
58 × 12). On a l'Epiphanie au centre, la visite des mages à Hérode
gauche et celle de la reine de Saba à Salomon à droite. Du même aute
qu'une autre Epiphanie, conservée à la Pinacothèque de Munich et q
porte la signature apocryphe d'Henricus Blesius (Hendrik met de Bl
= Henri à la mèche bouclée). C'est pourquoi on a baptisé de «Pseud
Bles» le peintre anonyme. Dans ce tableau du Prado figure le chouet
(sur l'arc du centre), que le vrai Bles peignait souvent sur ses tableaux. L
Pseudo-Bles aime bien la décoration fantaisiste et la mise en scène fa
tueuse, comme les maniéristes d'Anvers. Ses figures allongées, bien pr
portionnées aux architectures qui les encadrent, ont une nervosité typ
que, se communiquant à leurs habits, qui forment de très fins plis fragile
Du XVI$^e$ s.

1383 **«Site avec un lac»** (b. 55 × 98). Du XVII$^e$ s. Attribué jadis à Paul Br
Le Catalogue actuel estime qu'il est de Sébastien Vrancx.

1386 **«Paysage avec un fleuve»** (c. 25 × 29). Du XVII$^e$ s.

1445 **«Un port».** Du XVII$^e$ s.

1451 **«Le palais de Bruxelles»** (t. 150 × 228). Du XVII$^e$ s.

1593 **«Site avec un rocher et des arbres»** (t. 52 × 81). Du XVII$^e$ s.

2722. R. van der Weyden.
La Vierge à l'Enfant.

1361. Anonyme. L'Adoration
des Mages.

596 «**Bercail**» (t. sur b. 106 × 148). Du XVII<sup>e</sup> s.

857 «**Le palais royal de Bruxelles**» (t. 168 × 257). Du XVII<sup>e</sup> s. Attribué jadis à Valckenborgh. Le Catalogue actuel estime qu'il se rapproche du style de Sébastien Vrancx.

916 «**Les noces mystiques de sainte Catherine**» (Triptyque. Panneau central: 93 × 62; volets: 93 × 26). Du XVI<sup>e</sup> s. D'un maître brugeois de v. 1520.

917 «**Miracle de saint Antoine de Padoue à Toulouse**» (b. 121 × 80). Du XVI<sup>e</sup> s.

918 «**Le dévot et le distrait à la Messe**» (b. 61 × 32). Du XVI<sup>e</sup> s.

924 «**La Circoncision**» (b. 52 × 42). Du XVI<sup>e</sup> s.

953 «**Le comte de Mansfeld et son fils**» (t. 76 × 122). Du XVI<sup>e</sup> s. Ce comte (1520-1604) a été Gouverneur des Pays-Bas.

959 «**Inconnue**» (b. 32 × 23). De la fin du XVI<sup>e</sup> s.

995 «**La Sainte Famille, entourée d'une guirlande**» (t. 54 × 72). Du XVII<sup>e</sup> s.

997 «**Le courage et l'abondance avec une guirlande**» (b. 84 × 59). Du XVII<sup>e</sup> s. Attribué jadis avec des réserves à Davidsz de Heem.

999 «**Feston de fruits et de légumes**» (t. 182 × 42). Du XVII<sup>e</sup> s.

022 «**Chasseurs de canards**» (t. 156 × 246). Du XVII<sup>e</sup> s. Attribué à Pierre Snayers dans le catalogue.

035 «**Site avec un temple en ruines**» (t. 145 × 215). Du XVII<sup>e</sup> s.

217 «**L'Adoration des mages**» (Triptyque. Panneau central: 105 × 71; volets: 105 × 34). Oeuvre du Maître de 1518 (voir n.º 2702 plus bas).

635 «**Nativité et enfance du Christ**» (Triptyque. Panneau central: 135 × 87; volets: 135 × 33). Du XVI<sup>e</sup> s.

636 «**Le Sauveur**» (b. 34 × 27). Du XVI<sup>e</sup> s.

648 «**Cleopâtre**» (?) (b. 85 × 64).

699 «**Saint Christophe**» (b. 62 × 36). Volet d'un triptyque. Au dos: *La Vierge de l'Annonciation*. Du XVI<sup>e</sup> s.

701 «**Sainte Monique**» (b. 35 × 24). De v. 1500. Pourrait être la Vierge des Douleurs.

702 «**Cruxifixion**» (b. 83 × 132). Sûrement du Maître de 1518, comme les nums. 2217 et 2218. On l'appelle ainsi, car la date de 1518 figure sur la prédelle et les volets du retable de la «Briefkapelle» dans l'église de Sainte-Marie à Lübeck. Son style est très personnel; sa palette est riche et brillante. Ses personnages ont un large front et un nez droit. Vêtus d'habits très larges, modelés par un fort clair-obscur, ils sont présentés en des raccourcis plus ou moins audacieux.

704 «**Nature morte**» (b. 24 × 20). Du XVII<sup>e</sup> s.

718 «**La Sainte Famille**» (b. 38 × 33). Du XVI<sup>e</sup> s. Du Maître de 1518 (voir n.º 2702).

746-7 Voir d'Arthois.

884 «**Judith avec la tête d'Holopherne**» (b. 98 × 120). Du XVI<sup>e</sup> s.

# ÉCOLE ITALIENNE

La peinture italienne est, après l'espagnole et avec la flamande, une des grand
richesses du Musée du Prado. Celui-ci contient un si grand nombre d'oeuvr
italiennes de qualité qu'il suscite sans cesse les travaux des chercheurs et comb
ses visiteurs de jouissances visuelles. La plupart de ces oeuvres proviennent d
collections royales. Les rois espagnols ont toujours eu des intérêts politiques
Italie, si bien qu'ils ont ramené en Espagne pas mal d'exemplaires de son art, qu
avaient achetés ou dont on leur avait fait cadeau. Par ailleurs, à chaque époqu
leurs goûts personnels ont penché en faveur de tel ou tel artiste ou de l'une
l'autre école italienne.

La peinture gothique du XIVe s. n'est guère représentée au Musée; sa présen
n'y est due qu'à des acquisitions récentes, comme celle des 2 petites planches
Taddeo Gaddi. Au XVe s., l'Espagne avait tendance à acheter des peintures d
primitifs flamands. C'est pourquoi la peinture très riche et essentielle du début
la Renaissance est absente du Prado. Cependant, *L'Annonciation* de Fra Angelico
est arrivée au siècle dernier; le XXe s. y a vu parvenir la série de Botticelli, *l
Dormition de la Vierge* de Mantegna et *Le Christ mort, soutenu par un ange* d'Ant
nello de Messine, heureuse et récente acquisition du Musée.

C'est Philippe IV qui décida d'acheter les tableaux de Raphaël, vraies perles
Prado, dont on retiendra *Le chemin du Calvaire, Le portrait d'un Cardinal* et l'u
ou l'autre de ses fameuses *Madones*. Avec Raphaël s'y ouvre la très abondan
représentation de la peinture italienne du XVIe s. Les étoiles en sont Andrea d
Sarto, le Parmesan, le Corrège et Bernardino Luini, ainsi que le Baroche à la f
du siècle. Le *Portrait de Lucrèce di Baccio,* femme d'Andrea del Sarto, le *Noli m
tangere* du Corrège et *La Nativité du Christ* du Baroche figurent parmi les toil
les plus fameuses du Prado. Toutefois, grâce aux achats de Charles Quint et
Philippe II, puis plus tard, à ceux de Philippe III et de Philippe IV, ce sera l'éco
vénitienne du XVIe s. qui va y prendre le plus d'importance, car dans aucu
autre musée l'on ne peut trouver de meilleure collection des tableaux vénitien
Giorgione, Titien, le Tintoret et Véronèse remplissent plusieurs salles du Prad
de leur coloris, de leur richesse et de leur vie débordante. Des toiles comme *Jésu
au milieu des Docteurs* ou *Moïse sauvé des eaux* de Véronèse, *Le lavement des pieds*
Tintoret, les portraits et les mythologies de Titien, ainsi que les scènes bibliqu
des Bassano, prouvent bien la richesse de l'école vénitienne et servent de prélu
à l'école espagnole, dont les artistes du XVIIe s. ont étudié ces oeuvres, q
étaient alors conservées dans la collection royale.

L'intérêt que la peinture baroque et l'essor des diverses écoles italiennes suscite
ces dernières années, confère à présent une valeur exceptionnelle à cette sér
abondante des toiles du Prado. On trouve là des oeuvres du Caravage et de se
disciples ténébristes. Parmi les classiques de Bologne, les Carracci et le Guide,
Guerchin et Lanfranc, le Dominiquin et l'Albane sont représentés par des chef
d'oeuvre, dont un bon nombre, commandés par Philippe IV, devaient décorer l
Palais du Buen Retiro actuellement disparu. L'école napolitaine, inspirée par R
bera, est intéressante à étudier en elle-même et par comparaison avec la peintur
de ce génie espagnol. Mais ce n'est que chez Luca Giordano qu'on peut apprécie
le coloris, la richesse de décoration et le naturalisme de l'art de Naples.

La peinture italienne du XVIIIe s. est plus rare au Musée, sans doute à cause d
l'arrivée des rois Bourbons, qui s'intéressaient plus à la peinture française. Cepen
dant, il y a quelques oeuvres intéressantes de Batoni et d'Amiconi dans le do
maine du portrait, de même qu'on en trouve de Giaquinto et des Tiepolo dan
celui des grandes entreprises de décoration. Les artistes mineurs sont assez bie
représentés par Conca ou Trevisani. Avec le XVIIIe s. s'achève l'extraordinair
collection de peinture italienne du Prado, qui compte près de 600 tableaux, sa
compter ceux qui, tout en appartenant au Musée, ont été déposés dans d'autre
institutions nationales.

**ABATE.** Voir Niccolò dell'Abate.
**ABATE CICCIO.** Voir Solimène.
**ALBANE, l'Albane.** Voir Albani.
**ALBANI, Francesco Albani, dit l'Albane** (Bologne, 1578-1660). D
l'école bolonaise. Disciple des Carracci, avec lesquels il collabora au débu
à la réalisation des grands cycles décoratifs dans les palais de Bologne. L
secret du succès d'Albani a résidé d'emblée dans ses petits tableaux por
tant sur un thème mithologique, avec un arrière-fond idyllique et pastora

traités avec grâce et délicatesse en ce qui concerne la disposition des scènes et la présentation des personnages. Ses oeuvres, qui annoncent le rococo, ont été très prisées par les collectionneurs du XVIIe s.

1 **«La coiffeuse de Vénus»** (t. 114 × 171). Voir n.º 2.

2 **«Le jugement de Pâris»** (t. 113 × 171). Signé. Fait pendant au tableau antérieur, car il a les mêmes dimensions et a trait aussi à la déesse Vénus. Ce sont des thèmes fréquents chez l'Albane. On en trouve des versions semblables dans d'autres collections, comme celle de l'Académie de San Fernando à Madrid. On est frappé par la beauté du paysage, qui suit la tradition bolonaise des Carracci, et par la perfection de la technique.

**ALBERTI.** Voir Barbalonga.

**ALLEGRI.** Voir Corrège.

**ALLORI, Alessandro Allori** (Florence, 1535-1607). De l'école florentine.

6 **«La Sainte Famille et le cardinal Ferdinand de Médicis»** (t. 263 × 201). Signé et daté de 1583. Disciple de Bronzino, influencé par Michel-Ange et Raphaël, Allori fut un grand peintre à la cour florentine des Médicis. Dans cette toile, de composition bien ordonnée et au coloris froid, avec des carmins et des bleus de style maniériste, il se rapproche, par ses détails réalistes, des formules picturales du XVIIe s.

**ALLORI, Cristofano Allori** (Florence, 1577-1621). De l'école florentine.

8 **«Christine de Lorraine, duchesse de Florence»** (t. 218 × 140). Fils d'Alessandro, il relève déjà pleinement du XVIIe s. Dans ce portrait, très expressif, il joint des éléments de coloris vénitien au naturalisme naissant de la Florence de la fin du XVIe s.

**AMIGONI, Jacopo Amigoni ou Amiconi** (Venise, v. 1682-Madrid, 1752). De l'école vénitienne. Il est peut-être d'origine napolitaine, mais il s'est formé à Venise. En 1711, il appartient déjà à la «Fraglia» des peintres vénitiens. Grand voyageur, il a travaillé dans plusieurs villes italiennes et à diverses cours européennes, jusqu'en 1747 où il s'installa définitivement en Espagne comme 1er peintre de Ferdinand VI. Il a peint des portraits de cour très raffinés et des compositions mythologiques dans le style rococo de l'époque.

12 **«La Sainte Face»** (t. 121 × 156). Signé. La dramatisation, propre à cette espèce de composition, est atténuée ici par la grâce enfantine du groupe d'angelots pleureurs.

14 **«L'infante Marie-Elisabeth de Naples»**. Voir Solimène.

92 **«L'infante Marie-Antoinette-Ferdinande»** (t. 103 × 84). Ce portrait

22. Le Bassan. Entrée des animaux dans l'arche de Noé.

d'une des filles de Philippe V et d'Elisabeth Farnèse a été considéré p
erreur comme celui de sa soeur, l'infante Marie-Térèse-Antoinette. S
coloris clair et la minutie du détail dans la robe et les fleurs en constitue
les notes dominantes.

2477 **«Fête dans un jardin»** (t. 69 × 48). Attribué par erreur à Amiconi,
tableau est considéré actuellement comme étant de l'école de Naples

2792 **«Portrait de dame»** (t. 79 × 65). Il est peut-être de l'école française

2939 **«Le marquis de l'Ensenada»** (t. 124 × 104). Le marquis arbore sur s
luxueux costume la Toison d'or, octroyée en 1750, et l'Ordre de Sa
Janvier. Ce portrait est aussi enrichi par un fond d'architectures colossa
au bord de la mer, qui en fait le chef-d'oeuvre d'Amiconi au Prado.

**ANGELICO, Guido di Pietro, Fra Giovanni da Fiesole, dit Fra An**g
**lico** (Vicchio di Mugello, v. 1400-Rome, 1455). De l'école florenti
Moine au Couvent dominicain de Fiesole, près de Florence, dont il
Prieur en 1449. Dès sa prime jeunesse, il fit de la miniature. Il manife
très tôt dans son oeuvre l'intérêt qu'il porte aux trouvailles de la Rena
sance concernant la représentation de l'espace, ainsi que l'étude du volu
et les proportions des figures. Mais il trahit encore clairement des tra
du gothique du XIV$^e$ s., qui s'allie à son propre tempérament, profon
ment religieux et touchant parfois au mysticisme. Pleines de luminos
ses oeuvres d'un coloris clair et aux modèles d'une beauté idéalisée fir
de lui un des artistes les plus remarquables de la 1ère moitié du XV$^e$ s.
Italie. Il exécuta un grand nombre de commandes à Florence. En 1446.
se rendit au Vatican pour y décorer la chapelle de Nicolas V.

15 **«L'Annonciation»** (b. 194 × 194). La prédelle est remplie d'épisodes
la vie de la Vierge: Nativité, Mariage, Visitation, Epiphanie, Purification
Dormition. Ce chef-d'oeuvre, peint pour le Couvent dominicain de F
sole entre 1430 et 1432, est un des bijoux du Prado. La grande planc
centrale, de même que les petites de la prédelle, offrent bien des soluti
neuves aux problèmes de représentation de l'espace, dans leur recherc
de la perspective. Les architectures fines et fragiles qui encadrent
scènes, se rattachent à celles de Michelozzo, architecte contempora
L'éclairage lumineux fait bien ressortir les valeurs chromatiques, reha
sées par les ors. Il y a des fragments exquis, très naturalistes, tels que
fleurs, qui sont traitées avec la fine technique d'un miniaturiste. Ce table
a conservé son cadre original.

**ANGUISCIOLA, Lucia Anguisciola** (Crémone, v. 1540-1565). 
l'école lombarde.

16 **«Pierre-Marie, médecin de Crémone»** (t. 96 × 76). Signé. Soeur
Sophonisbe, qui travailla à la cour espagnole, elle fit partie comme elle
cercle artistique des Campi, dont il y a des tableaux au Prado. Ce portr
qui souffre de quelques imperfections, dues à la jeunesse de l'artiste, da
la disposition des mains par exemple, se distingue par la sobriété de s
coloris et la profondeur de son analyse psychologique.

**ANTONELLO DE MESSINE.** Voir Messine.

**ANTONIAZO ROMANO, Antonio Aquili, dit Antoniazo Roma**
(Rome, connu de 1461 à 1508). De l'école romaine. Travailla à Rome a
décorations de la Bibliothèque Vaticane avec Ghirlandajo et Melozzo
Forli. Plus tard, il aida le Pérugin pour les fresques de la Chapelle Sixti
Sa peinture révèle des tendances des écoles de Florence et d'Ombrie tou
la fois.

577 **«Vierge à l'Enfant»** (fresque murale 130 × 110). On a repeint le ha
qui s'était effacé. Au centre, la Vierge et l'Enfant Jésus se détachent sur
fond d'édifices de la Renaissance.

577 a **«Triptyque. Volets: Saint Jean l'Évangéliste et Sainte Colomb**
**Saint Jean-Baptiste et Saint Pierre. Panneau central: Buste du Chris**
(panneau central 87 × 62; volets 94 × 35). Les figures ont un air reposé
solennel; les modèles, une beauté sereine. La minutie ne manque pas da
le dessin, ni la richesse dans le coloris.

**AQUILI, Antonio Aquili.** Voir Antoniazo Romano.

**ARPINO, Giuseppe Cesari, dit le chevalier d'Arpin** (Arpino, 15(
Rome, 1640). De l'école romaine. A Rome, on le chargea tout jeune
travaux importants, qui lui valurent du succès vers 1600. Son style, rat
ché au maniérisme tardif, interprète avec un certain charme solennel 
réminiscences de Michel-Ange et de Raphaël, si bien qu'il fut prisé par
milieux officiels. Mais l'arrivée du caravagisme et le net classicisme
s'imposa à Rome à partir de 1610, le débordèrent à tel point que
peinture fit figure de retardataire et finit par déchoir.

15. Fra Angelico. L'Annonciation.

555 «Noces mystiques de Sainte Catherine» (b. 54 × 41). Ce tableau
faible qualité ne correspond pas tout à fait au style du peintre.

556 «Sainte Famille avec Saint Jean» (t. 89 × 67). Attribué jadis à Van
mais accepté à présent par toute la critique comme fait par le cheval
d'Arpin. Les gracieux modèles d'enfants sont bien de lui. La Vierge
majestueuse et très élégante. En effet, ses mains son stylisées de manié
aristocratique et ses jambes sont disposées de façon harmonieuse.

ASSERETO, Gioacchino Assereto (Gênes, 1600-1649). De l'école g
noise.

1134 «Moïse fait jaillir l'eau du rocher» (t. 245 × 300). Ce disciple d'A
saldo se rattachait d'abord au maniérisme lombard des Procaccini, dont
Prado a des peintures. Ce tableau, son chef-d'oeuvre, a été exécuté avec u
technique aux couleurs riches, qui fait ressortir l'abondance des personn
ges, interprétés avec un grand réalisme. Il a été au XVIIᵉ s. à Séville, où
a sûrement influencé des artistes espagnols comme Murillo.

BADILE, Antonio Badile (Vicence, v. 1517-Vérone, 1560). De l'éco
vénitienne.

485 «Dame inconnue» (t. 110 × 93). Ce peintre a été le maître de Véronès
Le fond sombre de la toile fait ressortir cette figure habillée avec lux

BARBALONGA, Antonio Alberti, dit Barbalonga (Messine, 1600-164
De l'école romaine.

17 «Sainte Agathe» (t. 104 × 127). Sicilien d'origine, il travailla à Ro
dans l'atelier du Dominiquin, dont l'influence classique se fait sentir da
ce tableau, qui trahit aussi la connaissance d'artistes napolitains, tels q
Vaccaro.

BARBIERI. Voir Guerchin.

BAROCCI, Federico Fiori, dit le Baroche (Urbin, 1535-1612). De l'éc
d'Ombrie. Né dans une famille d'artistes et élevé dans la culture très ric
de la cour d'Urbin, il s'introduisit tout jeune dans les cercles artistiques
Rome où son succès ne faisait que croître. Mais, faute de santé ou po
échapper aux envieux qui avaient tenté de l'empoisonner, il dut rentrer à
ville natale. Son art, aussi bien dans ses petits tableaux que dans maint
toiles immenses destinées à des autels, anticipe sur des procédés que
peinture baroque ne pousserait à fond que près de 100 ans plus tar
Coloris brillant et varié, éclairage changeant en vue d'obtenir des eff
plastiques et de mouvement, sage disposition des figures dans l'espace
obsession pressante des sentiments de ses personnages: telles sont l
notes qui caractérisent sa peinture.

18 «La Nativité du Christ» (t. 134 × 105). Peint en 1597 pour le duc d'U
bin et offert en 1605 à Marguerite d'Autriche, épouse de Philippe I
C'est sur le tard que l'artiste interprète ce thème d'une façon personnel
conformément aux nouvelles directives de la contre-réforme catholiqu
La lumière artificielle, dont le foyer est l'Enfant Jésus, fait ressortir
figure de la Vierge, au centre, dont le coloris brillant et clair sur un fo
sombre attire aussi l'attention.

18a «Le Christ en croix» (t. 374 × 240). Daté de 1604. Peint pour le d
d'Urbin, qui le légua au roi Philippe IV d'Espagne. La plénitude de
forme, l'expression de la piété et la mollesse de la technique caractérise
bien la sensibilité baroque de cette oeuvre. Dans le fond du paysa
obscur et mystérieux, on distingue la ville et les environs d'Urbin.

BAROCHE. Voir Barocci.

BASSAN. Voir Bassano l'Aîné.

BASSANO, Francesco da Ponte, dit Francesco Bassano le Jeune (Ba
sano, 1549-Venise 1592). De l'école vénitienne. Fils de Jacopo Bassa
l'Aîné, dans l'atelier duquel il travailla avec ses frères, peignant avec
coloris raffiné des scènes bibliques, suivant l'interprétation de son père

33 «Adoration des Mages» (t. 86 × 71). Signé. La composition en est sob
On y note de riches effets de lumière crépusculaire et des détails t
réalistes chez les animaux.

34 «La dernière Cène» (t. 151 × 214). Signé. On remarque certaines ma
dresses dans le groupement des figures et l'exécution des draperies, ma
on est frappé par de charmants détails anecdotiques et la beauté du color

36 «Travaux des champs» (t. 119 × 171). Tandis que la scène et le paysa
font penser à la peinture flamande de la fin du XVIᵉ s., le style se rapp
che davantage du Tintoret.

BASSANO, Jacopo da Ponte, dit Jacopo Bassano l'Aîné ou le Bass
(Bassano, v. 1515-1592). De l'école vénitienne. Fondateur de la fami
des Bassano, il fut d'abord disciple de Titien. Vers 1550, il s'inspire d'a

tres artistes, mais surtout du Tintoret, dont l'influence se traduit dans ses figures, sa technique et ses effets de lumière. Son art se développe parallèlement à celui du jeune Greco. Une fois de retour dans sa ville natale, il s'acquitte des commandes de collectionneurs privés et de son atelier, où il travaille avec ses fils. Il en sort des séries de thèmes bibliques, traités comme des scènes pastorales avec de larges paysages. Leur réalisme fut décisif pour la création baroque de la peinture de genre.

21 **«Les reproches essuyés par Adam et Ève»** (t. 191 × 287). Après le péché originel, Adam et Ève encourent les reproches de Dieu. Ils sont perdus au milieu d'un vaste paysage. L'artiste s'y attache essentiellement à représenter, avec le plus de précision et de réalisme possible, la variété des animaux du paradis terrestre.

22 **«Entrée des animaux dans l'arche de Noé»** (t. 207 × 265). Acheté par Titien pour l'empereur Charles Quint, ce tableau suit le schème du Bassan, où les éléments secondaires masquent la scène principale. Le charme en réside dans les effets de lumière et de coloris. Un naturalisme pénétrant y est obtenu en certains endroits de la toile.

23 **«Noé après le déluge».** Voir Leandro Bassano.

25 **«Adoration des bergers»** (t. 60 × 49). Oeuvre délicate, d'un brillant coloris, aux effets de lumière nocturne et dont les modèles se rattachent au Tintoret.

26 **«Adoration des bergers»** (t. 128 × 104). Cette autre scène nocturne est traversée par les rayons lumineux émanant de l'Enfant Jésus et des angelots du haut.

27 **«Expulsion des marchands du Temple»** (t. 150 × 184). La scène évangélique est encadrée par une architecture monumentale, du genre de celles du Tintoret. Le coloris aux tons chauds et variés fait ressortir la vivacité et les détails naturalistes de cette composition.

28 **«Expulsion des marchands du Temple»** (t. 149 × 233). Presque toute la toile est remplie d'éléments naturalistes et anecdotiques, la scène principale demeurant à moitié cachée dans le fond.

**BASSANO, Leandro da Ponte, dit Leandro Bassano** (Bassano, 1557-Venise, 1622). De l'école vénitienne. Fils de Jacopo Bassano, il travailla avec lui dans sa ville natale jusqu'en 1592. Il se fixa alors définitivement à Venise, où il fit de nombreux portraits.

23 **«Noé après le déluge»** (t. 80 × 113). Attribué jadis à son père, on le reconnaît à présent comme une oeuvre de jeunesse de Leandro.

29 **«Le mauvais riche et le pauvre Lazare»** (t. 150 × 202). Voir n.º 39.

30 **«Le printemps»** (t. 68 × 80). Voir n.º 31.

31 **«L'hiver»** (t. 79 × 95). Ces 2 tableaux ont pu faire partie d'une série des 4 saisons, traitées comme des scènes de genre. Ils relèvent directement du style de Leandro, mais on les attribua jadis à son père.

32 **«Portrait d'homme»** (t. 64 × 50). Coloris sobre et expression intense.

39 **«Le retour de l'enfant prodigue»** (t. 142 × 200). Ces 2 tableaux, qui se font pendants, expriment on ne peut mieux le style des Bassano. Ces compositions sont très belles en raison de la multiplicité de leurs éléments qui sont traités avec naturalisme, de la richesse de leur coloris et de l'habilité de leurs contrastes de lumières.

40 **«La fuite en Égypte»** (t. 86 × 71). Fait montre d'une grande virtuosité dans le traitement de la lumière, qui fait ressortir dans la nuit obscure quelques détails des figures et de la végétation.

41 **«Le couronnement d'épines»** (ardoise 54 × 49). Se rattache davantage au style de l'atelier de Francesco Bassano.

43 **«La Vierge Marie au ciel»** (t. 175 × 140). Copie de format réduit d'un tableau de Jacopo Bassano se trouvant au Musée de Bassano.

44 **«Venise: Embarquement du Doge»** (t. 200 × 597). Selon la tradition vénitienne, représente la ville et les événements qui s'y déroulent.

45 **«Magistrat ou clerc, devant un crucifix»** (t. 98 × 80). Composition traditionnelle par sa sobriété et son coloris.

s.n. **«Orphée et les animaux»** (t. 98 × 108). Caractéristique de son style.

**BASSANTE ou PASSANTE, Bartolomeo Bassante** (Brindisi, v. 1616-Naples, 1656). De l'école napolitaine.

47 **«Adoration des bergers»** (t. 99 × 131). Signé. Il fut disciple de Ribera. Mais sa peinture ressemble plus à celle d'autres artistes napolitains au goût plus raffiné, tels que Cavallino, représenté aussi au Prado.

**BATONI, Pompeo Gerolamo Batoni** (Lucca, 1708-Rome, 1787). De l'école romaine. Toscan d'origine, il alla tout jeune à Rome, où il se sentit attiré par la peinture classique. Il y étudia la statuaire classique et la pein-

18. Barocci. La Nativité du Christ.

248. Andrea Mantegna. La Dormition de la Vierge.

ture de Raphaël, ainsi que de ses continuateurs du XVIIe s.: les Carracci, le Guide et Maratta. Contemporain de Mengs, il fut, avec lui et avec le théoricien Winckelmann, un des créateurs de la peinture néo-classique. La beauté et la sérénité de ses compositions, la précision et l'ordre de son dessin, ainsi qu'une certaine mollesse ou sensualité rappelant le Corrège, lui assurèrent le succès. Il a peint beaucoup de portraits. Ceux qu'il fit d'étrangers de passage à Rome lui valurent un renom universel.

48 «Un voyageur en Italie: Sir William Hamilton» (t. 127 × 100). Signé et daté de 1778. Composé avec beaucoup de sobriété et d'élégance, ce portrait dénote une pénétration psychologique, bien propre à l'école classique. Le buste romain posé sur la table témoigne du milieu intellectuel de cet homme et de l'intérêt professé alors pour l'antiquité classique.

49 «Un chevalier de passage à Rome: Charles Cecil Roberts» (t. 221 × 157). Signé et daté de 1778. La pose élégante du personnage et les effets atmosphériques du paysage font penser aux portraits anglais du temps de Reynolds ou de Gainsborough. Au fond, la Basilique Saint-Pierre et le Château Saint-Ange.

BATTAGLIOLI, Francesco Battaglioli (Modène, v. 1725-Venise, v. 1790). S'est formé à Venise et spécialisé dans les vues de villes, suivant la tradition vénitienne d'un Canaletto ou d'un Guardi. A partir de 1754, travailla à la Cour d'Espagne, où il fit aussi des décors pour le théâtre et l'opéra.

4180 «Les invités arrivent au Palais d'Aranjuez pour célébrer la fête de Saint Ferdinand» (t. 86 × 112). Fait pendant au tableau suivant.

4181 «Le roi Ferdinand VI et la reine Barbe de Bragance, avec leurs invités dans les jardins du Palais d'Aranjuez» (t. 86 × 112). Signé et daté de 1756. Acquisition récente du Prado, illustrant bien la peinture vénitienne des *veduttisti*.

BATTISTELLO. Voir Caracciolo.

BELLINI, Giovanni Bellini, dit Giambellino (Venise, v. 1432-1516). De l'école vénitienne. Fut un des rénovateurs de la peinture vénitienne à la fin du XVe s., en s'écartant du style gothique, à la recherche des nouveaux idéals de la Renaissance. On note l'influence de l'art de son beau-frère Mantegna: ses figures sont dessinées de façon ferme et ses formes clairement définies. Mais elles sont plus tard adoucies par la richesse du coloris, l'étude de la lumière et les effets de clair-obscur, repris sans nul doute aux oeuvres du jeune Giorgione. Il a été le maître de Titien.

50 «La Vierge à l'Enfant, en compagnie de 2 saintes» (b. 77 × 104). Signé Exécuté sur le tard, v. 1490. Groupées pour se livrer à leur «sainte conversation», les figures à mi-corps, bien éclairées, se détachent sur le fond obscur. Aussi réduite qu'elle soit, la gamme des couleurs est pourtant traitée avec une exquise variété de nuances.

576 «La Sauveur» (b. 44 × 34). Copie de l'original conservé à l'Académie San Fernando de Madrid.

BELVÉDÈRE, Andrea Belvédère (Naples, v. 1646-1732). De l'école napolitaine.

549 «Vase de fleurs» (t. 151 × 100). Signé. Voir n.o 550.

550 «Vase de fleurs» (t. 151 × 100). Ces 2 toiles qui vont de pair illustrent magnifiquement l'art d'un des derniers peintres de natures mortes de l'école napolitaine. Il a travaillé à Madrid à la fin du XVIIe s. et collaboré quelques tableaux de son concitoyen Luca Giordano. Son style, dont l'exubérance est presque nordique, s'est formé au contact de Ruoppolo tout en trahissant des influences d'Abraham Bruegel, qui passa par Naples vers 1671.

BERNINI, Gian Lorenzo Bernini (Naples, 1598-Rome, 1680). De l'école romaine.

2476 «Autoportrait» (t. 46 × 32). Plus connu en tant qu'architecte et sculpteur, il a aussi peint quelques petits portraits, vigoureusement ébauchés dépouillés de tout élément accessoire. On peut dater celui-ci de 1640

BERRETTINI. Voir Cortone.

BIANCHI, Isidoro Bianchi (Campione, 1581-Milan, 1662). De l'école lombarde.

141 «La charité» (t. 156 × 118). Collaborateur de Morrazone à Milan, il exécuta quelques grosses commandes pour Turin. On lui attribue cette toile avec réserves. Sa composition est inspirée de motifs de Raphaël. Sa technique est clairement lombarde: une intense lumière détache bien la scène principale sur le fond obscur.

**BILIVERTI, Giovanni Biliverti** (Florence, 1576-1644). De l'école florentine.

53a  «La gratitude de Tobie» (t. 171 × 148). Descendant d'un orfèvre flamand, il se forma chez Cigolli, dans le milieu du maniérisme tardif de Florence, qui cherchait à se renouveler dans un sens naturaliste. Un voyage en 1604 lui fit connaître les nouveautés de Rome. Il peignit beaucoup de tableaux religieux pour Florence. Celui-ci est une réplique de la version conservée à la Galerie Pitti de Florence. Les attitudes un peu maniérées des figures, confinées dans un espace réduit, sont tempérées par la beauté de la technique et la pénombre qui estompe les formes.

**BOLONAIS.** Voir Grimaldi.

**BONINI, Gerolamo Bonini** (Ancône, travailla au XVIIᵉ s.). De l'école de Bologne.

4  «Nativité de la Vierge» (t. 93 × 51). Disciple de l'Albane, dont il a imité le style. Il copie ici un tableau célèbre d'Annibale Carracci, conservé au Louvre.

**BONITO, Giuseppe** (Castellammare di Stabia, 1707-Naples, 1789). De l'école napolitaine.

54  «L'Ambassade de Turquie à la cour de Naples» (t. 207 × 170). Signé et daté de 1741. Ce disciple de Solimène est surtout connu en tant que portraitiste. Il représente ici Hagi Hussein et sa suite, rendant visite en 1741 au roi de Naples, qui deviendrait Charles III d'Espagne. Le réalisme des personnages est remarquable, suivant la plus pure tradition napolitaine, qui garde encore des réminiscences de Ribera au XVIIIᵉs.

**BONZI, Pietro Paolo Bonzi, dit le Bossu des Carracci** (Cortone, 1576-Rome, 1636). De l'école romaine.

226  «Tête de vieux» (t. 39 × 31). Attribué jadis à Vélasquez, il est unanimement reconnu comme l'oeuvre de ce disciple des Carracci à Rome, qui a aussi peint des natures mortes dans le style ténébriste du début du XVIIᵉ s. Il s'agit sans doute d'une pochade, à en juger d'après la rapidité de sa technique énergique et l'inachèvement de ses formes.

**BORDONE, Pâris Bordone** (Trévise, 1500-Venise, 1570). De l'école vénitienne.

372  «Autoportrait» (t. 104 × 76). Ce disciple de Titien fut un des plus im-

2838. Botticelli. Histoire de Nastagio degli Honesti.

portants représentants de l'école vénitienne. On peut dater ce portrait d'entre 1530 et 1540.

**BORGIANNI, Orazio Borgianni** (Rome, v. 1578-1616). De l'école romaine.

377  «Autoportrait» (t. 95 × 71). A travaillé en Espagne aux environs de 1600. Ses oeuvres, dont la technique a été influencée par Venise, rappellent nettement le Greco. A son retour à Rome, il est entré dans l'orbite du Caravage. Ce tableau, très expressif, illustre son caractère inquiet.

**BOTTICELLI, Sandro Botticelli** (Florence, 1445-1510). De l'école flo-rentine. Disciple de Filippo Lippi, peintre de Madones délicates, puis in-fluencé par Verrocchio, le maître de Léonard, il fut une des grandes per-sonnalités de la Renaissance. En contact dès sa prime jeunesse avec le milieu intellectuel et humaniste de la cour de Laurent de Médicis, il illus-tra les tendances littéraires et philosophiques de son époque. Il poursuit la beauté idéale et donne toujours à ses modèles un air mélancolique. Tout en reflétant son tempérament sensible et inquiet, sa peinture atteint une grande perfection technique. On lui doit des tableaux célèbres, tels que *Le printemps* ou *La naissance de Vénus*. Le pape Sixte IV le fit collaborer aux décorations de la Chapelle Sixtine. Sous le coup d'une crise religieuse à la fin de sa vie, il détruisit beaucoup de ses oeuvres, qu'il estimait païennes.

2838⎫
2839⎬ **«Histoire de Nastagio degli Onesti»** (b. 82 × 140) Cette série de
2840⎭ planches (le Prado n'en a que 3, la 4ème étant aux EE. UU.) lui avait été commandée par Laurent de Médicis à l'occasion de l'alliance entre les grandes familles Pucci et Bini, dont les armes figurent, du reste, sur les cadres. Il s'agit d'une nouvelle du Décaméron de Boccace. Contrarié par le dédain que lui témoigne la fille qu'il aime, Nastagio degli Onesti, en promenade dans un bois, y est témoin de la poursuite d'une jeune fille par un chevalier (n.º 2838), qui la tue et jette son coeur aux chiens (n.º 2839) ainsi étaient-ils éternellement châtiés: elle, pour avoir méprisé son amour et lui, pour s'être suicidé. Nastagio organise là-même un banquet où il invite la famille de celle qu'il voulait épouser, afin que celle-ci, à cette vue accepte son amour (n.º 2840). Il y réussit, car la 4ème planche décrit la noce. Le coloris est remarquable, de même que la beauté des compositions et des figures.

**BRONZINO, Angiolo Torri, dit Bronzino** (Florence, 1503-1572). De l'école florentine.

5 **«Don García de Médicis»** (b. 48 × 38). Ce peintre maniériste, disciple du Pontormo, a fait beaucoup de portraits. Daté de v. 1550, celui-ci est peint avec beaucoup de minutie et un coloris très délicat.

**BUONACCORSI.** Voir Perino del Vaga.

**CALIARI.** Voir Véronèse.

**CAMASSEI, Andrea Camassei** (Bevagna, 1602-Rome, 1649). De l'école romaine.

122 **«Les Lupercales»** (t. 237 × 365). C'est une fête qu'on célébrait à Rome le 15 février en l'honneur de Lupercus, dieu de la fécondité. On immolait un bouc au pied du Palatin. Puis, les luperques, armés de lanières découpées dans sa peau, faisaient le tour du Palatin en frappant les femmes rencon-trées sur leur passage, pour les rendre fécondes. Cette toile, d'un beau coloris, dénote une liberté de technique d'inspiration vénitienne.

2315 **«Combat de gladiateurs»** (t. 182 × 235). Attribué jadis à Lanfranc, mais considéré aujourd'hui par la critique comme étant sûrement de Camassei. On y retrouve le même type de modèle humain que dans la toile précé-dente.

**CAMBIASO, Luca Cambiaso** (Moneglia, 1527-El Escorial, 1585). De l'école de Gênes.

60 **«La Sainte Famille»** (t. 131 × 103). Oeuvre typique de ce Génois qui travaillé à l'Escorial. La douceur de sa technique, qui enveloppe les figures d'un léger sfumato, n'empêche pas le parfait achèvement des formes, ac-centuées par l'équilibre du coloris et la variété de l'éclairage.

61 **«Amour endormi»** (t. 64 × 72). La scène est soulignée par des tons bruns, créant un fort clair-obscur.

62 **«Lucrèce»** (t. 123 × 120). Très belle oeuvre au coloris vénitien. Sa tech-nique dissoute met en valeur le nu et mitige l'effet dramatique de la scène.

**CAMPI, Antonio Campi** (Crémone, 1524-1587). De l'école lombarde.

59 **«Saint Jérôme en méditation»** (b. passé sur t. 183 × 122). Signé et peint pour Philippe II. La figure allongée est fort expressive. On y relève des détails très réalistes, tels que le napperon sur la table, et des éléments de nature morte, mis en relief à l'aide d'une technique minutieuse.

**CAMPI, Vincenzo Campi** (Crémone, 1536-1591). De l'école lombarde.

59a **«La crucifixion»** (t. 210 × 141). Signé et daté de 1577. L'impression de tension causée dans la scène par l'espace réduit, est propre au maniérisme. Les Lombards aiment bien ce modelé dur, qui donne une surface presque émaillée, où se joignent les couleurs et les lustres presque métalliques de la matière.

2715 **«Une table gaie»** (t. 78 × 100). Ce tableau se rattache à la tradition flamande par son sujet profane et les gens du peuple qu'il représente.

2840. Sandro Botticelli. Histoire de Nastagio degli Onesti (III).

**CANAL.** Voir Canaletto.

**CANALETTO, Antonio Canal, dit Canaletto** (Venise, 1697-1768). D l'école vénitienne. **Copies.**

2465 **«Le Grand Canal de Venise avec le Pont de Rialto»** (t. 37 × 54). Vc n.º 2466.

2466 **«L'église Saint-Georges et la Douane de Venise»** (t. 32 × 48). Ce sont pas des peintures de 1ère qualité. Jadis, on les a considérées comm des toiles originales de Canaletto, puis attribuées à Battaglioli, artiste i lien qui travailla en Espagne. En fait, ce sont des copies de toiles original de Canaletto, conservées ailleurs.

2478 **«La Place Saint-Marc à Venise»** (t. 32 × 48). Voir n.º 2466.

**CANTARINI, Simone Cantarini** (Pesaro, 1612-1648). De l'école Bologne.

63 **«La Sainte Famille»** (t. 75 × 55). Oeuvre typique de ce peintre, où joint un sens aigu de la réalité à l'élégance idéalisée des modèles du Guid dont il a été l'élève à Bologne.

**CARACCIOLO, Giovanni Battista Caracciolo, dit le Battistello** (N ples, v. 1570-1637). De l'école napolitaine.

2759 **«Saints Côme et Damien»** (t. 96 × 121). Il y fait usage de l'expérien ténébriste acquise chez le Caravage. Mais le naturalisme caravagiste e atténué par l'élégance presque aristocratique des poses des 2 saints.

**CARAVAGE, Michelangelo Merisi, dit Caravaggio ou le Caravag** (Caravaggio, 1573-Porto Ercole, 1610). De l'école romaine. Révolutio naire en son temps, il lança une des tendances picturales les plus importa tes du XVII$^e$ s.: le ténébrisme ou caravagisme. Celui-ci n'influença p seulement la peinture italienne, mais encore les écoles française, holla daise et espagnole. La réalité qui l'inspire est interprétée dans ses oeuvr au moyen de forts contrastes de lumières, qui accentuent, soit le mystèr soit le drame de la scène. Né au N. de l'Italie, il est allé très jeune Rome. Sa vie fut jalonnée de faits violents. Son caractère rebelle lui va l'incompréhension de ses mécènes et amis. Enfin, accusé d'homicide, il f obligé de fuir. Il peignit à Malte et en Sicile. Ayant obtenu le pardon pape, il tenta de regagner Rome. Mais terrassé par la fièvre, il mourut se et abandonné sur la plage de Porto Ecole.

65 **«David, vainqueur de Goliath»** (t. 110 × 91). Date de v. 1600. C notera la conception extrêmement réaliste de la figure et la techniq très foncée, qui fait ressortir le modelé quasi sculptural de l'anatomie jeune David. L'éclairage dirigé contribue à renforcer l'expression de scène.

**CARAVAGGIO.** Voir Caravage.

**CARBONI, Giovanni Bernardo Carboni** (Gênes, 1614-1683). D l'école gênoise.

2564 **«Portrait d'un enfant»** (t. 172 × 111). Attribution douteuse. C'est style des artistes de Gênes influencés par van Dyck.

**CARDUCCI.** Voir Carducho.

**CARDUCHO, Bartolomeo Carducci, dit Bartolomé Carducho** (Fl rence, 1554-El Pardo, 1608). De l'école florentine. Disciple du sculpte Almannati, il suit la tradition du dernier maniérisme toscan aux couleu vives, qui reprend des modèles de Michel-Ange et les interprète avec certain naturalisme anticipant sur la baroque. Il se rendit à Madrid av les décorateurs de l'Escorial et s'établit à la cour. Son oeuvre fut impo tante pour l'évolution de la peinture madrilène du début du XVII$^e$ dont un des représentants fut son frère Vicente Carducho (voir écc espagnole).

66 **«La descente de croix»** (t. 263 × 181). Signé et daté de 1595. Ce che d'oeuvre a été peint pour une église de Madrid. On remarquera la parfa harmonie et l'équilibre de la composition, ramenée aux personnages esse tiels, qui sont traités avec un sentimentalisme délicat, bien propre à l'éco florentine de la fin du XVI$^e$ s.

68 **«La dernière Cène»** (t. 256 × 244). Signé et daté de 1605. Compositi traditionnelle, où les poses élégantes des figures s'allient à un certa naturalisme qu'on note sur les visages des Apôtres ou les détails de natu morte.

**CARLETTO.** Voir Veronese (Carlo Caliari).

**CARLO LE NAPOLITAIN.** Voir Sellito.

**CARPI, Girolamo da Carpi** (Ferrare, 1501-1556). De l'école de Ferrar

69 **«Alphonse II d'Este»** (b. 101 × 64). Attribué jadis à Bronzino. Mais estime actuellement qu'il s'inscrit mieux dans la ligne de ce peintre.

**CARRACCI, Agostino Carracci ou Carrache** (Bologne, 1557-Parme, 1602). De l'école bolonaise. Fondateur, avec son frère Annibale et son cousin Ludovico, de la fameuse «Académie des Acheminés» de Bologne. Ensemble, ils rénovèrent la peinture à la fin du XVIe s. et créèrent le classicisme, qui partait de Raphaël, mais interprétait celui-ci avec la technique des Vénitiens et les progrès du Corrège dans le domaine de l'espace. En vertu de sa formation humaniste, Agostino fut le théoricien de l'Aca-

5. Bronzino. Don García de Médicis.    65. Le Caravage. David vainc Goliath.

démie, tout en déployant une activité incessante comme peintre et graveur.

404 **«La dernière Cène»** (t. 172 × 237). Date de v. 1595. Il y en a plusieurs versions. L'artiste a apporté un soin minutieux à la distribution et à la pose de ses personnages. On a l'attention attirée par la beauté des draperies, traitées à la mode de Venise, le grand réalisme des détails de nature morte et l'introduction d'éléments anecdotiques, tels que les 2 petits chiens en train de jouer.

**CARRACCI, Annibale Carracci ou Carrache** (Bologne, 1560-Rome, 1609). De l'école bolonaise. Fut un des rénovateurs de la peinture italienne du XVIIe s., avec son frère Agostino et son cousin Ludovico. Il fit les fresques de maints palais de Bologne, y appliquant pour la 1ère fois le classicisme baroque, basé sur la perfection de Raphaël, mais essentiellement centré sur l'étude constante du naturel. Appelé à Rome en 1595 pour décorer les salles du Palais Farnèse, il y peignit les fresques de la galerie principale, *Les amours des dieux,* qui seraient plus tard des exemples suivis. Il exerça une influence sur Rubens par la plénitude et la vie de son coloris, sur l'école française, par la perfection et la beauté de sa forme, et même sur le néo-classicisme du XVIIIe s. en lui offrant ses présupposés.

72 **«La Vierge avec l'Enfant Jésus et saint Jean»** (b. 29 diam.). Petit tableau très délicat, qui semble directement inspiré de motifs de Raphaël.

75 **«Assomption de la Vierge»** (t. 130 × 97). Daté de v. 1590. La disposition des figures, les architectures monumentales et le sens de la couleur nous prouvent bien que le peintre connaissait des modèles vénitiens. La beauté du paysage du fond est remarquable.

**Décoration de la Chapelle Herrera** (voir n.º 2910):

76 **«Apothéose de Saint François»**. Voir n.º 78.

77 **«Apothéose de Saint Jacques»**. Voir n.º 78.

78 **«Apothéose de Saint Laurent»** (3 ovales de 155 × 105). Voir n.º 2910.

132 **«Paysage avec des baigneurs»** (t. 47 × 56). La nature est parfaitement bien ordonnée, conformément à l'idéal classique d'Annibale, mais sans perdre pour autant ses vibrations, auxquelles celui-ci est sensible.

531 **«Vénus, Adonis et Cupidon»** (t. 212 × 268). Date de v. 1595. Vénus est

288. Giorgione. La Vierge et l'Enfant Jésus, entre Saint Antoine et Saint Roch.

2843. Melozzo da Forli. Ange musicien.

représentée au moment où, blessée par une flèche de Cupidon, elle tom
amoureuse du chasseur Adonis. Cette grande toile révèle des tendan
vénitiennes prédominantes: on y relève des réminiscences évidentes
Titien et de Véronèse, mais transformées par l'emphase baroque.

s.n. «Saint Jacques reçoit une aumône». Voir n.º 2910.

2908 «Saint Jacques endosse l'habit franciscain». Voir n.º 2910.

2909 «Le repas miraculeux». Voir n.º 2910.

2910 «Le miracle de l'enfant dans la fournaise» (4 trapèzes de 125 × 22
On conserve au Prado, passées sur toiles, 7 des fresques qui décoraien
chapelle Herrera de l'église Saint-Jacques des Espagnols à Rome et parv
rent en Espagne en 1850. Les 9 autres se trouvent au Musée de Barcelo
Annibale y travailla de 1602 à 1607, avec la collaboration de ses meille
élèves, tels que l'Albane et le Dominiquin, qui suivirent ses dessins pré
ratoires. Il s'agit d'épisodes de la vie de Saint Jacques d'Alcalá, patron de
chapelle. Bien que ces peintures ne soient plus en très bon état, on
distingue bien l'ordre présidant aux compositions et l'ampleur majestue
des figures, qui caractérisent cet artiste.

**CARRACCI, Ludovico Carracci ou Carrache** (Bologne, 1555-161
De l'école bolonaise. Aîné des Carracci, cousin d'Agostino et d'Anniba
il a rénové avec eux la peinture de son temps dans un sens baroque. I
adapté son art aux règles artistiques prescrites par le Concile de Tren
cherchant à rapprocher les fidèles des idéals de la contre-réforme catho
que, au moyen du naturalisme et de son profond sentiment religieux

70 «L'indulgence de la Portioncule» (t. 200 × 147). Le Christ et la Vie
apparaissent à Saint François d'Assise en extase. Cette beauté formelle
typique de la maturité de Ludovico.

74 «La prière au Jardin des oliviers» (t. 48 × 55). Date de 1590-1600. I
contrastes de lumières font ressortir la beauté du coloris, anticipant sur
style postérieur de l'école bolonaise (cf. le Guerchin).

**CARRACCI. Disciple des Carracci.**

84 «La Vierge avec l'Enfant Jésus et saint Jean» (b. 43 × 33). Oeuvre t
délicate, qui se rattache au cercle des élèves des Carracci.

**CARRACHE, les.** Voir Carracci, les.

**CARRUCCI.** Voir Pontormo.

**CASTELFRANCO.** Voir Giorgione.

**CASTIGLIONE, Giovanni Benedetto Castiglione, dit le Greche**
(Gênes, 1610-Mantoue, 1670). De l'école gênoise. Pour avoir voyagé

2631. Annibale Carracci. Vénus, Adonis et Cupidon.

connaissait bien le classicisme romain et le réalisme napolitain d'origine riberesque. C'est un coloriste, plein de vitalité. Son oeuvre embrasse tous les genres, mais il préfère les thèmes allégoriques et mythologiques, ainsi que les scènes de genre. Il les interprète avec un entier naturalisme, souligné par une technique vibrante et riche.

88 «Diogène» (t. 97 × 145). En quête d'un homme, le philosophe grec Diogène ne rencontre qu'animaux, satyres et ivrognes. C'est là un sujet qui se relie bien aux allégories moralisantes du XVII<sup>e</sup> s. Cette oeuvre de sa dernière période accuse une grande rigueur classique dans l'ordonnance de la scène, dont certaines figures sont empruntées à des motifs de sculptures romaines.

89 «Nature morte avec une tête d'agneau» (t. 41 × 58). Attribuée traditionnellement à notre peintre, cette oeuvre n'est pas de 1ère qualité, mais elle correspond bien à sa manière de faire.

CATENA, Vincenzo Catena (Venise, v. 1480-1531). De l'école vénitienne.

20 «Le Christ remet les clés à Saint Pierre» (b. 86 × 135). Se rattache au style de Giovanni Bellini, car les formes sont on ne peut plus clairement

3152. Cavallino. Le mariage de Tobie.

définies. C'est une tendance déjà archaïsante au début du XVI<sup>e</sup> s., où prédominait la technique estompée et légère de Giorgione et du jeune Titien.

CAVALLINO, Bernardo Cavallino (Naples, 1616-1654). De l'école napolitaine.

51 «La guérison de Tobie» (t. 76 × 103). Voir n.º 3152.

52 «Le mariage de Tobie» (t. 76 × 103). Fait pendant au précédent. Ce sont des épisodes bibliques du livre de Tobie, qui a été souvent illustré par ce peintre. Celui-ci transforme le réalisme caravagiste napolitain en adoptant des formes plus raffinées et picturales, en utilisant un riche coloris et en soulignant l'élégance des modèles, comme dans le cas de l'archange Raphaël (n.º 3151).

CAVAROZZI, Bartolomeo Cavarozzi (Viterbe, v. 1590-Rome, 1625). De l'école romaine.

46 «La Sainte Famille et Sainte Catherine» (t. 256 × 170). Toile bien caractéristique de ce peintre, inséré dans la tradition réaliste du Caravage, qu'il interprète au moyen de formes adoucies et d'aimables compositions se rattachant au style du Guide et de Gentileschi (représentés au Prado). Il a exercé une influence sur la peinture espagnole, car il a séjourné 2 ans à Madrid.

CAVEDONI, Giacomo Cavedoni (Sassuolo, 1577-Bologne, 1660). De l'école bolonaise.

3092. Antonello de Messine. Le Christ mort, soutenu par un ange.

95 **«Adoration des bergers»** (t. 240 × 182). Très belle toile de ce disciple des Carracci. C'est une réplique d'un de ses tableaux les plus fameux, peint pour Bologne. Il introduit ici des modèles réalistes, tels que les bergers, dans une composition empreinte d'une sérénité classique, qu'il interprète avec toute la gamme vénitienne de couleurs.

**CECCO DEL CARAVAGGIO** (connu à Rome dans la 1ère moitié du XVIIᵉ s.). De l'école romaine.

48 **«Une femme avec une colombe»** (t. 66 × 47). Attribué jadis à Artémise Gentileschi. Dénote un goût quasi surréaliste pour les qualités de la matière, les étoffes, les animaux ou les fleurs, bien typique de cet artiste du cercle caravagiste, dont on ne connaît ni la vie ni même le vrai nom. Ce tableau fait pendant à un portrait d'homme, conservé au Palais Royal de Madrid.

**CELEBRANO, Francesco Celebrano** (Naples, 1729-1814). De l'école napolitaine.

96 **«Chasse à courre»** (t. 121 × 154). Les catalogues l'attribuent au peintre français Charles de la Traverse, mais la critique, à ce disciple de Solimène, qui n'a jamais interprété que des sujets mineurs. Il s'attache ici à représenter de multiples scènes avec force détails: il en résulte une composition fort animée.

**CERANO.** Voir Crespi.

**CERQUOZZI, Michelangelo Cerquozzi, dit Michel-Ange des batailles** (Rome, 1602-1660). De l'école romaine.

96 **«Une cabane»** (t. 51 × 41). Il travailla dans le milieu romain des adeptes du Bamboche, peintres nordiques établis à Rome, qui ont interprété le réalisme caravagesque selon un mode mineur. En effet, ils avaient le souci de décrire la réalité qui les entourait sur de petites toiles en y peignant des scènes populaires de la vie de tous les jours avec beaucoup de vivacité et de coloris.

**CERRINI, Giovanni Domenico Cerrini** (Pérouse, 1609-Rome, 1681). De l'école romaine.

97 **«La beauté subit les ravages du temps»** (t. 258 × 229). Allégorie fréquente dans la peinture baroque, qui fait allusion au caractère fugace de la beauté. Le Temps, représenté par un vieillard ailé, reconnaissable à sa clepsydre et à sa faux, détruit la Beauté au rythme de son pas rapide. Coloris superbe et amples draperies gonflées par le vent: telles sont les notes caractéristiques de ce peintre, qui appartenait au milieu du classicisme romain en contact avec le Guide.

**CESARI.** Voir Arpino.

**CHEVALIER D'ARPIN.** Voir Arpino.

**CHEVALIER DE CALABRE.** Voir Preti.

**CIGNAROLI, Giambettino Cignaroli** (Vérone, 1706-1770). De l'école vénitienne.

99 **«La Vierge à l'Enfant, entourée de plusieurs saints»** (t. 314 × 171). Commandé par la reine Elisabeth Farnèse pour une chapelle du Palais de Riofrio à Ségovie, ce tableau est un bon échantillon du style de ce peintre, qui se rattache à la plus pure tradition véronaise par sa composition imposante et son riche coloris.

**CIMA, Giovanni Battista Cima, dit Cima de Conegliano** (Conegliano, v. 1460-1516/18). De l'école vénitienne.

538 **«La Vierge à l'Enfant»** (t. 63 × 44). Signé. C'est avec certaines réserves qu'on lui a attribué cette oeuvre, qui relève du style des Vénitiens archaïsants du début du XVIᵉ s., disciples attardés de Giovanni Bellini. L'abstraction des formes y arrive à friser la sécheresse géométrique.

**CODAZZI, Viviano Codazzi** (Bergame, 1603-Rome, 1672). De l'école romaine.

510 **«Extérieur de la basilique Saint-Pierre à Rome»** (t. 168 × 220). Peintre d'architectures et de perspectives, formé dans le milieu naturaliste napolitain et sympathisant à Rome avec le cercle des adeptes du Bamboche (voir Cerquozzi). Il décrit ici avec minutie l'ancienne Place Saint-Pierre, avec la façade de la Basilique, telle qu'elle était avant sa rénovation au milieu du XVIIᵉ s. Ses beaux contrastes de lumières et son sens de l'espace sont remarquables. C'est Aniello Falcone qui a fait les figures.

**COLOMBO, Giovanni Battista Colombo** (Lugano, 1717-1793). De l'école lombarde.

194 **«Scènes dans un jardin»** (t. 122 × 92). Signé. Peintre de décors de théâtre. A été dans diverses cours européennes et s'est fixé longtemps à Londres. Cette toile décorative, brillante et soignée dans les détails, témoigne

d'un certain sens scénographique et reflète bien le milieu courtisan
XVIIIᵉ s. Le Prado en a une autre toile en mauvais état.

**COLONNA.** Voir Mitelli.

**CONCA, Sebastiano Conca** (Gaète, 1680-1764). De l'école romaine

101 **«Alexandre le Grand au Temple de Jérusalem»** (t. 52 × 70). Esqui
de l'un des grands tableaux de la Salle du trône au Palais de La Granja.
guise d'allusion aux vertus religieuses du roi Philippe V, elle représente
moment où Alexandre offre des sacrifices au Dieu d'Israël. Formé à N
ples auprès de Giordano et de Solimène, Conca a un style qui a bi
assimilé le classicisme romain.

102 **«L'idolâtrie de Salomon»** (t. 54 × 71). Ce tableau est plus achevé que
précédent. On y remarque l'ampleur de la composition, le soin appo
aux poses des figures, la beauté des draperies et le coloris agréable dans
goût rococo.

s.n. **«Thétis confie Achille à Chiron»** (t. 57 × 73). Cette composition n
thologique évoque un moment de l'enfance du héros grec, pour célébr
l'anniversaire de Louis-Antoine-Jacques, dernier fils de Philippe V.

**CONTE, Jacopino del Conte** (Florence, 1510-Rome, 1598). De l'éc
florentine.

329 **«La Sainte Famille»** (b. 105 × 100). Certains critiques attribuent ce
bleau à Salviati. A en juger par le modelé sculptural des formes et la cla
du coloris, il n'est pas douteux qu'il dérive des modèles élégants du P
mesan, interprétés au goût florentin.

**CORRÈGE, Antonio Allegri, dit le Correggio ou le Corrège** (Corre
gio, 1489-1534). De l'école de Parme. Grâce à sa personnalité forte et cré
trice, a influencé la peinture italienne au cours de sa brève vie. Il a trou
des modèles chez Mantegna et des inspirations auprès de Léonard et
Raphaël. Dans ses grandes compositions à fresque, il a mis au point d
innovations en matière d'illusionnisme pictural, qui ne seront pas repris
tant que le baroque n'aura pas atteint son plein développement. Dans s
tableaux d'autel et ses plus petites planches innombrables sur des thèm
religieux ou mythologiques, on remarquera surtout la tension psycholo
que des personnages, la morbidesse du modelé, les changements chrom
tiques exquis et raffinés, les contrastes de lumières et un certain natu
lisme des scènes. Ce sont justement ces notes qui ont aussi constitué
nets précédents pour la peinture du XVIIᵉ s.

111 **«Noli me tangere»** (b. passé sur t. 130 × 103). Les critiques y voie
tous un chef-d'oeuvre: de jeunesse pour les uns, plus tardif pour les a
tres. Le paysage humide et ombreux, aux tons verts et bleuâtres, sert
cadre au Christ et à Marie-Madeleine, dont les regards extrêmement e
pressifs révèlent bien les sentiments. Le chaud coloris de la robe de
sainte femme contraste avec les tons froids du torse et du manteau d
Ressuscité.

112 **«La Vierge avec l'Enfant Jésus et saint Jean»** (b. 48 × 37). Date de
1516. Il s'est clairement inspiré de tableaux de Léonard pour nous prése
ter ces roches à contre-jour, devant un paysage estompé dans le fond, d
mettre ce sourire mélancolique et mystérieux sur la bouche de la Vierg
C'est avec un certain naturalisme qu'il a évoqué la grâce des enfants.

**CORRÈGE. Copies par Eugenio Caxés.**

119 **«L'enlèvement de Ganymède»** (t. 175 × 72). L'original en est au Musé
de Vienne.

120 **«La légende de Léda»** (t. 165 × 193). L'original en est au Musée d
Berlin.

**CORRÈGE. Copies anonymes.**

115 **«Halte dans la fuite en Égypte ou la Madone à l'écuelle»** d
211 × 140). L'original en est à la Pinacothèque de Parme.

117 **«La cinquième douleur de la Vierge»** (b. 39 × 47). Réduction de l'o
ginal se trouvant à la Pinacothèque de Parme.

118 **«Martyre des Saints Placide, Flavie, Eutychien et Victorien»** (b. 39
47). Copie de l'original se trouvant à la Pinacothèque de Parme.

**CORREGGIO.** Voir Corrège.

**CORTONA.** Voir Cortone.

**CORTONE, Pietro Berrettini da Cortona, dit Pierre de Cortone** (Co
tone, 1596-Rome, 1669). De l'école romaine. Devenu, tout jeune, Prin
de l'Académie Saint-Luc de peinture, il fut un des peintres les plu
célèbres de la Rome du XVIIᵉ s. En contact d'emblée avec les milieu
cultivés et intellectuels, il y fut protégé par de grandes familles, telles qu
les Barberini. Son style spectaculaire leur plaisait pour la décoration d

leurs somptueux palais. Ses compositions compliquées groupant beaucoup de figures, ses perspectives illusionnistes et la richesse de son coloris marquent le début de la peinture pleinement baroque, qui sera largement diffusée en Italie par ses disciples.

21 **«La Nativité»** (à l'huile sur agate rougeâtre 51 × 40). La famille Barberini offrit à Philippe IV cette très belle oeuvre, dont les modèles sont bien représentatifs du style de Pierre de Cortone.

69 **«Le couronnement de David»** (t. 147 × 213). Oeuvre de jeunesse.

**CRESPI, Daniele Crespi** (Busto Arsizio, 1597-Milan, 1630). De l'école lombarde.

28 **«La Pietà»** (t. 175 × 144). Signé. La façon dont il traite la lumière et son naturalisme ont permis de le comparer à des artistes espagnols. Le nu majesteueux, quasi michelangélesque, du Christ est bien mis en valeur par l'éclairage direct, qui fait ressortir la perfection de son anatomie et la sobriété du schéma de cette composition. Sa technique est douce et légèrement estompée.

29 **«La flagellation».** Ce tableau ressemble au précédent, pour ce qui est de

111. Le Corrège. «Noli me tangere».    112. Le Corrège. Marie, Jésus et Jean.

la technique et du style. Mais l'huile sur le bois, en nous donnant une surface lisse et brillante, engendre ici des qualités plastiques et des valeurs tactiles qui sont fort dans le goût de Crespi.

**CRESPI, Giovanni Battista Crespi, dit le Cerano** (Cerano, 1575-Milan, 1633). De l'école lombarde.

547 **«Saint Charles Borromée contemple le Christ mort»** (t. 209 × 156). Peintre, sculpteur et architecte, il fut le maître de Daniele Crispi. Comme lui, il interprète des scènes profondément religieuses dans un style naturaliste avec de forts contrastes de lumières. A noter ici sa vision réaliste de l'extase du saint.

065 **«Une halte dans la fuite en Égypte»** (c. 43 × 31). Ce très beau tableau, d'une grande délicatesse, pourrait dater de sa jeunesse, car il est encore proche du maniérisme, si l'on observe la manière étrange et fantastique dont il représente l'espace et son goût pour un coloris froid aux tonalités changeantes et chatoyantes, affectant aussi bien le paysage que les figures.

**DOMENICHINO.** Voir Dominiquin.

**DOMINIQUIN, Domenico Zampieri, dit le Domenichino ou le Dominiquin** (Bologne, 1581-Naples, 1641). De l'école bolonaise. Elève de Ludovico Carrache à Bologne, il s'est rendu très jeune à Rome pour y aider Annibale Carrache. Bientôt indépendant, il adopta un genre de peinture rigoureusement classique, ordonnée et harmonieuse, empreinte d'un certain naturalisme. Il remporta ainsi un succès étonnant, qui lui valut la protection officielle et l'admiration des jeunes artistes, qui se mirent à le copier. A la fin de sa vie, à Naples, son style s'est ankylosé à un point tel qu'il n'a pas pu s'adapter aux innovations baroques de la génération suivante.

30 **«Saint Jérôme».** Voir Massari.

31 **«Le sacrifice d'Isaac»** (t. 147 × 140). Relève de son style tardif. La composition est bien agencée. Un grande sérénité caractérise les modèles, parmi lesquels ressort la figure d'Abraham, grandiloquente et maniérée.

540 **«Arc de triomphe»** (t. 70 × 60). Tableau allégorique, dédié à la mémo
de Giovanni Battista Agucchi, théoricien du classicisme romain, qui av
été ami et patron du Dominiquin. Des allégories des sciences et des vert
décorent cet arc, enveloppé dans la sereine mélancolie d'un paysage idé
lisé.

542 **«Martyre de Saint André»** (t. 102 × 85). Toile de jeunesse, comporta
encore de forts contrastes de lumières de type caravagesque, joints
classicisme raphaëlesque des figures.

2926 **«Funérailles d'un empereur romain»** (t. 227 × 363). Cette toile a fa
partie de la décoration du Palais du Buen Retiro à Madrid, composée
scènes et de coutumes romaines (voir Lanfranc, Camassei, Romanelli
Stanzione). Dans un essai de reconstitution quasi archéologique de
Rome ancienne, cet artiste a peint des monuments et des édifices qu
avait reconstruits en imagination. Les scènes s'inspirent aussi de modèl
de l'Antiquité.

**DOSSO DOSSI.** Voir Niccolò dell'Abate.

**DUGHET, Gaspard Dughet, dit le Guaspre Poussin** (Rome, 161
1675). De l'école romaine. D'origine française, mais né et formé dans
milieu de Rome, il fut le beau-frère du grand artiste Poussin. Paysagiste,
a peint de vastes vues de la campagne romaine, parsemée de ruines clas.
ques, qui l'ont rendu célèbre en son temps et ont influencé le paysage
XVIIe s.

134 **«L'orage»** (t. 49 × 66). Il devient presque romantique lorsqu'il représen
la nature en proie à la tourmente. Cette toile date de v. 1650, quand so
style s'écartait peu à peu de celui de son maître Poussin.

135 **«L'ouragan»** (t. 74 × 98). Pareille à la précédente, quant aux effets a
mosphériques.

136 **«Paysage avec la pénitente Marie-Madeleine»** (t. 76 × 130). Relève
la dernière période. Oeuvre d'un classicisme élaboré, cherchant à représe
ter une nature bien ordonnée, dont la richesse de détails et les nuanc
subtiles de l'atmosphère et de la lumière permettent de se faire une bon
idée des réussites de l'artiste.

137 **«Paysage»** (t. 73 × 96). Voir n.º 138.

138 **«Paysage»** (t. 74 × 98). Il est tout aussi élaboré que le précédent. E
effet, il présente des figurines de bergers et de troupeaux, des édific
éclairés par le soleil et de beaux effets atmosphériques.

2305 **«Paysage où un ermite parle aux animaux»** (t. 159 × 233). Cette to
de toute première qualité fut attribuée jadis à Poussin. Elle relève pou
tant du style de jeunesse de son disciple: la végétation y est très détaillé
et offre une gamme infinie de tons verts.

**DUGHET et Maratta.**

552 **«La pénitente Marie-Madeleine»** (t. 71 × 75). Le paysage est de Dugh
et les figures, de Maratta, peintre du classicisme romain, avec qui il
souvent collaboré.

**DUPRA, Domenico Dupra** (Turin, 1689-1770). De l'école piémontais

2250 **«Madame Barbe de Bragance»** (t. 75 × 60). Ce portrait de la futu
épouse de Ferdinand VI et reine d'Espagne a été fait à Lisbonne. So
coloris est clair au goût français, mais il n'a guère de valeur artistique

**FALCONE, Aniello Falcone** (Naples, 1607-1656). De l'école napol
taine. Spécialiste en tableaux de batailles, si appréciés par les collectio
neurs du XVIIe s. A travers Ribera, il a tiré parti du style du Caravage, d
ses contrastes de lumières et de son naturalisme, mais en l'adaptant à s
propre sensibilité artistique et à ses thèmes profanes, traités avec bea
coup de vivacité. Sur le tard, sans doute sous l'influence de Poussin, il
revient à des formes sereines et classiques.

87 **«Concert»** (t. 109 × 127). Oeuvre de maturité, où se détache le vif ré
lisme de la scène: on dirait qu'il a pris un instantané bien réussi de l'inte
prétation des chanteurs et de la concentration psychologique des mus
ciens. Le coloris raffiné aux tons chauds et l'éclairage nuancé qui met e
relief les détails de nature morte, les tissus et les fruits, en font un de se
plus beaux chefs-d'oeuvre.

91 **«Eléphants dans un cirque»** (t. 229 × 231). Après des attributions di
vergentes à Pietro Testa, à Castiglione et à Andrea Leone, la critiqu
semble pencher en faveur de Falcone. C'est un thème de l'histoire d
Rome, qui n'a sans doute pas de signification précise. Ce tableau dut serv
à la décoration du Palais du Buen Retiro.

92 **«Gladiateurs»** (t. 186 × 183). L'anatomie est parfaitement bien étudié
avec réalisme. On note chez les personnages des réminiscences de Riber

en même temps qu'une bonne connaissance de l'Antiquité romaine, se traduisant dans les statues, les bas-reliefs et les architectures.

93 **«Soldats romains dans l'amphithéâtre»** (t. 92 × 183). Fit aussi partie de la décoration du Palais du Buen Retiro. Relève de la période la plus directement influencée par Poussin. La scène est interprétée de façon très personnelle: on y voit un premier plan en guise de frise classique, qui contraste avec le grouillement des gradins dans le fond. L'éclairage direct fait bien ressortir la grande richesse du coloris.

94 **«Expulsion des vendeurs du Temple»** (t. 101 × 135). Son style ressemble à celui du *Concert:* les détails réalistes sautent aux yeux. Le coloris est chaud et l'éclairage, intense. C'est une interprétation presque populaire de l'épisode évangélique.

39 **«Bataille de Romains»** (t. 133 × 215). Notre peintre de batailles a saisi le moment où l'impétuosité du combat atteignait son paroxysme.

14 **«Noé après le déluge»** (t. 100 × 127). On a aussi attribué cette toile à Andrea Leone, son élève. Ce thème revient souvent dans le cercle des adeptes de Poussin.

**FATTORE.** Voir Penni.

**FIESOLE, Fra Giovanni da Fiesole.** Voir Fra Angelico.

**FIORI.** Voir Barocci.

**FRA ANGELICO.** Voir Angelico.

**FRACANZANO, Cesare Fracanzano** (Bisceglia, v. 1612-Barletta, 1652). De l'école de Naples.

42 **«Deux lutteurs»** (t. 156 × 128). De style riberesque, mais son schème rigoureux de composition le relie à la tradition bolonaise. On croit qu'il s'agit d'une lutte entre Héraclès et Antée.

**FRANCIA, Giacomo et Julio Francia** (actifs à Bologne dans la 1ère moitié du XVIe s.). De l'école bolonaise.

43 **«Saint Jérôme, Sainte Barbe et Saint François»** (b. 156 × 145). Tableau de qualité moyenne, signé par les 2 frères, qui ont hérité l'harmonie et le beau coloris de leurs oeuvres du classicisme un peu froid de leur père Francesco, représentant de la 1ère école bolonaise de la Renaissance.

**FURINI, Francesco Furini** (Florence, 1600-1646). De l'école florentine.

44 **«Loth et ses filles»** (t. 123 × 120). Dans son style raffiné, il interprète des sujets bibliques et mythologiques, où il cherche à produire des effets très sensuels. Dans ce but, il utilise une technique estompée, qui fait ressortir ici la morbidesse des nus féminins, qu'on rencontre à profusion dans ses peintures et qui l'ont rendu célèbre.

**GADDI, Taddeo Gaddi** (Florence, v. 1300-1366). De l'école florentine.

41 **«Saint Éloi chez le roi Clotaire»** (b. 35 × 39). Voir n.º 2842.

42 **«Saint Éloi dans son atelier d'orfèvre»** (b. 35 × 39). Disciple de Giotto et héritier de son atelier, il représente au Prado la peinture de son maître génial, qui a rénové l'art italien au XIVe s. Tous les critiques ne sont pas d'accord sur l'attribution de ces 2 planches à Gaddi, mais, de toute manière, celles-ci nous donnent des exemples typiques de la peinture des élèves de Giotto. Sans renoncer aux formes monumentales de leur maître, ils y insèrent des éléments décoratifs et des détails anecdotiques, accentués par un riche coloris où le fond doré est essentiel.

202. Le Guerchin. Saint Augustin.      144. Furini. Loth et ses filles.

**GAGLIARDI, Filippo Gagliardi** (Rome, v. 1640-1659). De l'école r
maine.

145 **«Intérieur de la basilique Saint-Pierre à Rome»** (t. 210 × 156). Sign
et daté de 1640. Le Bernin n'y avait pas encore commencé les trava
pour le baldaquin du maître-autel. On ne sait pas grand-chose de c
artiste, sauf qu'il fut architecte et peintre de perspectives. La minutie de
technique manifeste bien la belle décoration de la basilique et son c
ractère grandiose. Clercs, mendiants et chevaliers l'animent à souhait.

**GARGIULO, Domenico Gargiulo, dit Micco Spadaro** (Naples, 161
1675). De l'école napolitaine.

237 **«Entrée triomphale de Vespasien à Rome»** (t. 155 × 363). Voir n.º 23
238 **«Entrée triomphale de Constantin à Rome»** (t. 155 × 355). C'est av
sa grande vivacité coutumière qu'il présente 2 scènes de triomphes r
mains. On y distingue une foule de personnages sveltes et élancés, ain
que des éléments anecdotiques qui essaient de faire revivre l'antiquité c
façon naturaliste.

**GENTILESCHI, Artémise Gentileschi** (Rome, 1597-Naples, 1652). [
l'école romaine. Fille et élève d'Orazio Gentileschi, elle a été une d
femmes peintres les plus remarquables. Son art l'ayant vite rendue célèbr
sa vie ne fut pas du tout tranquille. Le procès intenté contre un collabor
teur de son père, Agostino Tassi, nous apprend que celui-ci avait tenté c
la violer quand elle était encore une petite fille. Elle se maria très jeun
mais se sépara bientôt de son mari. Elle habita Florence et en 1630
rendit à Naples où elle se remaria. A la mort de son père, elle alla pass
un an à Londres. Sa peinture combine diverses tendances, depuis le car
vagisme discret de son père jusqu'au classicisme bolonais, mais garde to
jours un cachet personnel.

147. O. Gentileschi. Moïse sauvé des eaux.

149 **«Naissance de Saint Jean-Baptiste»** (t. 184 × 258). Signé. Oeuvre bi
typique, fort réaliste et intime, considérée par les critiques comme
meilleure scène d'intérieur de la peinture italienne du XVIIe s. C'est u
collaboration à la série de Stanzione sur la vie de Saint Jean-Baptiste.

**GENTILESCHI, Orazio Gentileschi** (Pise, 1563-Londres, 1639). [
l'école romaine. D'origine toscane, arriva tout jeune à Rome, où il devi
un des premiers et plus fidèles disciples du Caravage. En Italie, il se ren
aux Marches, en Toscane et à Gênes. En 1623, il était à Paris, d'où il par
en 1626 pour l'Angleterre, où il demeura jusqu'à sa mort. Son réalisn
juvénile évolue plus tard vers des formes plus sensuelles et idéalisé
traitées avec un coloris clair et un bon éclairage. Son goût pour les étoff
riches et brillantes, qu'il peint avec une grande virtuosité, est sans doute c
au milieu aristocratique et courtisan qu'il a fréquenté à la fin de sa vie

147 **«Moïse sauvé des eaux»** (t. 242 × 281). Signé. Peint en Angleterre
offert à Philippe IV en 1633. La fille du pharaon et sa suite y figurent av

la richesse et le coloris de la cour anglaise contemporaine. La beauté des robes et le style vénitien du paysage ont fait jadis attribuer ce tableau important à Véronèse.

40 **«L'Enfant Jésus endormi sur la croix»** (t. 75 × 100). Iconographie fréquente au XVII$^e$ s. en tant que présage de la mort du Christ.

22 **«Saint François, soutenu par un ange»** (t. 126 × 98). Datant des années où il était à Rome, est encore très proche du ténébrisme de sa jeunesse.

88 **«Le bourreau apportant la tête de Saint Jean-Baptiste»** (b. passé sur t. 82 × 61). Signé. Figure réaliste et tecnique minutieuse.

**GIAMBELLINO.** Voir Bellini.

**GIAQUINTO, Corrado Giaquinto** (Molfetta, 1703-Naples, 1766). De l'école napolitaine. Disciple de Solimène à Naples, il y peignit de grandes décorations baroques. Très jeune, il entra en contact à Rome avec le milieu du rococo et y collabora avec Sebastiano Conca, lui empruntant la richesse de son coloris et le raffinement typique du XVIII$^e$ s. (voir Conca). En 1753 il se rendit à Madrid comme 1er peintre du roi Ferdinand VI et y fut directeur de l'Académie San Fernando. Avant de retourner à Naples, il y exécuta de grosses commandes pour la Cour, dont les fresques du Palais Royal de Madrid et du Palais d'Aranjuez, ainsi que maintes toiles sur des thèmes religieux, historiques et mythologiques, telles que celles du Prado.

03 **«Lever de soleil et triomphe de Bacchus»** (t. 168 × 140). Pochade de préparation de la fresque de l'escalier au Palais Royal de Madrid, de 1762. Son coloris et la richesse de son inspiration en font un chef-d'oeuvre. Dans le haut, Apollon, qui symbolise le soleil, se dresse sur son char, éclairant le triomphe du dieu Bacchus, entouré de nymphes.

04 **«La Justice et la Paix»** (t. 216 × 325). Signé. De caractère allégorique, nous montre les effets de la Justice et de la Paix dans l'abondance et dans l'exil de la guerre.

05 **«Sacrifice d'Iphigénie»** (t. 75 × 123). Signé. Très belle toile, qui remonte encore à la période romaine du peintre. Celui-ci y emploie une technique très légère, qui lui donne l'aspect d'une ébauche. Il y a des figures d'inspiration classique, mais elles sont traitées avec une délicatesse rococo. Iphigénie est sur le point d'être sacrifiée par son père Agamemnon, afin que la chance lui sourie à la guerre de Troie, quand apparaît la déesse Diane, qui donne l'ordre de mettre une biche à sa place.

06 **«La bataille de Clavijo»** (t. 77 × 136). Esquisse pour la voûte d'entrée à la chapelle du Palais Royal de Madrid. Sa composition relève du genre napolitain des batailles, si en vogue au XVII$^e$ s.

07 **«La prière au jardin de Gethsémani»** (t. 77 × 136). Voir n.$^o$ 3132.

08 **«La descente de croix»** (t. 147 × 109). Voir n.$^o$ 3132.

09 **«Saint Laurent dans la Gloire»** (t. 97 × 137). Esquisse pour la coupole de la chapelle du Palais de Madrid. Aux côtés de saint Laurent on aperçoit une série de personnages bibliques et évangéliques, ainsi que de saints. A noter les belles tonalités chatoyantes et la technique légère, qui produisent des effets dans l'atmosphère.

10 **«Triomphe de Saint Jean de Dieu»** (t. 213 × 98). Gouache préparatoire pour une fresque de l'église de San Giovanni Calabita à Rome. Cette composition très achevée nous présente des figures à l'aspect imposant et serein, qui se rapprochent plus du style baroque à son apogée que de la délicatesse du rococo. L'harmonie et la couleur des draperies sont remarquables.

82 **«La Justice et la Paix»** (t. 210 × 320). Peint pour la salle de réunions de l'Académie San Fernando à Madrid. Sa composition ressemble à celle du n.$^o$ 104. La beauté des figures féminines y contraste avec la présence désagréable de la Mort sur son piédestal, qui rappelle les allégories baroques.

24 **«La Sainte Face»** (t. 65 × 175). Voir n.$^o$ 3132.

40 **«Moïse sur le mont Sinaï»** (t. 148 × 60). Cette toile n'est pas de Giaquinto, mais sans doute d'un Espagnol du XVIII$^e$ s., proche de Bayeu.

31 **«Le couronnement d'épines»** (t. 141 × 97). Voir n.$^o$ 3132.

32 **«Le Christ sur le chemin du Calvaire»** (t. 141 × 97). Avec les tableaux num. 107, 108, 2424 et 3131 et plusieurs autres déposés par le Prado dans différents Musées espagnols, fait partie de la série sur la Passion du Christ exécutée par le peintre, peu après son arrivée en Espagne vers 1754, pour le «prie-Dieu du Roi» au Palais du Buen Retiro à Madrid. Etant ébauchés à la manière de l'arstiste, avec des tons riches et une lumière irréelle, certains d'entre eux, comme le n.$^o$ 108, ont été jadis attribués à Goya.

92 **«Paysage avec une cascade et des bergers»** (t. 156 × 229). Voir n.$^o$ 3193.

3193 **«Paysage avec des chasseurs»** (t. 152 × 226). Ces 2 tableaux qui se fo
pendants nous prouvent comment l'artiste fusionne le style arcadien
serein du paysage romain, comme celui de Dughet, avec le style du pa
sage napolitain, plus brillant et agité, attentif aux effets de lumières.

3204 **«La Trinité»** (t. ovale 80 × 68). Giaquinto a repris plusieurs fois cet
composition où ressort la beauté majestueuse du corps du Christ.
**GIAQUINTO. Copie par José del Castillo.**

s.n. **«La mort d'Absalon»** (t. 403 × 618). Carton de tapisserie réalisé sur
modèle d'une composition de Giaquinto.
**GIORDANO, Luca Giordano, dit Lucas Jordán** en Espagne (Naple
1634-1705). De l'école napolitaine. Se forma à Naples dans l'atelier
Ribera, dont il imita si bien l'intense réalisme et les forts contrastes d'or
bres et de clairs que, dans maintes collections, on prit ses tableaux pou
ceux de son maître. Sa prodigieuse capacité de travail, non moins qu
l'aisance et la rapidité de son exécution le firent surnommer «Luca
presto». Il se rendit très jeune à Rome, attiré par les grands maîtres de
Renaissance, dont il copia les tableaux sans se lasser. Il entra aussi à for
dans les tendances artistiques de sa propre époque, sympathisant surtou
avec celle de Pierre de Cortone, qui faisait des fresques grandioses. C
pendant, son séjour à Venise fut décisif pour l'orientation de son styl
Dès lors, sa peinture se distingua par son coloris et sa luminosité, sc
emphase baroque, ainsi que par l'ampleur et la vitalité de ses scènes re
gieuses et mythologiques. Le renom de Giordano dépassa les frontièr
italiennes, si bien que le roi d'Espagne Charles II l'appela en qualité de 1
peintre de sa cour. Il décora d'immenses fresques, pleines d'imaginatio
d'espace et d'atmosphère, les voûtes de l'Escorial et du Palais Royal
Madrid. De plus, il laissa un grand nombre de toiles, où sa palette s'e
éclaircie, avec des gris et des bleus empruntés à Vélasquez. Au bout de
ans, il retourna à Naples en 1702. Ses dernières oeuvres y servirent
modèles à la riche peinture décorative du XVIIIᵉ s. napolitain.

151 **«Abraham entend les promesses du Seigneur»** (t. 66 × 180). Voir n.º 15

152 **«Abraham accueille les trois anges»** (t. 65 × 168). Voir n.º 153.

153 **«Loth enivré par ses filles»** (t. 58 × 154). Ces 3 toiles font partie d'ur
abondante série d'épisodes de la vie d'Abraham et d'Isaac, les autres
trouvant dans d'autres collections. On les date de v. 1694. Les scènes so
centrées sur les personnages, drapés dans de larges vêtements plissés, qu
les couleurs et les contrastes de lumières rendent très décoratifs.

157 **«Voyage de Jacob au pays de Canaan»** (c. 54 × 84). Voir n.º 159.

159 **«La cantique de la prophétesse Miryam»** (c. 58 × 84). Fait pendant a
précédent. Les animaux sont interprétés avec un naturalisme remarquabl
Mais on est tout autant frappé par l'idéalisation et l'élégance des tr
nombreuses figures, que l'artiste a réussi à grouper dans une compositio
mouvementée et animée.

160 **«La défaite de Sisera»** (t. 102 × 130). Voir n.º 161.

161 **«La victoire des Israélites et le cantique de Débora»** (t. 102 × 154
Comme la précédente, cette esquisse a été faite en 1692, peu avant sc
séjour en Espagne, pour les oeuvres qui ont été réalisées dans l'églis
Santa Maria Donnaregina de Naples. Leur légèreté, non moins que l
mouvements grandioses et parfois enveloppants des figures, prouvent
grande capacité creatrice de Giordano. Ce sont des antécédents directs de
peinture napolitaine d'un Solimène ou d'un Giaquinto. Leur technique e
basée sur de très grosses touches, extrêmement expressives. Il n'y a qu
quelques points de couleur qui se détachent sur leur coloris foncé.

162 **«Héraclès sur le bûcher»** (t. 224 × 91). Date des dernières années c
son séjour en Espagne. Faisait partie d'une série de scènes mythologiqu
(num. 193-195).

163 **«Samson bravant le lion»** (t. 95 × 142). Fait partie d'une série d'épisode
de la vie de Samson, qui se trouve dispersée dans plusieurs collections.

165 **«Bethsabée en train de sa baigner»** (t. 219 × 212). Date de v. 1700. C
chef-d'oeuvre a une allure sereine et classique. La scène est disposée de
manière à mettre en valeur le nu, fortement éclairé. A servi de modè
pour une tapisserie de la Fabrique Royale de Madrid.

166 **«La sage Abigayil»** (t. 216 × 362). Dans ce chef-d'oeuvre, datant de
1700, le peintre combine son goût naturaliste (voir le chien ou le nai
avec les éléments sereins et les poses raffinées des personnages principau
Abigayil offre au roi David des vivres pour l'armée israélite. Giordano
prouve son habilité à peindre de grandes toiles, remplies de figures.

167 **«Le songe de Saint Joseph»** (b. 62 × 48). On détecte chez les ange

certaines réminiscences du Corrège, dont Giordano a dû connaître directement les oeuvres au cours de ses voyages. Dans le bas, où il y a de forts contrastes de lumières, on remarque la piété intime et familiale de la Vierge, qui prie près du chat endormi.

68 «La Sainte Famille» (b. 104 diam.). Imitation de Raphaël, signée faussement du monogramme de celui-ci. Dans sa jeunesse, Giordano a souvent fait ce genre d'interprétations à la manière des peintres de la Renaissance.

71 «Le baiser de Judas» (t. 43 × 66). Voir n.º 172.

72 «Pilate se lave les mains» (c. 43 × 66). On estime actuellement que c'est une oeuvre d'atelier, de même que la précédente qui fait la paire.

78 «Saint Antoine de Padoue» (t. 121 × 93). Oeuvre de jeunesse.

79 «Sainte Rosalie» (t. 81 × 64). Tout en étant interprétée selon les règles élégantes du classicisme, la Sainte en extase est fort expressive. Cette oeuvre décorative est assez superficielle au point de vue religieux.

81 «Saint François-Xavier» (t. 97 × 71). Oeuvre d'école.

82 «Une sainte, sauvée d'un naufrage» (t. 62 × 77). Date de v. 1700. La technique, aussi légère que celle d'une esquisse, accentue le dynamisme.

83 «Prise d'une place forte» (t. 235 × 343). Oeuvre grandiose dans le style le plus dynamique de Giordano, suivant la tradition baroque des tableaux de batailles si prisés. Cette scène aux dimensions colossales n'a pas été identifiée. A noter la beauté, l'énergie et la fougue du cheval au galop.

84 «La bataille de Saint-Quentin» (t. 53 × 168). Voir n.º 185.

85 «La bataille de Saint-Quentin» (t. 53 × 168). Ce sont 2 belles pochades préparatoires pour les fresques de l'escalier monumental de l'Escorial.

86 «La bataille de Saint-Quentin» (t. 53 × 168). Commémore la victoire de Philippe II sur les Français en 1557. Voir n.º 185.

87 «Le duc de Montmorency, Connétable de France, en prison» (t. 53 × 168). Voir n.º 188.

88 «L'Amiral de France, en prison» (t. 53 × 168). Comme les 3 précédentes, ces 2 pochades ont été faites pour les fresques de l'Escorial.

89 «Philippe II visite les chantiers de l'Escorial avec ses architectes» (t. 53 × 168). Encore une pochade pour une autre fresque de l'Escorial.

3179. Giordano. Le songe de Salomon.

90 «Rubens en train de peindre: allégorie de la Paix» (t. 337 × 414). Date de 1660-70, lorsque Giordano s'intéressait fort à l'art de Rubens à qui il rend ici hommage. Assis sur la Discorde, Rubens peint une figure qui

écarte la Fureur. En haut, Minerve et l'Abondance survolent l'artis
L'Amour qui joue avec des bulles de savon, symbolise la vanité des cho
terrestres. A droite, un cortège de belles figures repousse la Guerre.
technique légère, basée sur des coups de pinceau détachés et une p
riche en couleurs, rattache directement cette toile à l'art du peintre **i**
mand, si bien représenté au Prado.

191 **«Le vent»** (t. 194 × 77). Thème allégorique. La technique rappelle
peinture madrilène.

193 **«La mort du centaure Nessos»** (t. 114 × 79). Voir n.º 162.

194 **«Persée, vainqueur de Méduse»** (t. 223 × 91). Voir n.º 162.

195 **«Andromède»** (t. 78 × 64). Oeuvre de Giordano à la manière de Titi
Voir n.º 162.

196 **«Énée s'enfuit de Troie»** (t. 279 × 125). D'après l'Iliade d'Homère,
héros prit la fuite, après la destruction de la ville de Troie. Il règne u
tension dramatique, accentuée par le fond rougeâtre de l'incendie.

197 **«Charles II à cheval»** (t. 81 × 61). Voir n.º 198.

198 **«Madame Marianne de Neuburg à cheval»** (t. 81 × 61). La technic
légère de ces portraits du roi et de la reine d'Espagne nous indique qu
servirent d'ébauches pour des toiles plus grandes. Giordano s'est net
ment inspiré des portraits royaux de Vélasquez, mais son interprétation
plus grandiloquente.

2211a **«Orphée»** (t. 198 × 311). Attribution douteuse.

2761 **«Charles II à cheval»** (t. 68 × 54). Voir n.º 197.

2762 **«Charles II à cheval»** (t. 80 × 62). Voir n.º 197.

2763 **«Madame Marianne de Neuburg»** (t. 80 × 62). Fait pendant au pré
dent. Reprend la composition du n.º 198.

2993 **«Saint Charles Borromée»** (t. 126 × 104). Il existe une autre variante
ce thème dans une collection italienne.

3178 **«Le jugement de Salomon»** (t. 250 × 360). Voir n.º 3179.

3179 **«Le songe de Salomon»** (t. 245 × 361). Faisait partie avec le précéde
d'une série de 8 tableaux sur des épisodes de la vie de David et
Salomon. Les 6 autres se trouvent au Palais Royal de Madrid. Les compo
tions, reprises en partie aux fresques de la voûte de l'Escorial, ont u
perspective de bas en haut et une grande mise en scène théâtrale, acco
pagnée de gestes déclamatoires des personnages. A noter le coloris b
lant aux tons clairs, où prédominent les gris, les bleus et les dorés, bi
typiques de la peinture espagnole de Giordano.

3195 **«Dispute entre Isaac et Ismaël»** (t. 175 × 84). La scène a un tel so
naturaliste qu'elle est presque dans le goût populaire.

**GIORDANO. Copie.**

573 **«Autoportrait»** (t. 58 × 44).

**GIORGIONE, Giorgio da Castelfranco, dit Giorgione** (Castelfran
1477/78-Venise, 1510). De l'école vénitienne. Formé dans le milieu **l**
maniste de philosophes, artistes et littérateurs de la Venise de la Ren
sance, étant lui-même musicien et poète, il a dû s'initier à la peinture
façon indépendante. Il a peut-être travaillé dans l'atelier de Bellini, qu'
influencé dans ses dernières années, mais il a aussi connu l'art de Léona
qui se reflète dans l'estompage typique de sa peinture. De sa vie n
savons fort peu de chose et il n'y a que quelques oeuvres sûrement de
qui nous soient parvenues, si bien qu'il reste encore enveloppé dans
mystère qui l'entourait jadis. Le peu que nous en connaissons nous rév
un des grands génies de la Renaissance italienne, qui a rénové la peint
vénitienne en établissant des rapports très riches entre lumière et colo
et en réalisant une fusion continuelle entre l'homme et la nature.

288 **«La Vierge et l'Enfant Jésus entre Saint Antoine et Saint Roch»**
92 × 183). La critique hésite entre Giorgione et le jeune Titien da
l'attribution de cette toile, qui est certes un des chefs-d'oeuvre religie
du Prado, en vertu de son atmosphère intime, recueillie et mystérieu
Cette technique délicate aux contours estompés, aux tonalités chatoyant
au clair-obscur et aux effets atmosphériques, nous la verrons pleineme
développée dans les tableaux représentant au Prado le XVIᵉ s. vénitie

**GIOVANNI DEL PONTE.** Voir Ponte.

**GRAMMATICA, Antiveduto Grammatica** (Toscane, v. 1571-Rom
1626). De l'école romaine.

353 **«Sainte Cécile»** (t. 128 × 100). Tout en étant l'ami du Caravage, il int
duisit dans ses peintures des éléments fort classiques. C'est le cas de ce
toile, se distinguant par une exquise délicatesse de nuances dans le lust

des draperies, qui rehaussent la beauté de la sainte. On l'a attribuée jadis à Lionello Spada.

**GRECHETTO.** Voir Castiglione.

**GRIMALDI, Giovanni Francesco Grimaldi, dit le Bolonais** (Bologne, 1606-Rome, v. 1680). De l'école bolonaise.

80   «Paysage» (t. 119 × 168). Ce paysagiste bolonais, dépendant des Carrache, copie ici un fameux paysage du Dominiquin, qu'on conserve au Louvre. Cette oeuvre sereine et classique n'est pas inférieure à l'originale. Fut attribuée à Annibale Carrache.

81   «Paysage» (t. 112 × 149). Comme le précédent, on l'a cru de Carrache ou du Dominiquin, mais son style est pareil à celui du n.º 80.

**GUASPRE POUSSIN.** Voir Dughet.

**GUERCHIN, Giovanni Francesco Barbieri, dit le Guercino ou le Guerchin** (Cento, 1591-Bologne, 1665). De l'école bolonaise. Artiste très personnel du XVIIᵉ s. italien. Formé à Bologne avec Ludovico Carracci, il emprunte à Venise le coloris et la technique, tandis qu'il reprend à Ferrare le goût métallique pour les qualités de la matière. Sa peinture remporta du succès à Rome, où elle prit la teinte classique du jour, sans perdre pour autant son éclat. Vélasquez qui l'admirait, lui rendit visite à Cento où il s'était retiré en 1623. Sa peinture évolua peu à peu vers des formes sereines et équilibrées au coloris délicat et aux beaux modèles idéalisés. Comme il louchait, on lui donna le surnom de «Guercino».

200   «Saint Pierre, libéré par un ange» (t. 105 × 136). Datant de son séjour à Rome, cette toile présente les formes monumentales du classicisme romain, mais traitées avec les contrastes de lumières et le fort coloris de sa jeunesse.

201   «Suzanne et les vieillards» (t. 175 × 207). Oeuvre de jeunesse (1617). Sa connaisance des artistes vénitiens du XVIᵉ s. transparaît dans le paysage et dans sa technique spongieuse et légère. Toutefois, son naturalisme n'est pas moins évident dans sa manière de traiter les figures, tant en ce qui concerne les visages des vieillards que le nu féminin, dont l'éclairage fait ressortir certaines parties et laisse les autres dans l'ombre.

202   «Saint Augustin médite sur le mystère de la Trinité» (t. 185 × 166). Le saint, qui en impose par sa majesté, est interrompu dans ses réflexions par un enfant qui l'apostrophe. C'est un bon spécimen des tableaux d'autel des églises de Rome au milieu du XVIIᵉ s.

203   «Marie-Madeleine au désert» (t. 121 × 141). Oeuvre de la fin de sa vie, car la composition en est bien ordonnée et le fin coloris, quasi monochrome.

**GUERCINO, le.** Voir Guerchin, le.

**GUIDE, le Guide.** Voir Reni.

**JOLI, Antonio Joli** (Modène, 1700-Naples, 1777). De l'école bolonaise.

232   «Embarquement de Charles III à Naples» (t. 128 × 205). Signé et daté de 1759.

233   «Embarquement de Charles III en mer» (t. 128 × 205). Signé et daté

3091. Lanfranc. Gladiateurs à un banquet.

de 1759. Ces 2 tableaux qui se font pendants, sont caractéristiques de peintre de perspectives, d'architectures fantastiques et de vues de ville suivant les traditions bolonaise et vénitienne. Il a fait des décors de théât en Espagne et y a peint ces 2 toiles, soignées dans les détails et riches motifs décoratifs, au goût napolitain.

**JORDAN, Lucas.** Voir Giordano.

**LANFRANC, Giovanni Lanfranc** (Parme, 1582-Rome, 1647). [ l'école bolonaise. Travailla très jeune à Parme avec Agostino Carracci, pu collabora avec Annibale Carracci aux fresques de la Galerie Farnèse Rome. Il connut à Parme les grandes décorations du Corrège, q l'aidèrent à mûrir son style. Rompant avec la tradition bolonaise pl classique, celui-ci chercha des formules illusionnistes, qui ouvrirent chemin au baroque évolué de la fin du XVIIᵉ s. Il se caractérise par mouvement des figures, soulignées dans leurs raccourcis au moyen d' fort coloris et d'un éclairage changeant, ainsi que par une technique longues touches, appliquées sur la préparation rougeâtre de la toile. Prado possède une abondante série de tableaux sur l'histoire romaine, q cet artiste fit vers 1639, à la demande de Philippe IV, pour la décorati du Palais du Buen Retiro.

234 **«Funérailles d'un empereur romain»** (t. 335 × 488). Composition spe taculaire, présentant au premier plan des luttes violentes de gladiateu nus, autour du bûcher de l'empereur. La technique en est sommair légère et énergique.

235 **«Naumachie romaine»** (t. 181 × 362). Voir n.º 236.

236 **«Auspices à Rome»** (t. 181 × 362). Fait pendant au tableau antérieur, q se distingue par l'exubérance et la tension tout à fait baroques des comba tants. Dans celui-ci, qui est plus classique et dont la disposition en form de frise rappelle d'antiques bas-reliefs romains, il y a des éléments fo délicats, presque maniéristes, comme le jeune homme nu qu'on voit d dos à droite.

2315 **«Combat de gladiateurs».** Voir Camassei.

2943 **«Scène de triomphe»** (t. 230 × 362). Ce tableau, qui va de pair avec n.º 3091, représente le triomphe à Rome d'un empereur victorieux, q distribue des couronnes de laurier à ses soldats. Sa rapide exécution, q frise le moderne au dernier plan, contraste avec la tendresse de l'enfa jouant avec les chiens en dehors de la scène principale. C'est là un che d'oeuvre de grande envergure.

3091 **«Gladiateurs à un banquet»** (t. 232 × 355). Le peintre y a réussi sc ambitieux projet de réserver l'espace voulu, d'une part, à la lutte d gladiateurs peinte avec des tons froids et, d'autre part, au banquet d crit avec de riches couleurs, rehaussées par un jeu de lumières et d'ombre

**LANFRANCO.** Voir Lanfranc.

**LÉONARD DE VINCI** (Vinci, 1452-Clos-Lucé, 1519). De l'école fl rentine. **Copie.**

504 **«La Joconde»** (b. 76 × 57). Ancienne copie du fameux original du Musé du Louvre. La critique ne tranche pas la question de savoir si cette cop fut faite par un Espagnol ou un peintre du Nord. Elle offre plusieu variantes par rapport au tableau de Paris; on a surtout supprimé le paysag pour le remplacer par un fond foncé dans le goût flamand.

**LEONARD DE VINCI. Imitation ancienne.**

349 **«Sainte Anne, la Vierge et l'Enfant Jésus»** (t. passée sur b. 105 × 74 Ce tableau de la fin du XVIᵉ s. fut sans doute peint par un Italien, qui s'e inspiré d'une oeuvre de Léonard se trouvant à Milan.

**LEONARDONI, Francesco Leonardoni** (Venise, 1654-Madrid, 1711 De l'école vénitienne.

3043 **«Autoportrait»** (t. 60 × 46). Signé et daté de 1701. Formé à Venise, il s'e rendu jeune en Espagne, où il fut le 1er peintre de la reine Marian de Neuburg. Il saisit finement la réalité à l'aide d'une technique minutieus

**LEONE, Andrea Leone** (Naples, 1610-v. 1685). De l'école napolitain

86 **«Le voyage de Jacob»** (t. 99 × 123). Voir n.º 239.

239 **«La lutte de Jacob avec l'ange»** (t. 99 × 125). Ces 2 tableaux doiver aller de pair, vu leurs dimensions, leurs sujets et l'importance qu'ils acco dent au paysage. Ce disciple d'Aniello Falcone, qui était en contact ave Salvator Rosa, nous a laissé des scènes riches et mouvementées dans u coloris raffiné.

**LICINIO, Bernardino Licinio** (Bergame, 1489-Venise, 1560). De l'écol vénitienne.

289 **«Agnès, belle-soeur du peintre»** (t. 98 × 70). Formé à Venise dans

tradition giorgionesque, il a fait ici un portrait vénitien traditionnel avec une gamme de couleurs froides.

**LISSANDRINO.** Voir Magnasco.

**LOTTO, Lorenzo Lotto** (Venise, v. 1480-Lorette, 1556). De l'école vénitienne. Formé à Venise chez Bellini et Giorgione, il peignit à Rome en 1508 pour le pape Jules II. Son style, qui semblait d'abord serein, est devenu peu à peu agité et nerveux. Il interpréta dès lors ses compositions avec des couleurs froides et des lumières changeantes. C'est qu'il avait un caractère hypersensible, inquiet et passionné. Il allait sans cesse d'une ville à l'autre. Ses crises religieuses le poussèrent à la fin de sa vie à se retirer comme oblat au couvent de la Santa Casa, à Lorette.

240. Lotto. Maître Marsilio et son épouse.

40 **«Maître Marsilio et son épouse»** (t. 71 × 84). Signé et daté de 1523, pendant la période la plus féconde et tranquille que l'artiste connut à Bergame. C'est un portrait de mariage, où un amour espiègle impose le joug aux époux avec le sourire. En dépit de la parfaite harmonie des couleurs et du luxe des habits, il vous produit une impression d'inquiétude, due sans doute aux regards absents, pensifs et mystérieux du couple.

48 **«Saint Jérôme faisant pénitence»** (t. 99 × 90). On le date de 1544 environ. Attribué jadis à Titien, dont l'influence est claire sur le paysage ombreux aux tons rougeâtres. Le nu est michelangélesque.

**LUCIANI.** Voir Piombo.

**LUINI, Bernardino Luini** (Luino, 1480/90-Milan, 1532). De l'école lombarde. On sait seulement qu'il se forma à Milan dans le cercle du grand peintre et architecte que fut Bramante. Mais, dans sa peinture de chevalet, il s'inspire surtout de l'art de Léonard: d'où les contours estompés, la douceur du modèle, la richesse des nuances dans les ombres et les clairs, le mystérieux sourire léonardesque qu'on y retrouve. Il emprunte aussi des éléments aux Flamands: la minutie et le réalisme pour interpréter les vêtements, les cheveux et les objets de nature morte.

42 **«La Sainte Famille»** (b. 100 × 84). Offerte à Philippe II à Florence, cette planche fut considérée comme un original de Léonard, dont la composition s'est inspirée sans aucun doute. La technique, qui interprète les figures avec délicatesse et minutie, est d'une perfection remarquable.

43 **«Salomé reçoit la tête de Jean-Baptiste»** (b. 62 × 78). Composition harmonieuse, centrée sur la tête du Précurseur. A noter la grande beauté des formes estompées.

**LUINI. Copie.**

241 «L'Enfant Jésus et saint Jean s'embrassent» (b. 30 × 37). Copie d'
dessin de Luini à Paris, qui reprend presque tel quel le groupe des enfa
à *La Sainte Famille*.

**MAGNASCO, Alessandro Magnasco, dit le Lissandrino** (Gên
1677-1749). De l'école gênoise.

3124 «Le Christ, servi par des anges» (t. 193 × 142). Ce peintre, surt
connu pour ses thèmes satiriques et ses scènes de moeurs reflétant
société de son temps (moines et soldats, intérieurs d'asiles d'aliénés et
prisons), est aussi un paysagiste intéressant. Cet épisode évangélique
sant suite aux tentations du Christ, est daté de v. 1730 et interprété av
des figurines nerveuses et vibrantes, placées dans un paysage fantastiq
de genre décoratif.

3124. Magnasco. Le Christ, servi par des anges.

**MAINIERI DA PARMA, Giovanni Francesco Mainieri** (connu
1489 à 1504). De l'école de Ferrare.

244 «La Vierge et Saint Joseph adorent l'Enfant Jésus» (b. 63 × 48).
travailla pour les ducs de Ferrare. L'expressionnisme de l'école de Ferr
transparaît bien dans cette composition, dont le coloris clair fait resso
l'aspect linéaire. Il y a des scènes secondaires qui brisent l'unité du table
Ainsi, dans le haut, la stigmatisation de saint François contraste par s
format et son thème avec la scène principale.

**MALOMBRA, Pietro Malombra** (Venise, 1556-1618). De l'école vé
tienne.

245 «La Salle du Collège de Venise» (t. 170 × 214). Spécialisé dans ce ge
décoratif, il présente ici la réception d'un ambassadeur espagnol par
Doge de Venise, Leonardo Donato. Les détails reflètent bien le luxe de
cour vénitienne: marbres, plafond à caissons dorés, peintures de Véron
et du Tintoret.

**MANETTI, Rutilio Manetti** (Sienne, 1571-1639). De l'école sienno
2688 «Vision de Saint Bruno» (t. en 2 morceaux: haut 120 × 84;
2689 66 × 84). De formation toscane, encore rattachée au maniérisme sienn
délicat et coloriste, il adopte à Rome la naturalisme du Caravage,
imprégnera le reste de sa production et se manifeste ici dans le réalis
des Chartreux. Mis en valeur par le fort éclairage du ténébrisme,
ascètes se rapprochent de la peinture espagnole.

**MANFREDI, Bartolomeo Manfredi** (Mantoue, 1587-Rome, v. 162
De l'école romaine.

247 «Un soldat apportant la tête de Jean-Baptiste» (t. 133 × 95). Ade
du Caravage, il interprète à la lettre ses thèmes profondément religie
comme s'ils étaient des scènes de genre. Cela eut du succès chez
artistes nordiques étudiant à Rome. Le reflet métallique de l'armure
vient le vrai protagoniste de cette toile, dénuée de tout sens religieu

**MANTEGNA, Andrea Mantegna** (Isola di Cartura, 1431-Mantoue, 1506). De l'école de Padoue. Il fut une des grandes figures de la renaissance dans le N. de l'Italie. Formé dans le milieu cultivé de Padoue, où travaillait alors le sculpteur Donatello, il connut tout jeune les préludes de la Renaissance toscane: le perspective centrée, la lumière, les proportions correctes du corps humain. Il s'en alla à Rome étudier les ruines de l'Antiquité romaine. Son art idéal et héroïque combine le souvenir de la beauté monumentale de la sculpture classique avec la plasticité et le coloris brillant de l'école de Padoue. En utilisant la perspective il parvint à créer, dans ses grandes décorations à fresque, des espaces simulés qui anticipent sur les solutions du baroque.

48 **«La Dormition de la Vierge»** (b. 54 × 42). Des critiques prétendent y voir le meilleur tableau du Prado. C'en est indéniablement une des pièces capitales, de par sa clarté, son agencement rigoureux de l'espace, la beauté et l'expression de ses figures. Le paysage réaliste a des formes cubiques et simples qui le rendent proche de notre sensibilité actuelle. Le vaste espace de la chambre est obtenu grâce à une disposition très habile des personnages et au coloris de leurs vêtements romains, que l'artiste a étudiés à fond. Il n'y a qu'onze Apôtres autour du lit de la Vierge, car Saint Thomas était en Inde et ne revint qu'après son Assomption.

**MARATTA.** Voir Maratti.

**MARATTI ou MARATTA, Carlo Maratti ou Maratta** (Ancône, 1625-Rome, 1713). De l'école romaine. Il occupa une place décisive dans la peinture romaine de la 2ème moitié du XVIIᵉ s., car il fit le pont entre le classicisme des Carracci et le néo-classicisme du milieu du XVIIIᵉ s. Sa nombreuse école diffusa son style à travers l'Italie. Ses tableaux furent appréciés à l'étranger, en France et en Angleterre surtout, où les collections privées regorgèrent de ses belles toiles au coloris harmonieux.

53 **«La pénitente Marie-Madeleine»** (t. 14 × 20). Malgré son petit format, permet de se faire une bonne idée du style du peintre.

27 **«Le peintre Andrea Sacchi»** (t. 67 × 50). Sobre portrait du maître de l'artiste, qui en a bien étudié la psychologie.

43 **«La fuite en Égypte»** (t. 69 × 54). Reprise de son tableau fait pour la chapelle Chigi à la Cathédrale de Sienne.

69 **«Le pape Clément XI»** (t. 30 × 24). Oeuvre d'un de ses disciples, peut-être d'A. Masucci.

**MARATTI et DUGHET.** Voir Dughet n.º 552.

**MARIO DEI FIORI.** Voir Nuzzi.

**MASARI, Lucio Masari** (Bologne, 1568-1633). De l'école bolonaise. Adepte à Rome des Carracci et du Dominiquin, il s'inspire de leurs modèles, sans pourtant atteindre leur qualité.

30 **«Saint Jérôme»** (t. 184 × 129). Attribué jadis au Dominiquin. Les anciens inventaires indiquaient pourtant le nom de Masari et la critique actuelle le confirme.

72 **«Combat de femmes»** (t. 175 × 199). C'est peut-être un combat d'amazones. Le style en est plus napolitain que bolonais.

56 **«Dons pour la construction du temple»** (t. 119 × 171). Considérée jadis comme l'oeuvre d'un peintre italien anonyme.

**MAZZOLA.** Voir Parmesan.

**MAZZUCHELLI.** Voir Morazzone.

**MELOZZO DA FORLI, Melozzo degli Ambrogi, dit Melozzo da Forli** (Forli, 1438-1494). De l'école ombrienne.

43 **«Ange musicien»** (fresque, 63 × 52). Disciple de Piero della Francesca à Urbin, il peignit surtout de grandes décorations à fresque. Son chef-d'oeuvre fut l'abside de l'église des Saints Apôtres à Rome. Séparée du mur, la fresque fut coupée en morceaux. Celui-ci en est sans doute un. A noter le naturalisme dans l'expression de l'ange.

**MERISI.** Voir Caravage.

**MESSINE, Antonio di Salvatore, dit Antonello de Messine** (Messine, v. 1430-1479). De l'école vénitienne. Sa formation napolitaine a favorisé l'originalité de son art. En effet, sous la domination aragonaise, Naples était un carrefour de tendances: d'une part, le réalisme hispano-flamand; d'autre part, les caractères spatial et monumental de l'art italien. Il sut les allier de façon magistrale. En Flandre, il s'initia à la technique de la peinture à l'huile. Etabli à Venise en 1475, il la diffusa en Italie, où l'on employait partout la peinture en détrempe. Influencé par Giovanni Bellini, son style fut déterminant pour la peinture vénitienne de la fin du XVᵉ s. La plasticité de ses formes, la richesse de son coloris, la netteté de

son dessin et son atmosphère, jointes à sa vision réaliste et pénétrante
la nature, en font une des figures capitales de la Renaissance dans le N.
l'Italie.

3092 **«Le Christ mort, soutenu par un ange»** (b. 74 × 51). Date de son séj
à Venise, v. 1475. Ce chef-d'oeuvre a été acquis dernièrement par
Prado. Les détails réalistes y sont atténués par le caractère monumenta
le relief bien marqué du corps du Christ, qui se trouve dans une
mosphère radieuse et transparente d'inspiration vénitienne. A l'affre
solitude du 1er plan s'oppose le vert paysage du fond, qui symbolise
rédemption du monde accompli par le Christ crucifié.
**MICCO SPADARO.** Voir Gargiulo.
**MICHEL-ANGE** (Caprese, 1475-Rome, 1564). **Disciple de Michel-An**

57 **«La flagellation»** (b. 99 × 71). Attribuée jadis à Michel-Ange.
**MICHEL-ANGE DES BATAILLES.** Voir Cerquozzi.
**MITELLI, Agostino Mitelli** (Bologne, 1609-Madrid, 1660). De l'éc
bolonaise.

2907 **«Modèle pour un plafond»** (t. 187 × 281). Il n'est pas permis de sépa
Mitelli d'Angelo Michele Colonna (Côme, 1600-Bologne, 1686), qu
toujours collaboré avec lui dans ses grandes fresques. Ils représenten
tradition bolonaise des décorations et des perspectives architectoniq
*(quadrature).* Il s'agit ici d'un modèle préparatoire pour la peinture d
plafond du Palais du Buen Retiro (disparu), qui se fit v. 1659, avec
entablements en marbre et des médaillons en bronze, qui sont simulé
reliés par des guirlandes de fleurs et de fruits.
**MOLA, Pier Francesco Mola** (Côme, 1612-Rome, 1666). De l'éc
romaine.

537 **«Saint Jean-Baptiste enfant»** (t. 13 × 17). Typique du style de ce pe
tre, qui occupa une place importante à Rome au milieu du XVIIe s.
fusionnant diverses tendances et en soignant particulièrement le paysag
**MONREALESE.** Voir Novelli.
**MORAZZONE, Pier Francesco Mazzuchelli, dit Morazzone** (Mo
zone, 1573-1626). De l'école lombarde.

3153 **«Mariage de la Vierge»** (papier collé sur t. 31 × 41). Esquisse en gris
le (peinture à l'huile monochrome en camaïeu gris) pour une des fresq
de l'église du Santo Monte de Varallo, qui furent peintes v. 1602-5.
figures allongées y sont d'évidentes réminiscences du maniérisme et
contrastes de lumières intéressent l'artiste.
**MORONI, Giovanni Battista Moroni** (Albino, v. 1529-Bergame, 157
De l'école lombarde.

262 **«Un militaire»** (t. 119 × 91). Dans ce portrait, exécuté avec naturalis
et sobriété, il allie des influences vénitiennes sur le coloris et la riche
des étoffes à une pénétration psychologique et une précision réaliste
nes des artistes allemands.
**MUTTONI.** Voir Vecchia.
**NANI, Mariano Nani** (Naples, ?-Madrid, 1804). De l'école napolitai
Peintre de natures mortes, qui travailla à la cour espagnole. Il y dépl
aussi une grande activité en tant que dessinateur de modèles pour
Fabrique Royale de Porcelaine.

263 **«Un lièvre et deux perdrix»** (t. 67 × 43).

264 **«Une perdrix, une oie et d'autres volailles»** (t. 72 × 48). Signé.

265 **«Un lièvre et plusieurs volailles mortes»** (t. 72 × 48). Signé. Ce s
des tableaux très réalistes, mais dont le but est décoratif. On les a attrib
jadis à Giacomo Nani, père de Mariano.
**NEGRETTI.** Voir Palma.
**NICCOLÒ DELL'ABATE** (Modène, v. 1509-Fontainebleau, 1571).
l'école bolonaise.

416 **«La dame au turban vert»** (t. 64 × 50). Attribué jadis à Titien et à Do
Dossi, mais considéré désormais comme un tableau peint par Nicc
dell'Abate, lorsque celui-ci se rapprocha davantage de la tradition vé
tienne, à la suite de ses contacts à Modène avec l'art du Corrège et
Dossi. Le coloris et la technique la suivent clairement ici.
**NOGARI, Giuseppe Nogari** (Venise, 1669-1763). De l'école vénitien

51 **«Une vieille femme marchant avec une béquille»** (t. 54 × 43). Spé
liste de ce type de toiles naturalistes, qui sont presque des peintures
genre, avec des personnages populaires vus à mi-corps. Ses thèmes
rattachent à ceux d'autres artistes contemporains, tels que Piazzetta.
**NOVELLI, Pietro Novelli, dit le Monrealese** (Monreale, 1603-Palerm
1647). De l'école napolitaine.

296. Raphaël. La Sainte Famille à l'agneau.

471 **«La résurrection du Christ»** (t. 163 × 181). Clair représentant de l'éc de Naples, adepte de Ribera, il imita l'élégance des modèles de van Dy dont il avait certes vu les oeuvres à Palerme, lors de sa période de for tion. On en a ici une toile froide et trop léchée, qui se rachète pourt par son coloris et la beauté du corps du Christ.

**NUZZI, Mario Nuzzi, dit Mario dei Fiori** (Rome, 1603-1673). l'école romaine. Il remporta un grand succès dans sa spécialité de peir de fleurs. La virtuosité et le fignolage de son style doivent pas mal artistes flamands qui passèrent à Rome. Il collabora avec d'émine confrères en se chargeant des motifs floraux de leurs oeuvres.

252 **«Vase de fleurs renversé sur un tapis de table»** (t. 84 × 157).

3239 **«Vase de fleurs et oignons»** (t. 83 × 154). Ces toiles étaient déjà at buées à Nuzzi dans les anciens inventaires. C'est encore bien le style natures mortes de la 1ère moitié du XVIIe s. En effet, elles se distingu par leur sobriété excessive, leur réalisme et la force de leurs contrastes lumières.

**ORBETO.** Voir Turchi.

**ORIZZONTE.** Voir Bloemen (école flamande).

**PADOVANINO, Alessandro Varotari, dit Padovanino** (Pado 1588-1648). De l'école de Venise.

266 **«Orphée»** (t. 165 × 108). Considérée autrefois comme une oeuvre Titien, cette toile relève du style classique et un peu maniéré de la pe ture vénitienne du début du XVIIe s., qui s'inspire de compositions maîtres du XVIe s.

**PALMA, Jacopo Negretti, dit Palma le Vieux** (Bergame, v. 14 Venise, 1528). De l'école vénitienne.

269 **«L'adoration des bergers»** (b. 118 × 168). D'autres critiques attribuer Bonifacio Veronese cette oeuvre qui se rattache au style vénitien de 1ère moitié du XVIe s. La scène en est joliment disposée avec variété. y retrouve la technique légère et coloriste des adeptes de Giorgione

**PALMA, Jacopo Negretti, dit Palma le Jeune** (Venise, 1544-1628). l'école vénitienne. Petit-neveu de Palma le Vieux, il se rendit très jeun Rome pour y étudier les oeuvres de Raphaël et de Michel-Ange. retour à Venise, il entra dans l'atelier de Titien, avec qui il collab jusqu'à sa mort. Au lieu de s'adapter au naturalisme baroque de son tem il s'est contenté de reprendre des formes de Titien et du Tintoret, qui restent à un niveau purement décoratif. Il les a interprétées avec u grande facilité inventive et un coloris atténué.

271 **«David, vainqueur de Goliath»** (t. 207 × 235). La réception de Da par les femmes israélites est interprétée avec l'ampleur spatiale, le cha coloris et la technique légère caractérisant l'école de Venise au XVI

272 **«La conversion de Saint Paul»** (t. 207 × 235). Fait pendant à la to précédente. Il y a des réminiscences du Tintoret dans la composition e lustre des étoffes. Mais les figures y sont traitées avec une telle plénit des formes qu'elle se rattache par là au baroque.

380 **«Un sénateur vénitien»** (t. 65 × 58).

402 **«La pietà»** (t. 136 × 183). L'artiste centre sa composition sur le co mort du Christ, qu'il traite de façon magistrale. C'est en accentuant coloris et en changeant l'éclairage qu'il cherche à obtenir les effets dra tiques que cette scène réclame.

**PANNINI, Giovanni Paolo Pannini** (Plaisance, 1691-Rome, 1765). l'école romaine. Sa 1ère formation à Bologne le mit en contact avec *quadraturistes,* dont il utilisa le style d'architectures simulées, lorsqu'il à décorer des palais, aux environs de 1715 à Rome. Cependant y entra à l'Académie de dessin de Benedetto Luti. Dès lors, il s'intére aussi à la peinture de paysage. Il se mit surtout à peindre ces vues fanta ques de la ville de Rome et de ses ruines classiques, qui lui valurent succès et la diffusion de son oeuvre à travers toute l'Europe.

273 **«Ruines avec la pyramide de Caïus Cestius»** (t. 48 × 64). Signé. I petits coups de pinceau de sa technique légère donnent beaucoup de vi la toile.

275 **«Ruines où un apôtre fait sa prédication»** (t. 63 × 48). Voir n.º 27

276 **«Ruines où une sibylle rend ses oracles»** (t. 63 × 48). Ces 2 tablea qui se font pendants, sont caractéristiques du style tardif de Pannini.

277 **«Jésus au milieu des docteurs»** (t. 40 × 62). Signé. Voir n.º 278.

278 **«Jésus chasse les vendeurs du temple»** (t. 40 × 62). Signé. Cette quisse, faisant pendant à la précédente, était destinée, comme elle, à c peintures commandées à Pannini v. 1725 pour décorer le Palais de

Granja. L'artiste aime bien ici les intérieurs monumentaux et les grandes perspectives, où il peut fourrer une foule de figures agitées dans différentes poses.

**PARMESAN, Francesco Mazzola, dit le Parmigianino ou le Parmesan** (Parme, 1503-Casalmaggiore, 1540). De l'école de Parme. S'est formé à l'école de la peinture sensuelle et chromatique du Corrège, mais sa propre nature, inquiète et raffinée, s'est traduite d'emblée en une élégance de forme qui dépasse les manières de son maître. Son séjour à Rome en 1524 fut décisif pour l'évolution de son art, car il y entra en contact avec les peintres qui s'acheminaient vers le maniérisme. Ce style du milieu du XVIe s., qui correspondait à la crise politique, religieuse et sociale agitant l'Europe entière, lui apporta un art intellectuel, séparé de la nature, aux contenus symboliques abscons et aux formes d'une élégance aristocratique, qui donna des résultats très différents dans les différentes écoles italiennes. Le Parmesan en fut un des représentants les plus éminents. Sa peinture, qui se caractérise par des formes extrêmement allongées, des draperies plissées qui collent au modelé sculptural des figures, ainsi que par un coloris chatoyant et harmonieux, a exercé une forte influence sur l'école de Fontainebleau.

79 «**Pedro Maria Rossi, comte de San Segundo**» (b. 133 × 98). C'est à tort qu'on crut y voir le pendant du n.º 280. Il s'agit d'un militaire qui a combattu, certaines fois dans le camp de Charles Quint, et d'autres, dans celui de son ennemi François Ier. Distant et renfermé, il a une pose élégante. C'est un exemple typique de portrait maniériste, avec sa composition sévère. Le petit guerrier à droite, qui est sans doute Persée, a les formes allongées propres au style du peintre.

80 «**Une dame avec trois enfants**» (b. 128 × 97). Exemple d'un portrait de groupe du XVIe s. L'air serein, prétentieux et imposant de cette dame se voit altéré par les réactions nerveuses des enfants, qui suivent avec attention une scène qui échappe au spectateur. Leurs regards tendus rompent le calme de cette composition.

81 «**Cupidon**» (b. 148 × 65). Double ou copie du tableau du Musée de Vienne.

82 «**Sainte Barbe**» (b. 48 × 39). Bon échantillon du niveau d'élégance, de stylisation et de raffinement, atteint par l'art du Parmesan.

83 «**La Sainte Famille en compagnie d'un ange**» (b. 110 × 89). Nous permet de bien comprendre son style maniériste. L'espace réduit dont il dispose l'oblige à grouper les figures au premier plan, dans des poses instables et maniérées. Les formes, estompées à l'extrême, perdent toute consistance naturaliste pour prendre une texture cartilagineuse.

**PARMIGIANINO.** Voir Parmesan.

**PARRASIO, Micheli ou Michieli Parrasio** (Venise, v. 1516-1578). De l'école vénitienne. Son style reflète fidèlement celui de ses maîtres, Titien et le Véronèse.

282. Le Parmesan. Sainte Barbe. 280. Le Parmesan. Une dame et 3 enfants.

298. Raphaël. Chute du Christ sur le chemin du Calvaire (Le sujet de stupéfaction la Sicile).

299. Raphaël. Portrait de cardinal.

284 **«Le pape saint Pie V adore le Christ gisant»** (c. 42 × 30). Sans être 1ère qualité, cette oeuvre contient de bons détails réalistes.

479 **«Naissance de l'infant Ferdinand, fils de Philippe II»** (t. 182 × 22 Oeuvre intéressante et très décorative, qui imite à distance le style Véronèse. C'est une allégorie, où des dames richement parées, qui rep sentent les provinces du royaume, prennent dans leurs bras un fils de qui vient de naître. En haut, la Renommée en diffuse la nouvelle.

**PASSANTE.** Voir Bassante.

**PENNI, Giovanfrancesco Penni, dit le Fattore** (Florence, 1488-Nap 1528). De l'école romaine.

315 **«La transfiguration».** Voir Raphaël.

323 **«Noli me tangere».** Voir Romano.

**PENSIONANTE DE SARACENI** (actif à Rome au 1er tiers XVII$^e$ s.).

2235 **«Vendeur de volailles»** (t. 95 × 71). La critique a surnommé Pensi nante de Saraceni l'auteur de quelques scènes de genre de 1ère qual dont le style ressemble à celui de Saraceni, peintre caravagiste de Veni qui a peut-être été son maître ou avec qui il a collaboré. Ici la scène empreinte d'une nuance satirique, car, tout en payant le vendeur, un jeu homme lui vole des poules. La technique douce et délicate est rehaus par la lumière.

**PERINO DEL VAGA, Pietro Buonaccorsi, dit Perino del Vaga** (F rence, 1501-Rome, 1547). De l'école romaine. Représentant du style r niériste, dérivé de Raphaël, dont il fut l'élève et le collaborateur à Ror Grâce à ses peintures mouvementées et agitées, il servit de trait d'un entre la tradition romaine et la toscane, tandis que par ses nombre voyages il exerça une influence décisive sur l'expansion du maniérism travers l'Italie.

523 **«Noli me tangere»** (b. 61 × 47). Oeuvre très belle, où tant les modè de Marie-Madeleine et du Christ que le paysage fignolé rappellent de p les Flamands.

**PERUZZI, Baldassare Peruzzi** (Sienne, 1481-Rome, 1536). De l'éc romaine. Plus connu en tant qu'architecte, il fut aussi un peintre actif. Il forma à Sienne dans la tradition que le Pinturicchio, peintre décorate d'origine ombrienne, y avait laissée. Mais, une fois arrivé à Rome, orienta sa peinture dans les voies raphaélesques, tout en marquant u plus grande préférence pour les espaces simulés.

524 **«Le rapt des Sabines»** (b. 47 × 157). Voir n.º 525.

525 **«La continence de Scipion»** (b. 46 × 157). Fait pendant au tableau an rieur. On les avait attribués jadis au Pinturicchio. La variété de le scènes, leur mouvement agité et leur coloris prouvent qu'ils ont été pei à Rome. Les modèles sont d'une beauté idéalisée et l'accent est mis sur paysage, très décoratif. Ce furent sans doute des décorations de casso grands coffres florentins, qu'on offrait comme cadeaux de mariage.

**PINO, Marco Pino, dit Marco da Siena** (Sienne, v. 1525-Nap 1587/88). De l'école romaine. Formé dans sa ville natale, il se ren à Rome, où il entra en contact avec les peintures de Raphaël et Mich Ange, dans son riche milieu culturel du début du XVI$^e$ s. Cherchan fusionner les formes de ses 2 maîtres, il adopta un style fort et pathétiq qui se rattache au maniérisme.

58 **«Le Christ mort, soutenu par des anges»** (b. 43 × 28). S'inspire Raphaël, mais il est clair que sa technique et sa composition sont pauvre

**PIOMBO, Sebastiano Luciani, dit Sebastiano del Piombo** (Venise, 1485-Rome, 1547). De l'école romaine. Se forma d'abord chez Giova Bellini à Venise et y travailla chez Giorgione au début du XVI$^e$ s. Arr en 1511 à Rome avec une technique personnelle douce, coloriste et esto pée, mais un style aux formes monumentales. Il y fut bien reçu dans cercles artistiques, y devenant presque l'antagoniste de Raphaël. Sa pe ture s'adaptait mieux à la monumentalité plastique de Michel-Ange, qui donna même des dessins à peindre. Dans sa maturité, elle tendit à u abstraction géométrique des formes et à une simplification des compc tions. A la fin de sa vie, ses tableaux sont tout empreints de mélancolie de pathétisme, reflétant non seulement sa crise religieuse, mais encore crise que traversa la Renaissance au milieu du XVI$^e$ s.

345 **«Jésus porte sa croix»** (t. 121 × 100). Date de v. 1528-30, après voyage à Venise. Sa technique et son coloris y sont influencés par Titi La scène est fort dramatisée.

346 **«La descente du Christ aux Limbes»** (t. 226 × 114). Chef-d'oeuvre de

1532, s'inspirant de dessins de Michel-Ange. On admirera la disposition harmonieuse de la scène et le profond sens religieux qui s'en dégage.

48 **«Le Christ porte sa croix»** (ardoise 43 × 32).Oeuvre tendue et dramatique, dont les formes sont clairement définies.

**PONTE.** Voir Bassano.

**PONTE, Giovanni di Marco di Santo Stefano, dit Giovanni del Ponte** (Florence, actif de 1376 à 1437). De l'école florentine.

44 **«Les sept arts libéraux»** (b. 56 × 155). Cette planche est le devant d'un *cassone,* meuble florentin qu'on décorait de peintures sur le devant et les côtés. Les arts libéraux, qui étaient la base des connaissances au moyen âge, sont groupés sur un fond doré. Chacun d'eux est reconnaissable au symbole qu'il porte et est accompagné d'un philosophe ou d'un sage de l'Antiquité. Au centre trône l'Astronomie avec Ptolémée. A gauche sont rangées la Géométrie avec Euclide, l'Arithmétique avec Pythagore et la Musique avec Tubal-Caïn; à droite, la Rhétorique avec Cicéron, la Dialec-

569. Porpora. Vase de fleurs.

345. S. del Piombo. Jésus porte sa croix.

tique avec Aristote et la Grammaire avec Donat. Le style est un peu archaïque, car il a gardé le fond doré du XIVe s. Les figures sont délicates et élégantes, leurs poses variées et leurs détails soignés.

**PONTORMO, Jacopo Carrucci, dit le Pontormo** (Pontormo, 1494-Florence, 1557). De l'école florentine.

87 **«La Sainte Famille»** (b. 130 × 100). Belle oeuvre intéressante de Florence, qui vient plutôt des disciples du Pontormo. Celui-ci, formé dans la tradition de Léonard et de Michel-Ange, évolua ensuite, sous l'influence de Dürer, dont il connut des gravures, vers des formes s'écartant du classicisme pur de ses débuts. Ici, la lumière claire, les tons froids, les volumes nets et précis relèvent bien du maniérisme toscan inspiré par le Pontormo. Mais la relative sérénité de la Vierge et de Saint Joseph est bien éloignée des expressions angoissées, frisant la folie, qu'on trouve chez les modèles du maître.

**PORPORA, Paolo Porpora** (Naples, 1617-1673). De l'école napolitaine.

69 **«Vase de fleurs»** (t. 77 × 65). Spécialiste en peinture de fleurs, il fut un des peintres de natures mortes les plus importants de son école. Le mélange de son exubérance napolitaine avec le réalisme hollandais qu'il dut connaître à Rome, aboutit à la grande virtuosité technique avec laquelle il peint les fleurs ou les gouttes d'eau.

**PORTELLI, Carlo Portelli** (Loro, v. 1510-Florence, 1574). De l'école florentine.

76 **«La charité»** (b. 151 × 115). Disciple du Pontormo et de Vasari, maniéristes florentins, il adopta un style éclectique, qui tendait à l'affectation et

332. Andrea del Sarto. Lucrèce di Baccio del Fede, femme du peintre.

363. Giambattista Tiepolo. L'Immaculée Conception.

compliquait les scènes comme ici. En outre, les figures s'y voient soumi
à un strict schéma géométrique.

**PRETI, Mattia Preti, dit le Chevalier de Calabre** (Taverna, 1613
Valetta, 1699). De l'école napolitaine. Après sa formation à Naples, il
des voyages à Rome, à Modène, à Venise et peut-être même en Espag.
Vers 1672, il s'établit définitivement à Malte, où il devint le peintre o
ciel de l'Ordre des Chevaliers de Malte. Depuis son style de jeunes

3146. Preti. Le Christ avec des saints dans la gloire.

influencé par le naturalisme et le ténébrisme caravagiste, il avait évol
vers des formes sereines et monumentales, où étaient évidentes les rér
niscences classiques du Dominiquin ou de Lanfranc. Seuls les peint
italiens du XVIII<sup>e</sup> s. comprendront parfaitement bien ses compositions
figurent de nombreux personnages richement habillés, les lustres de s
tissus et ses étalages spatiaux.

290    **«L'eau jaillit du rocher»** (t. 176 × 209). Il est possible que ce soit
copie d'un original perdu du Chevalier de Calabre.

3146    **«Le Christ avec des saints dans la gloire»** (t. 220 × 253). Dut fa
partie de la décoration d'un plafond, à en juger par la perspective force
On le date de v. 1660, lorsque son style était tout à fait mûr. Les éléme
réalistes, quasi riberesques, tels que les têtes des saints, se perçoive
difficilement dans la composition remuante et lumineuse au coloris vé
tien.

**PROCACCINI, Andrea Procaccini** (Rome, 1671-Madrid, 1734).
l'école romaine.

2882    **«Le cardinal Charles de Borgia»** (t. 245 × 174). Disciple de Maratti
fut le 1er peintre de Philippe V à Madrid, où il peignit ce portrait
l'Aumônier du roi, nommé cardinal en 1721. Son mouvement et s
coloris sont tout à fait baroques.

**PROCACCINI, Camillo Procaccini** (Bologne, 1550-Milan, 1629). I l'école lombarde. Camillo et son frère Giulio Cesare appartenaient à une famille de peintres, originaires de Bologne, mais qui travaillèrent à Milan dès la dernière décade du XVIe s. Leur style dérive encore du dernier maniérisme bolonais, mais ils interprètent celui-ci avec les formes douces et diffuses qu'ils donnent à leurs figures mélancoliques, où survit encore la richesse chromatique, fine et lumineuse, de la période antérieure.

292 «**La Sainte Famille à la grappe de raisins**» (b. 135 × 108). Belle composition où ressort bien la figure de l'Enfant Jésus. Mais, tout en étant typique du milieu lombard, elle s'écarte du style de ce peintre.

**PROCACCINI, Giulio Cesare Procaccini** (Bologne, 1574-Milan, 1625). De l'école lombarde.

293 «**La Vierge au moineau**» (b. 93 × 75). Attribuée depuis toujours à Giulio Cesare, sans être conforme à son style, mais vient de l'école lombarde.

1417 «**La Vierge à l'Enfant, entourée d'anges, sur une guirlande**» (c. 48 × 36). La guirlande a été faite par Jean Bruegel de Velours. Le groupe central illustre bien le style le plus raffiné de Procaccini, tout empreint de mélancolie.

3974 «**Samson abat les Philistins**» (t. 263 × 263). De grande tension dramatique, cette scène est composée avec une grande rigueur géométrique, que marquent bien les lignes horizontales et verticales des guerriers.

**PULIGO, Domenico di Bartolomeo Puligo** (Florence, 1492-1527). De l'école florentine.

294 «**La Sainte Famille**» (b. 130 × 98). Spécialiste de Vierges à l'Enfant. Sa technique morbide aux surfaces estompées lui vient d'Andrea del Sarto, mais elle atteint des formes si sophistiquées qu'elle se rattache au maniérisme, comme c'est le cas ici.

**RAPHAËL, Raffaello Santi ou Sanzio, dit Raphaël** (Urbin, 1483-Rome, 1520). De l'école romaine. Avec Léonard de Vinci et Michel-Ange, il a été l'un des génies de l'art italien de la Renaissance et de la peinture universelle. Son père, qui était peintre à la cour d'Urbin, guida ses lers pas dans sa vocation artistique précoce, puis le fit entrer encore enfant dans l'atelier du fameux Pérugin. Il emprunta à celui-ci ses vastes scènes, ses paysages lumineux et sereins, ainsi que ses modèles féminins idéalisés et très élégants. A 20 ans, il se rendit à Florence, où travaillaient Léonard et Michel-Ange. Il y fut surtout attiré par les estompages, le coloris et les compositions harmonieuses de Léonard. Déjà célèbre, il fut appelé à Rome par le pape Jules II pour y décorer les Chambres du Vatican de fresques magistrales, qui lui valurent l'admiration de ses contemporains et servirent d'exemples aux peintres de plusieurs générations. Il s'y intéressa aussi à la peinture de Michel-Ange, qui venait de terminer la Chapelle Sixtine en 1512. Aussi introduisit-il dans ses oeuvres la tension, le drame et parfois l'angoisse, que ses disciples et collaborateurs développeraient. Sensible et passionné, élégant, fin et cultivé, il aimait le luxe et était parfois poète. Il mourut très jeune, laissant derrière lui les

292. C. Procaccini. La Sainte Famille.       300. Raphaël. La Visitation.

2824. Le Tintoret. Le Lavement des pieds.

407. Titien. Autoportrait.

traces de son renom, de ses richesses et de ses amours avec la mystérieus
Fornarina, dont les historiens ont prétendu reconnaître les traits dans le
modèles féminins de Raphaël. Le Prado conserve quelques-unes de se
oeuvres les plus fameuses. Lors de la Guerre de l'indépendance, les Fran
çais les avaient emportées à Paris pour le Musée Napoléon. Heureusemen
la collection revint en Espagne en 1818. Cependant, il a fallu un peu l
restaurer et faire passer sur toile quelques peintures sur bois.

296 **«La Sainte Famille à l'agneau»** (b. 29 × 21). Signé sur le bord doré de l
robe de la Vierge et daté de 1507. Dans cette oeuvre délicate de s
période florentine, il s'inspire clairement de Léonard pour ce qui est de l
composition triangulaire de la scène, des modèles employés et de la tech
nique estompée, qui se note surtout dans le sfumato du paysage. Mais il
gardé de sa formation chez le Pérugin sa minutie dans le fignolage de
détails.

297 **«La Vierge au poisson»** (b. passé sur t. 215 × 158). Date de la périod
romaine (v. 1513). La composition ordonnée et sereine, d'un coloris trè
riche, est un clair exemple du classicisme de Raphaël. Tobie présente à l
Vierge le poisson que l'archange Raphaël, qui figure ici aussi, lui ava
enjoint d'attraper dans le fleuve, pour guérir plus tard avec son fiel l
cécité de son père. Il se peut qu'il s'agisse d'un ex-voto pour la guérison d
l'un ou l'autre grand personnage ou d'une invocation de la Vierge afi
qu'elle apporte un remède aux maladies des hommes.

298 **«Chute du Christ sur le chemin du Calvaire»** (b. passé sur
318 × 229). Signé. Ce tableau est connu sous le nom de «Sujet de stup
faction pour la Sicile», altération populaire du vocable marial de l'église d
Palerme pour laquelle il fut peint: *Santa Maria dello Spasimo*. Cela prouv
bien l'impact et l'ahurissement produits en Espagne par cette grande com
position de Raphaël. Les historiens contemporains racontent comment el
faillit se perdre autrefois dans le naufrage du bateau qui la transportait d
Rome en Sicile. Achetée par le roi Philippe IV en 1661, elle était alo
considérée comme «la plus belle perle du monde». En effet, c'est un de
chefs-d'oeuvre du peintre, qui date de 1517, sa période la plus classiqu
Les figures y expriment toute la gamme des attitudes et des sentiment
depuis l'indifférence de certains passants, jusqu'aux pleurs désespérés de
saintes femmes. Un récent nettoyage a rendu à la toile tout son écla
dissipant ainsi les doutes qui planaient sur l'autographe de Raphaël.

299 **«Portrait de cardinal»** (b. 79 × 61). C'est un des plus fameux portrai
de Raphaël, mais on n'a pas encore éclairci le mystère de l'identité de c
cardinal. On a pensé que ce pourrait être Jules de Médicis ou Louis d'Ar
gon ou Hippolyte d'Este ou Scaramuzza-Trivulzio. Ils étaient tous card
naux de la Curie romaine aux temps du pape Jules II. On a suggéré plu
récemment le nom de Bandinello Sauri, homme inquiet, qui fut fait pr
sonnier en 1517. Une fine étude psychologique a permis à l'artiste de nou
camper avec virtuosité ce personnage intelligent et profond, dont le rega
froid frise la morgue. Les soies brillantes de la robe cardinalice sont tra
tées avec un réalisme parfait.

300 **«La Visitation»** (b. passé sur t. 200 × 145). Datant de la fin de sa vie (
1519), il est considéré par certains critiques (Longhi) comme un des plu
grands chefs-d'oeuvre conçus par Raphaël, que certains des meilleurs di
ciples de son atelier l'ont aidé à réaliser.

301 **«La Sainte Famille (perle de la collection royale)»** (b. 144 × 11
Philippe IV estimait que c'était là la perle de sa collection de tableaux. D
ruines d'édifices classiques se dressent dans le paysage, où l'on note d
contrastes de lumières. L'artiste cherche à nous évoquer dans les figur
les 3 étapes de la vie: enfance, jeunesse et vieillesse. La composition e
parfaitement comprise dans un triangle.

302 **«La Vierge à la rose»** (t. 103 × 84). Cette toile de v. 1518 reprend d
nouveau le thème favori de Raphaël au cours de ses dernières années:
Sainte Famille avec saint Jean. Le Prado en a plusieurs.

303 **«La Sainte Famille au chêne»** (b. 144 × 110). Son style ressemble
celui des 2 tableaux précédents; il date donc de la dernière période d
Raphaël. On en retrouve dans d'autres collections maintes copies avec de
variantes. Le temple en ruine et le chapiteau sur lequel s'appuient
Vierge et Saint Joseph, font évidemment allusion à l'Antiquité classiqu
On a au fond une vue magnifique sur la vallée du Tibre.
**RAPHAËL. Copies.**

304 **«Andrea Navaggero»** (t. 68 × 57). Copie de la toile de la Galerie Dor
à Rome.

05 **«Agostino Beazzano»** (t. 79 × 60).

13 **«La Sainte Famille, où l'Enfant Jésus est emmailloté»** (b. 164 × 128). Copie du tableau conservé à la Galerie Pitti de Florence.

15 **«La transfiguration»** (b. 236 × 263). Copie par Penni, disciple de Raphaël, du tableau de celui-ci qu'on conserve au Musée du Vatican et qui

302. Raphaël. La Vierge à la rose.                220. Reni. Saint Paul.

date de ses dernières années, car les figures y sont déjà nettement tendues et dramatiques.

**RECCO, Giuseppe Recco** (Naples, 1634-Alicante, 1695). De l'école napolitaine.

19 **«Nature morte avec des poissons et une tortue»** (t. 75 × 91). Signé. C'est le peintre le plus connu d'une famille de spécialistes en peintures de genre. On a ici un exemple typique du tableau de poissons, de crustacés et d'animaux marins qui l'a rendu célèbre, grâce à la virtuosité de sa technique pour en fignoler les détails.

**RENI, Guido Reni, dit le Guide** (Bologne, 1575-1642). De l'école bolonaise. Formé chez les Carracci à Bologne, côte à côte avec l'Albane et le Dominiquin, il est un autre pilier du classicisme romano-bolonais. Ayant étudié à fond l'oeuvre de Raphaël, il en a retenu toute l'élégance, la sérénité, l'harmonie et la beauté idéale pour la transformer en formes délicates et très raffinées qui correspondent à sa propre personnalité, sensible et maladive. Il a réussi à représenter les sentiments comme pas un de ses contemporains. A la fin de sa vie, il a négligé la finition de ses tableaux et utilisé une technique à touches longues et détachées, qui laisse inachevé le modelé des figures. Cela relevait d'une conception très moderne, qu'on a comparée à celle de la peinture de Renoir, mais que ses contemporains ne sont pas parvenus à comprendre.

50 **«Cupidon»** (t. 101 × 80). Il y a plusieurs versions de cette toile, qu'on estime originale en raison de sa bonne facture.

08 **«Lucrèce»** (t. 70 × 57). Considérée jadis comme une oeuvre de son école. Ce thème revient souvent chez Reni.

09 **«Cléopâtre»** (t. 110 × 94). Toile de sa dernière période, faite avec des touches détachées et une gamme de couleurs très réduite, frisant la monochromie. Comme la précédente, elle manifeste le sentimentalisme un peu langoureux de la peinture du Guide.

10 **«La Vierge à la chaise»** (t. 212 × 137). Cette toile, qui se base sur des compositions de Raphaël, témoigne bien du classicisme de Reni.

11 **«Saint Sébastien»** (t. 170 × 133). Version d'un thème souvent interprété par le Guide. Sa grande beauté tient à la morbidesse du corps du saint et à

410. Titien. L'empereur Charles Quint à Mühlberg.

l'insertion de sa figure dans un paysage ombreux et crépusculaire, qui accentue encore la solitude du martyr.

12 «Saint Jacques le Majeur» (t. 135 × 89). L'extase du saint est interprétée avec un profond sens religieux. Cette gamme de tons chauds provient de Venise.

13 «L'Assomption et le couronnement de la Vierge» (b. 77 × 81). De la jeunesse du peintre, qui, en variant les poses des anges, évite la raideur monotone d'une composition symétrique. Le petit format de la planche l'accule à une technique minutieuse et très délicate. La richesse de sa palette est bien mise en valeur par le fond orangé des nuages.

14 «Le martyre de Sainte Apollonie» (c. 28 × 20). Voir n.º 215.

15 «Sainte Apollonie en prière» (c. 28 × 20). Fait pendant au tableau antérieur. Datent de la jeunesse de Reni (v. 1602). On y note encore un fort clair-obscur, sous l'influence caravagiste.

16 «Marie-Madeleine» (t. 75 × 62). Reprise d'un fragment de son fameux tableau se trouvant au Musée d'art ancien à Rome.

18 «Jeune fille avec une rose» (t. 81 × 62). Modèle caractéristique de sa dernière période, avec une technique délicate et des couleurs fines.

19 «Saint Pierre» (t. 76 × 61). Voir n.º 220.

20 «Saint Paul» (t. 76 × 61). Cette toile fait pendant à la précédente. L'aisance de leur technique les relie à l'école vénitienne, dont les Bolonais classiques ont répandu le style à Rome. Le peintre s'y intéresse à l'expression des sentiments.

90 «Hippomène et Atalante» (t. 206 × 297). D'après le mythe grec bien connu, Hippomène bat à la course Atalante, la coureuse rapide et imbattable, qui avait promis d'épouser celui qui la vaincrait. C'est que sa curiosité féminine l'avait poussée à s'arrêter pour ramasser les pommes d'or que son rival avait eu la ruse de lui jeter sur la piste. C'est une des toiles les plus célèbres de Reni. On en oublie vite le strict schéma géométrique, formé de triangles entrelacés, pour admirer la beauté de ses modèles et la sensation de vie palpitante qui se dégage des étoffes gonflées par le vent.

RENI. Copie.

26 «Judith» (t. 220 × 135). Copie de l'original de Reni, exposé à la Galerie Spada de Rome.

RICCIARELLI. Voir Volterra.

ROBUSTI. Voir Tintoret et Tintoretta.

ROMANELLI, Giovanni Francesco Romanelli (Viterbe, v. 1610-1662). De l'école romaine. Fut disciple à Rome de Pierre de Cortone, dont il interpréta les compositions grandioses et mouvementées avec une mesure plus classique, s'inspirant des oeuvres de Sacchi et de Poussin (représentées au Prado). A décoré quelques galeries du Palais du Louvre à Paris, où il ne manquait pas d'admirateurs. C'est ainsi qu'il a servi de pont entre le classicisme italien et le français.

29 «Saint Pierre et Saint Jean devant le tombeau du Christ» (c. 47 × 39). Ce tableau fut attribué jadis à Sacchi, alors que les étoffes extrêmement enflées et agitées, ainsi que les yeux vifs des figures sont bien typiques de Romanelli.

68 «Combat de gladiateurs» (t. 235 × 356). Fit partie de la série de décorations illustrant des faits de l'histoire romaine, qui était destinée au Palais du Buen Retiro à Madrid (voir Lanfranc, Camassei et Poussin).

ROMANO, Giulio Pippi Romano, dit Jules Romano (Rome, 1492-Mantoue, 1546). De l'école romaine. Peintre et architecte, il fut le disciple et le collaborateur préféré de Raphaël, qu'il aida à réaliser ses oeuvres les plus importantes et dont il suivit fidèlement le style. Toutefois, il introduisit des éléments de force et de tension dans ses figures musclées et grandioses qui s'inspiraient de Michel-Ange.

22 «L'adoration des bergers» (b. 48 × 37). Oeuvre fine de sa jeunesse, où l'on remarque l'harmonieux agencement de la scène et son goût pour les couleurs chatoyantes.

23 «Noli me tangere» (b. 220 × 160). Fait en collaboration avec Penni, lequel est également disciple de Raphaël. A noter la beauté du modelé, qui est d'une grande plasticité.

ROSA, Salvator Rosa (Naples, 1615-1673). De l'école napolitaine. Formé à Naples auprès de Ribera et de Falcone, il se rendit très jeune à Rome. Sa personnalité de littérateur et de peintre, qui frisait parfois l'extravagance, attira l'attention du monde intellectuel de Rome. Sa peinture sur des sujets originaux, des allégories, des satires et des sorcelleries, fut l'une des plus originales de tout le XVIIe s. Il peignit beaucoup de paysa-

ges, où il s'intéresse aux contrastes de l'atmosphère, qui reflètent u
nature tendue, presque romantique dans ses postulats.

324 **«Le golfe de Salerne»** (t. 170 × 260). Date de v. 1640. Cette marine q
présente des contrastes remarquables et des scènes multiples, nous don
un exemple de l'activité de Rosa comme paysagiste.

**ROSSI.** Voir Salviati.

**RUOPPOLO, Giovanni Battista Ruoppolo** (Naples, 1620-1685). I
l'école napolitaine.

1990 **«Nature morte»** (t. 78 × 151). Fut un des représentants les plus rema
quables de la peinture de genre napolitaine (voir Recco, Porpora, Belv

3090. Reni. Hippomène et Atalante.

dère). Son réalisme, poussé à l'extrême, est interprété avec de forts co
trastes de lumières.

**SACCHI, Andrea Sacchi** (Nettuno, 1599-Rome, 1661). De l'école r
maine. Fut à Rome le continuateur du classicisme des Carracci et de le
école. Sa peinture extrêmement sensible et harmonieuse coïncide vers l
années 1630 avec le néo-vénitianisme enrichissant, qui remplit de color
et de liberté l'art de cette époque.

3 **«Nativité de Saint Jean-Baptiste»** (t. 262 × 171). Variante de la toi
peinte pour la série du Baptistère de Saint-Jean-de-Latran. La parfai
disposition de la scène, ainsi que la beauté raffinée des modèles et de leu
poses, montrent bien le classicisme de l'artiste.

83 **«Ecce homo, avec deux bourreaux»** (t. 50 × 67). Copie d'un tablea
d'Annibale Carrache se trouvant à la Pinacothèque de Bologne.

326 **«Le peintre Francesco Albani»** (t. 73 × 54). Portrait du maître de Sa
chi, se distinguant par sa sobriété et sa perspicacité psychologique.

328 **«Saint Paul et Saint Antoine, ermites»** (t. 141 × 141). Compositic
magistrale de Sacchi, datant de son époque la plus vénitienne, où il évoq
bien la gravité sereine des 2 saints.

3189 **«Sainte Rosalie»** (t. 140 × 140). Faisant pendant au tableau antérieur,
relève, comme lui, du classicisme le plus poussé. Il s'agit de la patronne
la Sicile, dont on aperçoit au fond le volcan de l'Etna.

**SALVATORE.** Voir Messine.

**SALVI.** Voir Sassoferrato.

**SALVIATI, Francesco de'Rossi, dit Cecco Salviati** (Florence, 151
Rome, 1563). De l'école florentine.

477 **«La Vierge à l'Enfant entourée de deux anges»** (b. 114 × 99). On
décèle clairement la variété de sa formation. Disciple d'Andrea del Sart

il a connu à Rome le style de Raphaël chez les adeptes de celui-ci. On voit ici le style plus monumental de Salviati, mais les expressions angoissées de la Vierge et de l'Enfant, ainsi que la disposition compliquée de la scène dans l'espace, situent ce tableau dans le maniérisme toscan. On notera la perfection technique du peintre, son modelé serré et son coloris aux tons clairs.

**SANI, Domenico Maria Sani** (Cesena, 1690-La Granja, 1773).

0 **«Le camelot du village»** (t. 105 × 126). Voir n.º 331.

1 **«Réunion de mendiants»** (t. 105 × 126). Ces 2 tableaux, qui se font pendants, ont été récemment attribués, en vertu de leur style, à Francesco Sasso (Gênes, 1720-Madrid, v. 1776). Témoignent de l'intérêt de la peinture du XVIIIe s. pour les scènes populaires.

**SANTI.** Voir Raphaël.

**SANZIO.** Voir Raphaël.

**SARTO, Andrea del Sarto** (Florence, 1486-1530). De l'école florentine. Fut une des personnalités saillantes de la peinture italienne du début du XVIe s. Son oeuvre ressemble à celle de Raphaël quant à son sens classique, ordonné et serein, porté à sa plus grande perfection. Mais il utilise une technique douce, dont les estompages viennent de Léonard, et le coloris, des Vénitiens, tout en interprétant les thèmes religieux avec une plus forte émotivité. Il a été sans doute à Rome et à Venise. Il a peint de nombreuses fresques à Florence. Sa renommée est parvenue à la cour du roi François Ier, si bien qu'il se rendit à Paris en 1518, où il put voir les derniers tableaux qu'y réalisait Léonard de Vinci. Le Prado en a une série d'oeuvres, qui nous révèlent pleinement son style.

2 **«Lucrèce di Baccio del Fede, femme du peintre»** (b. 73 × 56). Le style de l'artiste est tout à fait formé dans ce portrait où il nous permet d'admirer la beauté de sa femme. Selon Vasari, son biographe contemporain, celle-ci l'a cruellement traité et lui a été infidèle. Mais pas plus ici que dans maints autres tableaux, où il emprunta ses traits pour la figure de la Vierge, le peintre n'a évoqué cette prétendue malice de Lucrèce, qui y apparaît plutôt comme sa muse inspiratrice. La simplicité apparente de cette composition, qui rappelle le sourire et la pose de la fameuse Joconde de Léonard, est le fruit de l'habileté du peintre, qui a su combiner, grâce à son admirable maîtrise, la toilette simple aux couleurs douces et de bon ton avec l'expression indéfinissable de cette femme mystérieuse. A noter les incrustations d'ivoire de ce cadre ancien.

4 **«La Vierge à l'Enfant, en compagnie d'un saint et d'un ange»** (b. 177 × 135). Chef-d'oeuvre du peintre, où se manifeste tout son classicisme dans l'agencement rigoureux de cette composition triangulaire, dont les figures monumentales sont empreintes d'un légère mélancolie. Les couleurs sont très raffinées.

5 **«La Sainte Famille»** (b. 140 × 112). A en juger par la gamme des couleurs froides et la tension nerveuse des personnages, il s'agit sans doute d'un tableau des dernières années, où le style du peintre est proche du maniérisme.

6 **«Le sacrifice d'Isaac»** (b. 98 × 69). Les expressions subtiles des figures, depuis l'angoisse du jeune Isaac, dont l'anatomie est un modèle de beauté classique, jusqu'à la sereine résignation d'Abraham à la volonté divine, nous prouvent que le peintre a parfaitement bien scruté leur état d'âme sur la base du récit biblique.

7 **«La Vierge et l'Enfant Jésus»** (b. 86 × 68). On remarque une forte influence de Léonard dans la composition et la technique.

8 **«La Vierge, l'Enfant Jésus, Saint Jean et deux anges»** (b. 106 × 79). Les formes estompées léonardesques des têtes qui sortent de l'ombre, donnent une impression de mystère.

9 **«Saint Jean-Baptiste avec un agneau»** (b. 23 × 16). On hésite sur son attribution, car il est plus proche du style des peintres milanais de l'école de Léonard de Vinci.

**SASSOFERRATO, Giovanni Battista Salvi, dit Sassoferrato** (Sassoferrato, 1605-Rome, 1685). De l'école romaine. Il a étudié les styles du Dominiquin et du Guide, qu'il interprète de manière très personnelle. Il se distingue par une très grande pureté formelle, un coloris clair et une profonde religiosité dans ses nombreuses compositions sur la Vierge à l'Enfant.

1 **«La Vierge en méditation»** (t. 48 × 40). Il a répété plusieurs fois ce thème qui est basé sur une gravure de Dürer.

342    **«La Vierge avec l'Enfant Jésus endormi»** (t. 48 × 38). La compositio
est inspirée ici d'une gravure de Guido Reni.
**SCARSELLA.** Voir Scarsellino.
**SCARSELLINO, Ippolito Scarsella, dit le Scarsellino** (Ferrare,
1550-1620). De l'école de Ferrare.

344    **«La Vierge avec l'Enfant Jésus»** (b. 20 × 28). Dans ce très beau pe
tableau, il dote le paysage vénitien du coloris intense et presque méta
que de l'école de Ferrare. Le jeu de la Vierge avec l'Enfant Jésus est dé
interprété avec ce grand sens naturaliste qui est propre au baroque.
**SEBASTIANO DEL PIOMBO.** Voir Piombo.
**SELLITO, Carlo Sellito, dit Carlo le Napolitain** (Naples, 1581-161
De l'école napolitaine.

563    **«Assomption de Marie-Madeleine»** (t. 61 × 45). Copie fidèle d'un
bleau de Lanfranc, dont on connaît plusieurs versions.
**SERODINE, Giovanni Serodine** (Ascona, 1594-Rome, 1631).
l'école romaine.

342. Sassoferrato. La Vierge à l'Enfant.    341. Sassoferrato. La Vierge médit

246    **«Sainte Marguerite ressuscite un jeune homme»** (t. 141 × 104). O
vre typique de ce peintre, formé dans le réalisme caravagiste, mais
fluencé sans aucun doute par les artistes hollandais et français qui trav
laient à Rome. En effet, se touches pâteuses et ses tons bruns le trahisse
**SIENA, Marco da Siena.** Voir Pino.
**SOLIMENA.** Voir Solimène.
**SOLIMÈNE, Francesco Solimène, dit l'Abate Ciccio** (Nocera, 16
Naples, 1747). De l'école napolitaine. Fut peintre et architecte à Nap
Sa peinture représente le trait d'union entre le plein baroque de son a
Luca Giordano, et le rococo raffiné de ses disciples, Conca et Giaquin
Ses grandes compositions d'un style théâtral et d'une magnificence ba
que, sont pleines d'un tas de personnages interprétés avec un vif colo
Celui-ci deviendra de plus en plus sombre, au fur et à mesure qu'il ab
gera sa technique et qu'il moulera ses figures sur sa préparation rougeâ
à coups de pinceau énergiques et lumineux.

14    **«L'infante Marie-Elisabeth de Naples»** (t. 75 × 63). Attribué jadis à Amig

351    **«Saint Jean-Baptiste»** (t. 83 × 20). Date de v. 1730 et est caractéristic
de la dernière période du peintre. A noter le regard très expressif
Précurseur.

352    **«Autoportrait»** (t. 38 × 34). Il y a plusieurs versions de ce petit portr
où l'on voit Solimène en train de dessiner dans une pose élégante.
dirait que de son geste hautain il prenne ses distances par rapport
spectateur. Un très beau jeu de lumières fait ressortir le luxe de s
costume.

2660    **«Saint Joachim, Sainte Anne et la Vierge»** (t. 43 × 38). Nous montre style plus décoratif de Solimène, où les modèles et les vêtements gonflés se rattachent encore au baroque de Luca Giordano dans toute sa splendeur.

**STANZIONE, Massimo Stanzione** (Orta di Antella, 1585-Naples, 1656). De l'école napolitaine. Formé dans le ténébrisme napolitain dérivé du Caravage, il entra en contact à Rome avec la peinture du classicisme. Aussi a-t-il introduit ses exigences relatives à la rigueur de la composition, à l'idéalisation des modèles et à la variété du coloris dans son style naturaliste, qui a exercé une influence considérable sur les autres peintres napolitains. Sa série de toiles du Prado sur la *Vie de Saint Jean-Baptiste,* à laquelle collabora Artemise Gentileschi (voir Gentileschi), date de v. 1634 et servit à décorer le Palais du Buen Retiro à Madrid. Elle résume bien le style de Stanzione et le tournant classique pris par l'école napolitaine au milieu du XVIIᵉ s., avant que Luca Giordano ne vienne changer l'orientation de la peinture à Naples.

56 **«Annonce de la naissance de Jean-Baptiste à Zacharie»** (t. 188 × 337). Fait partie de la série sur la *Vie de Saint Jean-Baptiste,* de même que les num. 257, 258 et 291. C'est peut-être le plus classique et mesuré.

57 **«Prédication du Précurseur dans le désert»** (t. 187 × 335). La figure tendue du Précurseur domine la scène. Eclairée de différents côtés, celle-ci est centrée sur les diverses attitudes et expressions des auditeurs.

58 **«La décollation de Jean-Baptiste»** (t. 184 × 258). C'est la toile de la série qui se rapproche le plus du Caravage, de par l'ampleur de la scène et les forts contrastes du clair-obscur. Cependant, comme il est plus décorateur, notre artiste, faisant fi du côté religieux du martyre, cherche plutôt à renforcer les effets dramatiques.

59 **«Sacrifice au dieu Bacchus»** (t. 237 × 358). Signé. Datant aussi de v. 1634, ce chef-d'oeuvre nous présente des figures qui semblent vraiment tirées d'anciens bas-reliefs romains, telles que la femme vue de dos avec sa cruche. La composition est unie par un coloris profond aux riches tons dorés, verts et rouges, qui contrastent avec les parties fort éclairées du nu.

91 **«Jean-Baptiste prend congé de ses parents»** (t. 181 × 263). Signé. Cette toile, la plus réaliste des 4 de la série, est d'une beauté admirable et nous émerveille par le recueillement de la scène de gauche, où l'on voit sainte Elisabeth pleurer et Zacharie bénir son fils qui s'en va.

**STROZZI, Bernardo Strozzi** (Gênes, 1581-Venise, 1644). De l'école gênoise.

54 **«La Véronique»** (t. 168 × 118). Représente au Prado la riche école gênoise du XVIIᵉ s. Ce peintre, qui connaissait le naturalisme du Caravage, dont il utilisait aussi les forts contrastes de lumières, entra en contact avec Rubens lors de son passage par Gênes au début du XVIIᵉ s., où il avait laissé sa peinture exubérante, coloriste et aux touches denses qui accentuent la matière et enrichissent la surface. Telles sont les principales caractéristiques de cette toile, qui date d'un peu avant 1630, année où Strozzi partit pour Venise.

364. Giambattista Tiepolo. Un ange portant le Saint-Sacrement.

**SUSTRIS, Lambert Sustris** (Amsterdam, v. 1515-Venise, 1580).
l'école vénitienne.

581 &laquo;**Le baptême du Christ**&raquo; (b. 125 × 165). Hollandais d'origine, il se for
à Venise à l'école de Titien et du Tintoret, dont on retrouve ici les figu
allongées et nerveuses, d'une extrême élégance. Se distingue surtout
des tons plus clairs et monotones que ceux de ses contemporains vé
tiens, ainsi que par des coups de pinceau pâteux, appliqués parfois
petites touches très légères.

**TIEPOLO, Giambattista Tiepolo** (Venise, 1696-Madrid, 1770).
l'école vénitienne. Il clôture brillamment le chapitre de la peinture déco
tive vénitienne, qui avait débuté avec les grands maîtres du XVIe s. Il
rendit très vite célèbre grâce à ses fresques illusionnistes, aux grands es
ces simulés, pleines de lumière et de couleurs, animées de figures dont
riches vêtements reflètent bien le luxe de la Venise du XVIIIe s. Eglises
palais, villas de plaisance et collections de l'aristocratie se remplissent al
de ses fresques et de ses toiles, représentant des scènes religieuses
allégoriques. L'exubérance baroque s'y fond avec la préciosité rococo, m
les visages y sont empreints d'une certaine mélancolie, présageant la dé
dence d'une société qui finirait par être bientôt balayée par la Révoluti
française. En 1750, il alla décorer la résidence du prince-évêque
Wurtzbourg. En 1762, déjà vieux, il arriva à Madrid avec ses fils Dom
nico et Lorenzo pour y décorer, à la demande du roi Charles III, le Sal
du trône du Palais royal.

363 &laquo;**L'Immaculée Conception**&raquo; (t. 279 × 152). Signé. Faisait partie de
décoration de l'église Saint-Pascal Baylon à Aranjuez, dont le Prado c
serve des fragments. Cette toile, peinte en 1769, est une de ses derniè
et de ses plus sobres. Elle se centre sur la figure recueillie de la Vier
entourée de quelques angelots. Elle s'inspire nettement des modèles
Murillo, qu'il avait dû connaître à Madrid.

364 &laquo;**Un ange portant le Saint-Sacrement**&raquo; (t. 185 × 178). Fragment
haut de la toile du maître-autel de l'église Saint-Pascal Baylon à Aranju
Sa technique consiste à dessiner d'abord légèrement les contours et
formes avec des touches noires, pour y mettre ensuite un coloris aux to
très variés.

364a &laquo;**Saint Pascal Baylon**&raquo; (t. 153 × 112). Fragment du bas de la toile an
rieure.

365 &laquo;**L'Olympe ou le triomphe de Vénus**&raquo; (t. 86 × 62). Esquisse pour u
décoration perdue du Palais impérial de Saint-Pétersbourg. Nous mon
bien la délicatesse de ses grandes décorations, ainsi que son sens de l'
pace, ouvert et atmosphérique.

365a &laquo;**Saint François d'Assise reçoit les stigmates**&raquo; (t. 278 × 153). Ce
toile, qui vient aussi de Saint-Pascal d'Aranjuez, est l'une des plus religie
ses de la vieillesse du peintre.

583 &laquo;**Un ange avec une couronne de lis**&raquo; (t. 40 × 53). Petit fragment de
série d'Aranjuez.

2464 &laquo;**Abraham et les trois anges**&raquo; (t. 197 × 151). Oeuvre tardive de l'artis
dont les modèles et la composition sobre rappellent les toiles d'Aranju
Contrastant avec la représentation réaliste d'Abraham, l'apparition des a
ges ressort bien. Celui du milieu est magistral: on y a reconnu les traits
l'amante de Tiepolo, qui l'avait accompagné en Espagne.

3007 &laquo;**Saint Antoine de Padoue avec l'Enfant Jésus**&raquo; (t. ovale 225 × 17
De la série d'Aranjuez. Cette toile a exercé une influence sur la peintu
espagnole du XVIIIe s. Goya s'en est inspiré dans sa jeunesse.

3243 &laquo;**La continence de Scipion**&raquo; (t. 250 × 500). Oeuvre de jeunesse, de
1722, que le Prado a achetée récemment. Après une guerre, ce géné
romain rendit sa liberté à une jeune fille qui lui était échue lors du parta
du butin. La technique est fort expressive: vues à distance, ces longu
touches font beaucoup d'effet.

**TIEPOLO (?)**

2691 &laquo;**Délivrance de Saint Pierre**&raquo; (b. 25 × 18). Ebauche de technique se
blable.

2900 &laquo;**Saint Pascal Baylon**&raquo; (t. 39 × 26). Ce fut peut-être un croquis pour
toile du maître-autel à Aranjuez.

**TIEPOLO, Giandomenico Tiepolo** (Venise, 1727-1804). De l'école v
nitienne. Disciple et collaborateur de son père Giambattista, il eut au
ses propres caractéristiques, qui lui permirent de travailler indépenda
ment dans toute l'Italie. Il a exploité la veine de la satire, qu'il a parfo
poussée jusqu'à une caricature profondément enracinée dans les goûts

356. Giandomenico Tiepolo. Le Christ à la colonne.

peuple. C'est ainsi qu'il a décrit avec un humour incisif la société contemporaine de Venise. Il a été avec son père en Allemagne. Il a travaillé pour la Cour espagnole, mais est retourné à Venise à la mort de son père. Il a aussi été un graveur remarquable.

355 «La prière au jardin de Gethsémani» (t. 125 × 142).
356 «Le Christ à la colonne» (t. 124 × 144).
357 «Le couronnement d'épines» (t. 124 × 144).
358 «Chute du Christ sur le chemin du Calvaire» (t. 124 × 144).
359 «Le Christ dépouillé de ses vêtements» (t. 124 × 144).
360 «La crucifixion» (t. 124 × 144).
361 «La descente de croix» (t. 124 × 142).
362 «La mise du Christ au tombeau» (t. 124 × 144). Signé et daté de 1722. Cette série de 8 tableaux décorait l'église Saint-Philippe Neri à Madrid. Il a un style plus expressionniste et plus dramatique que son père. Il emploie une gamme de couleurs où il semble éviter tout brillant, limitant l'usage des couleurs fortes à certains endroits et se contentant ailleurs d'une tonalité presque monochrome.

**TINTORET, Jacopo Robusti, dit le Tintoretto ou le Tintoret** (Venise, 1518-1594). A côté de Titien et de Véronèse, le Tintoret fut un des grands hommes de la peinture vénitienne au XVIe s. C'est lui qui introduisit à Venise le style maniériste qui prévalait dans le reste de l'Italie. A l'équilibre, au coloris plein, aux formes sereines et à la joie de vivre qui imprègnent les toiles de ces deux-là, il oppose la tension dramatique de ses vastes compositions, la lumière froide qui fait briller sur les vêtements des reflets métalliques, les figures allongées qu'il ne cherche pas à rendre belles, mais plus expressives. C'est qu'il a connu dès sa jeunesse les oeuvres de Michel-Ange et s'est inspiré des maniéristes bolonais, qui aimaient les vastes espaces simulés et les raccourcis violents des figures. Il fut aussi un excellent portraitiste, fidèle à la tradition vénitienne par la simplicité de sa composition, son naturalisme et la recherche de la psychologie de ses personnages. Mais, au lieu de faire des portraits de rois et d'aristocrates, comme Titien, il se contenta de ceux de la bourgeoisie de Venise. Il vécut tranquillement dans cette ville, où il fit de nombreuses décorations, dont celles pour l'Ecole Saint-Roch. Ses enfants, Marietta et Domenico, l'ont aidé à l'atelier. Le Greco se forma au contact direct avec la peinture de cet artiste génial. Le Prado possède une des meilleures collections de se oeuvres, portant sur tous les genres de celles-ci.

366 **«Un général de Venise»** (t. 82 × 67). Très belle toile, typique de so style. A noter les touches molles et légères, ainsi que le brillant de l'ar mure rendu avec une grande maîtrise.

369 **«L'archevêque Pierre»** (t. 71 × 54). C'est l'archevêque de Pise, Pierre Jacques de Bourbon.

370 **«Un jésuite»** (t. 50 × 43).

371 **«Un sénateur ou secrétaire vénitien»** (t. 104 × 77). Excellent origina du Tintoret. Le coloris en est sobre et la pénétration psychologique, in tense.

373 **«Un magistrat de Venise»** (t. 54 × 43).

374 **«Un magistrat de Venise»** (t. 54 × 43). La critique a douté que ces tableaux fussent des originaux du Tintoret, car ils sont plus proches, pa leur naturalisme, de ceux de Jacopo Bassano.

377 **«Un patricien de Venise»** (t. 78 × 65).

378 **«Le chevalier à la chaîne en or»** (t. 103 × 76). Datant de v. 1550, c'es un de ses meilleurs portraits, qui pourrait représenter Véronèse. Il faut souligner l'étude de la lumière, qui met bien en valeur cette tête expres sive et les mains. Les couleurs sont très fines, mais leur gamme est réduite qu'on dirait presque un portrait en noir et blanc.

379 **«Un procureur de la République de Venise»** (t. 77 × 63). Les coups d pinceau légers et détachés font bien ressortir les qualités de la matière

382 **«La dame qui se découvre le sein»** (t. 61 × 55). Un des meilleurs po traits de femme du Prado. Certains y ont reconnu la fille du peintre Marietta; d'autres, Véronique Franco, célèbre courtisane de Venise. L coloris s'en écarte fort des tons courants de l'artiste, qui utilise ici partou une tonalité claire, perlée, s'en tenant aux variétés infinies du gris et d mauve.

384 **«Marietta Robusti (?)»** (t. 65 × 51).

385 **«Portrait d'une dame inconnue»** (t. 61 × 55).

386 **«Suzanne et les vieillards»** (t. 58 × 116). Voir n.º 396.

388 **«Esther et Assuérus»** (t. 59 × 203). Voir n.º 396.

389 **«Judith et Holopherne»** (t. 58 × 119). Voir n.º 396.

390 **«La mort d'Holopherne»** (t. 98 × 325). Le caractère dramatique de l scène ressort bien grâce à la lumière de la nuit, qui laisse des coins d'obs curité profonde, à côté de zones éclairées au coloris très riche. Les figure donnent une impression instable et la technique est rapide.

391 **«Judith et Holopherne»** (t. 188 × 251). Voir n.º 392.

392 **«La violence de Tarquin»** (t. 188 × 271). On estime que ces 2 tableau se font pendants et datent de la jeunesse du peintre, vu leur coloris clair leurs figures dont les anatomies et les poses rappellent celles de Miche Ange. Les jeux et contrastes de lumières sont bien réussis.

393 **«La purification des vierges madianites»** (t. 295 × 181). Voir n.º 39 C'est la toile qui décorait le centre du plafond en question. Moïse a reç de Dieu l'ordre de faire procéder à la purification des jeunes filles prise comme butin aux Madianites. Cette composition est superbe. L'artiste s complaît à représenter la beauté féminine.

394 **«Visite de la reine de Saba à Salomon»** (t. 58 × 205). Voir n.º 39

395 **«Joseph et la femme de Putiphar»** (t. 54 × 117). Voir n.º 396.

396 **«Moïse sauvé des eaux»** (t. 56 × 119). Forme un ensemble de scène bibliques avec les 5 autres toiles citées plus haut (num. 386, 388, 389, 39 et 395), pour la décoration d'un plafond. Vélasquez les acheta à Venise. L perpective de bas en haut et la vivacité de ces scènes de l' Ancien Testa ment sont remarquables. Leurs couleurs claires les rapprochent de Vé ronèse, si bien qu'elles datent de la jeunesse du Tintoret.

397 **«Le baptême du Christ»** (t. 137 × 105). Il introduit cette scène, qu'il souvent peinte, dans un paysage très moderne.

398 **«Le paradis»** (t. 168 × 544). Acheté à Venise par Vélasquez. Dans cett vaste composition, il y a un grand nombre de figures qui sont distribuée avec ordre et clarté, mais leurs raccourcis et leurs tensions nous obligent la dater d'une époque où le peintre était carrément maniériste.

399 **«Épisode d'une bataille entre Turcs et chrétiens»** (t. 186 × 307). A quis à Venise par Vélasquez, qui s'intéressait à l'art du Tintoret. A note le caractère moderne de la technique, qui brosse le fond de la scène.

2824 **«Le lavement des pieds»** (t. 210 × 533). Ce chef-d'oeuvre, peint d'abor pour une église de Venise, est passé ensuite dans la collection de Charle Ier d'Angleterre. A la mort de celui-ci, il a été acheté pour le roi d'E pagne Philippe IV. De grand format, cette toile s'ouvre sur un vaste espace, qui, en simulant une prolongation de l'espace naturel, donne la sensation au spectateur qu'il va pouvoir marcher sur la scène. Vélasquez a dû en étudier les miroitements d'air entre les figures, pour ses propres tableaux. A noter l'interprétation maniériste, qui laisse de côté la scène principale pour attirer l'attention sur les scènes secondaires, qui sont traitées avec un naturalisme évident et un accent fort expressif.

**TINTORET (?)**

67 **«Pierre de Médicis (?)»** (t. 68 × 56). Attribution incertaine.

84 **«Portrait d'une jeune dame»** (t. 114 × 100). Attribué par les uns à Véronèse et par les autres, à Bassano ou au Tintoret.

**TINTORET. Disciple.**

01 **«Le cardinal André d'Autriche»** (t. 112 × 96). Fut gouverneur de la Flandre.

**TINTORETTA, Marietta Robusti, dite la Tintoretta** (Venise, 1560-1590). De l'école vénitienne. Fille du Tintoret, elle suivit son style, mais

393. Le Tintoret. La purification des vierges madianites.

382. Le Tintoret. La dame qui se découvre le sein.

sans atteindre sa maîtrise. Se spécialisa dans l'exécution de peintures de petit format, mais il y manquait l'éclat et le coloris de celles de son père.

81 **«Autoportrait»** (t. 60 × 51).

83 **«Une jeune Vénitienne»** (t. 77 × 65).

00 **«Une dame de Venise»** (t. 77 × 65). Ces 3 portraits, d'une grande simplicité, se rattachent à la tradition du portrait vénitien.

**TINTORETTO.** Voir Tintoret.

**TINTORETTO, Domenico Tintoretto** (Venise, v. 1556-1635). De l'école vénitienne. Fils du Tintoret, il interprèta fidèlement la peinture de son père, sans innover, car il ne sut pas s'adapter au nouveau courant du baroque.

87 **«La Prospérité ou la Vertu chassant les maux»** (t. 207 × 140). Scène allégorique, où la Prospérité ou la Vertu en armes prend la forme de la déesse Minerve. C'est une technique plate de dessin avec des couleurs froides.

**TITIEN, Tiziano Vecellio, dit Titien** (Pieve di Cadore, v. 1490-Venise, 1576). De l'école vénitienne. Représentant par excellence de l'école vénitienne du XVIIe s., il est en même temps un des grands génies de la peinture universelle. Admiré par ses contemporains, il a mené une vie luxueuse dans son palais de Venise, en raison de ses succès qui l'avaient enrichi. Il devint le peintre favori de l'empereur Charles Quint, qui l'honora de son amitié et de sa confiance. La légende raconte que le maître du monde à cette époque se baissa pour ramasser les pinceaux que Titien avait laissé tomber par terre, pour lui témoigner son admiration. Son oeuvre fut liée au début à celle de Bellini, son maître, mais surtout à celle

de Giorgione, à qui il emprunta sa technique coloriste, légère et estompé
ainsi que son goût pour les paysages ombreux au fond de ses scènes.
peinture évolua vite vers des formes grandioses et solennelles dans :
compositions religieuses, qui, sans échapper à un certain pathétisn
étaient interprétées avec un coloris extrêmement riche, aux tons chauds
variés. Celui-ci ne fit que s'accentuer dans ses nombreuses compositic
mythologiques, dont les notes dominantes seront la joie de vivre, la se
sualité et la force vitale. Vers la fin de sa vie, la palette de Titien s'asso
brit et sa technique se simplifia. En effet, il se contentait d'appliquer sur
préparation rougeâtre de la toile des taches de couleur d'allure très m
derne, qui faisaient beaucoup d'effet. Quant à ses portraits, la haute lign
des personnages qu'il représenta, le poussa à les doter d'un air noble
solennel, ainsi que d'un coloris extrêmement riche. Titien exerça une
fluence décisive sur les peintres qui vinrent après lui, en particulier :

408. Titien. Le duc de Mantoue.       415. Titien. L'impératrice Isabe

Rubens, sur les peintres baroques italiens, tels que les Carracci et le
adeptes, et sur les artistes espagnols qui virent ses toiles dans les coll
tions royales. Les tableaux de Titien devinrent ainsi une source inépuisab
d'idées et de ressources picturales. Là où il y a des artistes qui se con
crent corps et âme à la couleur plutôt qu'au dessin, l'image de ce maître
est toujours.

407  **«Autoportrait»** (t. 86 × 65). Chef-d'oeuvre peint sans doute peu
temps avant que la peste, qui infesta Venise en 1576, ne mît fin à :
jours. La sobriété des couleurs et la légèreté de cette technique floue, c
laisse les formes inachevées, en font un de ses tableaux les plus suggesti
en avance de près de 3 siècles sur les nouveautés de l'impressionnism

408  **«Frédéric de Gonzague, Ier duc de Mantoue»** (b. 125 × 99). Daté de
1530, est considéré comme le portrait de mariage du duc, devant perm
tre à sa fiancée, Marguerite Paléologue, de le connaître. Ce portrait e
magistral, en raison non seulement de la profondeur de son analyse ps
chologique, mais encore de la virtuosité technique déployée dans la rep
sentation du velours bleu chatoyant ou dans le naturalisme du petit chic
Comme dans ses portraits de cour, Titien ne manque pas d'ennoblir
peu la figure.

409  **«L'empereur Charles Quint»** (t. 192 × 111). C'est peut-être bien le p
trait peint en 1532 à Bologne, pour lequel l'empereur octroya à Titien
titre de Comte du Palais du Latran et celui de Conseiller aulique.

410  **«L'empereur Charles Quint à Mühlberg»** (t. 332 × 279). Le 24 av
1547, a Mühlberg, l'empereur avait remporté la victoire sur les protesta
et fait prisonnier Jean-Frédéric, électeur de Saxe. Suivant la tradition cl
sique romaine, il est représenté à cheval sur ce portrait, que l'on a con
déré comme l'un des meilleurs et des plus originaux de l'histoire de
peinture. L'impétuosité du cheval et la tension du cavalier y sont adouc

par le calme et la solitude du paysage crépusculaire, ainsi que par la mélancolie du regard de l'empereur lui-même, qui semble présager déjà son abandon du pouvoir, sa retraite au monastère de Yuste et l'effritement de son empire.

411 «Philippe II» (t. 193 × 111). Peint en 1541, ce portrait, qui ne plut pas à Philippe II, fut envoyé à Marie Tudor, sa fiancée, afin qu'elle connaisse ses traits. Sa virtuosité technique et sa richesse de nuances sont impressionnantes.

412 «Le chevalier à l'horloge» (t. 122 × 101). Portrait d'un chevalier de l'Ordre de Malte, qu'on n'a pas pu identifier.

413 «L'homme au collet d'hermine» (t. 81 × 68). Signé en 1537.

414 «Daniello Barbaro, Patriarche d'Aquilée» (t. 81 × 69).

415 «L'impératrice Isabelle de Portugal» (t. 117 × 98). Morte jeune, l'épouse de Charles Quint lui avait laissé un souvenir impérissable. Pour peindre ce portrait à Augsbourg en 1548, longtemps après la mort de l'impératrice. Titien prit comme modèle un portrait antérieur de celle-ci. On est frappé par le superbe payage très naturaliste qu'on aperçoit à travers la fenêtre, ainsi que par les traits nobles et délicats de la figure.

417 «Allocution du marquis del Vasto à ses soldats» (t. 223 × 165). Cette toile originale, peinte v. 1540, surprit en son temps par la nouveauté magistrale qu'elle apportait dans la représentation de la scène. En effet, Titien parvient à y donner l'impression d'une foule silencieuse dans la zone remplie de soldats, dont le nombre semble être accru par sa technique floue et l'accumulation des lances verticales. C'est une anticipation de ce que ferait Vélasquez un siècle plus tard dans sa fameuse *Reddition de Breda*. Les lustres des armures et des uniformes orientent les regards vers le général, qui est accompagné de son fils aîné Ferrante Francisco.

418 «Bacchanale» (t. 175 × 193). Cette oeuvre de jeunesse de v. 1518 forme, avec l'*Offrande à Vénus* (n.º 419) et *Bacchus et Ariane* de la National Gallery à Londres, une série portant sur des thèmes de la mythologie et de la littérature romaine, qui servit à décorer le cabinet du duc de Ferrare, Alphonse d'Este. Il s'agit ici de l'arrivée de Dionysos à l'île d'Andros, dont les habitants l'attendent complètement ivres. Le parfait entrelacement des

409. Titien. L'empereur Charles Quint.

419. Titien. Offrande à Vénus.

figures, les formes pleines de vie, le coloris très riche et le paysage ont f
de cette toile un modèle à suivre pour les artistes du classicisme romain
XVIIᵉ s., qui s'opposèrent en vain à sa sortie d'Italie et à celle des autr
tableaux de Titien. Le Dominiquin pleura à leur départ, dans le port
Naples. Dans la jeune fille du centre de cette toile on a reconnu Violan
l'amante de Titien.

419  **«Offrande à Vénus»** (t. 172 × 175). Signé. Cette toile, qui fait pendan
la précédente, reproduit un thème de l'écrivain grec Philostrate. Les pet
Amours, prenant les poses les plus variées et les plus espiègles, offrent d
fleurs et des fruits à la déesse de l'Amour. Ce tableau fut copié par R
bens, car la peinture de Titien l'intéressait. A noter la beauté du paysag

420  **«Vénus se délasse en écoutant de la musique»** (t. 136 × 200). Variar
d'un thème souvent repris par Titien et dont il y a une version antérieu
au Prado (n.º 421). Ce sont 2 très belles toiles de l'âge mûr de l'artiste,
celui-ci fusionne les éléments les plus sensuels du nu féminin avec le lar
paysage lumineux et la virtuosité dans la représentation de la matière. U
douce mélancolie règne dans toute la composition.

421  **«Vénus passe de bons moments avec l'amour et la musique»**
148 × 217). Signé. Peint pour Charles Quint. Titien introduit ici la figu
de Cupidon, qui joue avec Vénus.

422  **«Vénus et Adonis»** (t. 186 × 207). Cette toile, inspirée par une fab
mythologique des *Métamorphoses* d'Ovide, représente le moment où Vén
prend congé de son amoureux Adonis, au départ de celui-ci pour u
partie de chasse où il devait mourir. Peinte en 1553 pour Philippe II. Il
clair que Titien y a fort étudié la lumière et l'atmosphère.

425  **«Danaé recevant la pluie d'or»** (t. 129 × 180). Ce chef-d'oeuvre, pe
en 1553 pour Philippe II, révèle la maturité du style de l'artiste: il fau
admirer la dissolution de la forme dans l'espace, avec une vibration natu
liste, qui émerveilla ses contemporains, Michel-Ange entre autres.
magnifique beauté du nu féminin y est mise en relief par la riches
chromatique des blancs et des carmins qui l'entourent, par les tons or
geux du ciel, d'où tombe l'or divin de Jupiter, et par le contraste avec
corps foncé et tordu de la servante.

26 **«Sisyphe»** (t. 237 × 216). Voir n.º 427.

27 **«Tityos»** (t. 253 × 217). Ces 2 toiles furent commandées par la reine Marie de Hongrie, lorsque Titien se trouvait à Augsbourg en 1549. D'une conception grandiose, elles représentent 2 condamnés de l'enfer mythologique. Il n'est pas doureux que les nus y sont inspirés de formes de Michel-Ange.

28 **«Salomé avec la tête de Jean-Baptiste»** (t. 87 × 80). La jeune fille serait Lavinia, la fille de Titien. Cette toile, peinte v. 1549, se distingue par l'aisance de la technique, le coloris, ainsi que par le geste sec et brusque, voire un peu cruel, de la jeune fille.

29 **«Adam et Ève»** (t. 240 × 186). Signé. Copié par Rubens (voir Rubens, n.º 1692). Date de v. 1570. Le peintre s'arrête ici à marquer les différences des nus du couple et à donner à la scène la lumière, l'espace et l'air qui lui conviennent.

30 **«L'Espagne vole au secours de la religion»** (t. 168 × 168). Signé. Cette toile allégorique présente l'Espagne qui se porte au secours de la religion, menacée par la puissance des infidèles. Elle fait allusion à la bataille de Lépante, où les Espagnols ont remporté la victoire sur les Musulmans.

31 **«Après la victoire de Lépante, Philippe II offre au ciel le prince Ferdinand»** (t. 335 × 247). Signé. Date de v. 1573-75. Est relié au tableau précédent par l'allusion à la victoire de Lépante, symbolisée par la figure de la Victoire et le prisonnier musulman enchaîné dans le bas.

32 **«La Gloire»** (t. 346 × 240). Commandé en 1551 par Charles Quint. Celui-ci y apparaît en haut à droite en attitude de prière, accompagné de plusieurs membres de sa famille. Ils sont entourés par le choeur des Bienheureux. La violente perspective de bas en haut introduit le spectateur dans cette vue du ciel. Charles Quint a emporté cette toile avec lui, quand il s'est retiré au monastère de Yuste, et est mort en la regardant.

33 **«L'adoration des Rois mages»** (t. 141 × 219). Certains y voient une copie ou réplique d'atelier d'un original de Titien.

34 **«La Vierge à l'Enfant, entourée de Saint Georges et de Sainte Catherine (?)»** (b. 86 × 130). Ce style de jeunesse de Titien est inspiré de Bellini, y compris le thème: une «sainte conversation». Mais les formes opulentes des figures, l'étude parfaite des expressions et la richesse des draperies ou l'éclat de l'armure anticipent déjà sur les caractéristiques de ses tableaux postérieurs.

36 **«La prière au Jardin de Gethsémani»** (t. 176 × 136). Oeuvre tardive, remplie de beaux contrastes de lumières. L'éclairage artificiel du bas contraste en effet avec les rayons de la lumière divine, qui viennent d'en haut et éblouissent le Christ.

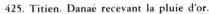

425. Titien. Danaé recevant la pluie d'or.

437 **«Ecce homo»** (ardoise 69 × 56). Signé. Tableau très religieux, que Cha
les Quint emporta au monastère de Yuste.

438 **«Le Christ et le Cyrénéen»** (t. 67 × 77). Signé. Oeuvre tardive.

439 **«Jésus et le Cyrénéen»** (t. 90 × 116). La critique n'est pas unanime po
l'attribuer à Titien.

440 **«La mise du Christ au tombeau»** (t. 137 × 175). Signé. Dans cette toi
de 1559, très recueillie, on commence à voir la technique presque tout
fait dissoute du vieux Titien. On est impressionné par la manière do
celui-ci a saisi toute la tragédie de la mort, vécue par le groupe de ceu q
ensevelissent le Christ. Leurs gestes de douleur, de recueillement ou d'a
goisse ne sont pas empreints d'exagérations théâtrales, mais demeurent te
dus et contenus.

441 **«La mise du Christ au tombeau»** (t. 130 × 168). Signé. Variante du n.° 44

442 **«Le Sauveur, déguisé en jardinier»** (t. 68 × 62). Fragment d'un table
de l'apparition du Ressuscité à Marie-Madeleine.

429. Titien. Adam et Eve.          443. Titien. La Vierge des 7 Douleu

443 **«La Vierge des Sept Douleurs»** (t. 68 × 61). Autre tableau que Charl
Quint emporta avec lui dans sa retraite à Yuste. A noter l'intensité d
drame et l'angoisse contenue de la Vierge.

444 **«La Vierge des Sept Douleurs»** (pierre en marbre 68 × 53). Fait pe
dant au n.° 437.

445 **«Sainte Marguerite»** (t. 242 × 182). Signé. Superbe toile de Titien da
sa vieillesse. L'effusion sentimentale et dramatique de la sainte antici
clairement sur la peinture baroque. A noter la technique magistrale d
paysage flou et obscur, sur lequel se détache le splendide modelé d
corps.

533 **«L'électeur Jean-Frédéric, duc de Saxe»** (t. 129 × 93). Fut prisonnier d
Charles Quint, après sa défaite à Mühlberg. Ce portrait fut fait à Aug
bourg v. 1548.
    TITIEN (?).

42 **«Ecce homo»** (t. 100 × 100). C'est sans doute une imitation d'école d
prototypes de Titien.

447 **«Sainte Catherine»** (t. 135 × 98).
    TITIEN. Atelier.

446 **«Sainte Marguerite»** (t. 116 × 91). Une toile semblable, se trouvant a
Musée des Offices à Florence, y est attribuée à Palma le Jeune.

452 **«Philippe II»** (t. 103 × 82).
    TITIEN. Copies par Juan Bautista de Mazo (?).

423 **«Diane et Actéon»** (t. 96 × 107).

424 **«Diane dévoile la faute de Callisto»** (t. 98 × 107). Copies de toiles d

Titien, qui étaient en Espagne, mais ont été offertes en 1704 au maréchal français de Grammont par le roi Philippe V de Bourbon.

**TIZIANO.** Voir Titien.

**TORRESANI, Andrea Torresani** (Brescia, ?-v. 1760). De l'école vénitienne.
57 «**Paysage avec un troupeau de vaches**» (t. 60 × 76). Ce paysagiste de l'Italie du N., en contact avec l'école de Venise, peint une nature idyllique, belle, aux formes ombreuses et tranquilles.

**TORRI.** Voir Bronzino.

**TRAINI, Francesco Traini** (actif à Pise de 1321 à 1363). De l'école de Pise.
44 «**La Vierge à l'Enfant**» (b. 48 × 42). Cet artiste aux formes délicates est en contact avec l'école siennoise, à en juger par la richesse de sa gamme de couleurs, qui contraste ici avec le fond doré. Un des rares spécimens de peinture italienne du XIV$^e$ s. qu'ait le Prado.

**TREVISANI, Francesco Trevisani** (Capo d'Istria, 1656-Rome, 1745). De l'école romaine. D'origine et formation vénitiennes, il est arrivé tout jeune à Rome, où son style raffiné et rococo, offrant une grande richesse chromatique et de beaux contrastes de lumières, remporta un tel succès que les collections privées et les grandes églises lui firent des commandes.
58 «**La Vierge avec l'Enfant Jésus endormi**» (t. 76 × 68). Date de v. 1708-10. Relève de son style le plus délicat.
59 «**La pénitente Marie-Madeleine**» (t. 99 × 76). Une des nombreuses variantes qui nous soient parvenues sur ce thème.

**TRONO, Guiseppe Trono** (Turin, 1739-Lisbonne, 1810). De l'école piémontaise.
16 «**Charlotte-Joachim, reine de Portugal**» (t. 172 × 128). Signé et daté de 1787. Portraitiste de cour, il alla dans diverses villes italiennes et demeura plusieurs années à Lisbonne. Ce portrait néo-classique est très précis dans les détails.

**TURCHI, Alessandro Turchi, dit l'Orbeto** (Vérone, 1578-Rome, 1650). De l'école vénitienne.
51 «**La fuite en Égypte**» (t. 284 × 200). Très belle toile, peinte v. 1633 pour l'oratoire romain de Saint-Romuald. A noter les poses élégantes des modèles, surtout de l'ange, qui ont été louées par ses contemporains. Le paysage, les larges vêtements et la solennité de la scène sont bien de Venise.

**VACCARO, Andrea Vaccaro** (Naples, v. 1598-1670). De l'école napolitaine. Comme Stanzione, son concitoyen, il sut fusionner le naturalisme caravagiste avec le classicisme des Bolonais. Sa peinture, qui aime bien l'ordre et est parfois un peu monotone, eut du succès à Naples jusqu'à l'arrivée de Luca Giordano.
52 «**Saint Gaétan, consacré à la Vierge par sa mère**» (t. 123 × 76). Voir n.º 465.
53 «**Saint Gaétan enfant, consacré à la Vierge**» (t. 123 × 76). Voir n.º 465.
54 «**Désintéressement de Saint Gaétan**» (t. 123 × 76). Voir n.º 465.
55 «**Mort de Saint Gaétan**» (t. 123 × 76). Ces 4 toiles du Prado, jointes à 6

475. Vanvitelli. Vue de Venise à partir de l'ile Saint-Georges.

autres du Palais royal de Madrid, forment une série sur la vie de sa
Gaétan. Certaines scènes très recueillies et presque populaires, telles q
celles des num. 462 et 463, sont très réalistes. Dans d'autres, les éléme
classiques prévalent, en quête d'une plus grande élégance formelle.

466 **«La pénitente Marie-Madeleine»** (t. 179 × 128). Signé. Semble s'ins
rer d'un modèle de Titien.

468 **«Rencontre de Rébecca et d'Isaac»** (t. 195 × 246). Signé. La dispositi
harmonieuse des personnages et la beauté des modèles féminins s'ins
rent de prototypes classiques, dans cette oeuvre très élaborée.

469 **«Montée au ciel de Saint Janvier»** (t. 207 × 154). Signé. C'est le patr
de la ville de Naples, qui figure dans le bas. A noter la force ascensio
nelle et l'expression mystique du saint, décrite avec naturalisme.

470 **«Saint Rosalie de Palerme»** (t. 228 × 179). Signé. Composition si
donnée qu'elle frise le manque d'expression.
**VACCARO (?).**

472 **«Combat de femmes».** Voir Masari.

473 **«Cléopâtre se donnant la mort»** (t. 199 × 150). Modèle très classiq
s'inspirant de Guido Reni.
**VAGA.** Voir Perino del Vaga.
**VANNI, Francesco Vanni** (Sienne, 1563-1610). De l'école siennois

474 **«Rencontre des saintes femmes avec Saint Jean»** (t. 58 × 25). A con
la peinture du Baroche, dont il a imité, comme il a pu, le naturalisme e
sensibilité expressive.
**VAN VITEL.** Voir Vanvitelli.
**VANVITELLI, Gaspar van Vitel, dit Vanvitelli** (Amersfoort, 16⁹
Rome, 1736). De l'école romaine. Hollandais d'origine, s'est établi t
jeune à Rome. Avant tout paysagiste, il remporta un gros succès avec
vues de villes réalistes, nettes, lumineuses et riches en couleurs. Il exe
une influence décisive sur le *veduttismo* du XVIIIᵉ s.

475 **«Vue de Venise à partir de l'île Saint-Georges»** (t. 98 × 174). Signé
daté de 1697. Nous prépare aux vues de Venise plus naturalistes et pic
rales de Canaletto ou de Guardi.

2462 **«Environs de Naples»** (t. 32 × 37). Voir n.º 2463.

2463 **«La grotte du Pausilippe, près de Naples»** (t. 32 × 37). Fait pendant
tableau précédent. Datent de la dernière période de l'artiste. Ce sont
plus beaux et délicats qu'il ait faits.
**VAROTARI.** Voir Padovanino.
**VASARI, Giorgio Vasari** (Arezzo, 1511-Florence, 1574). De l'éc
florentine. **Disciple.**

98 **«La prière au jardin de Gethsémani»** (b. 120 × 125). Tout en éta
peintre et architecte, Vasari fut le grand biographe des peintres italie
Ici, le style de son disciple suit celui de Michel-Ange, mais avec
formes moins monumentales. Le paysage de nuit est remarquable.
**VECCHIA, Pietro Muttoni, dit Pietro della Vecchia** (Venise, 16(
1678). De l'école vénitienne.

478 **«Denys de Syracuse donne une leçon de mathématiques»**
103 × 120). Son style, basé sur les grands maîtres du XVIᵉ s., évolue v
le ténébrisme caravagiste. Cette peinture de genre présente un fort cla
obscur et une surface dense, résultant de longues touches.
**VECELLIO.** Voir Titien.
**VÉRONÈSE, Paolo Caliari, dit Paolo Veronese ou Véronèse** (Véro
1528-Venise, 1588). De l'école vénitienne. De même que Titien et
Tintoret, il fut une des grandes figures de la peinture vénitienne du XVI
Tout jeune, il passa de Vérone à Venise, qui offrait plus d'attrait cultu
et artistique. Sur ses immenses toiles, peintes à l'huile, qui comportent u
grande mise en scène, on aperçoit au fond des architectures monumen
les, dont le style ressemble à celui de Palladio, architecte de Venise, a
lequel il collabora parfois. Mais il ne se contente pas d'illusionnisme:
riche complexité de l'espace lui permet d'y dérouler ses scènes. Grâc
une riche gamme de couleurs dont la virtuosité rehausse le lustre des so
et des armures, ainsi que le luxe des brocarts, il compose, avec un s
théâtral, mythologies, histoires, compositions religieuses ou allégoriqu
Son naturalisme et sa joie de vivre, qui émanent de son oeuvre, en font
des artistes les plus attrayants de son temps. La vibration de la lumière
les effets atmosphériques s'imposeront dans la peinture de sa maturité.
germe des nouveautés du baroque sera mis à profit par les peintres
générations suivantes.

482 **«Vénus et Adonis»** (t. 212 × 121). Date de v. 1580, à la fin de sa v

Cette toile, qui fut achetée à Venise par Vélasquez, reflète avec une admirable virtuosité le sens aéré de l'espace et la vibration de l'atmosphère, qui n'ont pas manqué d'influencer l'art de l'artiste espagnol. La scène est envahie par la végétation, qui laisse percer avec réalisme les rayons du soleil sur le nu de Vénus.

483 «Suzanne et les vieillards» (t. 151 × 177). Se distingue par son naturalisme et la profondeur de la couleur.

486 «Livia Colonna (?)» (t. 121 × 98). Datant de la dernière période de l'artiste, il n'est guère probable qu'il s'agisse ici du portrait de Livia Colonna, qui fut assassinée en 1552. Relevons la virtuosité dans les draperies.

487 «Lavinia Vecellio» (t. 117 × 92). On croit qu'il s'agit du portrait de la fille de Titien.

491 «Jésus discute au Temple avec les docteurs» (t. 236 × 430). Daté de 1548, mais la critique le date de v. 1558-60, car son style et sa technique relèvent de ses 1ères années à Venise, lorsqu'il y fit connaissance de

492. Véronèse. Jésus et le centurion.

l'architecture de Palladio, qui encadre la scène. La mise en place naturaliste des personnages est très belle, dans une perspective allant de bas en haut, où se détachent magistralement les têtes en file aux expressions variées.

492 «Jésus et le centurion» (t. 192 × 297). Cette magnifique toile fut sans doute achetée en Angleterre, à la mort de Charles Ier, pour enrichir la collection royale. Toute mesurée et structurée qu'elle soit, elle n'en perd pas pour autant le dynamisme essentiel de Véronèse.

494 «Les noces de Cana» (t. 127 × 209). On hésite encore sur l'attribution de ce tableau, qui est pourtant de 1ère qualité. Parmi les personnages, vêtus à la mode du XVIe s., il y a pas mal de portraits de Vénitiens.

497 «Le martyre de Saint Menas» (t. 238 × 182). Certains critiques l'attribuent entièrement à Véronèse, d'autres à son atelier. Le mouvement des habits et les coups de jour contribuent à rendre ce martyre dramatique.

498 «La pénitente Marie-Madeleine» (t. 122 × 105). Oeuvre tardive, datée de 1583. A noter les effets de lumières les plus variés, ainsi que la technique légère et riche en nuances.

499 «Le jeune homme hésitant entre la vertu et le vice» (t. 102 × 153). A partir du XVIe s., c'est là un thème fréquent, s'inspirant de la littérature romaine, qui représente Hercule enfant, qui hésite à choisir sa voie.

500 «Le sacrifice d'Abraham» (t. 129 × 95). Dans ce chef-d'oeuvre du vieux Véronèse, il faut noter la lumière changeante et les effets atmosphériques. Sa composition en diagonale a été suivie au XVIIe s. par les artistes du baroque (voir Dominiquin, n.º 131).

501 «La famille de Caïn errant» (t. 105 × 153). Le paysage poétique et mélancolique du fond vaut la peine qu'on s'y arrête.

418. Titien. Bacchanale.

420. Titien. Vénus se délasse en écoutant de la musique.

502 **«Moïse sauvé des eaux»** (t. 50 × 43). Cette oeuvre de la maturité d
Véronèse est bien typique de son art. On lui connaît plusieurs autre
versions qui sont toutes de moindre qualité. Son petit format ne la rend pa
moins grandiose. La virtuosité technique flatte la vue du spectateur, depu
le fond argenté de paysage et d'architectures, jusqu'au 1er plan où app
raissent un nain bouffon et une négresse, qui montre le goût du peintr
pour les types exotiques. Les soies brillantes soulignent l'élégance de
figures, l'air et la lumière vibrent entre celles-ci, tandis que le regard s
perd vers le fond, où il est conduit par les figurines dansantes de techniqu
impressionniste, qu'on aperçoit à gauche.

**VÉRONÈSE** (?).

490 **«La Vierge à l'Enfant, entourée par Sainte Lucie et un martyr»** (
98 × 137). La critique y voit une oeuvre d'atelier, mais certains croien
que c'est une oeuvre de jeunesse de Véronèse.

402. Véronèse. Moïse sauvé des eaux.

**VÉRONÈSE. Copie.**

489 **«L'adoration des Mages»** (t. 160 × 140). Copie du tableau conservé à
National Gallery de Londres.

**VERONESE, Carlo Caliari, dit Carletto Veronese** (Venise, 1570-159
De l'école vénitienne. Fils de Paolo Véronèse, il aida son père et sui
fidèlement son style. Mais il n'atteignit pas une grande renommée comm
artiste indépendant.

480 **«Sainte Agathe»** (t. 115 × 86). Composition sereine et ordonnée, où l
détails naturalistes sont soignés et la lumière est fort étudiée.

**VOLTERRA, Daniele Ricciarelli, dit Daniele de Volterra** (Volterr
1509-Rome, 1566). De l'école romaine.

522 **«L'Annonciation»** (b. 168 × 125). Grand disciple et imitateur d
Michel-Ange, dont il ne parvint pas à saisir la grandeur héroïque. Cet
composition est assez mesurée et équilibrée, mais l'espace y est tendu
les formes, recherchées.

**VOLTERRA. Copie.**

511 **«La descente de croix»** (c. 70 × 54). Copie, avec des variantes, de
fresque du peintre dans l'église de la Trinité-des-Monts à Rome.

**ZAMPIERI. Voir Dominiquin.**

**ZANCHI, Antonio Zanchi** (Este, 1631-Venise, 1722). De l'école vén
tienne.

2711 **«La pénitente Marie-Madeleine»** (t. 110 × 90). Cet artiste secondai
représente au Prado la peinture vénitienne du XVIIe s. qui n'y abond
guère. Cette très belle toile est une échantillon de la tendance sensuelle
coloriste qui s'inspire de l'allemand Johann Liss, établi à Venise dans
1ère moitié du siècle, dont les oeuvres, appréciées par peintres et colle
tionneurs, ont été jusqu'à influencer les maîtres du XVIIIe s.

**ZELOTTI, Giambattista Zelotti** (Vérone, 1526-Mantoue, 1578). D
l'école vénitienne.

12 **«Rébecca et Eliézer»** (t. 219 × 270). Ce collaborateur de Véronèse y témoigne bien du style de son maître, mais la signature de celui-ci est apocryphe.
**ZUCCARO, Federico** (Urbin, 1542-Ancône, 1609). De l'école romaine. **Disciple.**

13 **«La résurrection du Seigneur»** (t. 137 × 71). Peintre, architecte et théoricien de l'art, il a été en Espagne pour y décorer l'Escorial. Cette toile, froide et maniérée, d'un de ses disciples, manque de créativité.
**ANONYMES ITALIENS.**
Il y a au Prado une série de tableaux qu'il est impossible d'attribuer à tel ou tel artiste, mais qu'on peut classer dans l'école italienne. Certains d'entre eux sont de grande qualité picturale.

7 **«Côme, 2ème Grand-duc de Toscane»** (t. 200 × 108). De la famille des Médicis, fut Grand-duc de Toscane de 1609 à 1621.

11 **«Une dame de Venise (?)»** (t. 222 × 140). Toile vénitienne du XVII° s.

55 **«Joueur de viole»** (b. 77 × 59). Excellent portrait de v. 1540, attribué jadis à Bronzino. Exemple de style maniériste.

85 **«La communion de Sainte Térèse»** (t. 160 × 121). De l'école lombarde, au début du XVII° s.

100 **«La pénitente Marie-Madeleine»** (t. 191 × 121). De l'école florentine ou romaine, au XVII° s.

270 **«Noces mystiques de Sainte Catherine»** (t. 117 × 151). Toile vénitienne du XVI° s., se rattachant au style de Palma le Jeune ou du Tintoret.

568 **«Le colonel Francisco Verdugo (?)»** (t. 54 × 37). Portrait vénitien du XVI° s.

606 **«Paolo Contarini»** (t. 117 × 91). Pour les uns, toile vénitienne du XVI° s., du cercle du Tintoret; pour d'autres, oeuvre du Greco.

619 **«Un ecclésiastique»** (b. 54 × 42). De l'école florentine du début du XVI° s.

635 **«Le déluge universel»** (t. 58 × 75). De l'école lombarde du XVI° s.

666 Voir Masari.

680 **«Ecce homo»** (b. 78 × 53). Sans doute de l'école vénitienne.

685 **«Une vieille femme»** (t. 106 × 77). Cette toile de bonne qualité et réaliste, fut attribuée jadis à Stanzione, mais est peut-être flamande.

651 **«Saint Jérôme, faisant pénitence»** (b. 82 × 62). D'Italie du Nord, v. 1550.

685 **«Tête de femme»** (t. 36 × 31). Toile du XVII° s.

689 **«Jeune homme prétentieux»** (t. 62 × 52). Attribué jadis à l'école espagnole. Du XVII° s.

659 **«Agar et Ismaël dans le désert»** (t. 57 × 76). Copie d'un tableau de Sacchi.

708 **«Le couronnement de la Vierge»** (t. 152 × 62). Esquisse pour un plafond. Fin du XVII° s.

758 **«Tête de vieillard»** (t. 45 × 42). Toile vénitienne de la fin du XVI° s.

760 **«Jardin avec des fleurs et des fruits»** (t. 175 × 226). Oeuvre romaine du XVII° s.

764 **«La porte de Capoue à Naples»** (t. 30 × 51). Du XVIII° s.

765 **«Vue de la place et du marché del Carmine à Naples»** (t. 31 × 52). Du XVIII° s.

766 **«Une rue de Naples»** (t. 30 × 51). Du XVIII° s.

767 **«L'avenue des jardins de Capodimonte»** (t. 32 × 52). Paysage napolitain du XVIII° s.

810 **«Promenade au bord de la mer»** (t. 18 × 22). Début du XVIII° s.

989 **«Sainte Agathe, guérie par Saint Pierre en prison»** (t. 109 × 88). Oeuvre toscane du XVII° s.

259 **«Portrait d'un clerc».** Oeuvre florentine de la 1ère moitié du XVI° s.

482. Véronèse. Vénus et Adonis.

# ECOLE FRANÇAISE

mi les écoles étrangères du Prado, l'école française vient inmédiatement après
lienne et la flamande, pour son abondance et sa qualité. Cette collection de
) tableaux n'est guère de nature à nous donner une idée d'ensemble de l'art
çais. En effet, elle a été rassemblée par les rois, qui préféraient les genres
ien et flamand. Elle est pourtant très belle et intéressante, car elle contient de
gnifiques exemplaires des meilleurs artistes français des XVIIe et XVIIIe s.

portrait d'un disciple de Clouet y représente le XVIe s. La paix avec la France
les alliances entre les familles royales d'Autriche et de Bourbon ont favorisé
XVIIe s. la venue en Espagne des portraits des personnages les plus illustres de
Cour de Versailles, peints par les artistes à la mode, Beaubrun, Mignard ou
urdon. Le Prado a un merveilleux portrait de la reine Christine de Suède, peint
ce dernier. En provenance de sphères non officielles, on conserve 2 splendi-
exemplaires des caravagistes français Valentin et Tournier, la petite nature
rte de Linard acquise récemment, ainsi que les toiles importantes commandées
Philippe IV à Nicolas Poussin et à Claude de Lorraine pour la décoration du
ais du Buen Retiro.

XVIIIe s., avec Philippe V, la dynastie des Bourbons s'établit en Espagne.
la y facilita la venue d'artistes français, notamment de portraitistes de la Cour,
, que Ranc ou van Loo. Houasse, peintre fort délicat, offre de l'intérêt, car ses
mes ont dû influencer les peintres espagnols de la fin du siècle. Il n'y a pas
nd-chose de l'art rococo. En revanche, il y a 2 beaux chefs-d'oeuvre de Wat-
u, bien représentatifs de son style, et 2 toiles de Jean-Baptiste Pierre achetées
nièrement, qui complètent la collection. Il y a encore quelques petits paysages
XVIIIe s., tels que ceux de Vernet, Pillement et Hubert Robert, qui illustrent
genre important de l'art français.

**BEAUBRUN, Charles Beaubrun** (Amboise, 1604-París, 1692). Portraitiste
estimé à l'époque de Louis XIII et de Louis XIV. A travaillé en collaboration
avec son cousin Henri Beaubrun, qui peignait aussi des portraits. Leur
style est sobre et sévère. Ils soignent fort les détails des tissus qu'ils
représentent et des personnages qu'ils caractérisent. Mais leur art souffre
d'une certaine froideur de cour. Ils en sont restés aux règles du portrait de
la 1ère moitié du XVIIe s. sans jamais tomber dans l'emphase et la rhétorique décorative de la pleine époque baroque.

)9  **«Marie-Thérèse, reine de France (?)»** (t. 102 × 88). Couleurs foncées
en liaison avec les portraits hollandais de cette période.
**BEAUBRUN, Henri Beaubrun** (Amboise, 1603-Paris, 1677) **et Charles
Beaubrun.**

31  **«Anne-Marie-Louise d'Orléans»** (t. 109 × 88). Petite-fille d'Henri IV,
roi de France. De tous les portraits des Beaubrun c'est le plus riche.
32  **«Le Grand Dauphin, père de Philippe V»** (t. 129 × 98). Signé et daté
de 1663. Portrait de cour, qui n'a pas la vivacité des portraits espagnols.
34  **«Anne d'Autriche, reine de France»** (t. 112 × 88). Fille de Philippe III,
roi d'Espagne, femme de Louis XIII, roi de France, et mère de Louis XIV.
32  **«Marie-Thérèse d'Autriche, reine de France»** (t. 105 × 87). Son attribution aux Beaubrun n'est pas sûre.
**BOUCHER, François Boucher** (Paris, 1703-1770).
54  **«Petits Amours jouant avec des pigeons»** (t. 67 × 81). Voir n.º 2855.
55  **«Petits Amours qui vendangent»** (t. 67 × 81). L'attribution de ces 2
dessus-de-porte à Boucher n'est guère fondée.
**BOUCHER. Copie.**
36  **«La coiffeuse de Vénus»** (t. 128 × 96). Copie de l'ovale de la Collection
Rotschild à Londres.
**BOULLONGNE, Jean de Boullongne, dit le Valentin** (Coulommiers,
1591-Rome, 1632).
46  **«Le martyre de saint Laurent»** (t. 195 × 261). Valentin, peintre français
formé dans le milieu romain des disciples du Caravage, avec Vouet et
Manfredi, interprète les thèmes du maître, suivant le naturalisme le plus
strict. Ce tableau date de sa maturité. Le réalisme d'origine quasi populaire
de ses 1ères années y est atténué par la composition classique, où les
choses sont ordonnées de façon rigoureusement géométrique et où la
lumière joue un rôle essentiel en soulignant fort le corps du martyr. Les
tons foncés, les bruns et les ocres rougeâtres font partie de la gamme
caractéristique des Caravagistes du Nord à Rome.

**BOURDON, Sébastien Bourdon** (Montpellier, 1616-Paris, 1671). Etuc
à Rome, où ses contacts avec le cercle du Bamboche, groupant les derniè
disciples du naturalisme caravagesque, le poussèrent à suivre la mode d
bambochades, petites scènes de genre de milieu populaire. Il changea
style à son retour à Paris, où il fut obligé de peindre pour les sphèr

1503. Bourdon. Christine de Suède à cheval.

officielles, marquées par un profond classicisme. De 1652 à 1654, il
peintre de chambre de la Reine Christine de Suède à Stockholm, où il
essentiellement des portraits.

1503 **«Christine de Suède à cheval»** (t. 383 × 291). La reine Christine fut u
femme originale, qui renonça au trône de Suède pour jouir de sa liber
Elle s'établit à Rome, où elle fut une des principales figures des milie
artistiques et intellectuels à la fin du XVIIe s. Les sculptures classiques
Prado proviennent de sa collection, qui fut achetée par Philippe V à s
héritiers. Ce portrait, commandé par Philippe IV et fait en 1653, est l'
des meilleurs de Bourdon. Cette reine, pleine d'esprit et quelque p
impétueuse, a été magistralement croquée dans une composition innov
trice, dont le merveilleux coloris n'est brisé que par la brillante tenue
page avec le faucon.

2237 **«Saint Paul et saint Barnabé à Lystres»** (t. 47 × 36). Evoque un passa
des Actes des Apôtres (14, 8-19), qu'il interprète suivant son dern
classicisme. Il y fait constamment des références à l'Antiquité.
**BOURGUIGNON.** Voir Courtois.
**CALLET, Antoine-François Callet** (Paris, 1741-1825).

2238 **«Louis XVI»** (t. 275 × 193). Portrait de cour en grand apparat, lors
son sacre comme roi de France, où seuls les éléments révélateurs de
majesté et de son luxe intéressent l'artiste.
**CHAMPAIGNE, Philippe de Champaigne ou Champagne** (Bruxelle
1602-Paris, 1674). D'origine flamande, il se fixa très jeune à Paris, où il
fit connaître par ses tableaux religieux et ses portraits, qui l'introduisire
dans le milieu de la cour. Il entra en contact vers 1740 avec le mouveme
religieux des Jansénistes, dont la dévotion et l'austérité de vie va
refléter dans ses oeuvres. A partir d'alors, celles-ci repoussent le sentime
talisme et la rhétorique du baroque, pour devenir intimes, sévères, t
sobres et remplies d'un profond sens religieux.

2240 **«Louis XIII de France»** (t. 108 × 86). Considéré par certains com
une réplique d'école. Il dénote pourtant bien le style sobre du maît

2365 **«L'âme chrétienne accepte sa croix»** (t. 70 × 64). Oeuvre rattachée a
sévères allégories religieuses des Jansénistes. La pureté et l'éclat des f
mes, ainsi que la représentation détaillée de la matière empêchent l'éve
tuelle monotonie de la scène, où la perspective géométrique des croix
la seule chose qui importe à l'artiste. Certains l'attribuent à Jacques Stell
**CLOUET. Disciple de François Clouet** (Tours, 1522-Paris, 157

2355 **«Dame à l'oeillet jaune»** (b. 61 × 47). Se rattache au cercle des discip
de Clouet, artiste français dont les portraits sont célèbres. Dans ceux-ci

unit aux formes monumentales de la tradition italienne le goût des peintres du Nord pour la minutie des détails et la psychologie du personnage. Cette oeuvre intéressante est la seule qui représente au Musée la peinture française du XVIe s.

**COURTILLEAU.**

2241 **«Princesse de Savoie»** (t. 72 × 63). Signé: «Courtilleau fecit 1702». C'est tout ce qu'on sait de cet artiste, qui est sans doute français, à en juger par son nom et son style.

**COURTOIS, Jacques, dit le Bourguignon** (Saint-Hippolyte, 1621-Rome, 1676). Peintre français, établi à Rome. S'est surtout consacré au genre des batailles, qui l'a rendu célèbre, pour son style animé. Il s'intéresse à l'impétuosité des figures, mais dans le cadre d'un schéma rigoureux de composition. A noter les très beaux effets qu'il obtient en représentant la poussière soulevée par les chevaux ou les explosions de poudre.

2242 **«Bataille entre chrétiens et musulmans»** (t. 96 × 152). Combine le paysage et les ruines classiques, suivant le style du Lorrain, avec la scène violente du combat.

2243 **«Lutte pour la possession d'une forteresse»** (t. 76 × 155). Une des plus belles oeuvres de Courtois.

2527-8 Voir Meulener (Ecole flamande).

**COYPEL, Antoine Coypel** (Paris, 1661-1722).

2247 **«Suzanne accusée d'adultère»** (t. 149 × 204). Peintre représentatif du baroque décoratif en France, avec Le Brun, Lafosse et Jouvenet. Après avoir étudié à Rome, a voyagé en Italie du Nord, où il a pu connaître les grandes décorations du Corrège ou des artistes vénitiens du XVIe s. D'où sa tendance, dans ses dernières années, à un coloris raffiné et éthéré, proche du rococo. A noter ici son interprétation dramatique des expressions, contenue pourtant par une composition fort mesurée, de même que la beauté des habits, où il fait une étude de l'Antiquité classique.

**DORIGNY, Michel Dorigny** (Saint-Quentin, 1617-Paris, 1665).

2249 **«Le triomphe de la Prudence»** (t. 257 × 295). Artiste du baroque français, lié à Vouet. Il présente ici une allégorie de la Prudence, qui est accompagnée d'autres vertus, telles que la Charité avec les enfants, à gauche, et la Justice, les yeux bandés et la balance en mains. C'est une composition riche et variée, où il a veillé aux contrastes de lumières et à l'élégance des attitudes des figures.

2355. Disciple de Clouet. Dame à l'oeillet jaune.

**DROUAIS, François-Hubert Drouais** (Paris, 1727-1775).

467 **«Madame de Pompadour»** (t. 54 diam.). Voir n.º 2468.

468 **«Madame du Barry»** (t. 62 × 52). Signé et daté de 1770. Membre le plus connu d'une famille de portraitistes. Cette toile fait pendant à la précé-

2254. Claude de Lorraine. Paysage avec l'Embarquement à Ostie de Sainte Paule Romaine.

2313. Nicolas Poussin. Le Parnasse.

dente. Elles relèvent du style de la cour de Louis XVI. Leurs form
raffinées sont fort estompées. Leur coloris clair a des tons pastel.

**FLAUGIER, Joseph Flaugier** (Martigues, 1757-Barcelone, 1813).

2646  **«Jeune homme inconnu»** (t. 67 × 27). Peintre français, résidant à Tar
gone et à Barcelone, où il fut directeur d'une Académie d'art. Sa peint
dérive de celle du grand artiste néo-classique Jacques Louis David. On
ici qu'un fragment d'une composition plus grande.

**FLEMALLE, Bertholet Flémalle** (Liège, 1614-1675).

2239  **«La Vierge et sainte Anne»** (t. 145 × 185). Après avoir été vers 1640
Italie, où il a pu connaître les nouveautés du baroque, il est allé ensuit
Paris, où il a fait beaucoup de peintures pour des églises et travaillé a
décorations de Versailles. Ici, sa dépendance est claire par rapport au clas
cisme strict de Poussin, mais il a un plus grand penchant pour la déco
tion. Aussi introduit-il dans la scène de nombreux éléments de natur
distraire l'attention, mais qu'il interprète avec un realisme exqu

**FLIPART, Charles-Joseph Flipart** (Paris, 1721-Madrid, 1797).

13  **«La reddition de Séville à Saint Ferdinand»** (t. 72 × 56). Peintre
graveur français, il fit ses études à Venise chez les Tiepolo et Amiconi.
tableau, qu'on a attribué à ce dernier, fut peint à Madrid par Flipart.
représente la reprise de Séville aux musulmans.

**GELLÉE.** Voir Lorrain, le.

**GOBERT, Pierre Gobert** (Fontainebleau, 1662-Paris, 1744). Un d
meilleurs portraitistes de son temps. Peignit un tas de tableaux, dont
plupart sont des portraits de la famille royale et de l'aristocratie français
Il lança la mode de représenter souvent ses personnages comme des die
de la mythologie classique, entourés d'Amours. Ce genre, qui remporta
grand succès, se répandit fort au XVIIIe s. dans toute l'Europe.

2262  **«Louis XV, enfant»** (t. 129 × 98). Signé et daté de 1714. Portrait
cour typique, où les éléments décoratifs importent plus que la personnal
représentée. D'une virtuosité technique remarquable.

2263  **«La duchesse de Bouillon»** (t. 128 × 95). Certains l'attribuent à Gobe
d'autres à Mignard. Portrait aristocratique, empreint de magnificence et
luxe.

2274  **«Mademoiselle de Blois, sous les apparences de Léda»** (t. 216 × 26
Fille légitimée de Louis XIV et de Madame de Montespan. Déguisée
en Léda, aimée par Jupiter, qui a pris la forme d'un cygne. Exemp
caractéristique du portrait allégorique du baroque.

2296  **«Mademoiselle de Blois, princesse de Conty»** (t. 80 × 66). Fille lég
mée de Louis XIV et de Madame de La Vallière. Attribution incertai

2297  **«Petite fille avec une cage»** (t. 82 × 65). Considéré jadis comme d'
auteur anonyme, il est attribué par la critique à Gobert, qui a coutume
représenter ainsi les enfants avec des animaux.

**GREUZE, Jean-Baptiste Greuze** (Tournus, 1725-Paris, 1805).

2590a  **«Jeune fille, vue de dos»** (t. 46 × 38). Peintre de scènes domes
ques, avec des paysans ou des bourgeois, qu'il interprète avec une douce
si sentimentale qu'elles sont parfois monotones. C'est de sa veine pl
intéressante de portraitiste que relève ce fragment, qui se distingue par
vivacité de l'expression et la délicatesse de technique et de coloris.

**HOUASSE, Michel-Ange Houasse** (Paris, 1680-Arpajon, 1730). S'e
formé à la peinture en Italie, car il était avec son père à Rome durant l
années où celui-ci fut Directeur de l'Académie de France en Italie (169
1705). Il s'est rendu vers 1715 en Espagne, pour y devenir le premi
peintre de Philippe V. Il a pratiqué tous les genres, de la mythologie
l'histoire, des grandes compositions religieuses aux tableautins évoqua
des scènes populaires de tous les jours. Enfin, comme portraitiste, il a fa
preuve d'un intérêt naturaliste, joint à un goût pour les détails déco
tifs, tels que le lustre des étoffes.

2264  **«La Sainte Famille avec saint Jean»** (t. 63 × 84). Signé et daté de 172
Toile d'une grande délicatesse, qui se rattache au style du rococo roma
du début du XVIIIe s. en mêlant le classicisme et la recherche. Aime bi
les plis décoratifs des draperies au coloris très intense.

2267  **«Bacchanale»** (t. 125 × 180). Signé et daté de 1719. Cette compositio
qui a été souvent reprise dans la peinture depuis la Renaissance, se trou
interprétée ici suivant les schémas du rococo. La nature y est transform
en jardin. Les figures y sont délicates, ayant perdu l'énergie vitale et
pleine force qu'elles possédaient dans le baroque.

2268  **«Sacrifice à Bacchus»** (t. 125 × 180). Signé et daté de 1720.

2269  **«Visite du Monastère de l'Escorial»** (t. 50 × 82). Cette toile très int ressante de l'artiste fait partie d'une série de vues de palais royaux et de résidences royales, qu'il a faites en Espagne. Ce qui frappe sans doute le plus, c'est qu'on a l'impression qu'il l'a peinte d'après nature. On y perçoit l'atmosphère et l'on y sent vibrer le paysage, qu'il a interprété avec une technique presque impressionniste.

87 **«Louis I<sup>er</sup>»** (t. 172 × 112). Signé et daté de 1717. Portrait d'un des fils de Philippe V, né en 1707. On y reconnaît le style rococo à la délicatesse exquise des détails, à la clarté des couleurs et à la pose affectée du modèle. Mais l'enfant n'en est pas moins croqué de façon naturaliste. A remarquer la superbe interprétation des habits.

95 **«Saint François Régis, distribuant des vêtements»** (t. 158 diam.). Voir n.º 4196.

96 **«Saint François Régis en prédication»** (t. 158 diam.). Ces 2 toiles ont été peintes v. 1720 pour l'église du Noviciado à Madrid.

**HUTIN, Charles-François Hutin** (Paris, 1715-Dresde, 1776).

70 **«Villageoise saxone dans sa cuisine»** (t. 83 × 55). Voir n.º 2771.

71 **«Un villageois»** (t. 83 × 57). Signé et daté de 1756. Il a davantage travaillé comme sculpteur, mais on en garde aussi quelques toiles, telles que ces deux-ci. Il y révèle son goût pour les scènes populaires de villageois, bien propre à la peinture française de la 2ème moitié du XVIII<sup>e</sup> s.

**JOUVENET, Jean-Baptiste Jouvenet** (Rouen, 1644-Paris, 1717).

72 **«Le Magnificat»** (t. 103 × 100). Collaborateur de Charles de Lafosse. Comme celui-ci, il avait étudié chez Le Brun, dont il a imité le style classique et décoratif. Sa peinture est basée sur la connaissance des oeuvres de Raphaël et de Poussin, dont on retrouve le coloris dans ses tableaux, joint à un certain naturalisme d'origine flamande. Il s'agit ici d'une pochade pour une toile destinée à l'autel majeur de Notre-Dame de Paris, conservée aujourd'hui au Louvre. Ce fut une de ses dernières oeuvres, bon exemple des grandes compositions décoratives, qui en ont fait le principal représentant français de ce genre.

**LAFOSSE, Charles de Lafosse** (Paris, 1636-1716).

51 **«Acis et Galatée»** (c. 104 × 90). Formé auprès de Le Brun, 1er peintre de la cour de Louis XIV et véritable dictateur des arts. Il a été en Italie. Toutes les tendances de l'art français de la fin du XVII<sup>e</sup> s. se reflètent dans sa peinture, depuis le coloris vénitien, en passant par les formes tout à fait baroques de vers 1690, jusqu'au rococo raffiné de ses dernières années. C'est de celles-ci que date ce tableau: un paysage dramatique y fait ressortir l'émotion des personnages, lorsqu'ils sont surpris dans leurs amours par Polyphème. On y voit déjà les germes du changement de style et de l'abandon de la grandiose tradition académique française.

2278. Disciple de Le Brun. Le triomphe de César.

**LAGRENÉE, Louis Jean François Lagrenée, dit l'Aîné** (Paris, 1725-18...)
2273 **«La Visitation»** (b. 49 × 58). Signé. Connu surtout pour ses table...
d'histoire, il a été disciple de Carle van Loo. Après avoir été en Ita...
étape obligée des artistes d'alors, il s'est fixé à Paris, où il s'est acquitté
maintes commandes pour la haute bourgeoisie et l'aristocratie. Son st...
bien illustré par ce petit tableau, est extrêmement classique et fris...
froideur. Celle-ci n'est compensée que par la vivacité de son coloris, a...
que par le perfection et l'harmonie des formes.

**LARGILLIÈRE, Nicolas de Largillière** (Paris, 1656-1746).
2277 **«Marie-Anne-Victoire de Bourbon»** (t. 184 × 125). Signé et daté
1724. A eu une formation variée. En effet, il a vécu en Flandre. Puis,
séjourné à Londres au studio de Sir Peter Lely, portraitiste installé
Angleterre. Celui-ci a exercé une influence décisive sur ses oeuvres,
sont élégantes et un tantinet maniérées. On y retrouve des éléments
l'art flamand: le goût pour la matière et les qualités des draperies,
étalent une grande richesse de coloris. Il a fait ici le portrait de la f...
de Philippe V et d'Elisabeth Farnèse, qui devint reine au Portugal.

**LE BRUN. Disciple de Charles Le Brun** (Paris, 1619-1690).
2278 **«Le triomphe de César»** (t. 49 × 64). Se forma à Paris à l'école de Vo...
et à Rome en prenant exemple sur Poussin. A son retour à Paris, grâce
protection de Richelieu et de Colbert, il y devint le 1er peintre de la c...
de Louis XIV. Cette toile ne peut pas lui être attribuée, mais a sûrem...
été peinte par un de ses disciples, car elle adopte le style grandiose,
tant soit peu affecté et rhétorique du maître. Il doit s'agir d'une pocha...
car les figures y sont légères et peu achevées.

**LEMAIRE.** Voir Nicolas Poussin, num. 2307-2309 et 2316.

**LEUDEL, André Leudel** (actif à la fin du XVII^e s.).
2280 **«Masinissa pleurant la mort de Sophonisbe»** (t. 232 × 353). Signé.
ignore tout de ce peintre, qu'on considère comme français et dont la se...
toile signée est celle-ci. Il ne fait pas de doute qu'elle est très belle et
1ère qualité. Elle semble se rattacher au style flamand par son naturalis...
et son souci du détail.

**LINARD, Jacques Linard** (Paris, v. 1600-1645).
3049 **«Vanité»** (t. 31 × 39). Il représente au Prado un aspect de la peint...
française du XVII^e s., qui ne se rattache pas à la cour. Ses petites natu...
mortes, de portée allégorique, sont plutôt dédiées à la bourgeoisie in...
lectuelle qu'à l'aristocratie. Cette toile, acquise récemment par le Pra...
est typique de son style: sa grande sensibilité chromatique se situe enc...
dans le ténébrisme du début du XVII^e s.; sa technique est si délic...
qu'elle se rattache à la flamande. La tête de mort placée sur le livre
allusion à la vanité de la science et l'oeillet qui commence à s'effeuiller,
fugacité de toutes choses.

**LOO, Louis-Michel van Loo** (Toulon, 1707-Paris, 1771). Un des m...
bres les plus importants d'une famille d'artistes d'origine hollandaise, ...
blie en France. A étudié chez son oncle Carle van Loo, artiste de gr...
renom, qu'il accompagna à Rome (1727-1733), lorsqu'il se vit décerne...
grand prix de l'Académie française. Ensuite, il fut nommé 1er peintre
Philippe V, à la place de Jean Ranc, mort en 1735. Il ne rentra pas à P...
avant 1752. Ses portraits le rendirent célèbre à la cour de Madrid: ...
peignait les habits de luxe avec virtuosité; il étudiait à fond la person...
lité de l'intéressé; ses compositions habiles, parfois grandioses et décor...
ves, y étaient interprétées avec des couleurs claires, à la mode roco...
2281 **«Louise-Elisabeth de Bourbon, épouse de Philippe de Parme»**
142 × 112). Signé et daté de 1745. Fille de Louis XV, née en 1727,
épousa l'infant Philippe de Parme. Chef-d'oeuvre relevant plutôt du se...
baroque, vu l'importance donnée à la décoration des étoffes.
2282 **«L'infant Philippe de Bourbon, duc de Parme»** (t. 90 × 73). Fils
Philippe V, né en 1720, qui épousa une fille du roi Louis XV. Voir
2281.
2283 **«La famille de Philippe V»** (t. 406 × 511). Signé et daté de 1743. Pa...
les portraits de familles royales espagnoles, ce chef-d'oeuvre diffère, pa...
caractère spectaculaire de son espace et de sa composition, des interpr...
tions sobres et réalistes de Vélasquez dans *Les Ménines* ou de Goya d...
*La famille de Charles IV*. Les membres du groupe familial, luxueusem...
vêtus, ont ici des attitudes et des expressions variées. L'artiste, tout en
ennoblissant un peu, en fait une étude réaliste poussée. Le magnifi...
salon à la vaste et riche architecture n'a pas son pareil dans les édifi...

2353. Antoine Watteau. Contrat de mariage et bal champêtre.

royaux de ces années-là, car il a été imaginé par le peintre. Ses ridea
exubérants en velours rouge, qui cachent la tribune des musiciens, rehau
sent le luxe de la scène s'ouvrant sur un jardin, dont la luminosité rappe
celui de La Granja.

2284 **«Isabelle-Marie-Louise de Bourbon, archiduchesse d'Autriche»**
84 × 68). Petite-fille de Philippe V et fille du duc Philippe de Parme, e
naquit en 1741. Portrait allégorique représentant la fillette sous les tra
de Vénus, dans une voiture tirée par 2 colombes.

2285 **«Philippe V»** (t. 148 × 110). Splendide portrait du roi d'Espagne,
uniforme, avec la Toison d'or sur la poitrine. A noter le quasi-surréalisn
du peintre, qui représente la matière en détail.

**LORRAIN, Claude Gellée, dit le Lorrain ou Claude de Lorrai**
(Chamagne, 1600-Rome, 1682). C'est peut-être le meilleur représenta
de la peinture de paysage au XVII<sup>e</sup> s. Il fut d'abord berger dans son pa
natal, puis apprit le métier de pâtissier. Il travailla comme cuisinier à Ror
chez le peintre Agostino Tassi. C'est sans doute là que son intérêt po
l'art s'est éveillé. Vers 1630, il se met à peindre, faisant preuve déjà de
parfaite connaissance de la perspective et de son étude rigoureuse de
nature, ainsi que des effets d'atmosphère et de lumière. Il a créé un ty
de paysage idéalisé, élaboré dans son esprit, mais inspiré directement de
réalité. Il y reconstitue l'Antiquité dans des temples et des ruines des R
mains ou y évoque la grandeur disparue du monde classique dans d
édifices fabuleux. C'est le peintre par excellence des nuances de lumiè

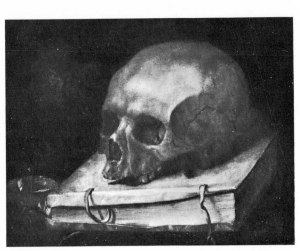

3049. Linard. Vanité.

qui éclairent le paysage de la campagne romaine, depuis la clarté rosée
l'aube, jusqu'aux crépuscules dorés et tranquilles.

2252 **«Paysage avec l'enterrement de sainte Sérapie»** (t. 212 × 145). V
n.º 2253.

2253 **«Paysage avec Moïse sauvé des eaux»** (t. 209 × 138). Comme il arri
souvent chez le Lorrain, ce tableau fait pendant au précédent: les dime
sions sont identiques et la ligne de l'horizon est à la même hauteur dans
2; mais les compositions, vues séparément, sont un peu asymétriques,
ce n'est qu'en les voyant l'une à côté de l'autre qu'elles deviennent parf
tement symétriques; c'est la lumière, qui, provenant dans chaque to
d'angles différents, unifie les 2. Les thèmes biblique et hagiographique
font ressortir le contraste entre la vie et la mort. Ces 2 tableaux ont é
peints en 1639 pour Philippe IV.

2254 **«Paysage avec l'embarquement de sainte Paule Romaine à Ostie»**
211 × 145). Fait pendant au n.º 2255. Peints pour Philippe IV, ce so
les chefs-d'oeuvre de Claude de Lorraine. L'artiste a reconstitué ici l'anc
port romain d'Ostie, où son imagination a édifié des architectures mor
mentales. La lumière, irradiant de l'horizon crépusculaire, arrive au 1
plan, après avoir traversé les arcs de l'édifice et les arbres à gauche
fait ressortir les arêtes du temple et des maisons à droite. Sainte Pa
prend congé de ses enfants pour se rendre en Terre Sainte.

5 **«Paysage avec Tobie et l'archange Raphaël»** (t. 211 × 145). Signé. Ce tableau fait pendant à l'antérieur, mais représente la scène avec plus de simplicité, sans recourir à des éléments architectoniques ni à des scènes secondaires. L'artiste la situe dans un magnifique paysage, où il se contente de nous présenter la nature éclairée par le soleil couchant et de nous communiquer une profonde sensation de calme, en peignant un large horizon et un immense pin au 1er plan.

6 **«Paysage avec un anachorète»** (t. 158 × 237). Voir n.º 2259.

7 **«Le gué»** (t. 68 × 99). Signé et daté. Oeuvre de jeunesse d'excellente qualité, basée sur une des ses gravures. On en connaît plusieurs versions.

8 **«Paysage avec les tentations de saint Antoine»** (t. 159 × 239). Voir n.º 2259.

9 **«Paysage avec la pénitente Marie-Madeleine»** (t. 162 × 241). Forme avec les toiles nums. 2256 et 2258 un groupe de scènes d'ermites, commandé par Philippe IV pour décorer le Palais du Buen Retiro. On y remarque le goût du Lorrain pour une nature ombreuse —soit un peu agitée (n.º 2256), soit mystérieuse en raison de ses contrastes de lumière (n.º 2258)— qui annonce le paysage romantique du XIXe s.

0 **«Le retour du troupeau»** (t. 98 × 130). Voir n.º 2261.

1 **«Gué d'une rivière»** (t. 98 × 131). Aussi pour le roi Philippe IV. Les figures en ont été peintes par Filippo Lauri, collaborateur italien de Claude de Lorraine. Son style se rattache encore à celui des paysages des Carracci (voir Ecole italienne): il met en place de grandes masses sombres de végétation, qui n'ont pas encore acquis les qualités de transparence qu'elles auront lors de sa maturité.

**LOUTHERBOURG, Jacques-Philippe de Loutherbourg** (Strasbourg, 1749-Londres, 1813).

9 **«Paysage avec du bétail»** (t. 36 × 46). Signé. Artiste secondaire, disciple de Carle van Loo. Il a surtout peint des paysages idéalisés, avec des pasteurs et des troupeaux ou des scènes de chasse, qui ont été apréciés à son époque. Tout en suivant la tradition hollandaise de ce genre, ils comportent des éléments de nature dramatique, qui son proches du romantisme.

**MALAINE, Joseph-Laurent Malaine** (Tournai, 1745-1809).

6 **«Vase»** (b. 38 × 28). Voir n.º 2287.

7 **«Vase»** (b. 48 × 33). Signé. Artiste de la fabrique de tapisseries des Gobelins à Paris, a travaillé presque exclusivement aux cartons pour les tapisseries ou aux dessins pour la décoration des tissus. On a ici 2 exemples de son style délicat, très raffiné, précis dans sa technique, qui peint fleurs, animaux et insectes avec minutie et réalisme.

**MELLIN.** Voir Nicolas Poussin, n.º 2317.

**MIGNARD, Pierre Mignard** (Troyes, 1612-Paris, 1695). Formé à Paris dans l'atelier de Vouet. Compléta ses études en Italie, où il demeura de 1634 à 1657. Il eut l'occasion d'y connaître le courant classique, dirigé par Poussin, et la peinture d'autres écoles, telles que la vénitienne et la bolonaise. A son retour à Paris, on lui fit de grosses commandes, qui lui valurent la jalousie de Le Brun, 1er peintre officiel d'alors. Il a peint un grand nombre de portraits, qui nous montrent le luxe et la magnificence de la Cour de Versailles dans toute sa splendeur. Toutefois, il n'a jamais négligé l'étude de la personnalité de ses modèles.

8 **«Philippe d'Orléans, Régent de France»** (t. 105 × 87). Il est vêtu à la mode romaine, ce qui plaisait beaucoup alors pour les portraits d'officiers. Il pose devant un paysage très sommaire, qui ne sert qu'à centrer l'attention sur lui.

9 **«Saint Jean-Baptiste»** (t. 147 × 109). Exemple de ses compositions religieuses. Le paysage crépusculaire, de type vénitien, trahit nettement sa dépendance de modèles italiens. Il en est de même de la beauté idéalisée du saint. Cependant, la rigueur dans la mise en place de la figure frise la froideur et tient à l'école française.

1 **«Marie-Thérèse d'Autriche, Reine de France, et le Grand dauphin»** (t. 225 × 175). Fille de Philippe IV d'Espagne, elle épousa Louis XIV, roi de France. Le style sévère de ce portrait et la dureté de sa technique le rattachent à l'oeuvre des Beaubrun, représenté aussi au Prado.

9 **«Philippe de France, duc d'Orléans»** (t. 105 × 86). Fils de Louis XIII. Ce portrait, fait en 1659, se distingue par la sévérité de la composition, le naturalisme dans la saisie de l'expression et la beauté du coloris.

0 **«Henriette d'Angleterre, duchesse d'Orléans»** (t. 75 × 60). En 1661, se maria avec Philippe de France (voir n.º 2369). Fait pendant au portrait du duc d'Orléans, attribué à Nocret (n.º 2380).

**MIGNARD. Disciple.**

2299  «Louis XIV» (t. 105 × 90). Fut attribué à Jean Nocret, mais on croit q
s'agit d'une copie d'un portrait de Mignard qui s'est perdu.

**NATTIER, Jean-Marc Nattier** (Paris, 1685-1766).

2591  «Marie Leszczyńska, reine de France» (t. 61 × 51). Portraitiste à
Cour de Louis XV. On lui doit surtout des portraits allégoriques, où
modèles sont représentés en déesses païennes. On a trouvé ici des tr
de ressemblance avec la femme de Louis XV. C'est un de ses portraits
plus sobres.

**NOCRET, Jean Nocret** (Nancy, 1615-Paris, 1672). Sa formation arti
que fut semblable à celle de Mignard: après son apprentissage à Paris,
reçu une bourse de l'Académie française pour aller à Rome, où il a étu
chez Poussin. Il a toutefois moins d'envergure que Mignard et ses portr
sont moins bons. Ils ont des couleurs douces, légèrement estompées

2298  «Philippe de France, duc d'Orléans» (t. 105 × 86). Portrait du 2ème
du roi Louis XIII.

2380  «Philippe de France, duc d'Orléans» (t. 75 × 60). Fait pendant au
2400, attribué à Mignard.

**OUDRY, Jean-Baptiste Oudry** (Paris, 1686-Beauvais, 1755).

2793  «Lady Marie-José Drumond, comtesse de Castelblanco» (t. 137 × 1(
Signé. Voir n.º 2794.

2794  «José de Rozas y Meléndez de la Cueva, comte de Castelblanco»
137 × 105). Spécialisé avant tout en paysage, peintures de genre et d'a
maux, il a aussi fait des portraits. Elève de Largillière, il a recher
l'élégance et la virtuosité. Le Prado conserve le portrait du comte
Castelblanco, né à Lima, qui a été au service de Jacques Stuart le Prét
dant, et celui de sa seconde femme, la fille de Lord Drumond. A noter l
grand apparat décoratif.

**PARROCEL.** Voir Rigaud, n.º 2343.

**PIERRE, Jean-Baptiste Marie Pierre** (Paris, 1714-1789).

3217  «Diane et Callisto» (t. 178 × 114). Voir n.º 3218.

3218  «Jupiter et Antiope» (t. 178 × 114). Fait pendant à la toile pré
dente. Elles représentent au Prado la peinture rococo de la Cour de Lo
XVI. Disciple de Natoire, Pierre a remporté le Grand Prix de Rome
1734. Directeur de l'Académie française et 1er peintre du roi, il a été
des artistes les plus importants de son époque. Il a peint des table
d'histoire et de grandes décorations. Dans ces 2 toiles mythologiques
nous apparaît très raffiné et rococo, à la manière de Boucher, mais s
style y est plus froid, élégant et stylisé. En quête d'une plus grande sobrié
il est basé sur la beauté de la ligne et du coloris émaillé.

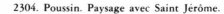

2304. Poussin. Paysage avec Saint Jérôme.

**PILLEMENT, Jean Pillement** (Lyon, 1728-1808). Peintre de paysages, de fleurs et de scènes de genre. Tout en étant inspiré par les artistes hollandais, il se rattache directement au rococo. Son style, imbibé de motifs de décoration orientaux, s'est répandu dans diverses cours d'Europe, grâce à ses oeuvres.

02 **«Paysage»** (t. 56 × 76). Signé et daté de 1773. Voir n.º 2303.

03 **«Paysage»** (t. 56 × 76). Fait pendant à l'antérieur. Ils offrent tous 2 une grande beauté décorative dans leur interprétation de la nature et des arbres. Ceux-ci sont faits avec une technique presque pointilliste, qui rehausse les touches lumineuses. Les fonds suggestifs se trouvent dissous dans le brouillard et la lumière.

95 **«Paysage avec un château et des guerriers»** (b. 47 × 66). Voir n.º 2796.

96 **«Paysage avec des soldats sur la rive d'un fleuve»** (b. 48 × 65). Fait sans doute pendant à l'antérieur. Leur style est un peu plus dur que celui des 2 précédents, mais ils témoignent aussi du goût du peintre pour la décoration.

**POUSSIN, Nicolas Poussin** (Les Andelys, 1594-Rome, 1665). A été l'artiste le plus important de son époque en France. Depuis qu'il s'est retiré à Rome, il a eu une influence décisive sur l'évolution de la peinture postérieure. Après sa 1ère formation dans sa ville natale, il a collaboré à Paris avec Philippe de Champaigne. Mais ce fut son amitié avec Marino, le fameux poète italien, qui détermina son avenir. En effet, sur ses suggestions, il se rendit à Rome. Grâce à lui, il s'introduisit dans les milieux intellectuels les plus progressistes, de même qu'il fit la connaissance de mécènes et protecteurs des arts. Après une première étape, au cours de laquelle la force d'expression et la tension dramatique de son art le font ressembler à celui de Lanfranc (voir Ecole italienne), le style de Poussin se cristallise en un classicisme pur, qui provient de Raphaël, de sa profonde connaissance de l'Antiquité classique et de l'observation attentive de la nature. L'influence vénitienne, qui se faisait sentir à Rome vers les années 1630 et s'exerça sut tous les artistes (Sacchi, Cortone, Testa, Mola, etc.: voir Ecole italienne), a rempli son art intellectuel de vie et de coloris, l'empêchant de perdre le frémissement vital de sa 1ère époque. Poussin est l'artiste philosophe par excellence, car il conçoit chacune de ses oeuvres comme un exemple moral ou le symbole d'une action humaine. Il vécut retiré dans sa maison romaine, renonça aux honneurs officiels et dédia sa peinture aux cercles d'intellectuels et hommes de lettres, avec lesquels il ne cessa jamais de se maintenir en contact. Après avoir traité d'abord des sujets bibliques et mythologiques, il se laissera obséder dans les derniers temps par la nature, qu'il représentera dans ses splendides paysages. Cette nature, devenue la protagoniste de ses toiles, se montrera

2311. Poussin. Le triomphe de David.

impassible ou agitée selon les cas, mais elle restera toujours étrangère a
actions des mortels.

2304 «Paysage avec saint Jérôme» (t. 155 × 234). Fait pendant au n.º 230
attribué maintenant à Dughet. Faisait partie d'une série d'anachorèt
qui avait été commandée par Philipe IV, pour la décoration du Palais
Buen Retiro à Madrid. On le date de 1636/37. Permet de comprendre à
perfection la technique de ses paysages, qui en imposent par la richesse
leurs éléments, au milieu desquels l'anachorète semble se fondre.

2305 Voir Dughet, Ecole italienne.

2307 ⎫ «Paysage» (t. 72 × 95). Voir n.º 2309.
2308 ⎬ «Paysage avec des ruines» (t. 72 × 98). Voir n.º 2309.
2309 ⎭ «Paysage» (t. 72 × 95). La critique la plus récente exclut ces 3 paysag
du catalogue de Poussin et estime qu'ils ont pu être peints par un de
imitateurs: Jean Lemaire (1598-1659). En effet, leur qualité n'est pas ass
bonne pour qu'on puisse les attribuer au maître. Ils proviennent de
collection du peintre romain Carlo Maratti.

2310 «Paysage avec des édifices» (t. 120 × 187). Tous les spécialistes tombe
d'accord pour l'attribuer à Pousin et le dater de v. 1650, lorsqu'il se sent
de plus en plus enclin à représenter la nature. On l'a identifié avec
*Temps apaisé et serein,* pendant d'un *Orage,* aujourd'hui perdu, qu'il peig
en 1651 pour son ami français Félibien. Ce chef-d'oeuvre nous invite
admirer la rigoureuse disposition du paysage, la richesse de ses éléments
l'atmosphère lumineuse où baigne la scène.

2311 «Le triomphe de David» (t. 100 × 130). Oeuvre de jeunesse, datant
v. 1630, son époque la plus vénitienne, et dont les biographes contemp
rains firent l'éloge. «David, vainqueur de Goliath» fait méditer Poussin s
le triomphe. La Victoire, femme ailée, couronne le héros. Mais celui-
loin d'être fier de son exploit, est tout triste en regardant le vaincu.
groupe des Amours et le paysage du fond sont on ne peut plus délica

2312 «Bacchanale» (t. 122 × 169). Daté de 1632/36. La toile a subi une te
érosion qu'il n'est pas permis de l'attribuer avec certitude à Poussin, m
les figures et la scène tout entière sont bien de son style.

2313 «Le Parnasse» (t. 145 × 197). Oeuvre de jeunesse, datant de v. 1626
qui rend clairement hommage à Raphaël, dont les compositions ont insp
cette scène. On y note l'harmonie de l'espace, qui est fermé au fond p
les troncs d'arbres verticaux et descend en pente jusqu'au 1er plan avec
fontaine de Castalia, où est couchée la nymphe du même nom. Au cent
le dieu Apollon, entouré des Muses, couronne Homère, tandis que d
groupes de poètes et littérateurs s'approchent aussi de lui. Le coloris
l'étude de la lumière sont bien de Venise, de même que les 2 Amours
offrent aux poètes de l'eau de la fontaine et semblent tirés de l'*Offrand
Vénus* de Titien (voir n.º 419).

2310. Poussin. Paysage avec des édifices.

2312. Poussin. Bacchanale.

16 **«Anachorète au milieu des ruines»** (t. 162 × 240). Considéré comme étant de Jean Lemaire par la critique la plus récente. Chef-d'oeuvre incontestable dans le genre des ruines romaines de fantaisie, qui serait si répandu au XVIIIe s.

17 **«Sainte Cécile»** (t. 118 × 88). Dernièrement, les historiens de Poussin ont suggéré que Charles Mellin (1587-1649) pourrait avoir été l'auteur de cette toile. Celui-ci, tout en étant le rival de Poussin, succomba à son influence. Ses compositions délicates, disposées un peu froidement, révèlent une technique vénitienne du coloris.

18 **«Scène bachique»** (t. 74 × 60). Thème courant chez Poussin. On connaît plusieurs versions de cette scène, qui sont toutes de 1ère qualité.

20 **«La chasse de Méléagre»** (t. 160 × 360). Finalement accepté par les spécialistes comme un original de Poussin. C'est une scène des *Métamorphoses* d'Ovide: le départ pour la chasse au sanglier, envoyé par Diane pour ravager Calydon et qui serait tué par Méléagre et Atalante. Ceux-ci figurent sur la droite dans le cortège, qui est admirablement agencé. Le mouvement des chevaux y est remarquable et les jeunes cavaliers donnent une impression de joie et de vitalité.

22 **«Paysage avec Polyphème et Galatée»** (t. 49 × 63). Réplique simplifiée et de meilleur format, peut-être autographe, du fameux tableau de l'Ermitage de Leningrad, faisant apparaître la splendide fusion de l'homme avec la nature, qui était l'obsession constante du vieux Poussin.

**POUSSIN. Disciple.**

06 **«Noli me tangere»** (b. 47 × 39). Une des meilleures versions d'un thème de Poussin, connu par des gravures anciennes.

23 **«Ruines»** (t. 92 × 110). Oeuvre de très bonne qualité, mais de l'un ou l'autre disciple de Poussin, sans doute de Lemaître.

**POUSSIN, dit le Guaspre Poussin.** Voir Dughet (Ecole italienne).

**PRET, François Pret** (actif au XVIIᵉ s.).

25 **«Vase»** (t. 130 × 97). On n'a pas de données biographiques sur cet artiste. Mais, comme ce tableau provient de la collection du peintre romain Carlo Maratti, on pense qu'il a été peint par un Français qui était à Rome. Très belle oeuvre, dans son genre, pour son exubérance et son coloris; elle s'inspire du style des artistes flamands qui sont passés par Rome.

**RANC, Jean Ranc** (Montpellier, 1674-Madrid, 1735). Neveu et disciple de Rigaud, qui l'introduisit à la Cour comme portraitiste. Comme son maître, il aime bien l'apparat décoratif, les draperies et les scènes monumentales. Mais sa virtuosité lui fait rechercher les effets les plus subtiles de la matière, les chatoiements des étoffes en soie, les différences de qualités des tissus et l'éclairage du coloris par de forts contrastes. Toutefois, il ne se désintéressa jamais de la personnalité de son modèle, en dépit de

l'obligation qu'il avait de veiller à la décoration et à l'ennoblissement (
portraits de cour.

2265 **«L'Infant Cardinal Louis-Antoine de Bourbon»** (t. 105 × 84). Fils
Philippe V et d'Elisabeth Farnèse, né en 1727, qui fut archevêque
Tolède.

2266 **«Marie-Thérèse-Antoinette de Bourbon, dauphine de France»**
105 × 84). Fille de Philippe V et d'Elisabeth Farnèse, née en 1726, (
épousa le dauphin de France, fils de Louis XV. Fait pendant au portr
antérieur. Ils nous montrent le style délicat de Ranc, qui présente u
grande pureté formelle et une virtuosité incomparable dans les déta
lesquels acquièrent des qualités abstraites fort modernes.

2326 **«Philippe V à cheval»** (t. 335 × 270). Un des plus grandiloquents p
traits de Ranc. La composition générale de la scène y suit le style de cc
de Rigaud, avec une bataille dans le fond et la Victoire personnifiée da
le haut. On y aperçoit pourtant des détails exquis de réalisme, tel
chevalier qui accompagne le roi.

2329 **«Philippe V»** (t. 144 × 115). Voir n.º 2330.

2330 **«La Reine Elisabeth Farnèse»** (t. 144 × 115). Fille du duc de Parn
Edouard Farnèse, et seconde femme de Philippe V qu'elle épousa
1714. Ce portrait fait pendant au n.º 2329. Tout en étant des portra
royaux conventionnels, ils se distinguent par l'accent habilement mis sur
matière, qui prend presque une signification surréelle.

2332 **«Louise-Elisabeth d'Orléans, reine d'Espagne»** (t. 127 × 98). Fille
Philippe d'Orléans, régente de France, elle épousa Louis Ier, fils de P
lippe V, qui ne fut roi d'Espagne que pendant un an.

2333 **«Ferdinand VI enfant»** (t. 144 × 116). Fils de Philippe V et de Mar
Louise, sa 1ère femme, né en 1713, qui sera roi en 1746. Extrêmeme
élégant, ce portrait fait penser à van Dyck.

2334 **«Charles III enfant»** (t. 142 × 115). Fils de Philippe V et d'Elisabe
Farnèse, né en 1716, qui sera duc de Parme, puis roi des Deux-Sicile
enfin roi d'Espagne en 1759. Cette très belle toile est originale de par
disposition spatiale de la scène et les éléments décoratifs et anecdotiqu
qui s'y trouvent, tels que le vase de fleurs effeuillées ou le perroquet. L
formes, très abstraites, sont ornées à l'extrême: c'est le cas de la veste
l'enfant ou de la surface du meuble.

2320. Poussin. La chasse de Méléagre.

2335 **«Ferdinand VI, encore prince des Asturies»** (t. 75 × 62). Signé et da
de 1725.

2336 **«Marie-Anne-Victoire de Bourbon, encore enfant»** (t. 76 × 62). Fi
de Philippe V, née en 1718. Ses fiançailles furent rompues avec Louis X
et elle épousa Joseph Ier de Portugal. Portrait d'une élégance et d'u
délicatesse rococo.

2376 **«La famille de Philippe V»** (t. 44 × 65). Cette pochade pour un table
aujourd'hui perdu, date de v. 1722, lors de l'arrivée de Ranc à Madri
Son intérêt réside dans la sobriété de sa composition, bien éloignée de
toile monumentale et ambitieuse de van Loo sur le même sujet.

2394 **«Marie-Thérèse-Antoinette de Bourbon»** (t. 93 × 68). Voir n.º 226
Fait ressortir les miroitements quasi métalliques des étoffes.

14 **«Barbe de Bragance, reine d'Espagne»** (t. 103 × 84). Fille du roi Jean V de Portugal, elle épousa Ferdinand VI, qui devint roi d'Espagne en 1746. Les tissus plissés de la robe, les bijoux et les fleurs en font un des portraits les plus surchargés de Ranc.

**RIGAUD, Hyacinthe Rigaud** (Perpignan, 1659-Paris, 1743). Considéré comme le meilleur représentant du portrait de cour de l'époque de Louis XIV. Après avoir étudié à Montpellier avec le père de Jean Ranc, est arrivé tout jeune à Paris, où il se mit à peindre dans le milieu bourgeois. Mais, depuis que les portes de la Cour lui furent ouvertes en 1688, sa clientèle serait formée des membres de la famille royale et de la haute aristocratie de Versailles, ainsi que des étrangers illustres en visite. Il réussit à allier les nouveautés les plus pompeuses et exubérantes du baroque avec une élégance si poussée dans ses modèles que ceux-ci rappellent un peu ceux de van Dyck, et avec un réalisme vraiment exquis dans les étoffes, les armures et d'autres détails de nature morte. Il s'inscrit ainsi dans la ligne la plus pure du portrait français, à la tradition duquel il emprunte également l'étude de la psychologie de ses modèles.

'94 **«Un prince»** (t. 70 × 50). Attribué jadis à Nattier, mais proche de Rigaud en raison de l'expression vive de l'enfant et du réalisme de sa pose.

)37 **«Philippe V»** (t. 130 × 91). Un des 1ers portraits du roi, vêtu de noir avec une fraise, à la mode espagnole. Une des toiles les plus sévères de Rigaud, encore qu'il y soigne les qualités de la soie et du velours.

)43 **«Louis XIV»** (t. 238 × 149). Oeuvre importante de Rigaud, peinte en 1700, où il lance de nouvelles idées pour le portrait des personnages militaires. Il y remplace la tunique romaine par l'armure contemporaine et y introduit dans le fond un vaste paysage avec des scènes de bataille. Ici, ce dernier a été peint par Charles Parrocel (Paris, 1688-1752), spécialisé dans le genre batailles; Rigaud s'est contenté de concevoir l'ensemble du portrait et de peindre la figure du Roi-Soleil. Celui-ci nous apparaît dans toute la splendeur de sa gloire militaire, avec un air hautain et déplaisant.

)58 **«Un inconnu»** (t. 58 × 56). On ignore tout à son sujet.

**RIGAUD. Copies.**

$81 **«François Louis de Borbon, prince de Conti, roi de Pologne»** (t. 69 × 55).

)90 **«Louis, Grand Dauphin de France»** (t. 103 diam.).

$91 **«Louis XIV»** (t. 103 diam.). Fait pendant à l'antérieur. Copie partielle du fameux portrait du Roi se trouvant au Musée du Louvre.

)97 **«Louis XIV dans sa vieillesse»** (t. 42 × 34).

**ROBERT, Hubert Robert** (Paris, 1733-1808).

$83 **«Le Colisée à Rome»** (t. 240 × 225). Fit ses études à l'Académie de France à Rome et fut ami de Fragonard. S'inscrit dans la ligne de Pannini (voir Ecole italienne), en peignant les ruines de Rome d'un façon quelque peu fantaisiste. Ce genre, fort à la mode au XVIIIe s., avant le progrès des études archéologiques, anticipe parfois nettement sur l'intérêt romantique à l'égard des ruines, qui s'éveillera au XIXe s. Sur cette splendide toile, l'architecture romaine grandiose est remplie de figures contemporaines, décoratives et anecdotiques.

**SILVESTRE, Louis de Silvestre, dit le Jeune** (Sceaux, 1675-Paris, 1760).

$58 **«Marie-Amélie de Saxe, reine d'Espagne»** (t. 260 × 181). Cet artiste voyageur a fait ici un portrait élégant et raffiné de la fille du roi de Pologne, qui avait épousé Charles III.

**STELLA, Jacques Stella** (Lyon, 1596-Paris, 1657).

202 **«Halte au cours de la fuite en Egypte»** (t. 74 × 99). Signé et daté de 1652. Débuta comme graveur à Florence, puis se rendit à Rome, où il fut ami et disciple de Poussin, ainsi qu'un des plus fidèles imitateurs de son art. Les modèles employés et la disposition de la scène trahissent ici clairement sa dépendance à son égard. Mais sa technique n'est pas aussi raffinée, et il y a des éléments purement décoratifs qui rompent l'unité de la composition, tels que les petits anges qui apportent leur offrande, ceux qui placent les rideaux et celui qui puise de l'eau au ruisseau.

**TOURNIER, Nicolas Tournier** (Montbéliard, 1590-Toulouse, ap. 1657)

788 **«Reniement de saint Pierre»** (t. 171 × 252). A travaillé à Rome dans le milieu des artistes français, qui étaient disciples du Caravage et de Manfredi (voir Ecole italienne). Son style se rattache surtout à ceux de Vouet et de Valentin, auquel on a jadis attribué cette toile. Celle-ci, peut-être inspirée d'une composition perdue de Valentin, a sans aucun doute un air

recueilli et mélancolique. On dirait une scène de genre, car les solda[...] jouant aux dés occupent plus de la moitié de la scène. Le superbe réalism[...] des figures et des qualités de la matière est nuancé par le coloris ainsi q[...] par la composition rigoureuse et mesurée.

**TRAVERSE, Charles de la Traverse.** Voir Celebrano (Ecole italienne[...]
**TROY, Jean-François de Troy** (Paris, 1679-Rome, 1752).

2367 **«Louis, Grand Dauphin de France»** (t. 105 × 87). Copie assez fine d'[...] original perdu, dont on connaît la composition par des gravures. Portr[...] tiste de la Cour de France, ce peintre ressemble à Mignard en présenta[...] son personnage de façon sévère. Il s'écarte du style pompeux de Rigaud[...]
**VALENTIN.** Voir Boullongne.
**VERNET, Joseph Vernet** (Avignon, 1714-Paris, 1789). Fils d'un déco[...] teur de carrosses, s'est spécialisé dans les paysages et surtout dans l[...] marines. A étudié et travaillé à Rome, où ses oeuvres ont été appréci[...] non seulement par les autres peintres, mais encore par la colonie français[...] ou les étrangers de passage. Il s'inspire des paysages de Claude de Lorrai[...] et de Salvator Rosa, mais y ajoute sa connaissance des artistes holland[...] Ce qui fera le succès de ses tableaux, c'est l'union du réalisme avec le go[...] romantique. Ceux du Prado, qui lui avaient été commandés par le r[...] Charles IV, admirateur de ses oeuvres, donnent une bonne idée de s[...] style et de ses thèmes.

2347 **«Paysage avec une cascade»** (t. 155 × 56). Signé et daté de 1782. Com[...] mandé par Charles IV pour la «Casita del Príncipe» à l'Escorial, de mêm[...] que les nums. 2348 et 2349.

2348 **«Paysage romain au coucher du soleil»** (t. 155 × 57). Se rattache a[...] paysages de Pannini (voir Ecole italienne) ou d'Hubert Robert, car il aim[...] bien aussi représenter les ruines romaines.

2349 **«Le cerf-volant»** (t. 155 × 34). On pourrait le considérer comme [...] antécédent des cartons de tapisseries faits par Goya dans sa jeunesse.

2350 **«Marine: vue de Sorrente»** (t. 59 × 109). C'est peut-être une des mar[...] nes dont Louis XVI a fait cadeau à Charles IV, quand celui-ci était enco[...] prince. Bon exemple du genre le plus représentatif de Vernet. Goût déc[...] ratif et rococo qu'on note dans le fantastique des rocailles.
**VOUET, Simon Vouet** (Paris, 1590-1649). Important pour la peintu[...] française du XVIIe s., car son long séjour en Italie (1613-27) lui f[...] connaître les tendances d'avant-garde, qu'il introduisit en France [...] son retour. D'abord, son oeuvre trahit l'influence du naturalisme t[...] nébriste du Caravage et de ses disciples, mais son contact avec [...] classicisme bolonais le fait changer de style. Sa palette s'éclaircit et le col[...] ris vénitien entre dans sa peinture. Mais il interprète le classicisme itali[...] avec cette mesure sereine et cette mise en ordre très claire de la compos[...] tion, qui caractérisent les Français et feront fortune à Paris. Il reçut [...] nombreuses commandes de la cour et de l'aristocratie. Bien des artistes [...] la génération suivante sont passés par son atelier, avant d'évoluer vers [...] baroque grandiose et décoratif de la cour de Louis XIV.

539 **«La Vierge à l'Enfant, avec sainte Elisabeth, saint Jean et sainte C[...] therine»** (t. 182 × 130). Oeuvre de sa période romaine, où le réalism[...] strict de certaines figures, comme celle de sainte Elisabeth, et le natur[...] lisme dans la représentation des étoffes ou de l'agneau s'inscrivent da[...] une composition parfaitement géométrique, en forme de triangle, qui [...] rattache nettement à la Renaissance la plus pure du début du XVIe s. C'e[...] encore plus frappant, si l'on voit les modèles et les attitudes des 2 enfant[...] qui paraissent repris directement à Léonard de Vinci.

2987 **«Le Temps vaincu par la Jeunesse et la Beauté»** (t. 107 × 142). Sign[...] et daté de 1627. Allégorie peinte à la fin de son séjour à Rome, o[...] s'ébauche sa maturité. Les couleurs claires des étoffes gonflées par le ve[...] et le paysage d'inspiration vénitienne contribuent à doter cette toile d'un[...] grande vitalité et d'une joie débordante.
**WATTEAU, Antoine Watteau** (Valenciennes, 1684-Nogent-sur-Marn[...] 1721). C'est sa formation qui a marqué son style. Dans sa ville natale, lo[...] du foyer culturel de la cour, où dominait le baroque classique et décorat[...] d'inspiration italienne, les artistes, plus attirés par l'art flamand ou holla[...] dais, cultivaient un style simple et intimiste. Quand il arriva à Paris e[...] 1702, Watteau y eut surtout des contacts avec les sphères non officielles [...] le marché de l'art. Les 2 antiquaires les plus fameux d'alors, Mariette e[...] Gersaint, admirèrent ses oeuvres. A son tour, il put étudier les collectio[...] de dessins et de gravures qu'avaient ceux-ci et chercher son inspiratio[...] chez les artistes français du passé, tels que Callot ou Bellange, pleins d[...]

2322. Poussin. Paysage avec Polyphème et Galatée.

fantaisie et de liberté créatrice, ou dans les petites pochades de Rubens. A l'opposé des grandioses compositions historiques et mythologiques, surchargées d'allégories compliquées, élaborées par les peintres à la mode à Versailles, Watteau offre ses tableaux de chevalet, évoquant des thèmes galants, des scènes de théâtre de la *Commedia dell'arte* italienne ou des fêtes champêtres, insérées dans des paysages délicats, brumeux et toujours empreints d'une certaine mélancolie. Ce n'est qu'après sa mort prématurée que ses peintures auront du succès, grâce à la diffusion assurée par leurs gravures, et ce sont ses disciples qui feront progresser ses idées.

53 **«Contrat de mariage et bal champêtre»** (t. 47 × 55). Voir n.º 2354.
54 **«Fête dans un parc»** (t. 48 × 56). Ces 2 tableaux ne se faisaient pas pendants jadis, mais leurs styles se ressemblent fort. On y retrouve les figures élégantes et stylisées de Watteau: il se complaît à faire miroiter la soie de leurs draperies avec une virtuosité pareille à celle des peintres hollandais du XVIIᵉ s. Ici, la nature aérienne et lumineuse, au coloris chatoyant, est bien typique de ses oeuvres les plus célèbres.

**ANONYMES FRANÇAIS.** Il y a une série d'oeuvres, dont on n'a pas réussi jusqu'à présent à préciser l'attribution. Ce sont pour la plupart des portraits de membres de la famille royale française. On les étudiera comme il faut, avant de publier le prochain catalogue scientifique de la peinture française au Musée du Prado.

40 **«La décollation de saint Jean-Baptiste»** (t. 280 × 952). Tableau important, dont il s'est avéré impossible de préciser l'auteur. On pense aux disciples de Jacques Caillot, entre autres à Claude Deruet. Cette énorme toile montre un goût prononcé pour le caricatural, le bizarre et le fantastique, qui s'inspire encore du dernier maniérisme français. On la date de v. 1650. Il est clair qu'un grand nombre de visages y sont des portraits.
79 **«Dame déguisée en Diane»** (t. 103 × 80). De la fin du XVIIᵉ s.
95 **«Marie-Louise d'Orléans, duchesse de Berry»** (t. 138 × 105). Epousa un frère du roi Philippe V. Se rattache au style de Gobert.
97 Voir Gobert.
45 **«Philippe de France, duc d'Orléans»** (t. 70 × 56).
52 **«Charlotte-Elisabeth de Bavière, princesse Palatine»** (t. 107 × 84). Portrait de bonne qualité, dont le style ressemble à celui de Mignard.
59 **«Bacchanale»** (b. 100 × 251). Planche détachée d'un clavecin, car on décorait souvent cet instrument avec des peintures. Attribué jadis à Poussin, mais considéré aujourd'hui comme apparenté à Gérard de Lairesse (Liège, 1640-Amsterdam, 1711).
71 **«Victor-Amédée II de Savoie et sa famille»** (t. 299 × 300). Beau-père de Philippe V. Portrait de cour fort surchargé et naïf.

2372 «**Portrait d'une inconnue**» (t. 118 × 93). Style proche de Beaubrun
de Mignard.
2375 «**Marie-Thérèse de Bourbon**» (t. 76 × 60).
2396 «**Portrait d'un prince**» (t. 126 × 105). Du XVIIIᵉ s.
2417 «**Louis XIV enfant**» (t. 125 × 105).
2420 «**Louise-Elisabeth d'Orléans, reine d'Espagne**» (t. 105 × 86).
2435 «**Marie de Médicis, reine de France**» (t. 68 × 56). Du début du XVIIᵉ
2437 «**Marie-Joséphine d'Autriche, reine de Pologne**» (t. 121 × 91). I
XVIIIᵉ s.
2469 «**Anne d'Autriche, reine de France**» (b. 35 × 26). Du milieu du XVIIᵉ
2592 «**Une princesse de France**» (t. 72 × 59). Elle est représentée comme
déesse Diane, avec un arc en main. Cette toile fut attribuée à Je
François de Troy.
2651 «**Le musicien Guétry**» (t. 57 × 46). A été attribué à Greuze.
2789 «**Autoportrait**» (t. 22 × 16). Du début du XVIIIᵉ s.
2791 «**La tsarine Catherine II**» (t. 83 × 67). Certains critiques y ont vu l'œ
vre d'un artiste russe.
2885 «**Le printemps**» (t. 196 × 110). Voir n.º 2886.
2886 «**L'été**» (t. 196 × 110). A dû faire partie, avec le précédent, d'une sé
des 4 saisons. Ont été attribués à Claude Vignon (1593-1670).
3142 «**Portrait d'une dame**» (t. 98 × 72). Du XVIIIᵉ s.
3524 «**La femme entre deux âges**» (b. 75 × 105). Magnifique tableau d'un pe
tre anonyme de l'école de Fontainebleau, qui a été récemment acquis j
le Musée et y remplit un vide, car cette période si importante n'y était j
représentée. Ce thème, tiré de la *Commedia dell'arte* italienne, nous
connu grâce à plusieurs versions et gravures.

3524. Ecole de Fontainebleau. La femme entre deux âges.

# ECOLE HOLLANDAISE

la fin du XV$^e$ et au cours du XVI$^e$ s., les Pays-Bas ne formaient qu'une seule
tion sous la domination espagnole. Mais très tôt s'accusèrent, entre les provin-
s septentrionales et méridionales, des différences qui se reflétaient aussi dans
rt: celui-ci était plus sobre et austère, plus symboliste et moralisant dans le
ord protestant que dans la Flandre catholique. Mais au point de vue du style, les
tistes nés au Nord des Pays-Bas —la future Hollande— dérivaient des maîtres
mands. Ils formaient tous ensemble une seule et même école, tout en présen-
t certaines nuances locales. C'est pourquoi, parmi les Flamands, on a cité
osch, Marinus, van Scorel et le portraitiste Antonio Moro.

Réforme protestante devait exacerber les différends nationalistes aux Pays-Bas.
fin, en 1580, la révolution éclata au Nord, qui réussit à s'émanciper de l'Es-
gne et à former un nouvel Etat: la Hollande. C'est alors que la peinture hollan-
ise fit réellement son apparition et se distingua par des notes bien particulières,
i répondaient au nouveau genre de société bourgeoise et commerçante, inspi-
e par une forte et austère morale protestante, qui s'y était formée tout au long
XVI$^e$ s.

Espagne couperait toute relation politique avec la Hollande, qui, unie désormais
x autres pays protestants d'Europe, deviendrait son ennemie jurée. C'est pour-
oi aucune des toiles hollandaises si riches et variées du XVII$^e$ s. n'entra à
poque dans les collections espagnoles. Les seules que possède le Musée du
ado, ont été achetées plus tard. Une grande partie en vient de la collection de
ilippe V et d'Elisabeth Farnèse, qui suivirent l'engouement du XVIII$^e$ s. pour
s petits tableaux décoratifs des maîtres hollandais. Plus tard, Charles III acheta
marquis de la Ensenada la splendide *Artémise* de Rembrandt et Charles IV,
core prince, acquit des oeuvres de van Ruysdael, van Steenwijck et Metsu.

ais, tout réduit qu'il soit, le groupe des peintures hollandaises du XVII$^e$ s. au
ado suffit à se faire une bonne idée des tendances et du style de cette école.
omer et Salomon de Bray représentent l'art du début du siècle, avec l'influence
lianisante du Caravage dans les contrastes entre ombres et lumières, qui se
velopperont chez Rembrandt. Son *Artémise,* qui date de ses débuts, est un
agnifique exemple de son génie pictural. Dans l'école de Rembrandt, nous ne
uvons citer qu'*Un philosophe,* attribué à Salomon Koninck. Les petits tableaux
chevalet, destinés à décorer les intérieurs bourgeois et accueillants de Hol-
nde, sont des peintures de genre, des natures mortes et des paysages, tous
terprétés avec un goût exquis. Ce sont presque des miniatures, au coloris raffiné
tons ocres, verts et gris, avec quelques taches rouges et jaunes, qui procurent
vrai plaisir esthétique. Le Prado a des natures mortes admirables, signées par
eter Claesz, Willem Heda ou Jan Davidsz de Heem. Parmi les meilleures toiles
llandaises du Prado, il y a un superbe *Coq mort,* de Metsu, peintre de genre.
est van Ostade, avec ses 4 oeuvres, qui représente le mieux les scènes de genre,
encore Bramer, dont les sujets bibliques et mythologiques sont interprétés
ec réalisme et de façon populaire.

fait de paysages, il y a aussi des exemples des diverses tendances. Parmi les
arines, on a *Le port de mer sous la neige* de Dubbels ou les *Marines* de Simon de
ieger et de Willaerts. Parmi les paysages d'hiver, tant représentés en Hollande,
y a une bonne toile de Droochsloot. Parmi les paysages fort décoratifs de
taille ou ceux de chasse, la meilleure série est celle de Wouwerman. Enfin, il y a
core des tableaux de paysagistes italianisants, tels que Poelenburgh, Both et van
vanevelt, ainsi que d'autres typiquement hollandais, tels que van Goyen et van
uysdael.

**ANTUM, Aert van Antum** (Amsterdam, actif de 1604 à 1618). Peintre
de marines, de l'école d'Amsterdam. Dépendant du plus célèbre Hendrik
Vroom, créateur du genre, il représente avec le même réalisme et la même
minutie les bateaux de guerre et les combats. Mais on n'y trouve pas
les effets atmosphériques, qui seront à la mode au milieu du XVII$^e$ s.

59 «**Combat naval entre un vaisseau turc et un espagnol**» (b. 37 × 58).
Style intermédiaire entre celui d'Antum et celui de Vroom.

**BACKER, Adriaan Backer** (Amsterdam, 1636-1684). De l'école d'Amsterdam.

57 «**Un Général**» (t. 126 × 106). Signé et daté de 1680. Portrait baroque,
dont les éléments son très décoratifs. Fut attribué au français Rigaud, en
raison de son indéniable réalisme dans le soin des détails et la psychologie
du personnage.

**BLOEMAERT, Adriaan Bloemaert** (Utrecht, v. 1609-1666).
2046 **«Le voyage de Jacob».** Voir van der Meiren (Ecole flamande).
**BOTH, Jan Both** (Utrecht, v. 1618-1652). De l'école d'Utrecht, où il
ses études avec Bloemaert. Mais il se rendit bientôt à Rome, de même q
maints de ses compatriotes qui s'intéressaient au paysage. Il y connut l'
de Claude de Lorraine, qui l'attira par ses effets de lumière et d'
mosphère. Mais, au lieu d'utiliser ceux-ci dans une nature idéalisé
comme le peintre français, il les place dans une nature réelle, peuplée
figurines populaires, généralement peintes par son frère Adriaan. Son pa
sage fait le lien entre l'italien et le hollandais, plus réaliste.
2058 **«Paysage avec un ermite»** (t. 153 × 222).
2059 **«Vue de Tivoli»** (t. 160 × 155). Paysage, dont la grande beauté tient a
forts contrastes de lumière au 1er plan et à la clarté du fond, sur lequ
arbres et buissons se détachent dans toute leur finesse.
2060 **«Baptême de l'eunuque de la reine Candace»** (t. 212 × 155). C'est
diacre Philippe qui le baptise (Actes des Apôtres 8, 26-39). Paysage ty
que de Both. On en a attribué les figures à son frère Adriaan ou à J. Mi
2061 **«La sortie à la campagne»** (t. 213 × 153).
2062 **«Le jardin de la villa Aldobrandini à Frascati»** (t. 210 × 155). Tr
belle oeuvre, où Both peint la réalité et la vie de tous les jours. On cr
que les figures ont été réalisées par Adriaan.
2064 **«Paysage avec saint Bruno».** Voir Swanevelt.
2066 **«Cascade avec des pêcheurs»** (t. 210 × 155). C'est peut-être une d
oeuvres les plus sereines de Both, avec un certain air de mélancolie et
solitude dans le paysage, qu'il a hérité de l'école italienne.
**BRAMER, Léonard Bramer** (Delft, 1596-1674). De l'école de Delft.
reçu une formation variée et indépendante. N'a pas tardé à se rendre
Italie, où il passa par plusieurs villes avant d'arriver à Rome. Il se sen
surtout attiré par la peinture de la réalité: les Bassano à Venise et l
disciples du Bamboche à Rome. Au bout de 6 ans, il quitta Rome à la su
d'une querelle et s'établit à Delft. Ses tableautins sur des thèmes mythol
giques ou religieux le rendirent célèbre. Son éclairage nocturne, son col
ris brillant, sa technique frisée et nerveuse confèrent une grande origir
lité à son art, qui prépare celui de Rembrandt.
2069 **«La douleur d'Hécube»** (c. 45 × 59). Sa douleur se manifeste lors de
découverte de corps de Héro et Léandre, noyés par amour.
2070 **«Abraham et les trois anges»** (b. 47 × 74). Signé. Comme le table
précédent, il illustre bien le style délicat et nerveux de Bramer, qui pe
non seulement des sujets bibliques ou mythologiques, mais encore d
scènes quotidiennes. Celles-ci sont pourtant empreintes de mystère.
**BRAY, Salomon de Bray** (Amsterdam, 1597-Haarlem, 1664). De l'éco
d'Haarlem.
2097 **«Offrande»** (b. 89 × 71). Attribuée jadis à Philips Koninck et à Greb
mais la critique est aujourd'hui unanime à la restituer à de Bray, car on
a retrouvé un dessin préparatoire de sa main. Peintre et architecte à la fo
il s'est intéressé au style ténébriste d'origine italienne, grâce aux oeuvr
de ses compatriotes qui avaient étudié à Rome. La grande beauté de cet
planche réside dans la force de ses contrastes de lumières, la minutie
détail de ses draperies et la mesure classique de sa composition. U
radiographie a révélé que l'amphore que la femme tient en mains était
ancien repeint sur une tête d'homme. Aussi le thème originel dut-il êt
*Salomé portant la tête de saint Jean-Baptiste.*
**BREENBERGH, Bartholomeus Breenbergh** (Deventer, 1599-Amste
dam, 1657). De l'école d'Amsterdam.
2293 **«Bénédiction épiscopale»** (t. 96 × 112). Attribuée jadis au flama
Pourbus, cette toile est clairement de la main de notre artiste, qui a
reste signé le dessin préparatoire d'une de ses figures. Il fut surtout
paysagiste italianisant, à la suite de son séjour à Rome avec son ami Po
lenburgh. Il apparaît ici comme un peintre d'intérieurs, fidèle à la traditi
hollandaise la plus stricte et témoignant de son goût pour la réalité, l'a
pleur spatiale et les contrastes lumineux.
**BREKENLENKAM, Quiringh Gerritsz van Brekenlenkam** (Zwa
merdam, v. 1620-Leyde, 1668). De l'école de Leyde.
2136 **«Une vieille»** (b. 48 × 36). Signature apocryphe de Téniers. Formé av
Gérard Dou et Gabriel Metsu, l'artiste évoque l'aspect le plus intime de
peinture hollandaise. Il représente ici l'intérieur d'une maison; on note d
détails fort réalistes dans la nature morte.
**BROUWER.** Voir Ecole flamande.

**CLAESZ, Pieter Claesz ou Claeszoon** (Steinfurt, 1598-Haarlem, 1660). De l'école d'Haarlem.

53 **«Nature morte»** (b. 83 × 66). Signé et daté de 1637. C'est le meilleur exemple que le Prado possède de la nature morte hollandaise: observons sa sobriété, la transparence cristalline de ses formes, son éclairage sensible et harmonieux. On y découvre en outre les caractéristiques du style de Claesz: un air impalpable enveloppe les objets dans un vaste espace; les couleurs sont raffinées et leur gamme réduite met bien en valeur les différences de la matière dans une démonstration de virtuosité. A noter l'extrême simplicité de la composition.

**CUYP, Benjamin Gerritsz Cuyp** (Dordrecht, 1612-1652). De l'école de Dordrecht.

77 **«Un môle».** Voir Jan de Momper (Ecole flamande).

2753. Claesz. Nature morte.

2103. Metsu. Coq mort.

84 **«L'adoration des bergers»** (b. 81 × 65). Il s'inspire modestement du style de Rembrandt: au milieu des tons foncés, il cherche parfois à reproduire ses éclairs dorés caractéristiques. Ses personnages respirent un naturalisme quasi rustique. Comme ici, il interprète les scènes religieuses avec une simplicité populaire, parfois un peu naïve.

**CUYP, Jacob Gerritsz Cuyp** (Dordrecht, 1594-1652). De l'école de Dordrecht.

67 **«Portrait d'homme»** (b. 78 × 70, ovale). Il doit s'agir du politicien Jan van Oldenbarnevelt, décapité à La Haye en 1619. Connu surtout en tant que portraitiste, ce peintre se distingue non seulement par le réalisme intense et le clair-obscur propres à son école, mais aussi encore par la sobriété de son coloris et la saisie de la psychologie du personnage.

**DAVIDSZ.** Voir Heem.

**DOU, Gérard Dou (copie)** (Leyde, 1613-1675). De l'école de Leyde.

78 **«Vieillard avec un livre»** (b. 23 × 21). Copie ou imitation de l'original de Dou, conservé au Musée de l'Ermitage à Leningrad.

**DROOCHSLOOT, Joost Cornelis Droochsloot** (Utrecht, 1586-1666). De l'école d'Utrecht.

79 **«Paysage hivernal avec des patineurs»** (t. 71 × 111). Signé et daté de 1629. Exemple au Prado d'un paysage de rivière gelée, sillonnée de patineurs. Ce genre, très apprécié en Hollande, a débuté 100 ans plus tôt avec les oeuvres du flamand Pieter II Bruegel et de ses disciples. Sans être de 1ère classe, notre peintre a obtenu une scène vivante, dont on note le gai coloris, l'ordonnance rigoureuse, l'horizon lointain et lumineux, ainsi que les effets d'atmosphère typiquement hollandais.

**DUBBELS, Hendrik Dubbels** (Amsterdam, 1620-1676). De l'école d'Amsterdam.

80 **«Port de mer en hiver»** (t. 67 × 61). Spécialisé en marines, il joint ici à son genre de bateaux et de ports celui de la peinture de paysages hivernaux, avec de petites scènes de patineurs et de bourgeois. Sur cette toile, dont la disposition est parfaitement harmonieuse, il soigne les détails avec la plus grande délicatesse et se pique de nuancer au maximum la gamme des blancs qui dominent.

**FRITS, Pieter Frits ou Fris** (Amsterdam, 1627-Delft, 1708). De l'éco
de Delft.

2081  **«Orphée aux Enfers»** (t. 61 × 77). Signé et daté de 1652. Peintre p
connu, dont on n'a conservé que 3 toiles. On trouve dans son style,
tantinet archaïsant, de clairs échos de Bosch, tels que l'interprétation fa
tastique de la scène et le fond rougeâtre d'incendie. Les figurines, pein
avec minutie, plaisent grâce à l'éclat de leur coloris.

**GOYEN, Jan van Goyen** (Leyde, 1596-La Haye, 1656). De l'école de
Haye.

2978  **«Paysage»** (t. 38 × 58). Bon échantillon du style d'un des paysagis
hollandais les plus importants. Voyageur infatigable, il peint de façon m
gistrale une foule de sites de son pays. Une fois arrivé à la maturité,
simplifie, comme ici, ses compositions: il suffit de quelques arbres, d'u
ferme ou d'un chemin de campagne, dans un vaste espace, avec l'horiz
au loin, perdu dans la brume. Il fait prévaloir le sens de l'atmosphère et l
valeurs lumineuses, qu'il module avec une gamme de couleurs frisant
monochromie. Il obtient des effets de réalisme intense, à l'aide de touch
rapides de verts et de bruns ou de divers tons de gris.

**GREBER.** Voir Salomon de Bray.

**HEDA, Willem Claesz Heda** (Haarlem, 1594-1680/82). De l'éco
d'Haarlem, dont il fut un des grands maîtres en natures mortes, à côté
Pieter Claesz. Comme celui-ci, sa composition ne comporte que quelqu
éléments placés au coin d'une table (un verre, des huîtres, des reliefs
repas sur des assiettes en métal, un peu de pain), baignant tous dans u
atmosphère qui les unifie, présentant de subtils contrastes de lumières
un coloris harmonieux. Mais Pieter Claesz est beaucoup plus simp
qu'Heda, dont les toiles, qui offrent une grande variété d'éléments, so
plus surchargées et décoratives.

2754  **«Nature morte»** (t. 54 × 71). Signé et daté de 1657.

2755  **«Nature morte»** (t. 52 × 74). Celle dont la composition est la plus élab
rée et surchargée.

2756  **«Nature morte»** (t. 52 × 73). Signé. L'horloge y symbolise sans dou
l'écoulement du temps, comme fréquemment dans ce genre.

**HEEM, Jan Davidsz de Heem** (Utrecht, 1606-Anvers, 1683). C'est
Anvers qu'il a vécu le plus longtemps. Sa renommée se répandit da
toute l'Europe. Ses natures mortes, où s'unissent raffinement hollandai
exubérance flamande, n'ont cessé d'être imitées et copiées par ses dis
ples. Ses riches ensembles décoratifs se composent de fleurs et de fru
juteux, au milieu de précieuses pièces de vaisselle en métal ouvragé et
cristaux très fins. Le clair-obscur fait bien ressortir la gamme nuancée d
gris et des ocres. Sous leur réalité apparente, ses oeuvres symbolisent
fugacité de la vie et de la beauté.

2089  **«Nature morte»** (b. 43 × 81). Signé. Entre l'abondance infinie des fru
et la vaisselle on aperçoit une horloge, symbolisant le temps qui pass

2090  **«Nature morte»** (b. 49 × 64). Signé. Ici aussi, les fruits piqués font all
sion au temps et au caractère éphémère de la beauté.

1997  **«La Valeur et l'Abondance au milieu d'une guirlande de fleurs et
fruits»** (b. 84 × 57). Attribué à Heem, bien que son style se rapproc
plus de celui des artistes flamands exubérants et coloristes.

**HEEM. Disciple.**

2091  Voir Benedetti (Ecole flamande).

2093  Voir Benedetti (Ecole flamande).

**HOBBEMA.** Voir disciple de Jacob van Ruysdael.

**JOHNSON ou JANSSEN, Cornelis Janssen van Ceulen** (Londres, 159
Utrecht, 1664).

2588  **«Portrait de jeune»** (t. 74 × 60). D'une grande sobriété, son élégance f
penser aux modèles de van Dyck, que cet artiste a imités.

**KONINCK, Philips Koninck.** Voir Salomon de Bray.

**KONINCK, Salomon Koninck** (Amsterdam, 1609-1656). De l'éco
d'Amsterdam.

2974  **«Un philosophe»** (b. 71 × 54). Les derniers critiques l'attribuent
Abraham van der Hecke, imitateur de Koninck. De toute façon, c'est u
oeuvre ravissante, sortie des disciples de Rembrandt. On y retrouve le fo
clair-obscur de celui-ci et son thème du philosophe en train de réfléch
avec beaucoup d'espace au-dessus de lui, ainsi que ses tons bruns et dore
Mais l'accent est mis davantage ici sur le côté ornemental, l'éclat d
vêtements ou les détails de nature morte. Cela trahit un peintre superfic
et décoratif, dénué de la pénétration psychologique d'un Rembrandt.

**LIN, Herman van Lin** (Utrecht, actif de 1659 à 1670). De l'école d'U-
trecht.

20 «**Charge de cavalerie**» (t. 61 × 50). Attribué au hollandais Eglon Hendrik van der Neer. Mais la critique récente y reconnaît le style de van Lin,
qui insère sa composition dans un schéma géométrique très précis, donnant la sensation d'un combat violent, et laisse dans le haut un grand
espace, couvert de nuages sombres et dramatiques, augmentant la tension
de la scène.

**METSU, Gabriel Metsu** (Leyde, 1629-Amsterdam, 1667). De l'école de
Leyde.

03 «**Coq mort**» (t. 57 × 40). Signé. Ce chef-d'oeuvre de Metsu, en qualité de
peintre de natures mortes, est aussi un des plus remarquables échantillons
de ce genre dans la peinture hollandaise. Son admirable finition et sa
technique émaillée nous montrent le style raffiné de l'école de Leyde. Le
fort clair-obscur reflète bien l'influence de Rembrandt. Mais des touches
courtes et fines servent ici à peindre, avec un réalisme incroyable, le plu-
mage du coq mort, dont le corps pesant et suspendu s'insère dans une
composition équilibrée, d'une absolue rigueur géométrique. La gamme
chromatique est une autre grande réussite: le blanc du coq se détache bien
sur le fond sombre, la seule note de couleur étant sa crête rouge.

**MIEREVELT, Michiel Hans van Mierevelt** (Delft, 1567-1641). De
l'école de Delft. Fut un des plus célèbres portraitistes de cette école hollandaise. Se distingue par la sobriété de sa composition et la minutie quasi
«topographique» avec laquelle il représente non seulement le visage et les
mains, mais encore les vêtements de son personnage. Il a peint une quantité innombrable de tableaux, tant pour l'aristocratie que pour la haute
bourgeoisie.

06 «**Dame hollandaise**» (b. 121 × 91). Il y a des réserves à faire sur l'attribution à Mierevelt de ce portrait, en dépit de sa bonne qualité.

76 «**Portrait de dame**» (t. 63 × 51). Signé. Ce portrait d'Elisabeth von
Bronckhorst donne une bonne idée du soin apporté aux détails.

77 «**Portrait d'homme**» (63 × 51). Ce portrait de Guillaume de Bavière,
époux d'Elisabeth von Bronckhorst, fait pendant au précédent.

**NEER, Eglon Hendrik van der Neer.** Voir Herman van Lin.

2121. Van Ostade. Concert rustique.

**OSTADE, Adriaan van Ostade** (Haarlem, 1610-1684). De l'éco
d'Haarlem. Disciple de Frans Hals, il s'en inspira pour ses petites scèr
de genre, qui devaient former l'objet principal de sa production. Influer
aussi par l'art d'Adriaan Brouwer, il ne cessera de chercher ses sujets da
la vie du peuple: intérieurs de tavernes et de maisons paysannes, fêt
rixes et beuveries. Il a traité ce milieu de gens humbles, voire pauvres, s
sur un ton indéniablement satirique et caricatural, soit selon une perspe
tive symbolique et moralisante, dans le cadre des règles les plus strictes
la morale protestante, austère et puritaine. Tout en empruntant à Re
brandt ses contrastes de lumières, ses tableaux ont un coloris raffiné, a
tons ocres et verdâtres, alternant parfois avec des tons rouges et blancs
d'un bleu clair très harmonieux. Les intérieurs sont vastes et aérés.
lumière qui envahit les scènes, en assure l'unité. Les formes, fort abstrait
nous apparaissent floues.

2121 **«Concert rustique»** (b. 27 × 30). Signé. De même que les 3 tablea
suivants, fut acheté par Charles IV, quand il était encore prince.

2122 **«Cuisine paysanne»** (b. 23 × 30). Signé.

2123 **«Villageois en train de chanter»** (b. 24 × 29). Signé et daté de 16
Cette oeuvre de jeunesse de l'artiste va de pair avec la précédente.

2126 **«Concert rustique»** (b. 29 × 40). Daté et signé de 1638.

**OSTADE. Disciple.**

2124 **«Les cinq sens: La vue»** (b. 23 × 32).

2125 **«Les cinq sens: L'ouïe»** (b. 23 × 32). Cette planche est le pendant de
précédente et toutes 2 sont sans doute des copies d'originaux perdus
van Ostade, qui interprète le thème symbolique des cinq sens sous
forme de scènes de genre.

**PALAMEDE, Antoine Palamède.** Voir Christophe van der Lam
(Ecole flamande).

**PALTHE, Gérard Palthe** (Degenkamp, 1681-Deventer, v. 1750).

2127 **«Jeune homme en train de dessiner»** (b. 20 × 24). Signé. Sans être
toute 1ère qualité, ce tableau nous permet de nous faire une idée de
peinture hollandaise du XVIIIᵉ s., qui suit la tradition d'intimisme
d'éclairage artificiel de celle du XVIIᵉ.

**POELENBURGH, Cornelis van Poelenburgh** (Utrecht, 1586-1667).
l'école d'Utrecht. A étudié à Rome avec Breenbergh. Ce seront les 2 pl
grands paysagistes hollandais italianisants. Son coloris est fait de tonali
froides. Ses compositions comportent toujours des ruines classiques
des scènes mythologiques, évoquant l'Antiquité, à la façon des peintr
italiens. Maints imitateurs ont repris son style.

2129 **«Le bain de Diane»** (c. 44 × 56). Les figures sont très délicates. L
arbres se détachent sur un fond estompé et flou.

2130 **«Paysage avec des ruines»** (b. 42 × 56). Thème pastoral se rattachan
des scènes réelles de la campagne romaine.

**POTTER, Paulus Potter** (Enkhuijzen, 1625-Amsterdam, 1654).
l'école d'Amsterdam.

2131 **«Paysage avec deux vaches et une chèvre»** (b. 30 × 35). Signé et da
de 1652. Exemple d'un des genres les plus courants de la peinture holla
daise: le paysage peuplé d'animaux, où ceux-ci deviennent les vrais pro
gonistes de la scène, correspondant bien à la réalité de la campagne de
Hollande. Potter est le meilleur peintre animalier de son temps.

**REMBRANDT, Harmenszoon van Rijn, dit Rembrandt** (Leyd
1606-Amsterdam, 1669). Naquit au sein d'une famille paysanne. Meuni
son père tint à lui donner une éducation humaniste, afin que «grâce à
science, il puisse rendre de meilleurs services à sa ville et à son pays».
alla jusqu'à entrer à l'Université de Leyde, mais il révélait de si grand
aptitudes pour la peinture que son père décida de l'engager dans cet
voie. Ainsi entra-t-il dans l'atelier de Jacob van Swanenburg, peintre ob
cur, spécialisé en architectures et scènes infernales, qui ne dut guère la
ser d'empreinte chez son disciple. Celui-ci se rendit ensuite à Amsterda
chez Pieter Lastman, peintre du cercle des Caravagistes hollandais, qui
apprit le fameux clair-obscur, consistant en forts contrastes de lumières
d'ombres. Mais le jeune artiste ne tarda pas à travailler de façon indépe
dante. En 1632, il s'installa définitivement à Amsterdam. Son génie cré
teur, original et personnel avait de la peine à se plier au style d'autrui. D
ses 1ères années, il était complètement formé. C'est ainsi que virent
jour ses tableaux sur des thèmes bibliques, ses philosophes livrés à
réflexion et ses 1ers autoportraits; comme il vécut presque toute sa vi
dans le quartier de la communauté juive, il connaissait bien les rites et l

2132. Rembrandt. Artémise.

2131. Potter. Paysage avec deux vaches et une chèvre.

vêtements des Juifs, qui donnèrent à coup sûr un air exotique, voir
oriental, à maintes de ses oeuvres. Il se sentira attiré par les vieux, le
attitudes méditatives, les grandes chambres sombres, poussiéreuses et s
lencieuses, enveloppées dans une demi-pénombre mystérieuse, perce
parfois par un rayon de lumière dorée, qui inonde la scène en lui conféra
un caractère réel et spirituel à la fois. Par contre, il arrive que la lumiè
semble sortir des figures elles-mêmes, quasi incandescentes. D'abord m
nutieuse, sa technique devient ensuite de plus en plus énergique, à base d
gros coups de pinceau, laissant même pour finir les formes à moitié in
chevées. Le riche coloris aux tons chauds et dorés de sa 1ère époque fa
place peu à peu à des couleurs plus foncées, au fur et à mesure que s
déroule la tragédie de sa propre vie. A 28 ans, déjà riche, il avait épou
Saskia, fille d'un gros antiquaire d'Amsterdam, qu'il aima profondément
qui lui resta fidèle, mais mourut toute jeune, lui laissant son fils Titu
D'autre part, il fut un collectionneur si passionné d'oeuvres d'art, de b
joux et d'instruments musicaux que leur achat en arrivait à le ruiner, a
point qu'en 1656, au bord de la misère, il se vit obligé à vendre collectio
et maison et à se retirer dans l'un des quartiers les plus modestes d'Am
terdam. Depuis lors, vieilli, il vécut éloigné de ses amis et oublié par se
clients qui n'entendaient plus son art tout à fait personnel. La mort de so
fils en 1668 entraînera la sienne l'année suivante. Ainsi termina-t-il sa vi
incompris, solitaire et plongé dans la misère.

2132    «Artémise» (t. 142 × 153). Signé et daté de 1634. Unique toile de Rem
brandt que possède le Prado: c'est un des chefs-d'oeuvre de sa jeuness
peint l'année de son mariage, à l'époque la plus prospère et heureuse de
vie. On y a vu, soit Artémise, reine de Pergame, prête à boire la coup
contenant les cendres de son mari Mausole, soit Sophonisbe, reine d
Numidie, qui, de peur de tomber aux mains de Scipion l'Africain, v
s'empoisonner par fidélité à son mari prisonnier. C'est donc un hommage
l'amour et à la fidélité conjugale, dédié vraisemblablement à la femme d
Rembrandt, que certains ont voulu reconnaître dans le modèle. La grand
beauté de cette toile lui vient de la majesté monumentale de la figure, de
effets de lumière, du clair-obscur et de la mystérieuse pénombre du fon
où l'on aperçoit une vieille femme qui assiste impassible à la scène.

08 **«Autoportrait»** (t. 81 × 65). On considère que cette toile est une très bonne copie d'un original de Rembrandt conservé à Londres.
**REMBRANDT. Disciple.**

33 **«La jeune fille au cruchon»** (t. 95 × 71). Certains critiques ont estimé que ce disciple était étranger à l'école hollandaise.
**RUYSDAEL, Jacob van Ruysdael** (Haarlem, 1628/29-Amsterdam, 1682). Un des paysagistes hollandais les plus représentatifs et peut-être le plus classique de tous. Son coup de pinceau pâteux enrichit la surface de son tableau, les arbres et les villages lointains. Ses touches rapides et vibrantes parviennent à animer la nature, d'une manière inconnue jusqu'alors. Il sera imité en cela par les paysagistes anglais du XVIIIe s. Il se caractérise par les vastes espaces qui se prolongent à l'infini et par les tons verts foncés qui conviennent parfaitement bien à ses bois sombres, empreints parfois d'une note de mélancolie et de solitude profondes.

28 **«Forêt»** (b. 55 × 61). Nature dramatique.

29 **«Forêt»** (b. 61 × 61). Signé. Tableaux achetés par le roi Charles IV.
**RUYSDAEL. Disciple.**

60 **«Paysage»** (b. 40 × 65). Signé. Attribué jadis à Hobbema, mais la critique juge que la signature est apocryphe et que le style ressemble à celui des disciples de Jacob van Ruysdael.
**SCHALCKEN, Godfried Schalcken** (Made, 1643-La Haye, 1706). De l'école de La Haye. Portraitiste et peintre de genre, il s'est spécialisé en tableautins d'une finition exquise, qui plurent aux collectionneurs hollandais et se répandirent surtout au XVIIIe s. On en a conservé des scènes nocturnes, éclairées artificiellement et offrant de beaux contrastes de lumières.

35 **«Effet de lumière artificielle»** (t. 58 × 47). Signé. Portrait d'un homme à la lumière d'une bougie.

87 **«Jeune fille au chapeau à plumes»** (b. 18 × 15). Miniature parfaite.
**SCHOEFF, Johannes Pieterszoon Schoeff** (La Haye, 1608-Bergen, ap. 1666).

87 **«Scène de rivière»** (b. 49 × 76). Signé. Disciple de van Goyen, c'est un paysagiste de 2ème ordre. Sans être aussi brillant que son maître, il en imite à la lettre le style lumineux et aéré.
**SMITS, Theodoor Smits** (Dordrecht, v. 1635-v. 1707). De l'école de Dordrecht.

47 **«Nature morte»** (b. 26 × 35). A suivi la tradition hollandaise, mais ses tableaux sont de 2ème qualité. Aussi ne s'est-il guère acquis de renom.
**STEENWIJCK, Hendrik van Steenwijck le Jeune** (Amsterdam, v. 1580-Londres, 1649). Représentant de la peinture hollandaise d'édifices, d'intérieurs d'église ou de vues de villes. Ses scènes se caractérisent par la simplicité de leurs éléments et la profondeur forcée de leur perspective. Ce sont de petits tableaux peints avec virtuosité et minutie, se distinguant par la précision de leur dessin et la richesse de leur coloris.

38 **«Jésus dans la cour du grand prêtre»** (c. 41 × 50). Des effets d'éclairage artificiel rompent l'uniformité de la scène.

39 **«Le reniement de saint Pierre»** (c. 42 × 50). Cette scène, qui fait pendant à la précédente, est très belle en raison des effets de lumière, qui

2974. S. Koninck. Un philosophe.

2808. Rembrandt. Autoportrait.

mettent en valeur les éléments architectoniques, tout en laissant les gr（
pes de figures dans une mystérieuse pénombre.

**STEENWIJCK, Pieter van Steenwijck** (actif à Delft en plein XVII^e

2137 **«Emblème de la mort»** (b. 34 × 46). Signé. Type de vanité, selon le st（
sobre et raffiné, minutieux et virtuose de l'école de Leyde. La tête
mort, posée sur le livre, au centre, symbolise la vanité du savoir et de
science, tandis que les instruments de musique font allusion à la fuga（
des plaisirs de cette terre.

**STOMER, Matthias Stomer** (Amersfoort, v. 1600-Sicile, ap. 1650). （
ne sait pas grand-chose de sa vie, mais son style ressemble si fort à ce
d'Honthorst qu'il est possible qu'il se soit formé à Utrecht. En 1630, il
trouvait à Rome, où il se sentit attiré par l'art des disciples du Caravage
en adopta non seulement le naturalisme —auquel le portait déjà sa se
sibilité nordique, aimant le réel et le concret—, mais encore les forts contr
tes de lumières. Avec Honthorst et Terbrugghen, il a introduit le té（
brisme en Hollande.

127 **«La Charité romaine»** (t. 128 × 144). Attribuée avec hésitations à S（
mer, cette toile représente une scène courante dans l'iconographie （
lienne: le vieillard Cimon, nourri en prison par sa fille.

1963 **«Saint Thomas se montre incrédule»** (t. 125 × 99). Toile attribuée ja（
à Honthorst et à Terbrugghen, mais que la critique unanime restitu（
présent à Stomer, à cause des tons bruns et rougeâtres, des anatom
plates et des coups de pinceau énergiques laissant des traits larges et d（
Ce chef-d'oeuvre représente bien au Prado les Caravagistes hollanda（

**SWANEVELT, Herman van Swanevelt** (Woerden, v. 1600-Paris, 165
De l'école d'Utrecht. Avec Breenbergh et Poelenburgh, représent（
son époque le paysage idéalisé et classique d'origine italienne. Vécu
Rome chez Claude de Lorraine (voir Ecole française), si bien que son st
se caractérise aussi par sa composition centrée et ordonnée, sa préfére（
pour la lumière dorée du crépuscule et ses petites figures dispersées d（
la nature. Se fixa ensuite à Paris, d'où il se rendit souvent en Hollan
contribuant ainsi à y diffuser le paysage classique.

2063 **«Paysage avec sainte Rosalie de Palerme»** (t. 158 × 234). S'intére
aux effets dramatiques produits par les nuages orageux.

2064 **«Paysage avec saint Bruno»** (t. 158 × 232). Attribué jadis à Jan Both,
même que le précédent. Mais la critique actuelle le considère comme ét（
sûrement l'oeuvre de ce peintre. A noter le soin nordique apporté （
détails du petit jardin central.

2065 **«Paysage avec saint Benoît»** (t. 158 × 232). Appartient à la même sé
que les 2 toiles précédentes. Elles proviennent toutes du Palais du B（
Retiro à Madrid, pour lequel Philippe IV les avait commandées, en mê
temps que celles de Claude de Lorraine et de Poussin. Elles devai（
représenter de saints ermites au milieu d'un paysage.

2141 **«Paysage avec une rivière et des pêcheurs»** (t. 210 × 156). Au
commande de Philippe IV.

**UYTEWAEL.** Voir Wtewael.

**VLIEGER, Simon de Vlieger** (Rotterdam, 1601-Weeps, 1653). （
l'école de Rotterdam.

1581 **«Marine»** (b. 41 × 60). Représente bien les marines hollandaises, avec
grands espaces de mer ouverte et près de côtes aux rochers fantastiques
décoratifs. A un sens exquis de l'atmosphère et de la perspective aérienr

**VOLLENHOVEN, Herman van Vollenhoven** (actif à Utrecht pend（
la 1ère moitié du XVII^e s.).

2142 **«Oiseaux morts»** (b. 26 × 36). Signé et daté. Nature morte réaliste
minutieuse.

**WIERINGEN, Cornelis Claesz van Wieringen** (Haarlem, 1560-164（
De l'école d'Haarlem.

2143 **«Combat naval»** (b. 43 × 90). Signé. Peintre de marines et de comb（
navals. Son style minutieux, très proche du dessin, n'a pas encore le s（
de l'atmosphère qu'auront les artistes postérieurs.

**WILLAERTS, Adam Willaerts** (Anvers, 1577-Utrecht, 1639). De l'éc（
d'Utrecht.

1899 **«Marine»** (t. 83 × 125). Signé et daté de 1621. Il a la coutume d'int（
duire dans ses marines des éléments anecdotiques à son goût, en représe
tant le bord de la mer ou un quai où fourmillent des figurines animée

**WOUWERMAN, Philips Wouwerman** (Haarlem, 1619-1668). （
l'école d'Haarlem. Spécialisé en scènes de genre, batailles, parties （
chasse, écuries avec des soldats, etc., il a l'habitude d'y peindre toujo（

2151. Philips Wouwerman. Sortie d'une auberge.

des chevaux, avec un charme et un naturalisme exquis. Sa peinture fut
appréciée au XVIIIe s. que toute collection de quelque importance
Europe possédait plusieurs de ses toiles. Tel était le cas de celle de P
lippe V et d'Elisabeth Farnèse, dont les exemplaires sont aujourd'hui r
partis entre le Prado et les collections royales. Il est possible que
peintre ait été élève de Frans Hals à Haarlem. Mais il n'a pas tardé à
rendre à Rome, où il est demeuré pendant près de 10 ans. Il y entra
contact avec le groupe des disciples du Bamboche, qui peignaient la réali
immédiate et des scènes populaires. Son style est élégant. Ses fines touch
et sa palette délicate donnent l'impression que l'atmosphère est transp
rente dans ses paysages. Ceux-ci, dont les fonds sont remplis de brume
où les arbres sont disposés de façon très décorative, ont cette luminosi
propre aux peintres qui travaillaient à Rome, tels que Dughet ou Claud
de Lorraine.

2145 «**Départ d'un chasseur**» (b. 32 × 35). Signé.
2146 «**Les deux chevaux**» (b. 33 × 32). Signé. Suivant sa coutume, il lais
dans le haut du tableau un grand espace, qui accentue son atmosphè
2147 «**Départ pour une partie de chasse**» (t. 76 × 105).
2148 «**Chasse aux lièvres**» (t. 77 × 105). Signé. On peut penser que cette to
est le pendant de la précédente, vu l'identité de leurs dimensions et
leurs sujets. Dans les 2, l'horizon est très élevé et c'est d'en haut qu'
contemple la plaine où sont perdues des figurines aux couleurs vives.

1728. Van Ruysdael. Forêt.

2149 «**Scène de fauconnerie**» (t. 50 × 66). Même style que les 2 précédent
2150 «**Départ pour la chasse**» (t. 80 × 70). Signé. On y aperçoit une fontai
de Neptune, motif décoratif qui lui a été inspiré par son séjour en Itali
2151 «**Sortie d'une auberge**» (b. 37 × 47). Signé. Scène magnifique, où
vaste intérieur de l'écurie est représenté de façon détaillée et à laquelle
lumière, pénétrant par la porte ouverte, confère un grand réalisme.
2152 «**Halte à l'auberge**» (t. 61 × 73). Signé.
2154 «**Combat entre lanciers et fantassins**» (t. 60 × 71). Signé. Le genre d
batailles est non seulement fort répandu dans toute l'Europe, ravagée
XVIIe s. par des guerres continuelles, mais encore très apprécié par I
collectionneurs.
2748 «**Paysage avec un moulin à vent**» (b. 19 × 25). Fait par un peint
flamand du début du XVIIe s.

2087. Schoeff. Scène de rivière.

**WTEWAEL ou UYTEWAEL, Joachim Uytewael** (Utrecht, v. 1566-1638). De l'école d'Utrecht.

157  **«L'Adoration des bergers»** (b. 62 × 99). Signé et daté de 1625. Appartient à la génération des peintres du maniérisme hollandais. A vécu en Italie, surtout à Venise, à la fin du XVI<sup>e</sup> s. On remarque qu'il a été influencé par les peintres vénitiens, notamment par les Bassano. Ses figures sont allongées, nerveuses et en position instable, comme chez les maniéristes. Sa technique émaillée et brillante fait ressortir la vivacité des couleurs: jaune, rouge et vert foncé.

**ANONYMES HOLLANDAIS**

078  **«Louise-Henriette d'Orange-Nassau»** (t. 37 × 32). Fille de Fréderic-Henri de Nassau, qui a épousé Frédéric-Guillaume, Grand Electeur du Brandebourg.

160  **«Navires bravant la tempête»** (b. 37 × 56).

165 ⎱
166 ⎰  Voir C. van Huynen (Ecole flamande).

167  **«Jan van Oldenbarnevelt»** (b. 78 × 60). Voir Jacob Cuyp.

751  **«Paysage avec un berger et son troupeau»** (b. 20 × 25).

752  **«Paysage avec des bergers»** (b. 20 × 25). Va de pair avec l'antérieur.

1963. Stomer. Saint Thomas se montre incrédule.

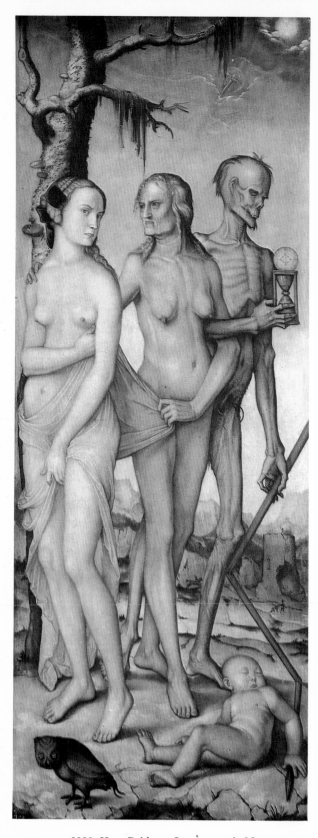

2220. Hans Baldung. Les Âges et la Mort.

2179. Albrecht Dürer. Autoportrait.

# ECOLE ALLEMANDE

La peinture allemande n'est guère représentée au Musée du Prado. En dépit d
liens étroits qui unissaient l'Espagne à l'Empire d'Allemagne au cours du XVIe
aucune oeuvre d'art germanique ne vint alors enrichir la collection royale. Il
possible que la sensibilité italianisante de Charles Quint et de Philippe II les
fait repousser l'art expressionniste et dramatique des artistes allemands, si éloi
de la beauté formelle et des thèmes mythologiques du classicisme méditerrané
Si le Prado possède aujourd'hui quelques grands tableaux du XVIe s., c'est gr
aux cadeaux reçus ou aux achats faits par Philippe IV au XVIIe s. Citons av
tout les 4 chefs-d'oeuvre d'Albrecht Dürer, grand peintre de la Renaissance, d
on peut ainsi connaître l'art et les idées esthétiques incomparables. La peinture
ses continuateurs, Baldung Grien et Cranach, illustre la tendance au maniéris
du milieu du XVIe s. Sous les élégances Renaissance, on y trouve un goût linéa
et fantastique, encore tout chargé d'allégories moralisantes relevant de l'art got
que. Hélas! d'autres grands maîtres, tels que Grünewald ou Altdorfer, ne figur
pas au Musée. On y trouve bien un portrait de vieillard par Holbein, d'une qua
exceptionnelle, mais la critique hésite à le lui attribuer.

Un petit cuivre d'Elsheimer, très typique de son style, est le seul échantillon de
peinture allemande du XVIIe s. que possède le Prado. Tout le domaine du ba
que est resté hors d'Espagne. Ce n'est qu'au XVIIIe s. qu'on y trouve un artiste
grande envergure: Anton Raphaël Mengs, qui a créé et diffusé les premières id
du néo-classicisme, chargées encore d'un certain relent rococo. Il fut le prem
peintre de Charles III, qui l'avait appelé à Madrid pour décorer les voûtes
Palais royal. Ses portraits et ses tableaux religieux sont bien représentés au Pra

2184.  Amberger. La femme de Jörg Zörer.

**AMBERGER, Christoph Amberger** (Augsbourg, 1500-1561/62).
2183  «L'orfèvre d'Augsbourg, Jörg Zörer» (b. 78 × 51). Voir n.º 2184.
2184  **«La femme de Jörg Zörer»** (b. 68 × 51). Cet excellent portraitiste a
faire ses études à Augsbourg avec Hans Burgkmair et connaître les p
traits de Holbein, à en juger par son réalisme saisissant. A la fin de sa v
il fut influencé par les artistes vénitiens, car Titien séjourna à Augsbou
Ces 2 portraits datent de v. 1530 et restent fidèles à la plus pure traditi
allemande. La netteté cristalline de la forme et le naturalisme des perso
nages sont accentués par le fond simulé en bois, qui produit un ef
surprenant de réalité.
**BALDUNG, Hans Baldung, dit Baldung Grien** (Gmünd, 1484/8
Strasbourg, 1545). Peintre et graveur, formé à Nüremberg dans l'a
lier de Dürer, il y eut connaissance des progrès de la Renaissance italien
concernant l'aménagement des scènes et la proportion des figures. A s
retour à Strasbourg, v. 1508, son style personnel devint non seuleme

plus audacieux et expressif, mais encore très dramatique. Il finit par acquérir une stylisation et un raffinement proches du maniérisme, qui envahissait l'art ces années-là, par suite de la crise politique, économique et religieuse en Europe.

2175. Cranach. Partie de chasse en l'honneur de Charles Quint.

219 **«L'Harmonie ou les trois Grâces»** (b. 151 × 61). Voir n.º 2220.
220 **«Les Ages et la Mort»** (b. 151 × 61). Ce tableau fait pendant au précédent. Il s'agit de ces thèmes moralisants si courants au Moyen Age, auxquels s'ajoutent à la Renaissance des éléments tirés de la mythologie. L'extrême délicatesse de ces 2 oeuvres, le canon allongé de leurs figures, ainsi que la finesse des détails et du coloris, les situent à un âge avancé de l'artiste. La 1ère, qui exalte la beauté féminine, nous charme par la morbidesse du nu, la joie des expressions variées, ainsi que la délicatesse des toilettes et des coiffures. Quel contraste avec le paysage desséché et dramatique de la 2ème, les gestes inquiets des 2 femmes et la figure horripilante de la Mort!
**CRANACH, Lucas Cranach, dit Cranach l'Ancien** (Kronach, 1472-Weimar, 1553). Sa peinture a suivi une évolution semblable à celle de Baldung Grien: depuis l'expressionnisme dramatique d'origine gothique, jusqu'à une élégance raffinée et abstraite, quelque peu fantaisiste et sen-

2176. Cranach. Partie de chasse au château de Torgau.

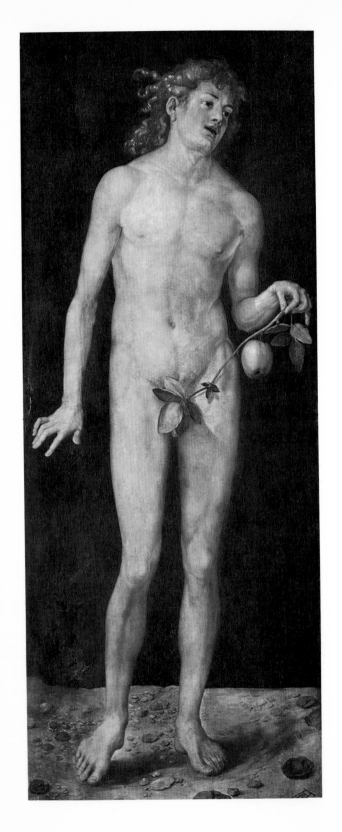

2177. Albrecht Dürer. Adam.

2178. Albrecht Dürer. Ève.

suelle, qui se rattache au maniérisme. Le paysage est très important che
lui. C'est qu'il entra en contact à Vienne avec l'école du Danube et e
devint un représentant. Pour ces paysagistes, la nature était un simple je
décoratif; sa complication et sa fantaisie revêtaient presque un caractè
magique. Ce peintre de la cour de Jean-Frédéric le sage, Electeur de Saxe
fut lié au monde protestant, car il était ami de Luther.

2175 **«Partie de chasse en l'honneur de Charles Quint au château de To**
**gau»** (b. 114 × 175). Signé et daté de 1544. Voir n.º 2176.

2176 **«Partie de chasse en l'honneur de Charles Quint au château de To**
**gau»** (b. 118 × 177). Ces 2 tableaux, qui se font pendants, représenter
diverses scènes de la même partie de chasse. Cranach le Jeune, fils d
peintre, a dû y collaborer. Le paysage occupe presque tout le fond de
composition, où sont décrits, avec beaucoup d'animation, de détails et d
coloris, différents épisodes de chasse au cerf, qui nous paraissent marqué
d'une pointe d'archaïsme ou de naïveté.

2180. Dürer. Portrait d'un inconnu.

**DÜRER, Albrecht Dürer** (Nüremberg, 1471-1528). C'est le 1er peintre
de la Renaissance en Allemagne. Il se forma dans l'atelier de son père qu
était orfèvre, puis chez Michel Wolgemut, artiste de tradition gothique
qui lui enseigna non seulement la peinture, mais encore la gravure. Dè
1494 il se rendit à Venise où il étudia à fond les nouveautés de la Renais
sance: la conception centrale de l'espace, l'harmonie mathématique de
compositions et la recherche de la beauté idéale. Après un 2ème séjour
Venise en 1505, il se mit à écrire un traité d'art savant sur les proportion
parfaites du corps humain et la perspective, qui connut une grande diffu
sion au XVIe s. parmi les artistes du Nord de l'Europe. Le caractèr
monumental des formes italiennes se manifeste dans sa peinture; les figu
res y acquièrent un volume plastique et une beauté équilibrée, que l
monde gothique ignorait. Mais il a gardé de celui-ci et de sa propre sens
bilité allemande le coloris brillant, le goût pour la minutie technique et l
représentation exacte du réel. Aussi peut-on dire que ses oeuvres sont de
sommets de l'histoire de la peinture universelle.

2177 **«Adam»** (b. 209 × 81). Signé du monogramme AD. Voir n.º 2178.
2178 **«Ève»** (b. 209 × 80). Signé et daté de 1507. Ces 2 tableaux, les plu
importants de Dürer, ont été donnés par la reine Christine de Suède au r
Philippe IV. Ces 2 premiers nus de taille naturelle dans la peinture d
Nord ont été peints en 1507, après son 2ème voyage à Venise. Le thèm

biblique n'est qu'un prétexte, lui permettant d'étudier les proportions du corps humain. Dans le canon allongé et les formes ondulantes de celui-ci, il y a des réminiscences du gothique, surtout pour *Ève*. Mais l'influence du monde classique méditerranéen y apparaît clairement dans l'intensité émotive des expressions et la plénitude grandiose des formes.

79 **«Autoportrait»** (b. 52 × 41). Signé et daté de 1498. Ce chef-d'oeuvre, réalisé à l'âge de 26 ans, nous révèle la nouvelle conception de l'artiste introduite par la Renaissance. Ce jeune homme hautain, élégant et sûr de lui, est loin du monde des artisans médiévaux. Dürer tient à se présenter comme un intellectuel raffiné et un homme de lettres, qui faisait partie des cercles les plus cultivés de son temps. Ses traits devaient révéler à ses contemporains le succès, le renom et la richesse que son art lui avait procurés. La technique de ce portrait, sa précision dans les détails et la force d'expression de son regard profond, sont magistrales. Il a été acheté par Philippe IV à la mort de Charles Ier, roi d'Angleterre.

80 **«Portrait d'un inconnu»** (b. 50 × 36). Signé et daté de 1524. Le peintre a su saisir toute l'énergie impérieuse qui émane de cette personnalité: il suffit d'en observer les mains tendues, les fines lèvres serrées et les sourcils froncés. L'éclairage intense et l'espace réduit augmentent encore sa force d'expression.

**ELSHEIMER, Adam Elsheimer** (Francfort-sur-le-Main, 1578-Rome, 1616). Se rendit très jeune à Venise, où il se sentait surtout attiré par l'art du Tintoret au coloris brillant et aux forts contrastes de lumière. Mais il se fixa définitivement à Rome v. 1610. Il y peignit de petits paysages, où il insérait parfois des scènes bibliques ou mythologiques. La nature ombragée y était enveloppée d'un certain mystère, auquel contribuaient l'éclairage nocturne, le clair de lune ou les foyers de lumière artificielle qui augmentaient les effets de contraste. Le petit format de ses cuivres facilita leur énorme diffusion, non seulement en Italie, mais dans toute l'Europe.

81 **«Cérès et Stellius»** (c. 30 × 25). Datant de v. 1608, ce petit cuivre fut gravé et reproduit plusieurs fois en couleurs. C'est une scène des *Métamorphoses* d'Ovide. En quête de sa fille Proserpine, la déesse Cérès arrive à la cabane d'une vieille et lui demande de l'eau; tandis qu'elle boit, le jeune Stellius se moque d'elle; fâchée, la déesse le transforme en lézard. L'éclairage nocturne et les arbres aux petites feuilles brillantes sont bien typiques de ce peintre.

2181. Elsheimer. Cérès et Stellius.

**FRANCFORT, Le Maître de Francfort** (actif de 1460 à 1515-20).
41 **«Sainte Catherine»** (b. 79 × 27). Voir n.° 1942.
42 **«Saint Barbe»** (b. 79 × 27). Ces 2 planches étaient les ailes d'un même triptyque. Elles sont l'oeuvre d'un artiste anonyme, qui travailla à Francfort

2182. Hans Holbein. Portrait de vieillard.

jusqu'en 1490 et fit parler de lui à Anvers dès 1491. Peintre éclectique, il imitait les formes et le coloris de peintres flamands, tels que van Orley ou van Cleve.

**HOLBEIN, Hans Holbein, dit le Jeune** (Augsbourg, 1497/8-Londres, 1543).

82 **«Portrait de vieillard»** (b. 62 × 47). Attribué avec des réserves. Certains y voient l'oeuvre de Joos van Cleve dans sa maturité. En tout cas, sa qualité exceptionnelle se manifeste aussi bien par la virtuosité avec laquelle sont traités les habits noirs que par la manière merveilleuse dont est rendue la psychologie du modèle au regard las et à la moue dédaigneuse. Il est très expressif et réaliste dans les détails, exécutés avec minutie, non seulement sur les tissus, mais encore sur le visage ridé et le nez déformé de ce vieux. Aussi relève-t-il bien du milieu allemand, plus incisif et pénétrant que le flamand.

**KAUFFMANN, Angélika Kauffmann** (Coire, Suisse, 1741-Rome, 1807). C'est un magnifique exemple de femme artiste! Elle reçut sa formation de son père, qui était peintre. En 1763, elle était à Rome, dans le milieu culturel du néo-classicisme, où elle rencontrait les principaux artistes et le théoricien Winckelmann. Sa peinture suivit les règles du retour au monde classique dans le style et les compositions. Après avoir passé quelques années en Angleterre, où ses oeuvres eurent un énorme succès, elle s'empressa de retourner en Italie pour toujours. On lui décerna les plus grands honneurs en la nommant membre fondateur de la *Royal Academy* à Londres et membre des Académies de peinture à Rome, Bologne, Florence et Venise.

73 **«Anna von Escher van Muralt»** (t. 110 × 86). Le modèle est présenté dans ce portrait avec élégance et distinction, à l'aide d'une riche gamme de couleurs. Suivant le goût de l'époque, on aperçoit des monuments classiques dans le paysage du fond.

**MECKENEN, Israhel van Meckenen** (Bocholt, v. 1450-1503).

85 **«Saint Jérôme»** (b. 53 × 70). Cet artiste est surtout connu en tant que graveur et il nous a laissé à ce titre un immense héritage. Dans ses peintures, comme dans ses gravures, il fait preuve d'une grande expressivité, il aime bien les lignes brisées et les plis enflés, de même qu'il se complaît dans les poses tordues et les physionomies un peu grotesques, voire caricaturales. On en trouve ici un exemple.

**MENGS, Anton Raphaël Mengs** (Aussig, Bohême, 1728-Rome, 1779). Il a joué un grand rôle dans la création et la diffusion du néo-classicisme. Son style franchira les frontières de son pays natal pour devenir universel. Fils d'un peintre de Dresde, il part tout jeune pour Rome, afin d'y étudier Michel-Ange et Raphaël. De retour à Dresde en 1746, il est nommé par Auguste III peintre de la cour de Saxe. Mais, attiré par Rome, il y retourne en 1748, en passant par Venise, Parme et Bologne, où il s'efforce de connaître à fond l'art de ces fameuses écoles, pour en tirer profit. En 1752, il est admis à l'Académie Saint-Luc de Rome, y fait la connaissance du théoricien allemand Winckelmann et y est en contact avec le groupe d'artistes qui recherchent des formes neuves. Depuis lors, sa peinture devient un manifeste du néo-classicisme et remportera un grand succès dans toute l'Europe. Nommé peintre de la cour par le roi Charles III, il résidera près de 10 ans à Madrid. Grâce à ses peintures (voûtes du Palais royal et portraits) et à ses fonctions de Directeur honoraire de l'Académie de San Fernando, il exercera une influence sur de jeunes artistes espagnoles, tels que Maella, Bayeu, Goya et Vicente López. Le Prado a conservé un grand nombre de ses portraits de cour, qui sont tous flatteurs. Les poses élégantes et recherchées des personnages frisent le maniérisme le plus outré. Mais heureusement, sa technique émaillée et brillante fait ressembler les chairs à de la porcelaine et représente avec un réalisme exquis et consommé les soies, les dentelles et les accessoires.

86 **«Marie-José de Lorraine, archiduchesse d'Autriche»** (t. 128 × 98). Fille de François Ier et de Marie-Thérèse d'Autriche, elle mourut à la veille de son mariage avec Ferdinand IV de Naples.

87 **«L'infant Antoine-Pascal de Bourbon»** (t. 84 × 68). Fils de Charles III et de Marie-Amélie de Saxe, né en 1755.

88 **«Charles IV, encore prince»** (t. 152 × 110). Ce sobre portrait s'inspire de Vélasquez, en insérant le prince comme chasseur dans un paysage.

89 **«Marie-Louise de Parme, princesse des Asturies»** (t. 152 × 110). Fille du duc de Parme, elle épousa Charles IV. C'est un des portraits les plus délicats et inspirés de Mengs, où il a peint avec beaucoup de virtuosité la

robe de la future reine d'Espagne et reproduit sur son visage toute
vivacité de sa jeunesse.

2190 **«Ferdinand IV, roi de Naples»** (t. 179 × 130). Signé et daté de 17
Fils de Charles III, il naquit à Naples en 1751 et fut roi des Deux Sici

2191 **«L'archiduc François d'Autriche, plus tard empereur»** (t. 144 × 9
Fils de Léopold et de Marie-Louise, petit-fils de Charles III, il fut em
reur d'Autriche en 1792 et beau-père de Napoléon.

2192 **«Les archiducs Ferdinand et Marie-Anne d'Autriche»** (t. 147 × 9
Enfants de Léopold et de Marie-Louise, petits-enfants de Charles III

2193 **«L'archiduchesse Thérèse d'Autriche»** (t. 144 × 105). Fille
Grands-ducs de Toscane, elle naquit en 1767 et devint reine de Saxe
son mariage avec Antoine-Clément de Saxe.

2194 **«Marie-Caroline de Lorraine, reine de Naples»** (t. 130 × 153). Fille
François Ier et de Marie-Thérèse d'Autriche, elle épousa Ferdinand IV,
de Charles III.

2195 **«L'infant Xavier de Bourbon»** (t. 82 × 69). Fils de Charles III.

2196 **«L'infant Gabriel de Bourbon»** (t. 82 × 69). Fils de Charles III.

2197 **«Autoportrait»** (b. 62 × 50). Son air simple et vif contraste avec ce
des portraits de cour.

2198 **«Léopold de Lorraine, Grand-duc de Toscane, plus tard empereur»**
95 × 72). Fils de l'impératrice Marie-Thérèse d'Autriche, il fut Grand-d
de Toscane et empereur d'Autriche.

2199 **«Marie-Louise de Bourbon, Grande-duchesse de Toscane, plus ta
impératrice»** (t. 116 × 107). Fille de Charles III et femme de Léopold
Lorraine.

2200 **«Charles III»** (t. 154 × 110). On conserve beaucoup de copies de
portrait officiel et conventionnel du roi, où l'on trouve encore des ora
du style baroque grandiloquent.

2201 **«La reine Marie-Amélie de Saxe»** (t. 154 × 110). Femme de Charles I
elle était déjà morte, lorsque Mengs arriva en Espagne. Aussi ce dern
aura-t-il peint, d'après une miniature, ce très beau portrait, qui se disting
par ses couleurs et ses draperies.

2202 **«Un Apôtre»** (t. 63 × 50). Voir n.º 2203.

2203 **«Un Apôtre»** (t. 63 × 50). Ce sont 2 études pour l'*Ascension* de Dres
qui fut achevée à Madrid en 1769. La technique en est douce et t
légère.

2204 **«L'adoration des bergers»** (b. 258 × 191). Ce chef-d'oeuvre, pein
Rome en 1770, suit la tradition italienne, lancée par le Corrège, des ado
tions nocturnes comportant de forts contrastes de lumières. Les anges
ciel sont aussi clairement inspirés par le Corrège.

2205 **«La pénitente Marie-Madeleine»** (t. 110 × 89). La composition de ce
toile, inspirée par le sentiment religieux, est sereine et ordonnée.

2206 **«Saint Pierre prêchant»** (t. 134 × 98). Composition sobre et sereine,
ressort le splendide réalisme de l'apôtre.

2568 **«Marie-Louise de Parme»** (t. 48 × 38). Cette étude inachevée, pour
portrait conservé au Metropolitan Museum de New-York, donne l'impr
sion que le modèle est d'une spontanéité très vive.

**ROOS, Philipp Peter Roos, dit «Rose de Tivoli»** (Francfort, 165
Rome, 1705). Etabli à Rome, s'est consacré à la peinture de genre. Da
ses paysages très réalistes, il introduit des scènes populaires de bergers
de troupeaux, où les animaux occupent presque tout le tableau.

2208 **«Un berger avec son troupeau»** (t. 94 × 130).

2211 **«Une bergère avec des chèvres et des brebis»** (t. 196 × 290). Il a u
technique vigoureuse et très décorative. Il aime bien les effets de lumiè
et d'atmosphère.

**VOLLARDT, Jan Christian Vollaert ou Vollardt** (Leipzig, 170
Dresde, 1769). Il connaît bien la peinture italienne et s'inspire d'artist
du XVII⁰ s., tels que Dughet. Ses paysages sont très délicats et décorati
Comme il a un sens développé de l'espace et de la lumière, ses horizo
sont vastes et bien éclairés.

2820 **«Paysage»** (t. 38 × 51). Signé et daté de 1758.

2821 **«Paysage»** (t. 38 × 51). Signé et daté de 1758. Fait pendant au précéde
**WERTINGER, Hans Wertinger** (?-Landshut, 1533).

2216 **«Frédéric III, empereur d'Allemagne»** (b. 47 × 32). Duc d'Autrich
né en 1415, il fut empereur dès 1440. C'était le père de l'empere
Maximilien Ier. Peintre de 2ème ordre, Wertinger se consacra à la décor
tion du verre et à la miniature. C'est la technique de celle-ci qu'il a e
ployé pour ce portrait, minutieux dans les détails.

2189. Anton Raphaël Mengs. Marie-Louise de Parme, princesse des Asturies.

2473. Kauffmann. Anna von Escher van Muralt.

## ANONYMES ALLEMANDS

2037 **«Un inconnu»** (t. 51 × 42). Toile du XVIIIᵉ s., dont l'attribution e
incertaine. Certains y voient l'oeuvre d'un artiste allemand, contemporai
de Mengs.

2276 **«L'impératrice Elisabeth-Christine de Brunswick»** (t. 96 × 76). Fil
de Louis-Rodolphe de Blackenburg, elle épousa l'Archiduc Charles, q
fut empereur d'Autriche.

2705 **«Charles Quint»** (b. 97 diam.). L'empereur y a environ 30 ans.

2790 **«Autoportrait»** (t. 80 × 64). Du XVIIIᵉ s.

2200. Mengs. Charles III.      2201. Mengs. La reine Marie-Améli

2204. Mengs. L'adoration des bergers.

# ECOLE ANGLAISE

Les motifs politiques qui expliquent le petit nombre de peintures hollandaises e
françaises qu'on trouve au Prado, valent également pour l'école anglaise. L'Es
pagne et l'Angleterre, ennemies dès le XVIe s. à cause de la Réforme, ont pro
longé leurs hostilités jusqu'à la fin du XVIIIe s. Voilà pourquoi il n'y a jamais e
d'oeuvres anglaises dans les collections royales. Toutefois, le Musée possède
présent une petite représentation de la peinture anglaise du XVIIIe s. et du débu
du XIXe. Les grands paysagistes et les peintures satiriques de Hogarth y for
défaut. Mais on y trouve de bons échantillons des portraits de cette époqu
brillante de l'histoire anglaise, qui sont d'acquisition récente. Aujourd'hui, a
Prado, on peut admirer Gainsborough, Reynolds, Romney et Lawrence; les oeu
vres qui y sont exposées ne sont pas de premier ordre, mais permettent au moin
d'apprécier le style aristocratique et élégant, ainsi que la technique rapide e
brillante des maîtres anglais.

**GAINSBOROUGH, Thomas Gainsborough** (Sudbury, Suffolk, 1727
Londres, 1788). Un des représentants les plus remarquables de la pein
ture anglaise du XVIIIe s. Fut surtout paysagiste et portraitiste. Se forma
Londres, où il put étudier les écoles européennes de peinture, les paysage
flamands et hollandais, ainsi que les portraits de van Dyck. C'est le style d
celui-ci qui exercera sur lui une influence décisive pour l'exécution de se
nombreux portraits, élégants et raffinés, de la bourgeoisie anglaise. Se
personnages, dépourvus de tout sentiment, peut-être un peu distants e
sûrs d'eux-mêmes, n'en perdent pas pour autant leur vivacité et leur natura
lisme. Sa technique légère et transparente met en valeur les chatoiement
des étoffes d'une façon délicate et en variant les nuances.

2979   «Le docteur Isaac-Henri Sequeira» (t. 127 × 102). Ce Portugais, d'or
gine juive, fut le médecin du peintre.

2990   «Mr. Robert Butcher of Walttamstan» (t. 75 × 62). Portrait très simple
**HOPPNER, John Hoppner** (Whitechapel, 1758-Londres, 1810). L'oeu
vre de ce paysagiste et portraitiste s'inspire de Reynolds, tout en étan
bien sûr, de moindre qualité. Sa technique est légère et son tableau e
parfois simplement brossé, ce qui donne sans aucun doute à celui-ci de l
vivacité et du mouvement.

2474   «Dame inconnue» (b. 64 × 55). Les repeints y sont nombreux.

3040   «Mr. Thornton» (t. 61 × 74). L'air mélancolique du modèle et la techn
que de pochade à longues touches, laissant les formes inachevées, so
bien caractéristiques du peintre.

**LAWRENCE, Sir Thomas Lawrence** (Bristol, 1769-Londres, 1830
Peintre de cour du roi Georges Ier après Reynolds, dont il a imité le sty
grandiose. Grand maître du portrait anglais à la fin du XVIIIe s. et a
début du XIXe. Le portrait de cour l'oblige à adopter un style plus l
xueux et décoratif que les peintres qui travaillaient pour la bourgeoisi
Cependant, malgré sa rhétorique poussée à l'extrême, en dépit des attit
des étudiées et très élégantes de ses modèles, il ne perd jamais de vue l
caractère plus intime, qu'il saisit avec une maîtrise incontestable dans s
meilleures oeuvres.

3001   **«John Vane, Xème Comte de Westmoreland»** (t. 247 × 147). A vo
l'air hautain et élégant de cette figure, il est clair qu'il s'inspire de va
Dyck. Il déploie toute sa sage technique pour peindre les draperies l
xueuses avec des touches brillantes et légères. On découvre ici des él
ments très modernes dans le paysage du fond aux traits défaits ou dans
tête magistrale du Comte.

2979. Thomas Gainsborough. Le docteur Isaac-Henri Sequeira.

2990. Gainsborough. Mr. Robert Butcher.     3012. Lawrence. Miss Marthe Ca

3011 **«Dame de la famille Storer»** (t. 240 × 148). Portrait plus sobre que
précédent. Cette dame est présentée dans une ambiance tranquille avec
paysage dans le fond. Une fois de plus, Lawrence fait montre de sa tech
que délicate pour les draperies et de la sensibilité de son coloris.

3012 **«Miss Marthe Carr»** t. 76 × 64). Merveilleux portrait, spontané et
time, qui capte avec finesse le geste de la demoiselle qui change de p
ture. La technique est carrément moderne: il suffit de regarder le paysa
ou les soies transparentes de la robe blanche.

**OPIE, John Opie** (Cornouailles, 1761-Londres, 1807).

3084 **«Portrait d'un chevalier»** (t. 100 × 90). Psychologie fort étudiée.

**RAEBURN, Sir Henry Raeburn** (Stockbridge, 1756-Edimbourg, 182:

3116 **«Portrait de Mrs. Mac Lean of Kinlochaline»** (t. 75 × 63). On a s
nommé Raeburn «le Reynolds écossais». Ici, il est clair qu'il en déper
Oeuvre admirable, très énergique dans ses longues touches qui laisse
transparaître la toile et dans la saisie de la personnalité de cette dan
hautaine et volontaire.

**REYNOLDS, Sir Joshua Reynolds** (Plympton, 1723-Londres, 179.
Avec Gainsborough, un des plus grands portraitistes de l'école anglaise
XVIIIe s. Eut l'occasion de connaître les grands peintres italiens, lors
son voyage en Italie en 1750/52. Il y admira le coloris vénitien et
classicisme de l'école romaine. De retour à Londres, il y devint le pein
de l'aristocratie et de la haute bourgeoisie, créant un type de portr
grandiose, où les personnages sont parfois représentés sous des symbo
de la mythologie ou de la religion. Dans les portraits plus intimes,
s'inspire nettement des modèles de van Dyck, qui n'ont pas manq

2986. Lawrence. Portrait de Mr. James Bourdieu.

d'influencer tous les portraits anglais, mais aussi des exemples plus sobres de Rembrandt ou de Frans Hals.

2858 **«Portrait d'un ecclésiastique»** (t. 77 × 64). Genre de portrait simple, où l'artiste ne s'intéresse qu'au visage du modèle, qui reflète ici toute la subtilité de son esprit, tandis que le reste demeure dans l'ombre.

2986 **«Portrait de Mr. James Bourdieu»** (t. 121 × 61). Daté de 1765. Oeuvre modérée et sobre, typique de Reynolds dans ce genre. Rappelle clairement van Dyck et, peut-être aussi de loin, les maîtres vénitiens pour son coloris et sa technique.

**RIGAUD, John Francis Rigaud** (Turin, 1742-Packington Hall, 1807).

2598 **«Les trois voyageurs aériens favoris»** (c. 36 × 31, ovale). C'est presque une peinture de genre, qui évoque avec naïveté et minutie l'ascension en ballon, en 1785, de l'Italien Vicente Lunardi et des Anglais Mr. George Biffin et Mrs. Laetitia Ann Suge, 1ère femme anglaise à y monter.

2853. Roberts. La tour de l'Or.

2852. Roberts. Le château d'Alcalá de Guadaira.

**ROBERTS, David Roberts** (Edimbourg, 1796-Londres, 1864).

2852 **«Le château d'Alcalá de Guadaira»** (t. 40 × 48). Voir n.º 2853.

2853 **«La tour de l'Or»** (t. 39 × 48). Signé et daté de 1833. Tout en étant secondaires, ces toiles sont représentatives de l'artiste, qui voyagea en Espagne de 1833 à 1836. Il y fixa sur ses aquarelles, lithographies et toiles divers aspects de ses paysages et de ses villes, avec un sentiment exotique et romantique, qui contribua à répandre en Europe cette conception de l'Espagne.

**ROMNEY, George Romney** (Dalton in Furness, 1734-Kendal, 1802). Portraitiste anglais, formé dans la tradition de son pays, élégante et aristocratique, il fait usage du nouveau style néo-classique, qu'il eut l'occasion de connaître à Paris en 1764, puis à Rome de 1773 à 1775.

2584 **«Un chevalier anglais»** (t. 76 × 64). Portrait sobre et élégant, qui n'est pas de toute 1ère qualité.

3013 **«Portrait de Master Ward»** (t. 126 × 102). Très beau, selon le sty‹
simple de Gainsborough, insérant l'enfant dans la cadre d'un paysage dé‹
cat. Il faut admirer le naturalisme du modèle, dans sa pose indolente, ‹
chien assis à ses pieds, à un moment où il s'est arrêté de jouer.

**SHEE, Sir Martin Archer Shee** (Dublin, 1769-Brighton, 1850).

3000 **«Mr. Storer»** (t. 239 × 148). Voir n.º 3014.

3014 **«Anthony Gilbert Storer Esq.»** (t. 240 × 148). Signé et daté de 181‹
Fait pendant au précédent. Ces portraits sobres et élégants du début d‹
XIX<sup>e</sup> s. montrent les personnages dans leur milieu. Celui-ci est sans dout
le plus typique: le chevalier feuillette une farde remplie de gravures.

**ANONYMES ANGLAIS**

2407 **«Charles II d'Angleterre»** (t. 105 × 86). Né en 1630, fut roi d'Angl‹
terre de 1660 a 1685.

2410 **«Jacques II d'Angleterre»** (t. 105 × 86). Fils de Charles I<sup>er</sup>, né en 163
qui devint roi d'Angleterre en 1685, mais fut détrôné en 1688.

2550 **«Ferdinand VII»** (t. 80 × 74). Attribué jadis à un peintre espagnol ‹
Cadix, est considéré maintenant comme l'oeuvre d'un anonyme anglai

2879 **«Le I<sup>er</sup> Comte de Vilches»** (t. 75 × 64). D'un disciple de Lawrenc‹

2858. Sir Joshua Reynolds. Portrait d'un ecclésiastique.

# SCULPTURE

Le Musée du Prado possède une riche collection de sculptures, composée de p[lus]
de 500 pièces, dont certaines sont de 1ère qualité, tout en offrant un grand inté[rêt]
historique et artistique. La plupart ont été achetées par les rois d'Espagne dep[uis]
le XVIe s. Mais il y en a d'autres qui avaient jadis été reçues en cadeau par [les]
souverains, qui ont fait l'objet de donations plus récentes au Musée ou ont é[té]
achetées ces dernières années. Suivant l'ordre chronologique, il y a au Pra[do]
plusieurs sculptures antérieures à l'époque classique. La plus intéressante est pe[ut-]
être une tête du *Roi Goudéa* de Sumer, qu'on date environ de 2300 av. J.-C. ([n.o]
45). Mais l'on n'estime pas moins un *Faucon* égyptien en basalte, dont les ye[ux]
sont incrustés d'agates et qui remonte à peu près à 350 av. J.-C., lors de la pério[de]
saïte.

Certaines des sculptures classiques proviennent de la collection qu'avait Philip[pe]
II à l'Alcázar de Madrid. Celle-ci comptait surtout des bustes d'empereurs r[o-]
mains ou des portraits d'inconnus, qui décoraient d'ordinaire les palais de [la]
Renaissance et dont un grand nombre étaient des copies d'anciens originaux fai[ts]
au XVIe s. Nous sommes sûrs que la *Vénus de Madrid* (n.o 44) et la *Vénus [au]
coquillage* (n.o 86), trouvées à Sagonte, appartenaient à Philippe II. La 1ère est [la]
plus belle: sous les plis très fins de sa robe, nous retrouvons le prototype de [la]
Vénus de Capoue, oeuvre romaine qui s'inspire d'un original de Lysippe, le scu[lp-]
teur grec auquel se rattachait aussi la célèbre Vénus de Milo.

y a qu'une sculpture ancienne remontant à l'époque de Philippe IV: *L'apo-
se de Claudius* (n.º 225). Elle lui avait été offerte par le Card. Ascanio Colonna,
de temps après qu'on l'eut découverte dans les fouilles de la voie Appienne à
me. Un aigle aux ailes étendues tient dans ses serres le foudre de Jupiter et
te sur son dos le buste de l'empereur Claudius (copie de l'original perdu). La
hnique est intéressante ici, car grâce au trépan, qui permet de forer le marbre
profondeur, on obtient des effets expressifs de clair-obscur.

Antinoo.

s sculptures classiques qui forment le plus gros groupe sont celles que Philippe
et Elisabeth Farnèse achetèrent en 1724 aux héritiers du prince Livio Odes-
chi, dont la collection, l'une des plus fameuses de Rome, avait appartenu à la
ne Christine de Suède, qui l'avait réunie à Rome. Après avoir décoré le Palais
La Granja, elles sont entrées au Prado en 1839. A côté d'elles, on exposa celles
ertes à Charles IV par Nicolas de Azara, ambassadeur d'Espagne à Rome, qui
it fait des fouilles à Tivoli en 1779. Parmi les sculptures qui méritent de retenir
tention, relevons une très belle *Tête en bronze* (n.º 99), fragment d'une statue
lossale, qui représenterait Alexandre le Grand; c'est un original hellénistique du
e s. av. J.-C.; une grande force émane du modelé de son visage et de ses
veux. C'est de la période hellénistique que date aussi *L'enfant en train de courir*
º 165), en bronze, vif et délicat, qui imite déjà au IIIe s. le prototype de
*Hypnos* de Praxitèle, dont il y a une copie au Prado (n.º 89), mais qui repose sur
e seule jambe pour chercher à être plus élégant. De même, le *Groupe de Saint*
*Ildephonse* (n.º 28) est une oeuvre hellénistique du Ier s., mais son interprétation
vère difficile. Certains ont voulu voir dans ces jeunes gens les jumeaux Castor
Pollux; d'autres, les héros grecs Oreste et Pylade. L'ensemble, très classique,
t éclectique dans son inspiration, car il réunit un modèle de Polyclète (à droi-
avec un modèle de Praxitèle (à gauche), plus stylisé et ondulant, auquel on
apta plus tard une tête d'Antinoo, favori de l'empereur Hadrien, dont on re-
nnaît bien les traits si on le compare dans le Musée à ceux du colossal *Buste*
*Antinoo* (n.º 60). Le *Faune du cabri* (n.º 29) est une excellente copie romaine
un bronze du IIIe s. av. J.-C.; on a toujours fait ressortir l'expression pathétique
son visage et la sensation de mouvement de son corps. Une petite *Athéna*
*rthénos* (n.º 47) est une copie de la statue que Phidias fit en ivoire et or pour le
rthénon d'Athènes; elle nous permet d'étudier l'ancien modèle perdu, tout en
mirant la beauté monumentale d'une des fameuses oeuvres du plus grand sculp-
ur grec. Le *Diadumène* (n.º 88) illustre le style de Polyclète, autre sculpteur grec
siècle d'or, témoignant de la sérénité et de l'harmonie qui le caractérisaient; la
pie du Prado est la meilleure de l'original en bronze perdu. La *Vénus au dau-*
*in* (n.º 31) est une autre pièce capitale de la collection: du type de la «Vénus
dique» dont les bras cachent le nu, c'est une variante des Vénus qu'on a
nservées à Rome et à Florence. On peut encore citer les séries des *Muses* et des

99. Tête de bronze.

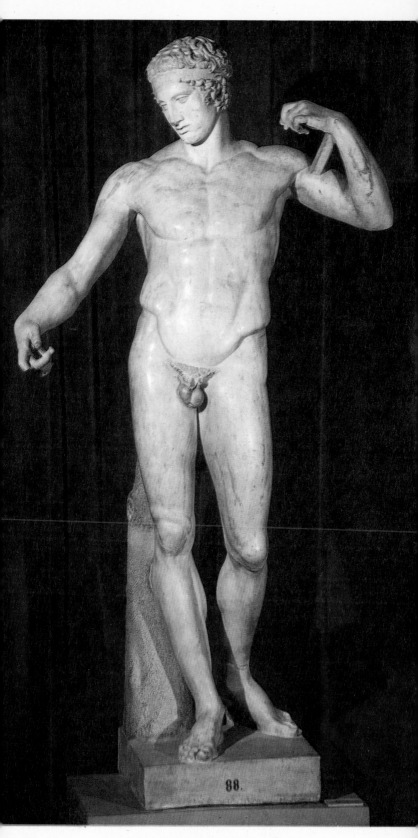

88. Style de Polyclète. Le Diadumène.

Un jeune homme nu.

Apollon.

*Bacchantes,* prototypes qui ont inspiré plus tard les artistes de la Renaissance et d
Baroque. Enfin, *Ariane endormie* (n.º 167) est une des plus belles sculptures d
Musée pour la sveltesse et le naturalisme de son corps allongé, qui transparaît
travers sa fine robe. Toutefois, il y a encore lieu de signaler plusieurs marbres: u
*Satyre au repos* (n.º 30), restauré au XVIᵉ s. par Bernini; une *Figure de dai
romaine* (n.º 67), plus grande que nature, élégante dans son habillement et s
gestes; un *Auguste en sa qualité de prêtre,* la tête couverte par sa toge, offrant u
sacrifice aux dieux (n.º 170); une statue colossale de *Jupiter* (n.º 5); une *Vén
agenouillée* (n.º 33), souvent reproduite depuis l'antiquité. Parmi les portraits et l
bustes romains, il vaut la peine de faire ressortir ceux d'*Auguste* (n.º 119), d
*Sabine* (n.º 210), de *Marc-Aurèle* (n.º 213), de *Juba de Maurétanie* (n.º 358), d'u
*Dame romaine* (n.º 117) et d'*Aristogiton* (n.º 78).

Il y a un groupe de bronzes dont la plupart furent ramenés d'Italie par Vélasqu
ou achetés par Philippe IV. Ce sont des oeuvres de la Renaissance, copiant d
sculptures célèbres de l'antiquité classique ou s'en inspirant. Les meilleurs exe
plaires en sont le *Tireur d'épine* (n.º 163), la *Vénus* (n.º 171) attribuée au sculpte
florentin Bartolomeo Ammannati et l'*Hermaphrodite* (n.º 223) ayant, dit-on, se
de modèle à la *Vénus au miroir* de Vélasquez, qui se trouve aujourd'hui à
National Gallery à Londres.

Il y a une autre série de bronzes et de marbres de la Renaissance qui forment u
groupe homogène. Ce sont des portraits de la famille de l'empereur Charl
Quint, exécutés par Leone Leoni (1509-1590) et son fils Pompeo Leoni (153
1608), sculpteurs de la Cour impériale. Leur style dépend de Michel-Ange, m
leur travail minitieux trahit leur formation d'orfèvres. Relevons le *Buste de l'emp
reur Charles Quint* (n.º 271); la statue grandeur nature de l'*Impératrice Isabelle* (i
260), aux vêtements très décoratifs; la reine de Hongrie, *Marie d'Autriche* (i
263), habillée de façon très sévère; enfin, l'oeuvre la plus intéressante, intitul
*L'empereur Charles Quint et la Fureur,* nous montre celui-ci debout, domina
majestueux et serein la fureur de l'hérésie, qui se tord à ses pieds sous la for
d'une homme tout nu. L'armure romaine que porte Charles Quint est démonté
découvrant son corps dans la pose héroïque des empereurs romains.

Enfin, le Musée contient plusieurs sculptures romaines et gothiques, parmi le
quelles nous ferons ressortir 2 *Vierges à l'Enfant,* qui décorent la chapelle d
fresques de Santa Cruz de Maderuelo, une autre *Vierge à l'Enfant,* de l'éco
flamande du gothique tardif, et un *Christ en croix* de l'école castillane, encore q
les plus intéressantes soient sans nul doute les 2 figures d'*Epiméthée et Pando
attribuées au Greco. Celles-ci présentent les formes allongées caractérisant s
personnages et sont le seul témoignage qui nous soit parvenu de son travail d
sculpteur. Il y a encore plusieurs statues équestres de rois en bronze, datant de
fin du XVIIᵉ et du début du XVIIIᵉ s. Retenons celles de Charles II par Giovan
Battista Foggini (1652-1725) et de Louis XIV par François Girardon (1628-171

Groupe de Saint Ildephonse.

# JOYAUX DU DAUPHIN. MONNAIES ET MEDAILLES. ARTS DECORATIFS

Le visiteur qui se promène à travers les salles du Musée du Prado y rencontre u série d'oeuvres qui relèvent des arts mineurs ou décoratifs et dont la beau comme l'originalité peuvent susciter son intérêt; joyaux, pièces de cristal d'orfèvrerie, monnaies et médailles, meubles, tapisseries, armures et porcelaine

Le Prado possède aussi une collection extrêmement intéressante, dénomm «Joyaux du Dauphin», dont les pièces comptent parmi les meilleurs modèles monde en leur genre. Ces bijoux, coupes taillées et autres récipients en méta précieux sont exceptionnels et d'une valeur artistique incalculable. Ils nous pe mettent de prendre connaissance de cet aspect «industriel» de la Renaissance du Baroque. Les «Joyaux du Dauphin», comme on les appelle dans les inventair royaux, proviennent du Palais de La Granja. Ils appartenaient à Philippe V Bourbon, qui avait hérité une partie de la collection de son père, le Gra Dauphin de France, mort en 1712 (l'autre partie est aujourd'hui conservée Louvre, car ses descendants français en ont hérité). Le roi éclairé, Charles III, l déposa en 1776 au Muséum d'Histoire Naturelle. Les Français les envoyèrent Paris en 1813 avec bien d'autres oeuvres d'art réquisitionnées pendant l'occup tion. Mais heureusement, elles revinrent en Espagne en 1815. Toutefois, pièces s'étaient perdues en route et quelques autres arrivèrent abîmées. Les m heurs de cette magnifique collection n'en restèrent pas là: 11 pièces en fure volées des vitrines du Prado en 1918 et près de 35 mutilées. Mais, malgré tou les «Joyaux du Dauphin» gardent toute leur valeur. On y distingue 2 groupes: l coupes en pierres dures et celles en cristal de roche. Elles sont toutes incrusté de garnitures d'orfèvrerie, richement travaillées et ornées. Emaux et pierres p cieuses, camées et motifs végétaux y alternent sur l'or. Agates, jaspes, lapis turquoises furent utilisés pour les récipients, après avoir été sélectionnés avec so pour la beauté de leur couleur et de leurs veines. Sur les verres en cristal roche, exécutés sans nul doute par des artistes milanais du XVIe s., sont taillé délicatement des scènes et des décorations végétales. Les camées sertis dans c pièces sont de style renaissance et peut-être originaires de Milan. On y voit scènes mythologiques et des protraits, où l'on distingue les traits de François Ier d'Henri IV, ainsi que de Richelieu. Aussi viennent-ils bien de la Maison royale France. Certaines pièces remarquables méritent qu'on fasse ressortir leurs pro ges de beauté, harmonie, perfection ou richesse: *Les coffrets des camées* (num. 31 32); *La salière en onyx, supportée par une sirène en or* (n.º 1); *Les oublies en agate a des dragons* (num. 3, 6 et 19); *Le brûle-parfum en agate avec des camées* (n.º 34); *dindon en cristal de roche* (n.º 110); *Le bateau de la tortue* (n.º 78); et *La coupe de chasse à courre* (n.º 79).

Les monnaies et les médailles entrèrent au Prado en 1915, suite au legs de Pab Bosch. Il y a là 146 pièces de monnaie espagnoles et 852 médailles d'Italie 'autres pays. Parmi ces dernières, relevons celles de Matteo de Pasti, du XVe s., vec les effigies de *Sigismond Malatesta* et d'*Alphonse V d'Aragon*. Citons celles aites au XVIe s. par le sculpteur Leone Leoni pour Charles Quint et Philippe II.

**Salière en onyx, supportée par une sirène en or.**

y a aussi des médailles françaises: certaines du XVIe s. de Matteo de Nassaro, vec les effigies de François Ier et d'Henri II; des exemplaires de fameux médail-urs du XVIIe s., tels que Guillaume Dupré et Jan Roettiers. Les médailles lemandes les plus intéressantes sont celles de Hernán Cortés, d'Anne de Hon-rie et de Charles-Quint, attribuées à Hagenauer. Retenons, parmi les médailles nglaises, celles de John Croker, avec les batailles navales de la reine Anne. Il y a ussi des médailles espagnoles du XVIIIe s., par exemple de Tomás Prieto et de rónimo Antonio Gil, qui ont travaillé pour Charles III et Charles IV.

ans le domaine des arts décoratifs ressortent quelques pièces de mobilier. Les lus belles sont peut-être les tables en marbre, incrustées de pierres dures, qui ont réparties dans les salles et galeries du Musée. Certaines sont d'origine ita-enne, celles des XVIe et XVIIe s. viennent de Naples et celles du XVIIIe s. ont é faites en Espagne à la Fabrique du Buen Retiro. Il y a aussi d'autres meubles, omme le *cassone*, grand coffre de noces de la renaissance italienne, en bois travail-et doré, qui se trouve dans la salle des peintres italiens du XVIe s. Les *lasseurs*, du legs de Fernández Durán, sont des secrétaires à tiroirs, décorés de aques en ivoire, en ébène ou en argent. C'est du même legs que proviennent les nciennes pièces de céramique de Talavera, la porcelaine de Sèvres et les verres e La Granja, les armures espagnoles des XVIe et XVIIe s., quelques armes et nfin les tapisseries. Parmi ces dernières, retenons les 2 flamandes de Geraert eemans, de 1630 environ, sur *La victoire et le triomphe de Titus,* ainsi que celles e Willem Pannemaker de Bruxelles, qui firent partie d'une série consacrée aux *istoires de Mercure.*

**Console italienne.**

# DESSINS

Le Musée du Prado possède une riche collection de près de 4.000 dessins, qu
l'on montre parfois dans ses salles à l'occasion de courtes expositions monogr
phiques. Ils proviennent de 2 sources importantes: la collection royale, qui a form
le noyau primitif des dessins du Musée; le legs de Fernández Durán, qui en 19:
a enrichi ce dernier de 3.000 exemplaires. Beaucoup d'artistes y sont représenté
mais ceux de l'école espagnole y sont particulièrement nombreux, si bien qu'il e
permis d'étudier l'évolution historique du style du dessin espagnol depuis le X`
s. Il y a d'alors un très beau projet architectonique, dessiné par Juan Guas, po
l'église de San Juan de los Reyes à Tolède. Le XVIe s. est représenté par d
dessins de Becerra, Navarrete, Carducho et Caxés. Il y a des peintres importan
du XVIIe s. dont les peintures se trouvent au Musée, mais qu'il nous est perm
de connaître ici en tant que dessinateurs: par exemple, Alonso Cano, Riber
Claudio Coello, Carreño et Ribalta. C'est peut-être du XVIIIe s. que le Prad
possède le plus grand nombre de dessins: une série d'environ 400 études (
Francisco Bayeu et de son frère Ramón pour les oeuvres qu'ils exécutèrent (
Espagne comme peintres du roi; un groupe important de dessins de Maella; d
esquisses de José del Castillo, Luis Paret, Mariano Salvador Carmona, etc.

L'école italienne est la 1ère d'artistes étrangers qui se distingue au Prado dans
secteur, car on en trouve des dessins excellents et de toute beauté. Au XVIe
prime la série de Luca Cambiaso. Au XVIIe s., on relève les artistes de l'éco
bolonaise classique, tels qu'Annibale Carracci, le Dominiquin, le Guide, La
franc et le Guerchin; on a aussi des dessins remarquables de peintres romains
florentins. Au XVIIIe s., Tiepolo, Donato Creti, Corrado Giaquinto et Gaëta
Gandolfi se distinguent parmi d'autres artistes de Venise, de Bologne et de N
ples. Les écoles de France, d'Allemagne et des Pays-Bas ne sont guère représe
tées, mais les plus beaux dessins en sont sans doute ceux qu'on attribue à Ruben

En outre, la collection du Prado offre un attrait spécial qui suscite l'admiration

| Goya. Parce qu'elle savait faire des souris. | Goya. La toilette. |

Goya. La maladie de la raison.　　　Goya. L'âne écrivain.

envie du monde entier: les dessins de Goya. Le Prado en possède davantage que
tout autre musée: plus de 450, qui y entrèrent en 1866 et 1888, sans compter
certains autres légués ou achetés au XXᵉ s. On y conserve le fameux album de
Sanlúcar, daté de 1797, qui se compose de rapides croquis de Goya, tirés de
scènes de la vie de tous les jours, dans la propiété de la duchesse d'Albe en
Andalousie. Dans l'album de Madrid, qui lui est postérieur, figurent, à côté de
scènes de la vie quotidienne à la Cour, une série d'esquisses imaginaires, dont
beaucoup sont basées sur des compositions de l'album de Sanlúcar et où l'esprit
critique de Goya satirise la société de son temps. L'artiste tira parti de pas mal de
ces dessins pour la série d'eaux-fortes des *Caprices* de 1799. Les plus intéressants
ont pour titres: *Même ainsi il ne la connaît pas; C'est qu'ils l'ont emmenée; A la chasse
aux dents; Elle est bien allongée; Le rêve de la raison produit des monstres;* etc. Une autre
série de dessins, appelés *Désastres de la guerre,* serviront aussi à Goya pour ses
gravures qui portent le même titre. Ce sont là sans doute ses croquis les plus
directs et les plus réalistes, faits presque tous au crayon rouge; il a su y évoquer de
façon géniale la misère, la peur et la cruauté de la guerre. Enfin, le Musée
conserve encore ses dessins préparatoires pour les eaux-fortes de la *Tauromachie,*
à Goya, qui était grand amateur de corridas de taureaux, nous retrace les points
culminants de cette fête avec entrain et vivacité, ainsi que ses dessins des *Proverbes,* qui, malgré la difficulté qu'on éprouve à les interpréter, n'en sont pas moins à
coup sûr des coups de pique de Goya contre la société et concrètement contre la
politique du roi Ferdinand VII. Toutes les techniques sont ici représentées: la
sanguine, le crayon noir, la plume et l'aquatinte. Les dessins de Goya, exposés à
côté des gravures avec lesquelles ils alternent, constituent sans nul doute une des
plus grandes attractions du Musée. Ils nous permettent, en effet, de pénétrer dans
le génie de l'artiste, le processus créateur qui l'amena à concevoir une oeuvre et sa
parfaite maîtrise pour interpréter la vie et la mort avec véracité et un naturalisme
vibrant.

Goya. Le songe de la raison.　　Goya. J'apprends encore toujours.

# BIBLIOGRAPHIE

NGULO IÑIGUEZ, Diego: Catálogo de las Alhajas del Delfin. Museo del Prado, Madrid, 1955.
— Pintura del siglo XVI, «Ars Hispaniae», XII, Madrid, 1954.
— Pintura del siglo XVII, «Ars Hispaniae», XV, Madrid, 1958.

NGULO IÑIGUEZ, D. et PEREZ SANCHEZ, A. E.: Pintura madrileña. Primera mitad del siglo XVII, Madrid, 1969.
— Pintura toledana. Primera mitad del siglo XVII, Madrid, 1972.

RNAEZ, Rocío: Museo del Prado. Dibujos españoles del siglo XVIII, A-B, Madrid, 1975.

ERNT, Walther: The Netherlandish Painters of the Seventeenth Century, 3 vol., Londres, 1970.

LANCO, Antonio: Museo del Prado. Catálogo de la Escultura, Madrid, 1957.

UENDIA, J. Rogelio: Le Prado essentiel, Madrid, 1977 (1ère éd.).

EBALLOS, Isabel de, et BRANA, María: Museo del Prado. Catálogo del Legado Fernández Durán, «Artes Decorativas», Madrid, 1974.

HUECA GOITIA, Fernando: El Museo del Prado, «Misiones de Arte», Madrid, 1952.

IAZ PADRON, Matías: Museo del Prado. Catálogo de Pinturas. Escuela Flamenca del siglo XVII, Madrid, 1975.

ERNANDEZ BAYTON, Gloria: Museo del Prado. Principales adquisiciones de los últimos diez años, Madrid, 1969.

REEDBERG, Sidney: Painting in Italy 1500-1600, Harmondsworth, 1971.

RIEDLANDER, Max: Earley Netherlandish Painters, 14 vol., Leyde, 1967.

ERSON, H. et KUILE, E. H.: Art and Architecture in Belgium 1600-1800, Harmondsworth, 1960.

UDIOL RICART, José: Pintura Gótica, «Ars Hispaniae», Madrid, 1955.

AFUENTE FERRARI, E.: Breve Historia de la Pintura Española, Madrid, 1953.
— El Prado. Del Románico al Greco, Madrid, 1976.
— El Prado. Pintura nórdica, Madrid, 1977.
— El Prado. Escuela italiana y francesa, Madrid, 1977.
— El Prado. Pintura española, s. XVII-XVIII, 2 vol., Madrid, 1978.

ANOFSKY, Erwin: Early Netherlandish Painting. Its Origin and Character, New-York, 1971.

EREZ SANCHEZ, A. E.: Museo del Prado. Dibujos españoles de los siglos XV al XVII, Madrid, 1972.
— Museo del Prado. Dibujos españoles del siglo XVIII, C-Z, Madrid, 1977.
— Museo del Prado, Madrid, 1974.
— Pasado, presente y futuro del Museo del Prado, Madrid, 1976.
— Pintura Italiana del siglo XVII en España, Madrid, 1967.
— Pintura Italiana del siglo XVII. Exposición conmemorativa del 150 aniversario de la Fundación del Museo del Prado, Madrid, 1970.

ALAS, Xavier de: Museo del Prado. Adquisiciones de 1969 a 1977, Madrid, 1978.

ANCHEZ CANTON, F. J.: Museo del Prado. Católogo, Madrid, éd. 1972.
— Escultura y Pintura del siglo XVIII. Francisco de Goya, «Ars Hispaniae», XVII, Madrid, 1958.

RREA FERNANDEZ, Jesús: Pintura Italiana del siglo XVIII en España, Valladolid, 1977.

ALDIVIESO, Enrique: Pintura Holandesa del siglo XVII en España, Valladolid, 1973.

# TABLE DES PEINTRES

# TABLE DES NUMEROS DU CATALOGUE

| N.º Catalogue | Page | N.º Catalogue | Page | N.º Catalogue | Page | N.º Catalogue | Page |
|---|---|---|---|---|---|---|---|
| 2853 | 313 | 2962 | 91 | 3055 | 118 | 3153 | 224 |
| 2854 | 263 | 2965 | 85 | 3057 | 185 | 3159 | 35 |
| 2855 | 263 | 2966 | 27 | 3058 | 61 | 3161 | 82 |
| 2856 | 55 | 2968 | 241 | 3060 | 79 | 3178 | 218 |
| 2857 | 55 | 2970 | 61 | 3061 | 31 | 3179 | 218 |
| 2858 | 313 | 2971 | 82 | 3062 | 31 | 3180 | 34 |
| 2860 | 291 | 2972 | 82 | 3064 | 34 | 3181 | 84 |
| 2861 | 92 | 2974 | 286 | 3074 | 155 | 3185 | 30 |
| 2862 | 56 | 2975 | 93 | 3075 | 147 | 3186 | 82 |
| 2870 | 90 | 2976 | 287 | 3077 | 91 | 3187 | 82 |
| 2872 | 71 | 2977 | 287 | 3078 | 93 | 3188 | 215 |
| 2873 | 107 | 2978 | 286 | 3079 | 23 | 3189 | 242 |
| 2874 | 60 | 2979 | 310 | 3080 | 23 | 3192 | 215 |
| 2875 | 83 | 2984 | 285 | 3081 | 111 | 3193 | 216 |
| 2876 | 38 | 2986 | 313 | 3084 | 312 | 3194 | 209 |
| 2877 | 61 | 2987 | 280 | 3085 | 126 | 3195 | 218 |
| 2879 | 314 | 2988 | 61 | 3086 | 35 | 3196 | 118 |
| 2880 | 157 | 2989 | 261 | 3087 | 38 | 3197 | 118 |
| 2881 | 157 | 2990 | 310 | 3088 | 32 | 3201 | 27 |
| 2882 | 234 | 2991 | 83 | 3090 | 241 | 3202 | 279 |
| 2883 | 279 | 2992 | 115 | 3091 | 220 | 3203 | 111 |
| 2884 | 189 | 2993 | 218 | 3092 | 224 | 3204 | 216 |
| 2885 | 282 | 2994 | 70 | 3102 | 38 | 3209 | 157 |
| 2886 | 282 | 2995 | 56 | 3103 | 38 | 3210 | 138 |
| 2888 | 115 | 2996 | 110 | 3105 | 84 | 3212 | 64 |
| 2889 | 60 | 2997 | 39 | 3106 | 92 | 3214 | 91 |
| 2890 | 60 | 2998 | 39 | 3107 | 92 | 3217 | 274 |
| 2891 | 60 | 3000 | 314 | 3108 | 91 | 3218 | 274 |
| 2892 | 60 | 3001 | 310 | 3110 | 27 | 3220 | 38 |
| 2893 | 22 | 3002 | 61 | 3111 | 118 | 3222 | 92 |
| 2894 | 34 | 3004 | 84 | 3112 | 118 | 3224 | 57 |
| 2895 | 56 | 3006 | 115 | 3113 | 57 | 3225 | 64 |
| 2896 | 56 | 3007 | 246 | 3114 | 38 | 3226 | 64 |
| 2897 | 42 | 3008 | 79 | 3116 | 312 | 3227 | 66 |
| 2898 | 56 | 3009 | 115 | 3120 | 34 | 3228 | 34 |
| 2899 | 56 | 3010 | 115 | 3122 | 215 | 3229 | 81 |
| 2900 | 246 | 3011 | 312 | 3124 | 222 | 3232 | 138 |
| 2902 | 111 | 3012 | 312 | 3125 | 38 | 3233 | 91 |
| 2903 | 107 | 3013 | 314 | 3126 | 27 | 3236 | 57 |
| 2907 | 224 | 3014 | 314 | 3128 | 64 | 3239 | 226 |
| 2908 | 206 | 3015 | 118 | 3129 | 64 | 3242 | 81 |
| 2909 | 206 | 3016 | 118 | 3130 | 64 | 3243 | 246 |
| 2910 | 206 | 3017 | 64 | 3131 | 215 | 3254 | 57 |
| 2911a | 70 | 3018 | 64 | 3132 | 215 | 3255 | 57 |
| 2912 | 81 | 3027 | 35 | 3134 | 30 | 3256 | 35 |
| 2913 | 126 | 3028 | 118 | 3135 | 38 | 3259 | 261 |
| 2918 | 39 | 3029 | 91 | 3136 | 91 | 3262 | 61 |
| 2919 | 91 | 3030 | 23 | 3137 | 175 | 3265 | 32 |
| 2922 | 91 | 3039 | 39 | 3138 | 23 | 3265 | 107 |
| 2926 | 212 | 3040 | 310 | 3139 | 23 | 3524 | 282 |
| 2935 | 39 | 3041 | 30 | 3140 | 64 | 3974 | 235 |
| 2936 | 39 | 3043 | 220 | 3141 | 64 | 4180 | 198 |
| 2937 | 39 | 3044 | 85 | 3142 | 282 | 4181 | 198 |
| 2938 | 39 | 3045 | 56 | 3144 | 148 | 4195 | 269 |
| 2939 | 192 | 3046 | 38 | 3146 | 234 | 4196 | 269 |
| 2940 | 34 | 3047 | 57 | 3147 | 71 | s. n. | 115 |
| 2943 | 220 | 3048 | 177 | 3148 | 115 | s. n. | 115 |
| 2944 | 255 | 3049 | 270 | 3149 | 93 | s. n. | 195 |
| 2956 | 31 | 3051 | 34 | 3150 | 118 | s. n. | 206 |
| 2957 | 38 | 3052 | 81 | 3151 | 207 | s. n. | 210 |
| 2961 | 107 | 3053 | 90 | 3152 | 207 | s. n. | 216 |

# TABLE DES ILLUSTRATIONS
# EN NOIR ET BLANC(*)

(*) Ces illustrations reproduisent certaines des oeuvres les plus représentatives du Musée du Prado. On a pris souvent la liberté de couper les tableaux, à cause de leur format démesuré, de manière à tirer parti au mieux de l'espace disponible.

# TABLE DES ILLUSTRATIONS EN COULEURS

# ERRATUM

| Page | Au lieu de | Il faut lire |
|------|------------|--------------|
| 69 | 866 | 886 |
| 342 | — | 2717. p-118 |